College of Sciences in Educatic
YONSEI UNIVERSITY
134 Shinchon-Dong, Sudaemun-F
SEOUL 120-749, KOREA
TEL. 361-3172
FAX. 313-2158

Dear Dr. Henry Rosovsky :

July 12, 199(

　　I am Hyoung Heang Lee, a professor of Higher Education at Yonsei University in Seoul, Korea.　I am the person who wanted to translate your book, 「The University : An Owner's Manual」 approximately 2½ years ago.　It has finally been translated into Korean as a result of much effort and time.　The SAMSUNG group's Samsung Economic Research Institute, part of the SAMSUNG group has gladly accepted my proposal and is going to publish the version of the book.　Furthermore, W. W. Norton & Co. has accepted Samsung's offer through Shin Won Agency in Korea.

HARVARD UNIVERSITY

DEPARTMENT OF ECONOMICS

July 17, 1996

Dear Professor Lee:

Thank you very much for your letter of July 12. I am, of course, most pleased and honored that my book will now appear in a Korean translation. That is very good news indeed for many different reasons: I do have strong attachments to your country.

I will, in due course, prepare a brief preface for Korean readers.

Yours sincerely,

Henry Rosovsky

THE
UNIVERSITY
AN OWNER'S MANUAL

대학, 갈등과 선택

text by **Henry Rosovsky**

이 형 행 역

삼성경제연구소

한국의 독자들에게

　나의 저서, 「The University : *An Owner's Manual*」이 한국어版
으로 출판되는 것을 대단히 기쁘게 생각합니다. 이러한 나의 기쁨에
는 여러 가지 이유가 있습니다.

　우선, 이 책은 전문 서적이 아닌데다 많은 관용어구들이 사용되었
으며, 때로는 해학적이고 풍자적으로 묘사되었기 때문에 이 책을 번
역하는 일이 매우 어려운 것임을 나는 잘 알고 있습니다. 그런데 이
어려운 작업을 이형행 교수께서 맡아 주셨으니 나는 그 어느 著者보
다도 運이 좋은 듯 합니다. 이 점에서 이형행 교수께 진심으로 깊은
감사를 표하는 바입니다.

　나는 한국과 한국 국민들에게 항상 각별한 애정을 느껴 왔으며, 이
러한 감정은 한국을 방문할 때마다 더욱 절실해졌습니다. 내가 한국
과 처음 인연을 맺게 된 것은 1951년 6·25 動亂으로 암울했던 시
기였으며, 당시 나는 미 육군 소속의 젊은 장교였습니다. 그 때 처참
하게 파괴되었던 국토와 그럼에도 불구하고 용기를 잃지 않았던 한
국 국민들의 불굴의 意志가 아직도 내 뇌리에 생생합니다. 당시의 참
상을 보지 못했던 사람은 어느 누구도 오늘날 한국이 이룩해 낸 국
가적 번영을 충분히 평가할 수 없을 것입니다. 1951년 한국전쟁에
의 참전은 내가 최초로 아시아 지역을 방문하는 계기가 되었을 뿐만
아니라 나의 학자 생활의 대부분을 동아시아 經濟史에 헌신하게 만
든 轉機가 되기도 하였습니다.

이 책은 약 5년 전에 쓰여졌으며, 그 때 책 속에서 강력히 주장했던 대학에 관한 나의 생각은 지금도 변함이 없습니다. 거의 모든 사람들이 대학교육의 중요성에 대해서는 잘 인식하고 있으면서도 대학이라는 기관의 중요성은 그 만큼 잘 이해하고 있지 못한 듯 합니다. 대학은 특별한 자유와 규율 그리고 특권을 필요로 하는 기관입니다. 국가와 세계가 대학의 잠재적인 공헌으로부터 충분한 利益을 이끌어내기 위해서는 무엇보다도 국가 사회가 대학을 올바르게 이해하고 평가할 수 있어야만 합니다. 나는 대학에 대한 '애정어린 비평가'로서 愛情과 批評이라는 두 단어를 강조하면서 이 책을 썼습니다. 이 책을 쓴 주된 목적은 미국의 최상위권 대학들을 일반 대중들에게 설명함으로써, 대중들이 이러한 설명에 대해 공감적 이해를 갖기 바랐던 것입니다.

나는 運이 좋게도 전세계의 대학들을 두루 방문할 기회가 있었고, 어느 나라 대학이든 캠퍼스에 들어서면 항상 편안함을 느꼈습니다. 그러나 나는 한 나라의 역사와 문화 그리고 정치체제가 대학에 지대한 영향을 미치고 있기 때문에 나라마다 대학제도 간에는 커다란 차이가 있다는 것도 잘 알고 있습니다. 따라서 대학들 사이에 공통 분모가 존재한다는 사실에도 불구하고 미국인이 아닌 독자들은 나의 假定과 結論을 주의깊게 살펴보아야 하며, 최소한 자신의 '국가적 수준'을 통하여 나의 관점을 분석해 보아야 할 것입니다. 그럼에도 불구하고 이 책이 한국어版과 영문판 이외에 일본어, 프랑스어, 터어키어 그리고 러시아어로 번역이 되었고, 중국어와 인도의 우르두(Urdu)語로도 번역 중이라는 소식을 듣고 나는 대단히 기뻐하고 있습니다. 결국 이것은 전세계 대학들 간에 커다란 공통 요인이 있다는 것을 매우 강력히 시사하는 것입니다.

이미 말했듯이 이 책은 약 5년 전에 쓰여졌습니다. 따라서, 이 책이 오늘날 다시 쓰여진다면 무엇이 달라져야 하고, 무엇을 새롭게 추가해야 할 것인가를 생각해 보았습니다. 이와 관련하여 우선 두 가지 사안이 떠오릅니다. 즉, 최근 미국 대학교육을 향한 많은 비판의 소리에 대한 省察과 대학교육에 필연적으로 영향을 미치게 될 사회적 변화에 관한 고찰입니다.

그럼 먼저 批評家들에 대해 언급해 보겠습니다. 그들은 數도 많고 말도 많지만, 무엇보다도 대중매체에 의해 지지를 받고 있습니다. 그들은 학부교육의 소홀함, 대학경영의 부실, 정치상황 판단에 대한 부정확, 그리고 서구 문명의 가치에 대한 헌신의 결핍 등을 들어 우리를 비난하고 있습니다. 이러한 비판의 선두 走者인 사람은 시카고대학의 故 A. 블룸이었고, 그는 추종자들과 함께 勢를 이루어 왔습니다. 일반적으로, 나는 비평가들에 의해서 그다지 영향을 받지 않습니다. 그 이유는 그들이 말하는 것의 대부분은 편견에 치우쳐 있고, 설령 진실의 요소를 내포하고 있다 할지라도 매우 단순하고 작은 것이기 때문입니다. 또한 주목할만한 비판들은 결국에는 극우파와 극좌파의 정치적 議題에 불과하기 때문이기도 합니다.

이것은 우리가 정당한 비판에 초월해 있다는 것을 말하는 것이 아닙니다. 우리 대학에는 많은 잘못도 있고 개혁을 필요로 하는 것이 있는 것도 사실입니다. 이런 문제들 중에서 어떤 것들은 이 책에서 논의되기도 했지만 아직도 더 많은 관심을 기울여야 한다고 생각합니다.

그러나 이 책이 오늘날 다시 쓰여진다면 한층 더 부각시켜야 할 문제가 한 가지 있습니다. 즉, 전문가로서 대학교수의 處身에 관한 표준이 바로 그것입니다. 교수의 처신에 관한 표준은 누구도 가르쳐 주지 않는다는 점에서 대학교수직의 전문성이란 어느 나라에서나 독특한 것입니다. 대학교수는 신규 임용 때에도 윤리적인 문제들이 대체로 무시되며, 임용 후에도 그러한 문제에 대한 특별한 교육을 받지도 않습니다. 이 점이 바로 윤리성에 관하여 강한 수련을 요구받는 변호사나 의사 같은 전문직과 때로는 기업인과의 극명한 차이를 보여주는 것입니다. 교수들의 핵심적인 문제는 학생과 동료 교수 그리고 대학에 대한 의무 같은 것들입니다. 그러나 이러한 문제들이 개인주의가 판을 치는 요즘 세상에서 우연에 맡겨지거나 개인의 비효율적 실행에 맡겨져 왔습니다.

나의 생각으로는 앞으로 대학의 모든 교수들에게는 전문가로서의 처신에 관한 고전적인 또는 특별한 사례를 망라할 수 있는 세미나를 履修할 것이 요구될 것입니다. 나는 지금 이러한 주제에 관한 책을 집필 중에 있습니다. 나의 제안은 아직 초보 단계에 지나지 않지만, 이것이 널리 수용된다면 우리에 대한 외부의 일리있는 비판들도 상당히 감소될 것이라고 생각합니다.

다음으로 21세기를 향한 미래 대학들에 대한 몇 가지 나의 견해를 제시함으로써 한국 독자들에게 주는 이 짧막한 글을 맺으려고 합니다. 약 5년 전, 하버드대학은 새로운 총장을 선임하였고, 그의 취임을 계기로 하여 대학의 長期發展計劃을 세웠습니다. 우리는 이것을 추진함에 있어서 대학이 펼쳐 갈 교육 환경에 대해서 어떤 假定을 세워야 할지 自問해 보았습니다.

첫 번째 가정은 지식과 정보가 지난날에 비추어 전례없이 급증하고 있고, 이것은 앞으로도 지속될 것이라는 전망입니다. 우리는 지금 근대화·산업화 시대를 벗어나 정보화·세계화 시대에 살고 있습니다. 즉, 知識革命의 시대를 살아가고 있는 것입니다.

두 번째 가정은 우리의 삶을 이끌어 가고 있는 국제화의 추세를 강조하는 것입니다. 경제, 대중 문화, 여행, 그리고 다국적 기구들은 보다 더 세계화 차원으로 진행되고 있습니다.

세 번째 가정은 많은 국내외 대학들이 커다란 압력 아래 놓여 있으며, 지금까지는 결코 만족스럽지 못한 수준으로 교육을 수행해 왔다는 것입니다. 미국에서도 초·중등학교들은 평균적으로 낮은 수준의 교육을 수행해 왔습니다. 도시의 황폐화는 세계 도처에서 표면화되고 있고 국제연합에 대해서도 많은 비판들이 일고 있습니다. 요점은 간단합니다. 사회적, 정치적 기구들이 곤경에 빠져 있다는 것입니다.

네 번째 가정은 국가 경제력과 관계가 있습니다. 우리의 대학은 교육을 위한 資源이 부족한 실정이며, 앞으로 이 자원들에 대한 경쟁은 더욱 치열해질 것으로 전망됩니다. 두 자리 指數를 나타내는 고도 경제성장의 시기가 끝나가고 있는 것입니다.

다섯 번째 가정은 특별히 대학과 관계가 있습니다. 많은 국가에서 그리고 사회의 모든 분야에서 각 기관들은 예산 삭감, 기구 재편, 인원 감축 등과 같은 경영 혁신을 통하여 경영의 효율화를 추구하고 있습니다. 몇몇 긍정적인 결과들이 이미 나타났고, 많은 방법들이 대학에도 이미 적용되고 있으며 앞으로도 그러할 것입니다. 그렇지만 대학교육은 선별적인 투자를 지속적으로 요구하게 될 것이고, 이것은 매우 중요한 일이 될 것입니다. 그리고 지속적인 변화는 새로운 지식에 대한 욕구를 유발하여 대학을 위한 純投資를 필요로 할 것입니다. 즉, 이것이 진정한 의미의 지식 혁명인 것입니다.

이상의 가정들이 사실로 받아들여져야 함에도 불구하고 아직 논의조차 제대로 이루어지지 않고 있습니다. 대학에 관하여 이미 논의되었던 결과들과는 별도로 우리가 고려해야만 하는 것들이 또 있습니다.

지식 혁명으로 인해 국가의 번영은 전례없이 새로운 발견들이나 전문 지식, 그리고 높은 수준의 교육을 받은 고급 인력에 의존하게 되었습니다. 대학은 이 모든 것들을 위한 중요한 源泉입니다. 우리의 사회가 노동집약 산업으로부터 '첨단 기술'의 知識産業으로 이동해 감에 따라 대학의 역할도 사회적 중요성에 비추어 증대할 수 밖에 없습니다.

마찬가지로, 세계화는 세계에 대한 더 많은 이해를 요구하게 되고, 대학은 이를 위해 한 번 더 중요한 역할을 하게 될 것입니다. 우리는 세계의 다양한 부분들에 대하여 가르치고, 국민들을 위해 다른 나라에서 무슨 일이 일어나고 있는지를 해석해야 합니다.

최근 사회는 대학이 보다 더 사회 문제에 대한 관심을 가져 줄 것을 요구하고 있으며, 이 요구는 계속 커질 것입니다. 많은 국내외 기구들이 그 기능을 최적으로 수행해 오지 못하여 왔다는 것은 이미 지적하였습니다. 따라서 사회가 왜 이러한 문제가 발생하였으며, 어떤 해결책이 가능한가를 알기 위해 대학의 도움을 요청하는 것은 당연한 것입니다. 나는 사회가 대학들이 '상아탑'의 理想에만 집착하는 것을 허용하지 않으리라고 확신합니다. 그것은 어떠한 경우에도 결코 현실적일 수 없습니다. 오늘날 사회는 대학에게 많은 자원과 특권을 부여하고 있으며, 그 대가로 대학은 '학문적 계약'을 이행하도록 요구받고 있는 것입니다. 예를 들면, 하버드대학에서는 이러한 학문의 유형으로 환경연구, 학교교육과 아동문제, 인간의 정신과 두뇌와 행위, 보건정책, 그리고 전문직과 윤리성 같은 다섯 가지 영역을 채택해 왔습니다. 이러한 主題들은 모두 사회정책의 특별한 문제들과 연류되어 있으며, 대학과 '현실 세계'간의 적극적인 계약을 설명하는 것입니다.

만일 이 책이 오늘날 쓰여졌다면, 바로 이러한 주제들을 더 상세하게 다루었을 것입니다. 그러나 이 새로운 주제들의 본질만큼은 이미 이 책 속에서 논의했습니다. 대학의 성공 열쇠는 변화에 적응하고 수용할 수 있는 능력이며, 이를 위해 學內에서는 자율성과 지도성이 요구되고, 學外로부터는 민간부문과 공공부문의 지원을 필요로 합니다. 한국과 미국에서 가장 우수한 대학들은 '국가의 보배'입니다. 나는 대학이 왜 나라의 보배인지를 설명하려고 애써 왔습니다.

나는 한국의 독자들이 이 책에서 유익함을 얻을 수 있기를 진심으로 바랍니다. 45년 전에 나는 전쟁으로 참혹한 파괴가 진행되던 이곳 한국에 있었습니다. 그러나 오늘 나는 다시 대한민국의 서울에서 이 한국어판 번역서와 더불어 훨씬 더 건설적인 무엇인가를 할 수 있을 것이라 기대해 봅니다.

Henry Rosovsky
Seoul
Aug 1, 1996

추천의 글 – 어떤 대학이 좋은 대학인가?

朴 煐 植 (前 延世大 總長, 前 敎育部 長官)

變化는 언제나 있어 왔다. 그러나 오늘날처럼 변화의 파고가 높았던 때는 일찍이 없었다. 변화는 모든 것을 그대로 놓아두지 않는다. 이것이 변화의 특성이다. 그러나 변화는 기회가 될 수도 있다. 변화를 수용하며 적절히 대처하면 발전할 수 있지만, 변화를 외면한 채 안주하면 퇴보할 수 밖에 없다.

대학도 예외는 아니어서 변화의 바람이 세차게 불고 있다. 한국의 대학은 그 동안 무풍지대에서 안주해 온 것이 사실이다. 학교 財源을 거의 전적으로 학생 등록금에 의존한 채 양적 팽창에 급급해 온 것이 대학의 실상이었다. 학생 수를 늘리고 학과를 늘리고, 이를 수용하기 위해 다시 건물을 짓고 …… 이러한 악순환이 계속되는 가운데 교육의 질이나 학문의 수월성을 돌볼 겨를이 없었던 것이 한국의 대학이었다.

그러나 이제 사정은 크게 달라지고 있다. 대학에도 競爭의 물결이 밀려들고 있기 때문이다. 대학도 이제 양의 교육에서 질의 교육으로 전환해야 하고, 남의 대학 모방에서 벗어나 자기 대학의 특색을 살려야 하며, 사회 변화에 따른 구조 재편도 불가피한 일이 되고 있다. 대학의 본질은 무엇인가, 그리고 대학을 어떻게 운영해야 할 것인가를 진지하게 자문하지 않을 수 없게 된 것이다. 이러한 물음에 가장 적절히 답할 수 있는 책이 바로 헨리 로조프스키 교수의 「대학, 갈등과 선택」이라고 생각한다.

이 책의 저자 로조프스키 교수는 자기가 대학의 문제를 다룰 만한 사람인지를 보이기 위해 먼저 자기 소개를 직접하고 있다. 그는 College of William and Mary에서 학부교육을 받았으며, 하버드대학교 대학원에서 경제학을 전공하여 박사학위를 받았다. 그는 '58년에서 '65년까지 7년 동안 University of California at Berkeley에서 경제학 교수 생활을 했다. 그러나 '65년을 전후해서 U.C. Berkeley가 미국 학생운동의 중심지가 되자 교수직을 사임하고, '65년에 하버드대학교로 옮겨 오늘에 이르고 있다. 그 동안 로조프스키 교수는 '69년에서 '72년까지 3년간 경제학과 과장을 역임했고, '73년부터 '84년까지 무려 11년 동안 하버드대학교에서 가장 중요한 행정직인 文理科大學 학장을 다른 어느 학장보다도 열정적으로 수행했으며, '85년에는 하버드대학교에서 가장 영향력이 있는 大學理事會 理事로 선임되었다. 하버드대학교 교수로서 대학이사회의 이사로 선임된 것은 금세기 중 처음 있는 일이라고 한다.

로조프스키 교수에 의하면 미국이 세계에 내세울 수 있는 가장 큰 資産은 다른 무엇보다도 미국의 대학이라고 한다. 미국이 세계에서 가장 우수한 대학의 3분의 2 내지 4분의 3을 지니고 있는 것이 이를 입증한다는 것이다. 로조프스키 교수는 미국이 우수한 대학을 소유하게 된 이유로 세 가지를 들고 있다.

첫째, 미국 대학들은 훌륭한 교수, 우수한 학생, 많은 연구비와 사회의 관심을 끌기 위해 치열하게 경쟁한다고 한다. 대학들 사이의 이 치열한 경쟁이 각 대학의 優越性을 높이고 현상에 안주하려는 타성을 예방하고 대학을 지속적으로 변화시키게 한다는 것이다.

둘째, 미국의 대학들은 우수한 교수를 확보하기 위해 최대의 노력을 기울인다고 한다. 훌륭한 교수가 우수한 학생을 유치하게 되고, 교수들의 탁월한 연구업적이 외부의 지원을 얻을 수 있기 때문이라는 것이다. 그래서 하버드대학교에서는 교수를 초빙할 때마다 '누가 세계에서 제일가는 학자인가'를 묻는다. 우수한 교수를 확보하기 위해 미국의 대학들은 學緣은 전혀 고려하지 않고 철저히 학자적 자질과 학문적 업적을 토대로 교수를 선발한다는 것이다.

셋째, 미국의 대학들은 中央集權的으로 운영된다고 한다. 총장이 모든 책임을 지고 대학을 운영한다는 것이다. 대학이 보다 민주적으로 된다고 해서 모든 것이 더 나아지는 것은 아니라고 한다. 대학은 교육을 하는 곳이다. 교수는 학생들에게 지식을 가르치고 학생들은 교수로부터 지식을 배우는 것이 대학의 핵심적 기능이다. 이러한 대학의 성격상 대학의 구성원인 교수와 학생이 '一人一票'의 원칙에 입각해서 대학의 문제들을 다수결로 처리하는 것은 적절치 않다는 것이다. 교수와 학생의 관계는 평등한 것도 아니고 민주적인 것도 아니라는 것이다. 그러나 이것이 민주적 협의나 절차를 무시한다던가 학생을 부당하게 억압하거나 교수의 권위가 임의로 恣行될 수 있음을 뜻하는 것이 아님은 말할 나위도 없다.

이 책을 번역한 이형행 교수는 '고등교육'을 전공한 교육학자이다. 따라서 그는 늘 어떤 대학이 좋은 대학인가, 대학을 어떻게 운영해야 하는가, 대학의 구성원들은 어떤 관계 속에 있어야 하는가 등에 관심을 갖고 있었으며, 이에 답할 수 있는 좋은 책을 끊임없이 찾고 있었다. 이형행 교수는 로조프스키 교수의 이 책이 바로 그러한 문제에 답할 수 있는 책이라고 생각하여 이 책의 번역에 착수한 것으로 안다.

이형행 교수는 오래전부터 번역하는 일이 과소 평가되고 있는 우리의 학문 풍토를 아쉬워하면서 그 책임의 일단이 무책임하고 졸속한 번역에 있음을 개탄하여 왔다. 그래서 이형행 교수는 이 책을 번역 문화의 명예를 회복한다는 심정으로 책임감을 가지고 한 자 한 자 정성을 다하여 번역했다고 한다. 이 책이 쉽게 읽히고 잘 이해되도록 번역하신 이형행 교수께 경의를 표하면서, 대학의 문제에 관심을 지닌 분들과 대학을 어떻게 운영할 것인가로 고심하는 분들에게 좋은 길잡이가 될 것으로 믿어 의심치 않는다.

차 례

한국의 독자들에게 / 3
추천의 글 — 어떤 대학이 좋은 대학인가? / 10

제 1 부 序 言

서 문 구상 / 19
제 1 장 소개서한 / 27
제 2 장 최우수 대학의 3분의 2 / 47
제 3 장 학장의 일과 / 61

제 2 부 學 生

제 4 장 종합대학교 학부대학 : 선발과 입학 / 93
제 5 장 대학선택 / 117
제 6 장 교양교육의 목적 / 153
제 7 장 중핵교육과정 / 175
제 8 장 대학원생 : 자고이래 보편의 학자세계로 / 199

제 3 부 教 授

제 9 장 학자생활 : 그 장점과 단점 / 237

제 10 장 종신재직권 : 그 의미 / 263

제 11 장 종신재직권 : 전형적인 사례 / 279

제 12 장 탈진, 질투 그리고 다른 유형의 고통 / 311

제 13 장 시장성으로 본 대학 / 329

제 4 부 意思決定의 構造와 過程

제 14 장 학장의 직무 / 349

제 15 장 대학의 의사결정 구조와 과정 : 신뢰할 만한 대학운영의
7가지 원리 / 379

제 16 장 후기 : 유루(遺漏)와 결론 / 417

옮긴이의 글 / 433

색 인 / 441

1

序 言

서문 : 구상

제 1 장　소개서한

제 2 장　최우수 대학의 3분의 2

제 3 장　학장의 일과

대학,
갈등과
선택

序 文

構 想

　대학에 관한 저서들, 특히 교수나 총장이 쓴 책들은 그 제목 자체에서 어떤 靈感을 느끼게 한다. 하버드대학 총장인 D. 보크는 「象牙塔을 넘어서」라는 제목을 붙였고, 예일대학 총장이었던 故 A. B. 지아마티는 近著에 「자유와 질서의 空間」이라는 제목을 달았으며, 또한 십여년 전 당시 캘리포니아대학 총장이었던 C. 커어는 「大學의 效用」이라는 제목의 책을 일반 대중에게 선보였다. 이러한 저서들은 제목만으로도 어느 정도 敬畏心을 불러일으키기에 충분하다. 사람들

은 적어도 이러한 名著의 책장을 넘기고 있는 자신의 모습을 남들이
보아주기를 원할 것이다.

책 제목이「The University : *An Owner's Manual*」인 이 책은 다
소 색다른 주제와 메시지를 전달하고자 한다. 나는 한때 경제학자였
다. 이렇게 과거형을 쓰는 이유는 11년 간 대학행정가로서 분투해
온 사람이 嚴한 학문 분야의 완전한 一員임을 다시 주장할 수 없기
때문이다. 사람들은 때로 전임 행정가를 잘 봐주어서 응당 교육자라
고 부르는데, 유감스럽게도 그 칭호를 찬양하는 語調로 쓰는 것은 오
로지 미국의 지방 신문 뿐이다. 물론, 나는 어느 정도 경제학을 기억
하고 있고, 비교우위론과 생산차별화라는 두 경제 개념이 나 자신의
信條表明이 되는 저술활동에 유용함을 알고 있다. 쉬운 말로 표현하
면 '자신이 다루는 主題를 파악하여 무엇인가 다른 것을 시도하라'
는 것이다.

나는 새로운 냉장고나 개인용 컴퓨터와 같은 낯선 물건을 접할 때
면 언제나 사용 설명서가 유용하고 편리함을 알고 있다. 설명서는 때
때로 표현 양식이나 명료성이 부족함에도 불구하고 이제 우리 문명
에서 중요한 문학 장르의 하나가 되었다. 나는 자동차 애호가이기 때
문에 (고백하건대 나는「도로와 궤도」라는 잡지의 애독자이고, 미국
'사브' 자동차 클럽의 건실한 회원이다.) 차와 관련된 책자에 특별히
친숙하다. 차와 관련된 문구는 늘 낙천적이고 실용적인 색조를 띠고
있다. 잠시 '닷슨' 자동차 안내서에서 몇 구절 인용해 보고자 한다.
'메르세데스-벤츠'나 '재규어'의 안내서에서 인용하는 것이 보다 인
상적이겠지만, 이러한 고급 차의 안내서는 보통 대학교수 차의 사물
함에서는 찾기 어렵다. "닷슨 자동차를 선택해 주셔서 감사합니다.

당신의 선택에 만족하실 것을 확신합니다." 이 두 문장에 들어가는 명칭만 바꾸면 매년 가을 미국 전역의 캠퍼스에서 대학총장이나 수석부총장 혹은 학장들이 연설하는 내용과 똑같다. 대표적인 안내서 목차에서 뽑은 몇 가지 제목들은 다음과 같다. '경제적 이용을 위한 요령', '기계 및 그 조작법', '쾌적하고 편리한 장치', '응급시 대처법' 등등.

냉장고, 컴퓨터, 자동차와 대학 간에는 어떠한 유사점이 있는가? 유사점이 있다면 그것은 이용자가 낯선 것에 직면해야 한다는 것 뿐이다. 많은 대학생들은 그들 가정에서 처음으로 고등교육을 받는 사람들이다. 그리고 교수들 중 상당수가 그들 가정에서 처음으로 학문하는 것을 직업으로 선택한 사람들이다.[1] 이러한 사회적 流動性은 분명 미국 사회의 활력을 나타내는 것이지만, 결과적으로 우리의 고등교육 체제는 아주 특별한 과업을 수행해야만 하는 처지에 놓이게 된다. 우리는 학생들의 대학 준비 과정이나 배경이 똑같다고는 생각할 수 없다. 역사가 오랜 선진국에서는 중등학교에서 대학으로의 진학은 선발된 비교적 소수를 위한 간단한 절차이며, 그 移行 과정이 원만하고 순조롭게 이루어진다. 그러나 미국 사람들에게는 그 이행 과정이 그렇게 순탄하지만은 않은 것 같다. 따라서 이런 때는 어떤 손잡이를 잡아 당겨야 하는지 혹은 정비는 언제 할 것인지를 가르쳐 주는 사용 안내서와 같은 대학 안내서가 있으면 아마도 유용할 것이다.

하지만 왜 여러 '소유주들'을 위한 안내서가 필요할까? 그것은 아무도 대학을 사서 개인의 所有物로 할 수 없기 때문이다. 일부 사립 대학에서 받는 현재와 같은 수준의 수업료라면, 학부모들이 分割 방식으로 대학의 상당 부분을 구입할 수 있다고 생각할지 모르지만 내가 생각하는 所有의 槪念은 그러한 것이 아니다. 나는 보다 넓고, 보다 고상한 의미에서의 소유를 생각한다. 사람들은 국가를 '나의 조국'이라고 말한다. 내가 독자들에게 제시하고자 하는 것도 이러한 맥락에서의 소유이다.

이렇게 확대된 관점에서 볼 때, 대학에 대한 所有權을 주장할 수 있는 사람들은 많다. 교수들은 종종 자신들이 대학 그 자체라고 주장한다. 교수들은 고등교육의 중추적 사명인 敎育과 硏究가 자기들의 수중에 있으므로 교수가 없는 대학이란 상상하기조차 어렵다고 생각한다. 대학행정 보직자들도 마치 대학이 자신들의 소유물인 것처럼 행동한다. 미국에는 많은 수의 학과장, 학장, 부총장, 수석부총장, 총장 등이 그들의 개인적 領域을 관장하고 있다. 나는 개인적으로 한 학교의 질은 행정가의 무제한적인 권력과 반비례한다고 확신한다. 이 문제는 후에 논의하기로 하자.

학생들도 대학의 소유권을 주장할 수 있는 또다른 중요한 집단이다. 학생들은 종종 자신들이 대학의 존재이유임을 주장한다. 대학은 하나의 학교이며, 학생없이는 학문도 결국 있을 수 없다는 것이다. 어떠한 사회조직이라도 생존하기 위해서는 낡은 것을 새 것으로 교체할 필요가 있다. 학생들은 졸업하면서 교수, 동문, 기부자 그리고 理事가 됨으로써 또다른 '주인'의 역할을 맡는다. 더욱이 학부학생들은 학위취득을 위해 평균 4년이라는 귀중한 시간을 대학에서 보낸다. 그래서 많은 사람들은 이 때문에 학생들이 교육과정, 교수 선임, 대학의 투자정책, 구내 생활질서에 관한 규칙, 학생식당 음식의 질과 종류, 학내 演士 선정, 총장 및 학장의 선출 문제에 대해 약간의 통제권을 가질 수 있다고 믿는다. 그 목록은 끝이 없고 이러한 주장들 중에는 어느 정도 타당한 것도 있고 그렇지 않은 것도 있다.

교수진, 대학행정가 그리고 학생이 바로 이 대학 안내서의 초점이다. 그러나 간접적으로 관련되어 있고 그저 가끔 등장하는 부류의 집단들이 또 있다. 내가 이미 언급했던 세 집단, 바로 理事, 同門 그리고 寄附者들이다. 이들은 주요 정책을 공식적으로 승인하고 돈을 기증하며, 자신들이 나온 학교의 명성에 관해 노심초사하는 사람들이다. 그들의 관심 폭은 넓고 통상 거기에는 교육의 질, 미식 축구팀의 용맹성, 학생과 교수의 정치활동 성향, 입학정책, 대학 사회의 性的 選好 그리고 그 밖에 많은 사항들이 포함되어 있다.

대학에는 여전히 또다른 부분 소유주가 존재한다. 그 중 하나가 정부(연방정부, 주정부, 지방정부)이다. 정부는 연구비를 지원하고, 학생들과 대학에 장학금과 조성금을 제공하며, 많은 학술활동에 대한 규제자이며 判事이자 배심원 역할을 하기도 한다. 공립대학의 경우는 말할 것도 없이 議會와 납세자의 영향력이 지대하다. 그러나 중요한 것은 사실상 미국에 있는 어떤 대학들도 연방정부의 지원 없이는 기능을 발휘할 수 없고, 많은 경우에 주정부의 지원 없이는 운영될 수 없다는 사실이다. 그것은 어떤 형식으로든 정부에 의한 대학의 소유를 의미한다.

고려해야 할 마지막 집단은 일반 대중이며, 특히 유권자들을 자칭 대변한다는 언론기관이다. 알 권리는 미국의 전통에 깊이 뿌리내리고 있는데, 특히 公人이나 공공 기관에 대한 알 권리가 바로 그것이다. 미국의 주요 대학에서 발생하는 일은 전국적인 뉴스가 되고, 소규모 대학에서의 사건조차도 지방에서는 중요한 일이 된다. 새로운 과학적 발견은 일면 톱 기사거리가 된다. 교육과정 논쟁도 특히 '기초과목으로의 복귀'와 같은 단순한 슬로건 안에서 논의될 때는 신문이나 잡지의 폭넓은 취재거리가 된다. 학내의 意識調査 역시 그러한데 특히, 음주와 성에 관련된 것이면 특집거리가 된다. 논설위원들도 대학에 대하여 정기적으로 조언을 한다. 단지, 유감스러운 것은 오늘날은 칭찬보다 비판이 더 많다는 사실이다. 하지만 그것이 진정한 쟁점은 아니다. 우리가 이해할 필요가 있는 것은 대학이 공공 재산으로 간주되며, 대학 구성원들 중 많은 수가 공적 인물로 취급된다는 점이다. 그것은 학내의 자유에 대한 제약이며 학외의 또다른 주인에 대한 責務를 요구하는 것이다.

이 책의 각 장은 어떤 형태의 소유권을 주장하는 모든 이들에게 도움을 주고자 시도되었다. 이 책을 읽음으로써 나는 학생과 교수가 서로 상대방의 생활을 보다 깊이 잘 이해하고, 또한 그들이 대학행정가와 대학행정에 대한 보다 많은 지식을 얻으며, 일반 대중과 언론기관이 대학 구성원들의 활동과 관습을 보다 잘 이해하기를 희망한다. 나의 궁극적 목적은 어떻게 하면 모든 사람들이 대학으로부터 최대의 便益을 이끌어 내며, 동시에 어떻게 하면 그 편익을 남용하지 않고 누리면서 더한층 개선할 수 있는지를 보여주는 것이다. 이 목적의 달성이야말로 모든 소유주들을 위한 대학 안내서의 眞價를 묻는 시험대인 셈이다.

【註】

1) 1900년에는 18세에서 24세까지의 연령층 중 2%가 약간 넘는 불과 23만 8천 명의 학생들이 대학에 진학했다. 제 2차대전의 말기에는 그 수치가 2 백 7만 8천 명으로 상승했고, 1975년에는 무려 18~24세 연령층의 3분의 1이 넘는 9백 7십만 명이 평가인정을 받은 고등교육 기관에 등록하였다. 1969년과 1975년에 실시된 조사에 따르면 대학교수의 부모 중 불과 4%만 이 단설 학부대학이나 연구중심 종합대학교의 교수와 행정가였다.

제 **1** 장

紹介書翰

독자들이 내 견해가 많이 들어간 각 장들을 읽기 전에(나는 여러 집단들이 다른 집단에 대해서 이야기하는 것에 동의할 것이라고 여긴다.) 먼저 나에 관한 약간의 자서전적인 정보가 이 책을 읽는데 도움을 줄 것으로 본다. 나는 이 책을 쓸 자격이 있음을 이야기하려고 한다.[1]

나는 경제학자로서, 인격의 많은 부분을 일찍이 일본에서 형성했다. 일본에서는 공식적인 소개장이 예의상 반드시 필요하다. 면접을 받으러 가거나 자문을 구하고자 할 때는 가급적 지명도가 높은 '저명

인사'가 쓴 소개장을 직접 가지고 가든지 사전에 보내는 것이 매우 중요하다. 소개장의 내용은 다양하다. 어느 때는 피추천자의 가문과 가족관계를 소개하는데 신경을 쓰기도 하고, 때로는 그의 전문적 업적을 칭찬하기도 한다. 그러나 소개장의 근본 취지는 동일하다. 즉, 첫 대면의 거북함과 어색함을 누그러뜨리려는 것이다.

나도 예절바른 일본 사람들처럼 소개 서한을 제시하되, 특별히 이번 경우에 한해서 예외적으로 나 자신을 내가 직접 소개하려고 한다. 나는 소개 서한을 써 줄 '고명인사'를 찾아보려고도 하였다. 그러나, 여러 가능성을 곰곰이 생각한 끝에 내가 직접 쓰는 것이 좋겠다는 판단을 내리게 되었다. 소개 서한과 관련된 사실을 어느 누구보다도 나 자신이 잘 알고 있고, 솔직히 거기에 대한 설명도 내가 직접 쓰는 것이 좋겠다는 생각이 들었다. 自敍傳은 본래 자기 위주로 쓰여지므로 여기에서도 처음부터 혹은 책 전체의 균형을 위해서 객관성을 꼭 고집할 생각은 없다. 이 책은 나 자신의 경험을 기초로 하여 얻은 견해와 비판을 허심탄회하게 써 내려간 책이다.

자, 그럼 나를 소개하겠다.

독자 여러분께 :

여기 하버드대학의 L. P. & L. L. 게이져 碩座敎授 헨리 로조프스키씨를 소개하게 된 것을 큰 기쁨으로 생각합니다. 발음하기조차 어려운 그의 직함을 좀 더 인상깊게 소개할 의도였지만 본래 대학이란 곳이 군대 못지 않게 위계성과 차별성을 좋아한다는 것을 독자들께서도 잘 알고 있을 것입니다. 로조프스키씨는 하버드대학교 文理科

大學* 학장을 지낸 분인데, 그 학장 직위는 미국의 다른 대학들과는 달리 하버드대학에서는 '가장 훌륭하고 중요한 보직'[2]으로 알려져 있습니다. 그래서 그는 앞으로의 삶에서도 항상 '前任' 학장이란 명칭을 달고 다녀야 하는데, 60대 초반에 들어선 그에게 그렇게 큰 부담이 될 것 같지는 않습니다.

로조프스키씨는 화려하고 다채로운 대학 경력을 가지고 있습니다. 학부교육을 윌리엄 앤 메어리대학(College of William and Mary : 1693년 설립 Williamsburg, VA−역자 주)에서 받았고, 대학원 과정은 하버드대학에서 마쳤습니다. 그는 1958년 유시 버클리(University of California at Berkeley : 1868년 설립 Berkeley, CA−역자 주)에서 교수생활을 시작하였는데, 이 대학에서 그 당시에는 지금보다 일반 대중의 관심을 훨씬 덜 끌었던 일본의 경제성장에 대해서 깊이 연구하였습니다. 그는 특정 '지역연구 전문가'로서 늘 전문가의 평가를 받으며 지냈습니다. 경제학자들은 일본에 관한 그의 지식을 과찬하였고, 동양학자들은 그의 경제학자로서 탁월함을 기꺼이 증언하였습니다. 그 두 집단의 학자들은 서로 접촉하는 일이 없었기 때문에 그는 한 동안 조용하고 별 어려움 없는 학자생활을 계속할 수가 있었습니다.

1950년대 후반부터 1960년대 초까지 캘리포니아는 공고등교육의 황금기였습니다. 대학의 확장과 납세자의 관대함은 대학발전에 낙관

---

* 미국의 최상위권 연구중심 종합대학교에는 公·私立을 막론하고, 대학교의 중심에 학부대학이 하나밖에 없다. 이 대학을 흔히 The University College라고 한다. 하버드대학교에는 이것에 해당되는 대학으로 The Faculty of Arts and Sciences가 있다. 역자는 이 대학을 文理科大學이라고 옮겼다. 이 대학에는 전공이나 학과(부)가 없는 것은 아니지만 주로 敎養敎育을 철저히 시켜서 文學士 理學士 학위를 수여한다. 이점이 단과대학 중심으로 이루어진 우리 나라 대학제도와 뚜렷한 차이점을 나타낸다.

적인 분위기를 조성해 주었습니다. 모든 교수들이 목표로 하는 현직 대학과의 평생계약인 終身在職權을 얻는 일도 적당한 두뇌와 조금만 부지런하면 충분했습니다. 게다가 캘리포니아 특유의 이상적인 기후, 그 이상 더 바랄 것이 없었습니다.

그러나 이 목가적이고 전원풍의 상황은 1964~65학년도에 돌연히 끝나고 말았습니다. 유시 버클리가 미국 학생운동의 발상지가 된 것입니다. 사건이 일어난지 거의 25년이 지난 오늘날까지도 이 중요한 사회 현상의 大義에 대해서는 아직도 논란이 계속 되고 있습니다. 여기에는 당시 월남전쟁과 민권운동도 중요한 영향을 끼쳤습니다. 대규모 대학조직의 비정함도 학생들의 격심한 반발의 큰 구실이 되었습니다. '우리를 꺾지도 말고, 잡아늘이지도 말며, 병신으로도 만들지 말라'던 그들의 혁명 구호를 상기해 보십시오! 또, 스스로 비정치적이고 중립적이라고 여겼던 대학에 공격적인 자세를 취한 학생들의 돌발적인 騷擾에 대학이 대처해 본 경험이 없었던 것도 이런 현상을 부채질하는 요소가 되었습니다. 그러나 현재 이 글을 쓰는 취지에서 보면 당시 학원 소요를 유발시켰던 원인들은 크게 문제가 되지 않습니다. 학생 蜂起로 인한 학원 소요의 논리적 귀결은 애초부터 분명하였습니다. 이런 형세는 그때까지 대학이 전혀 경험해 보지 못한 생소하고 몹시 불안정한 상황이었습니다. 군중집회, 건물점거, 경찰의 개입, 끝없는 협상을 유도하는 비타협적 요구 그리고 허황된 정치성 발언이 난무하는 교수회의 등 이러한 상황은 적어도 전통적으로 대학이 추구해 왔던 지식을 탐구하는 대학 본연의 분위기는 아니었습니다.

이 점에서 많은 우수한 경제학자들이 흔히 그랬듯이 로조프스키씨

도 자신의 앞날을 잘못 예측하였습니다. 유럽 태생이며 주로 미국 동
부 지역에서 자란 그에게 캘리포니아는 생래적으로 회의적일 수밖에
없는 곳이었습니다. 연일 계속되는 맑은 날씨는 오히려 단조로움을
더 해 주었고, 출신이 불분명한 많은 사람들과 미묘하고 이상한 모든
것들이 어울리지 않는 분위기를 조성하였습니다. 버클리는 용광로처
럼 들끓었습니다. 그러나 로조프스키씨는 동부에 위치한 오랜 전통
을 자랑하는 대학들에서는 이런 불행한 사태가 결코 일어나지 않을
것이라고 확신하였습니다. 아이비 리그*에 속하는 대학들과 이와 유
사한 명문 대학에서는 교수와 학생들이 여전히 正裝 차림으로 등교
하고, 원로 교수들은 스승으로서 존경을 받고 있었습니다. 교정에서
는 예의범절이 정중히 잘 지켜지고, 무엇보다도 대학의 주된 기능인
교육과 연구 활동이 아무런 훼방없이 잘 이루어지고 있었습니다. 그
러나 나는 여기에서 로조프스키씨가 그와 같은 학원 소요 사태를 수
수방관만 한 사람은 아니란 것을 부연해야 하겠습니다. 그는 타협하
는 일, 교수회 및 각종 위원회 일을 싫어한다고 큰 소리를 치면서도
정작 유시 버클리에 위기가 닥쳤을 때는 모든 사회적 害惡에 대처하
기 위해 자기 몫 이상을 해냈습니다. 그는 다른 많은 교수들과 마찬
가지로 교정의 평온을 갈망하고 도서관의 정숙을 주장했지만, 다른
한편으로는 학원의 정책이나 학내 권력 문제에 관여하는 것을 마다

---

* Ivy League에 속하는 대학과 설립년도, 소재지는 다음과 같다. 괄호 안은 설립년도.
Harvard University(1636) Cambridge, MA ; Yale University(1701) New
Haven, CT ; Princeton University(1746) Princeton, NJ ; Columbia University
(1754) New York, NY ; University of Pennsylvania(1740) Philadelphia, PA ;
Brown University(1764) Providence, RI ; Dartmouth College(1769) Hanover,
NH ; Cornell University(1865) Ithaca, NY.

하지 않았습니다. 그는 이런 행위의 정당성에 대한 해석을 좀 달리했는데 대학에 대한 열정, 대학 구성원에 대한 애정 그리고 도덕적 가치를 강조한 점이 그것입니다.

1964~65학년도가 끝날 무렵 그는 유시 버클리의 경제학 및 역사학 교수직을 사임하고, 주로 사회과학자들로 구성되어 대학의 전통적 평온을 추구하는 서해안 難民 동아리에 참여하였습니다. 호황을 누리던 시대였던 만큼 그에게 많은 대학으로부터 주목할 만한 초청장이 날아들었습니다. 그는 지난날 대학원 과정을 공부했던 하버드대학을 선택하였습니다.

하버드대학은 그에게 심대한 영향력을 끼쳐 온 대학입니다. 학부과정에서 경제와 역사를 공부했던(1949년 졸업) 윌리엄 앤 메어리대학은 4년제 대학으로 당시 학부교육을 충실히 받으면서 좋은 시절을 보낼 수 있었던 대학이었습니다. 교수들은 접근하기가 쉬웠고 성실하며, 때로는 깊은 감동을 주는 분들이었습니다. 거기에 미국 남부 특유의 진심에서 우러난 우정은 그에게 참으로 귀중한 것이었습니다. 1693년에 설립된 윌리엄 앤 메어리대학은 미국에서 최초로 설립된 하버드대학보다 꼭 57년이 뒤지는 역사가 긴 대학입니다. 미국에서 두 번째로 오래된 이 대학은 대학 문화 유산과 전통을 매우 소중하게 여겼습니다. 그러나 이 대학이 1940년대에 와서 지나치게 전통에 매달려 실망만 안겨 주었습니다. 18세기까지만 해도 윌리엄 앤 메어리대학은 하버드대학에 비견할 만한 상대로 여겨졌습니다. 최근 윌리엄 앤 메어리대학이 '퍼블릭 아이비'*로 새로운 명성을 얻기는 했지만 남북전쟁 이후에 두 대학을 그렇게 평가하는

---

* Public Ivy에 속하는 대학과 설립년도, 소재지는 다음과 같다. 괄호 안은 설립년도.

사람은 아무도 없습니다.

1949년 대학원 신입생들에게 하버드대학은 특별한 것이었는데, 그 당시만 유난히 좋았고 또 그의 젊은 시절에만 좋았기 때문만은 아닙니다. 하버드대학의 秀越性은 지금도 변함없이 유지되어 오고 있습니다. 지속적인 저술 활동과 강의를 통하여 새로운 지식과 사상을 창출해 내는 교수진, 국내의 모든 州와 많은 외국에서 모여든 학생들 중에서 엄선된, 배경이 다양하고 논쟁을 좋아하며 지적 자극에 민감한 학생 집단, 전통적 관행을 무시하고 수월성을 추구하면서 문제를 풀어가는 대학의 독자적인 해결책, 그리고 350년 동안 중단없이 발전을 거듭해 오고 있는 대학의 전통 등이 그것입니다.

G. 마르크스(Groucho Marx : 1890~1977, 미국의 유명한 희극 배우—역자 주)는 한 때 자기를 회원으로 원하는 어떠한 클럽에도 가입하지 않겠다고 말한 적이 있습니다. 로조프스키씨에 대한 하버드대학의 초청은 바로 이 말을 실감나게 상기시켰습니다. 그는 하버드대학 교수들을 지나치리 만큼 존경해 왔고, 이런 존경심은 꽤나 오래 지속되어 그 자신이 그런 존엄한 자리에 낄 만한 爲人인지에 대해 의심해 왔습니다.

이 책에 쓸 많은 이야기들은 1965년 이후 로조프스키씨가 하버드대학에서 겪은 체험에 근거하고 있습니다. 상아탑 속에서 고독한 은

University of California(1868) Berkeley, CA ; Miami University(1809) Oxford, OH ; University of Michigan(1817) Ann Arbor, Ml ; University of North Carolina(1787) Chapel Hill, NC ; University of Texas(1883) Austin, TX ; University of Vermont(1791) Burlington, VT ; University of Virginia (1819) Charlottesville, VA ; College of William and Mary(1693) Williamsburg, VA. 자료: *The Education Journal* No.150 May 17, 1996. pp. 3~4.

둔 생활을 해 온 것만이 그의 경험은 아닙니다. 이른 아침의 강의,
교수회관에서 느긋하게 오찬을 마친 다음 챠알스 강가에서의 조용한
산책, 와이드너 도서관(하버드대학 중앙 도서관으로서 천백만 권의 장서를 갖
춘 세계에서 가장 큰 대학 도서관—역자 주)에서의 오후 독서 등은 사태의
진면목을 왜곡할 수도 있습니다. 유시 버클리에서 터졌던 학생 示威
가 파죽지세로 전국적으로 퍼져 나가는 것을 예의 주시하는 대목에
서부터 사태의 설명을 시작해야겠습니다. 컬럼비아대학, 코넬대학,
미시간대학, 위스콘신대학*등 기타 많은 대학들이 학생들의 강렬하
고도 끈질긴 저항운동으로 휘말려 들었습니다. 文理科大學 안의 많
은 교수들은 오히려 거드름을 피우면서 하버드대학은 '미국 대학의
旗艦'이므로, 이 대학만은 학원 소요의 소용돌이에 휘말리지 않을 것
이라고 믿었지만 하버드대학도 예외는 아니었습니다. 1967년에서
1968년으로 접어들면서 시일이 지날수록 일련의 사건들은 그 규모
나 심각성이 점점 더해 가는 양상으로 나타났습니다. 마침내 1969
년 4월 9일 하버드대학 교수의 권위의 상징인 유니버시티 홀(Uni-
versity Hall : 1816년에 건립된 건물로 현재 학장실 및 기타 대학 사무실이 들어
서 있음—역자 주)이 시위 학생들에 의해 점거되고, 이에 경찰이 학생
들을 체포하면서 사태는 절정에 이르렀습니다. 이 사건이 있은 후
10여 년 동안 하버드대학도 政治場化된 대학의 대열 속에 끼여들었
습니다. 많은 대학들이 여기에 합류하게 되었고 전국적으로도 어느
대학 하나 성한 곳이 없었습니다.

---

* Columbia University(1754) New York, NY ; Cornell University(1865) Ithaca,
  NY ; University of Michigan(1817) Ann Arbor, MI ; University of Wisconsin
  (1849) Madison, WI.

로조프스키씨의 초기 교수생활과 관련지어 몇 가지 실례를 들어보는 것이 적절할 것 같습니다. 그가 도서관이나 강의실에 가만히 있지 못하며 세상사에 초연할 수 없는 사람임은 이미 언급한 바 있습니다. 그는 왜 교수회의에서 가만히 앉아 있지 못하고 발언을 하고 싶은 강한 충동을 느꼈을까요? 캄보디아 침공과 학기말 시험 취소 간의 관계를 토론하는 자리에 왜 참여했을까요? 더군다나 그는 왜 미국 흑인 연구에 깊이 관여했을까요? 모두 어려운 질문들입니다.

자유주의자들에게 깊은 슬픔과 죄의식을 안겨 주었고, 대도시에서는 폭동을 유발시켰으며, 전국 도처에서 지성인들의 분노를 폭발시켰던 1968년의 M. L. 킹(Martin L. King, Jr. : 1929~1968, 미국의 성직자 겸 흑인 인권운동가—역자 주) 목사 암살사건을 여러분은 기억할 것입니다. 이 사건이 대학에 끼친 직접적인 영향으로 교육과정이나 연구분야에서 흑인 문화와 그 배경을 보다 크게 인정해 달라는 호전적인 흑인 학생들의 요구는 당연한 귀결이었습니다. 킹 박사의 비극적인 죽음이 일어나기 얼마 전에 로조프스키씨는 하버드대학교 文理科大學 학장이었던 F. 포오드(Franklin Ford : 1920~ , 미국의 역사교육자 겸 역사학자—역자 주)씨에게 衡平에 관한 몇 가지 문제를 제기하는 편지를 썼습니다. 그는 하버드대학이 개발도상국에서 온 많은 학생들에게 장학금이나 특별 교육 프로그램을 통해 도움을 주고 있다는 사실에 주목하였습니다. 하버드대학은 강렬한 교육적 요구를 가진 사람들을 지원해 왔고, 이 정책은 전반적으로 지지를 얻고 있었습니다. 그러나 그는 미국의 국민들, 특히 저임금으로 혹사당하는 사람, 차별대우를 받는 사람, 인종적 편견으로 인하여 깊은 상처를 입은 사람들에 대해 의무를 다하고 있는가, 하버드대학은 흑인 미국인들을 위해서 충분한 일을 하고 있는가 등에 대한 질의를 하였습니다.

1968년 여름 포오드 학장의 답신이 왔습니다. 포오드 학장은 전례를 존중하는 합당한 방법에 따라 미국 흑인 연구와 그와 관련된 문제를 연구할 수 있는지의 여부를 알아보기 위한 특별위원회를 구성하고, 관례에 따라 로조프스키씨를 그 위원장으로 임명하였습니다. 교수들과 약간의 흑인 학생들로 구성된 이 위원회는 1969년 겨울에 교내외의 큰 반향을 불러일으키면서 장차 학생운동의 운명을 결정하는 한 보고서를 발간하게 되었습니다. 「뉴욕 타임스」紙는 이 보고서를 발췌해서 거의 全面에 걸쳐 게재하였고, 위원장인 그의 사진도 같이 실어 주었습니다.(교수의 이름이 학술지가 아닌 신문에 실린 것은 위험신호입니다.) 1969년 2월 전체 교수회의에서 로조프스키위원회의 보고서는 이론의 여지없이 만장일치로 채택되었습니다.

이 보고서의 상세한 내용은 누구에게나 잘 알려진 사실이어서 지체시킬 필요가 없었습니다. 이 보고서에는 미국 흑인 연구를 學際的으로 접근할 학과가 아닌 전문 분야의 신설, 흑인 연구를 전공한 사회과학자들을 위한 새로운 자리의 마련, 그리고 힐렐관에 유태 학생들을 위한 연구소와 나란히 미국흑인문화연구소를 설치하는 것 등이 포함되어 있었습니다.

그러나 로조프스키위원회의 영광은 순식간에 사라졌습니다. 이 위원회의 보고서가 교수들의 열렬한 지지를 받으며 통과된지 겨우 두 달이 지난 1969년 봄, 학생들의 수업 거부와 위협 시위, 경찰의 치안 활동 와중에서 하버드대학 교수회는 로조프스키위원회가 주도면밀하게 작성한 보고서를 포기하고 말았습니다. 그리고 그때까지 종신재직권을 가진 교수들에게 주어졌던 교육과정에 대한 요구 조건, 교수 신규채용, 종신계약에 의한 정년 보장 등에 관한 투표권을 흑인 학생들과 흑인 학생 단체에게 넘겨주었습니다. 하버드대학의 오랜 역사를 통해서 참으로 믿기 어려운 순간이었습니다. 그는 후일 이 사건을 대학 사회에서 있을 수 없는 '굴욕적인 타협정책'이었다고 칭하였습니다. 그후 그는 다시 한번 자기를 선택한 클럽에 속해야 하는가 라는 G. 마르크스의 충고를 따라야 할 것인지에 대하여 회의를 품기 시작하였습니다. 그후 그는 모든 미국 흑인 연구에서 깨끗이 손을 떼고, 교수회에 관한 일에서도 잠시 물러서기로 하였습니다.

로조프스키씨는 1969년 가을부터 1972년까지 경제학과 과장직을 지냈습니다. 이 부분이 짚고 넘어가야 할 중요한 대목입니다. 대학 밖에서는 학과장의 임명을 대단한 것으로 볼 지 모르나 대학 안에서는, 특히 하버드대학을 비롯한 최상위권 대학들에서는 교수들이 될 수 있는 한 맡지 않으려는 補職입니다. 학과장은 아무런 권한도 없고, 보직 수당도 없으며, 몹시 힘만 드는 자리입니다. 유명한 학자들은 학과의 사무적인 일로 시간을 허비하기에는 자신들이 너무나 중요한 존재라고 스스로를 생각하고 있어서 어떻게 해서든지 그 자리를 맡지 않으려고 합니다. 어떤 교수들은 인성적인 결함, 즉, 나태하다던가 우유부단, 사람을 들들 볶는 성미, 심지어는 상식의 부족 등으로 인해 학과장직에 적합하지 않을 수도 있습니다. 또 어떤 교수들은 학과장직을 피하기 위해 의도적으로 부적격한 특성을 조심스럽게 선별, 조성하기도 합니다. 학술적인 관점에서 볼 때 로조프스키씨의 학과장직 수행은 유감스럽게도 특별히 내세울 만한 것이 없습니다. 하버드대학에서 경제학과는 계속해서 논란이 일기는 했어도 다른 학

과에 비하여 상대적으로 안정세를 유지해 왔습니다. 학생 저항운동
은 절정에 달해 갔고, 과격파들도 독특한 전략으로 나왔으며, 월남전
은 악화일로로 치닫고 있었습니다. 하버드대학을 포함해서 전국적으
로 많은 대학에서 졸업식이 저지 당했고, 켄트 주립 대학(Kent State
University : 1910년 설립 Kent, OH—역자 주)에서는 연방군의 발포로
네 명의 학생이 사망하였습니다. 그는 1972년 여름 학과장의 임기
를 大過없이 마치게 된 것을 기뻐하며, 아시아의 끝없이 광활한 조용
한 곳으로 연구 여행을 떠났습니다.

1973년 2월 어느 날 그는 인도네시아 자카르타에서 조반을 들면
서 그 곳에서 발행되는 영자신문을 읽다가 개인적으로 매우 중요한
것으로 생각되는 기사 한 가지를 발견하게 되었습니다. R. M. 닉슨
〔Richard M. Nixon(1913~1994), 미국 제37대 대통령(1969~1974)—역자
주〕 대통령이 하버드대학교 文理科大學 학장인 J. T. 던럽(John T.
Dunlop : 1914~ , 미국의 경제학자, 전 노동성 장관—역자 주)씨를 임금과
물가 조정을 담당시키기 위하여 새로 구성한 생계비심의회의 의장으
로 막 임명하였다는 것입니다. 며칠 후 그에게 부인으로부터 하버드
대학 학보 「하버드 크림슨」(하버드대학 학부학생들이 발간하는 대학 일간신
문—역자 주)紙가 학장 후임자를 물색하기 시작했다는 소식을 걱정스
럽게 알리는 국제전화가 왔습니다. 부인은 매우 유감스럽게도 유력
한 경쟁자들 속에 그의 이름도 끼어 있다고 하였습니다. 그는 부인에
게 「크림슨」지가 지난날에도 자주 誤報를 해 왔고, 또 D. 보크
(Derek Bok : 1930~ , 미국의 법학자, 전 하버드대학 총장—역자 주) 총장은
훨씬 나은 적임자를 선정할 수 있으며, 설사 그런 제의가 자기에게
온다고 해도 거절할 것이라고 말했습니다. 46세라는 나이는 주전공

인 일본 경제와 동아시아의 신흥 경제에 전념해야 할 때이고, 또 대학원생의 좋은 지도교수가 되고 학부학생들을 위한 훌륭한 선생이 되는데 적절한 시기로 생각되었습니다. 대학에서의 다른 활동은 모두 시간 낭비라고 여겨졌고, 더 정확하게 표현하면 그는 그가 진정으로 그렇게 믿고 있다고 생각하였습니다. 그러나 앞날을 예측하는 일은 그의 長技가 아니었습니다.

4월, 케임브리지로 돌아오자 그는 보크 총장의 부름을 받았습니다. 그는 총장에게 단 한가지 질문만 했습니다. "만일 내가 固辭하면 누구를 임명하시겠습니까?" 총장의 정중한 답변을 들으면서 그는 수락 여부를 결정하기 위해 하루의 시간을 요청했고, 결국 학장직을 수락하였습니다. 그후 11년 동안 하버드대학교 문리과대학 학장으로 재직하면서 8,500여 명의 학생들, 6,000여 명의 직원들, 1,000여 명의 모든 직급의 교수들 그리고 연간 2억불 이상의 예산을 집행하는 중책을 수행하였습니다.

총장은 왜 그를 학장으로 임명했을까요? 비교적 젊고 정력을 가진 자질을 들 수도 있을 것입니다. 권위있는 그 자리를 탐내는 다른 사람들도 많았지만 서슴없이 수락한 그의 의지 또한 크게 고려되었을 것입니다. 물론, 보크 총장에게 그 이유를 직접 물어 볼 수도 있을 것입니다. 그러나 인사에 신중하기로 이름난 총장으로부터 답변을 기대하기란 극히 어려울 것입니다. 차라리 로조프스키씨로부터 몇 가지 시사점을 얻어내는 것이 오히려 순서일 듯 싶습니다.

1960년대 후반에 하버드대학 교수회가 정치판처럼 되었음은 이미 언급한 바 있습니다. 교수회는 두 파로 갈리어 한 쪽은 자유주의자를 표방하면서 좌파의 입장을 지지했습니다. 다른 쪽은 보수주의자라고 자처하면서 자기들을 반동적이라 부르는 것은 전적으로 부적절하다고 하였습니다. 양파는 새로운 학장 선임 과정을 자기들이 지배권을 장악하는 기회로 삼으려고 하였습니다. 그들의 최저 목표는 어떤 代價를 치르더라도 상대편에서 학장이 나오지 못하게 하는 것이었습니다.

자기가 가장 좋아하는 말 중의 하나가 '실용적'이라는 전형적인 中道主義者 로조프스키씨는 어느 쪽에도 가담하고 싶은 마음이 없었습니다. 그는 대립하고 있는 양 진영의 각기 다른 회합에 가끔 참석하였습니다. 양측은 서로 그가 자기네 편 사람이라고 간주했습니다. (애매함을 불식하기 위한 아무런 조치를 취하지 않는 것으로 보아 그의 성격을 알 수 있습니다.) 그래서 그는 양 진영에서 받아들여질 수 있는 몇 안되는 사람 중에 한 사람, 어쩌면 유일한 사람이었는지도 모릅니다. 그를 학장으로 선임한 것은 최소한의 기준을 만족시켰으나 극히 중요한 기준에 의한 선택이었습니다.

그가 경제학자인 것을 기억하는 독자들은 무엇이 좋아 그를 학장으로 임명하였을까 하고 물을 것입니다. 경제학자들은 어떤 종류의 기관이라도 그것을 운영하는데 특별한 재능과 풍부한 지식을 가지고 있는가? 그들은 보수에 상응하는 일을 하는가? 경제학자들의 이론이 '현실 세계'를 이해하는데 어떤 가치가 있는가? 나는 이런 질문들에 대한 대답이 모두 부정적일지라도 크게 반대하지는 않을 것입니다. 어쨌든 지난 20~30년 동안 경제학자와 법학자 출신의 총장이 증가되었던 것은 사실입니다. 프린스턴대학, 노오스웨스턴대학 (Northwestern University : 1851년 설립 Evanston, IL ─ 역자 주), 미시간대학 등의 총장들이 모두 경제학자 출신입니다. 로조프스키씨의 전임 학장도 경제학자였고, 후임 학장도 경제학자입니다. 더 많은 예를 들 수도 있습니다. 이런 예들이 단순히 우연일 수 있을까요? 그건 참으로 믿기 어려운 일입니다.

그렇다면 경제학자들이 다른 분야의 많은 동료 교수들보다 더 잘 이해하는 것은 무엇일까요? 첫째, 경제학자들은 '주고 받는 교환' 개념에 익숙한 사람들입니다. 즉, 조금 더한 것과 조금 덜한 것이 연루되었을 때 선택을 잘 합니다. 인문학자들은 이런 식의 사고를 불쾌하게 생각하고, 과학자들은 이런 추리가 자기들의 선택에 적용될 때 비도덕적이라고 여기는 경향이 있습니다. 둘째, 경제학자들은 '간접 효과'에 유념하도록 교육받은 사람들입니다. 어떤 결정이나 정책의 효과를 완전하게 이해하기 위해서는 모든 가시적, 잠재적 결과를 세밀하게 계산해 내야만 합니다. 예를 들면, 수업료의 인상은 인상된 수업료를 지불할 수 있는 학생들이 충분히 있고 증액 책정된 장학금이 부과된 수업료 인상분을 초과하지 않을 때에만 더 많은 수입을 올리게 될 것입니다. 셋째, 경제학자들은 한계 사고를 할 줄 아는 사람들입니다. 즉, 경제학자들은 절대적인 것보다 점증적인 것을 생각하는 경향이 있습니다. 넷째, 경제학을 공부한 사람들은 돈의 가치가 변화한다는 것을 잘 압니다. 우리 사회가 오랫동안 통화팽창을 경험해 왔기 때문에 이 단순한 진리는 이제 더욱 명백하지만, 돈에 대한 환상은 사라지지 않고 있습니다. 위에 든 예들이 호언장담할 수 있는 이론이나 기술은 못되지만 경제학자들이 상대적으로 優位에 있는 이유를 설명하는데 도움이 되고 있습니다. 그의 학장 선임에 대한 이유가 무엇이었던 간에 로조프스키씨는 열정적으로 학장직을 떠맡았고, 제2차 대전 이후 다른 어떤 학장보다도 장기간 학장직을 수행하였습니다.

11년 동안 학장직을 지낸 다음 그는 꽤나 범상치 않은 去就를 단행하였습니다. 즉, 학장직을 스스로 사임하고—자의적으로 권한을 포기하고—교수 본연의 강의와 연구로 돌아왔습니다. 11년이란 기간은 누구에게나 긴 시간입니다. 이 기간은 정상적으로 종신재직권을 받은 교수의 3분의 1에 해당되는 긴 시간이기도 합니다. 영어영문학을 전공한 사람이 철학박사 학위를 취득하는 데도 이보다는 시간이 덜 걸립니다. 이렇게 오랫동안 학장 보직을 한 다음에도 다시 지적 창조를 하기 위한 자율적이고 내부지향적인 학자 생활로 복귀하는 것이 가능할까요? 시간이 지나면 알게 되겠지만, 그는 대통령의 임기를 마친 다음 하원의원으로 봉직했던 6대 대통령에게 경의를 표하며, 그의 이름을 빌어 명명된 J. Q. 애덤스〔John Q. Adams(1767 ~1848), 미국 제6대 대통령(1825~1829)—역자 주〕 原理를 확신하고 있었습니다. 학장직을 사임했다는 소식이 알려지자 하버드대학 1924년 졸업생인 E. B. 힌클리씨로부터 행정직퇴직자교수회에 들어오는 것을 환영한다는 편지를 받고 그는 무척 기뻐하였습니다. 이 회의 좌우명은 '다스리지 말고 섬기라'는 것이었습니다.

이 존엄한 賢哲들로 구성된 집단의 목적은 분명하다. 즉, 영원한 진리를 지적, 영적으로 전파하는 확실한 기쁨을 위해 회의적인 권력과 면책되지 않는 행정을 단념할 줄 아는 현명한 사람들이 행복의 사냥터인 도서관과 원고 집필, 예리한 의견 교환, 상호 논박의 논쟁, 그리고 학문적 발전을 위해서 유연하게 지적으로 결속하려는 것이다.

힌클리씨가 위의 글을 쓰기 전에 냉철함을 잃지 않았겠지만 이 글은 로조프스키씨 자신의 감정을 상당히 잘 반영하였습니다. 학장으로서 그의 생활은 예리한 의견 교환도 논쟁에서의 논박도—논박이 훨씬 격렬했지만—많았지만 사실상 그는 학장직에 진력이 나 있었고, 11년이 지난 후에 교단과 도서관에 복귀한다는 것이 쉽지 않다는 것도 깨닫고 있었습니다. 학장 보직에 계속 머문다는 것은 대학행정에 終身한다는 것을 의미합니다. 그래서 그는 가석방을 선택하였습니다. 학장 보직을 내놓은 다음 해인 1985년에는 하버드대학에서 가장 권한이 강한 大學理事會*에 理事로 초빙을 받고 이를 받아들이기로 했습니다. 그가 민첩하게 수락한 이 이사직은 하버드대학 교수로서는 금세기에 처음 있는 일이었습니다. 하버드대학의 남자 이사들은 모든 儀式 행사에 예복과 예모로 정장을 하고 참석합니다. 하버드대학을 제외하고는 이런 이상한 차림의 정장은 단지 일본 사람들의 혼례식이나 장례식 혹은 宮廷 의식에서나 볼 수 있을 것입니다. 그가 일본에 대해서 깊이 생각하고 있었기 때문에 아마 그런 복장에 마음이 끌려 그랬던 모양입니다.

---

* 미국 대학은 공·사립을 막론하고 설립 및 운영 주체로서 理事會(The Governing Board)가 있다. 사립대학 이사회는 주로 The Board of Trustees라 하고, 공립대학 이사회는 대개 The Board of Regents라고 한다. 그런데 하버드대학은 예외적으로 二元制 理事會에 의해서 운영되는 대학이다. 총장을 포함해서 7인으로 구성되는 대학이사회(The Harvard Corporation)와 동문들에 의해서 學外人士로 선출하여 30인으로 구성되는 대학법인이사회(The Board of Overseers)가 책임 분담을 하면서 대학을 운영해 나간다. Corporation을 대학이사회, Board를 대학법인이사회라고 번역하였는데 이는 옮긴이의 편의에 의한 번역일 뿐이다.

추신 : 소개 서한이 꽤나 길어졌습니다. 그러나 이 서한을 쓰는데 몰두한 저로서는 간략하게 쓰기가 어려웠습니다. 어쨌든 저자가 적어도 경험적 측면에서는 이 책을 쓸만한 자격이 있음이 독자들에게 전달되었기를 바랍니다. 저는 그가 참회하는 심정으로 이 책을 써 나가리라고 생각합니다. 그러나 독자들이 주의집중을 해서 책을 읽는 일이 언제나 바람직한 아이디어임을 잊지 말기 바랍니다.

【註】

1) 나는 출판사의 傳記的인 자료 요청에 대하여 다음과 같이 답변한 유시 버클리의 저명한 經濟史學者이자 내 동료였던 C. M. 시폴라와 견해를 달리한다. 'A. 퀘스틀러는 한 作家의 작품에 감탄해서 그 작가를 직접 만나기를 원하는 것은 거위간으로 만든 진미 요리를 좋아하기 때문에 거위를 만나려는 것처럼 어리석은 일이라고 말한 바 있다.' C. M. Cipolla, *The Economic History of World Population*(Harmondsworth, Middlesex:Penguin Books, 1962), 책의 커버 안쪽 참조.

2) D. S. Landes, *Revolution in Time*(Cambridge : Harvard University Press, 1983), xi면 참조. 최근 유명한 언어학자 N. 촘스키는 한 신문과의 인터뷰에서 대학을 운영하는 사람을 '知性의 代表者'라고 했다. 이러한 표현을 촘스키의 政治觀에 비추어 볼 때 화를 내야할지 어떤지는 당장 분명치 않다. 그러나 끝까지 읽으면 말의 취지가 확실해 진다. 즉, "이들(지성의 대표자)은 보통 사람들을 현상유지 시키는데 안일하게 순응하기 위하여 진정한 사상의 자유를 제한하는 대학, 언론, 출판 기관을 경영하는 지성 관료들이다." 大學行政權에 대해 이 글보다 더 과장된 개념은 없을 것이다. R. Higgins, "A Critic with Targets Galore," *Boston Globe*, Sept. 4, 1988, 참조.

제 **2** 장

___

最優秀 大學의 3분의 2

　독자들은 앞 장의 많은 부분에서 著者가 전문직으로서의 대학교수
직을 자랑스럽게 여기고 있다는 것을 알아차렸을 것이다. 나는 이것
을 부인하지 않는다. 미국 대학 교육은 어떤 면에서 이 나라가 내세
울 수 있는 가장 자랑스러운 것들 중의 하나라고 생각한다. 나는 오
늘날 대학을 비판하는 많은 비평가들에게 세계에서 가장 우수한 대
학의 3분의 2 내지 4분의 3은 미국에 있다고 감히 주장하고 싶다.
물론 미국에는 세계에서 최악에 속하는 대학들도 상당수 있지만 이
런 대학들은 이 책을 쓰고 있는 지금의 나에게는 관심 사항이 아니

다. 우리 사회 경제의 어떤 부분을 드러내어 대학처럼 자랑할 수 있 겠는가? 어떤 사람들은 야구팀, 미식축구팀 혹은 농구팀을 생각할 수도 있으나 그런 것들도 그 정도로 끝이다. 어느 누구도 오늘날 미 국이 세계에서 가장 우수한 제철회사, 자동차회사, 반도체회사 그리 고 금융기관과 정부기관의 3분의 2를 가지고 있다고 말할 수 없을 것이다. 세계에서 가장 최신 의료시설을 갖춘 종합병원의 3분의 2 가 미국에 있다고 한다. 그런데 이 우수한 의료기관들의 대부분이 의 과대학원 부속병원이기 때문에 나의 주장을 더욱 뒷받침해 주고 있 다. 대학교육의 秀越性 추구라는 측면에서 미국 대학들이 세계 최정 상을 차지하고 있다는 것은 결코 우연한 일이 아니다. 그래서 이 사 실은 국가의 특별한 資産이 될 수 있기 때문에 이에 대한 부연 설명 이 필요하다.

세계에서 가장 우수한 대학들의 3분의 2 내지 4분의 3을 미국 대 학이 차지한다는 것은 전세계 대학을 대상으로 조사한 연구 결과들 이 대다수 미국의 공·사립대학들을 최상위권 대학으로 順位를 매겨 놓은 것에 근거하고 있다. 최근에 아시아 학자들이 조사한 한 보고서[1] 는 세계의 최우수 대학 순위를 다음과 같이 매겨 놓고 있다.

1.하버드 2.케임브리지, 옥스퍼드 3.스탠퍼드 4.유시 버클리 5.엠아이티

6.예일 7.동경대학 8.파리―소르본느 9.코넬 10.미시간, 프린스턴*

---

* 이 대학들의 설립년도와 소재지는 다음과 같다. 괄호 안은 설립년도. Harvard University(1636) Cambridge, MA ; Cambridge University(1318) Cambridge, England ; Oxford University(12세기경) Oxford, England ; Stanford University (1891) Palo Alto, CA ; University of California(1868) Berkeley, CA ; Massa-

이 순위에 각별한 의미를 부여하고 싶지 않으나 하버드대학이 1위를 차지한 것이 나에게는 기쁜 일이다. 대학의 규모와 중요성을 잘 고려해서 조사한 연구가 아닐지라도 만일 대학의 순위를 20개, 30개 혹은 50개 대학으로까지 확장해 나간다면 미국 대학이 차지하는 비율은 점점 높아질 것이 확실하다. 왜냐하면 컬럼비아대학, 시카고대학, 유시 엘에이, 칼텍*, 위스콘신대학 등 기타 많은 미국 대학들과 경쟁할 만한 다른 나라 대학들이 별로 없기 때문이다. 또, 아시아 학자들이 조사하여 매겨 놓은 10대 순위 속에는 약간 의심스러운 대학들이 들어가 있음을 간과해서는 안된다. 바로 동경대학과 소르본느대학이 10위 속에 들어가 있는 것은 지나치게 동양적인 예의의 표현이 아닌가 여겨진다. 어떤 이들은 이런 조사를 통해서 대학의 순위를 매기는 것 자체가 무모한 일이고, 불공정한 처사이기 때문에 무의미하다고 주장할지 모른다. 그러나 우리가 대학의 순위나 '가장 우수'하다는 槪念을 충분하고 광범위하게 해석하는 것을 인정하는 한, 나는 이들의 주장과 견해를 달리한다. 우리가 생각하고 있는 미국 대학들은 전세계의 기초과학 연구를 선도하고 있고, 가장 우수한 대학원 교육 프로그램을 제공하며, 오늘날 다소 둔화된 감은 있지만 여전히 사회과학 분야의 최첨단을 달리고 있다. 전세계에서 수많은 학생

---

chusetts Institute of Technology(1861) Cambridge, MA ; Yale University (1701) New haven, CT ; Tokyo University(1877) Tokyo, Japan ; University of Paris-Sorbonne(12세기경) Paris, France ; Cornell University (1865) Ithaca, NY ; University of Michigan (1817) Ann Arbor, MI ; Princeton University (1746) Princeton, NJ.

* University of Chicago(1892) Chicago, IL ; University of California at Los Angeles(1919) Los Angeles, CA ; California Institute of Technology(1891) Pasadena, CA.

들이 미국 대학에 입학을 시도하고 있다.[2]

어떻게 해서 이런 좋은 결과를 가져 왔을까? 어떤 이는 사회 계급이 거의 없었던 미국 건국 초기의 先祖들이 모든 수준의 교육 뿐만 아니라 보편교육에 쏟았던 헌신적인 노력을 언급할지도 모른다. 풍부한 國力과 많은 인구, 특히 정부의 과학 연구에 대한 지원 등도 중요한 요인으로 설명될 수 있다. 1930년대 초부터 히틀러 체제를 피해서 온 망명자들의 영향도 미국 대학 교육의 質을 높이는데 일조하였다. 다수의 세계적인 학자들이 유럽을 등지고 미국 대학으로 들어와 예기치 못했던 새로운 경지로 지적 수준을 올려놓았다. 자연과학과 사회과학 분야는 발전적 변화를 가져왔다. 미국인 특유의 개인적 寄附行爲와 稅制를 통한 정부의 지원도 여전히 중요한 요소이다. 이런 모든 요인들이 중요하게 작용하였겠지만 나의 생각으로는 아래와 같은 학내적인 요인들도 학외적인 것 못지 않게 대학 발전에 기여하였다고 본다.

미국 대학의 특징은 경쟁성에 있다. 비슷한 수준의 대학들은 교수, 학생, 연구비, 일반의 관심, 그리고 다른 많은 것들을 유인하기 위해 서로 치열하게 경쟁을 한다. 하버드대학(Harvard University : 1636년 설립 Cambridge, MA – 역자 주)과 스탠퍼드대학(Stanford University : 1891년 설립 Palo Alto, CA – 역자 주)이 우수한 학부학생, 일반대학원생, 전문대학원생을 유치하기 위해 치열하게 경쟁하는 것을 입학시험 하나만으로 모든 것을 결정하는 동경대학이나 경도대학 관계자들은 이해하기 힘들 것이다. 학생 쟁탈전 뿐만 아니고, 개인이나 대학의 발전을 위해 보다 높은 보수와 더 좋은 근무조건을 제공함으로써 타 대학의 교수를 스카웃하여 특채하는 관행도 세계의 많은 나라들에게 이례적으로 보일 것이다. 다른 나라들은 일본보다 덜 하지만 일본에서는 특정 대학의 교수가 되기 위해서는 반드시 그 대학을 졸업해야만 한다는 同種繁殖이 만연하고 있다. 최상위권에 속하는 미국 대학들은 교수 신규 채용 과정에서 응모자의 출신 대학보다는 그 개인의 능력에 기초하여 결정하므로 이 점에서 일본 대학과 극히 좋은 대조를 이룬다.

대학 간의 지나친 경쟁은 특히 시장성이 높은 전공 교수를 경쟁 대학에 빼앗기게 될 때 부정적으로 작용하기도 한다. 경쟁의 부정적인 측면은 높은 소득을 쫓는 유명 교수의 대학 간 잦은 이동, 그에 따르는 재직교에 대한 낮은 충성심, '시장력'이 강한 컴퓨터 과학과 약한 영문학 사이의 불공정한 대우, 장기적 안목에서 이루어야 할 것들을 희생시키면서 단기적이고 顯示的인 것에 집착하려는 금전적 사고방식 등 유해한 영향을 포함시킬 수 있다.

그러나 나는 대학 간 경쟁의 유익한 측면을 보다 강조하고 싶다. 대학 간 경쟁은 자기 만족에 安住하려는 타성을 방지하고, 대학교육의 수월성과 개혁을 추구하는데 박차를 가하게 한다. 1980년 영국의 한 기자는 "옥스퍼드대학은 경쟁을 할 필요가 없다. 영국에는 옥스퍼드대학의 탁월성에 도전할 대학이 영원히 없는 것이다. …… 옥스퍼드대학은 미국의 대학과는 달리 증명할 필요도 없이 스스로 독보적인 존엄한 존재이다."³⁾라고 하였다. 옥스퍼드대학에 대한 이와 같은 감상적인 記述은 동경대학, 파리대학, 케임브리지대학에는 적용될지 몰라도 미국 대학에는 결코 해당될 수 없다. 미국 대학들은 독보적인 존재는 아닐지라도 대학교육의 수월성을 이루어 낸 세계의 최정상급 대학들이다.

또한 미국 대학은 교수의 '종신임용' 혹은 終身在職權을 부여하는 관행이 다른 나라 대학들과 크게 다르다. 종신재직권은 교수직의 신분보장을 기하기 위해 미국 사회에서 오랫동안 널리 통용되고 있는 관행이다. 그러나 대학교수들에게 종신재직권을 부여하는 것에 논란의 여지가 있다는 것을 나는 잘 알고 있다. 종신재직권제를 비판하는 사람들은 이 제도가 교수 능력을 고려하기 보다 늙어서 쓸모 없는 사람들이 오랫동안 교단을 차지하도록 할 뿐이라고 비난하고 있다. 나는 이들과는 견해를 아주 달리한다. 그들의 비난에 논박할 것도 없이 적어도 이것만은 분명함을 밝혀 두고 싶다. 미국의 최상위권 연구중심 종합대학교들은 종신재직권을 부여하는 것을 그 대학의 가장 큰 중대사로 간주하고 있다는 것이다. 특정 교수의 정년을 보장한다는 것은 단순히 시간상의 문제만은 아니다. 종신재직권은 보통 8년이라는 긴 假採用 기간을 거친 다음 교내외의 저명 교수들에 의해 엄격한 심사를 받으며 굉장히 치열한 경쟁 과정을 통해서 주어진다. 하버드대학에서는 전통적으로 내려오는 질문이 하나 있다. 특정 坐席을 메우기 위해 누가 이 세상에서 최적임자인가 하는 것이다. 그 다음 그런 사람에게 종신재직권이 부여되도록 최선을 다한다. 우리는 이 과정에서 잘못된 결론에 이를지도 모른다. 제 1인자는 고사하고 제 2인자를 끌어들이는 데도 실패할지 모른다. 그러나 세계에서 제일가는 학자를 끌어들여야 한다는 우리들의 목표는 숭고한 것이다. 종신재직권을 심사하는 세부 과정은 대학들 간에 다소 차이가 있으나 가장 우수한 대학의 3분의 2에 속하는 연구중심 종합대학교들 간에는 기본적으로 대동소이하다. 이 대학들은 한결같이 교수진의 質이 대학의 명성과 지위를 유지하는데 결정적인 요소라고 생각하고

있다. 가장 훌륭한 교수진이 가장 우수한 학생을 끌어들이고, 최고의
연구 실적을 올리며, 학외의 지원을 최대로 얻어낸다고 믿기 때문이다.

미국 대학의 의사결정 구조와 과정은 다른 나라 대학에 비하여 특
이하다. 고등교육에서 사립대학의 역할이 큰 것도 중요한 요소로 지
적할 수 있지만, 이것으로 미국 대학의 특성을 모두 설명할 수 있는
것은 아니다. 미국 공·사립대학의 운영 방식은 매우 유사한 편이다.
오히려 우리가 '대륙형'이라고 부르는 유럽 대학 모형과 큰 차이를
보이고 있다.

미국 대학은 중앙집권적인 一元制에 의해 운영된다. 최종적으로
한 사람 즉, 대학총장이 모든 책임을 진다. 대학의 대표적인 교육정
책인 교육과정, 학위의 종류, 교수의 선임, 입학사정 등은 교수진에
위임되어 교수가 주도한다. 그러나 대학의 예산, 기본재산의 관리,
새로운 교육 프로그램의 결정, 장기 발전 계획 수립 등은 大學理事會
에 단독 책임을 지고 있는 총장이 이끄는 대학행정 보직자들과 실무
행정가들이 주도한다. 이 일원제에 의한 대학운영 방식에는 두 가지
주목할 만한 점이 있다. 첫째, 학과장, 학장, 교학부총장 등 중·상위
관리층 행정보직자들을 선출하지 않고 총장이 임명하므로 임명권자
에 의해 보직 해임도 가능하다는 것이다. 만일 이러한 보직자들을 선
출하게 된다면 총장의 지도성을 약화시킬 가능성이 있다. 어느 교수
가 제정신으로 자기 전공과목에 대한 예산 삭감을 주장하는 학장을
지지하겠는가? 둘째, 미국의 공·사립대학에는 다같이 비교적 독립
적인 대학이사회가 있어서 學外로부터 가해지는 정치적인 간섭으로
부터 대학들을 보호해 준다는 것이다. 미국 대학들은 합의에 도달하
지 못하거나 필요하다면 평판이 나쁜 결정을 내릴 수도 있는 운영체

제를 가지고 있다. 우리는 대학이 보다 민주적으로 된다고 해서 모든 것이 더 나아지는 것이 아니라는 것을 경험을 통해서 알고 있다. 또, 대학의 운영은 대학공동체의 구성원들 간에 이해 갈등이 극소화될 때 가장 잘 이루어진다는 것도 알고 있다.

'유럽 대학 모형'을 일반화해서 설명한다는 것은 불가능한 일이다. 그러나 일반적으로, 유럽 대학들은 교육부나 정부자금을 분배하는 국가보조금위원회와 밀접하게 관련을 맺고 있다. 대학교수들은 많은 관료 규정을 준수해야 하는 공무원일 가능성이 크고, 그 充員은 경쟁 보다는 타협을 통해서 쉽게 이루어진다. 또하나의 공통적 특징으로 대학행정 보직자들을 선출함으로써 총장의 지도력을 약화시킨다. 그 래서 지도력이 강하고 개혁을 추진할 만한 사람은 인기가 없다. 지난 20여 년 동안 '平等權'으로 점철된 대학의 민주화 운동이 유럽을 풍미했다. 이 때 대학의 중요한 결정들은 같은 수의 학생대표, 교수대표, 직원대표에 의해서 이루어졌다. 이런 현상의 논리적인 귀결은 네덜란드에서 그 예를 찾아볼 수 있는데 대학교육의 수월성에 대한 비난이었다. 레이덴대학(Leiden University : 1575년 설립 Leiden, Netherlands—역자 주)에서 여러 해 동안 물리학을 강의했던 I. 실베라(Isaac Silvera : 1937~ , 네덜란드의 물리학자—역자 주) 교수는 최근 다음과 같이 말하였다. "대학의 주된 기능은 교육과 연구임에도 불구하고, 네덜란드 대학에서 가장 중요한 것은 대학의 직원과 학생의 사회적 만족을 증진시킬 수 있도록 대학을 민주적으로 기구화 하는 규정을 만드는 것이었고, 그 다음에 교육과 연구에 주목하였다." 노벨상 수상자 N. 브룀버겐(Nicholaas Bloembergen : 1920~ , 네덜란드의 물리학자—역자 주) 교수는 좀더 신랄하게 다음과 같이 부연하였다. "몇 년 안에 네덜란드 축구팀이 월드컵 경기에서 승리한다면 이는 곧 우월성을 뜻하기 때문에 모든 것이 평등하기를 바라는 네덜란드 국민들을 불행하게 할 것이다."[4]

가장 우수한 3분의 2에 해당하는 대학에 국한해 본다면, 미국 대학은 학부학생들을 위한 교양교육을 특별히 강조하고, 때로는 학부교육 전반에 쏟는 노력이 각별하다는 점에서 구별된다. 물론 다른 나라들도 나라에 따라 상황은 다르겠지만 다음과 같은 설명은 틀림이 없을 것이다. 일본의 경우 가장 威勢 당당한 명문 대학에서도 인문학이나 사회과학을 전공하는 학생들은 대학 재학 기간 3년을 휴양할 수 있는 기회로 여기고 있다. 이 학생들에게는 테니스가 가장 인기있는 전공 같아 보인다. 일본 대학생들은 고등학교 과정에서 너무나 많은 시달림을 강요당했고, 대학 입학시험 준비와 그 불안으로부터 손상된 건강을 회복하자면 장기간의 휴식이 필요하다고 생각한다. 그런데 왜 그것이 3년이나 걸려야 할까?

영국, 독일, 프랑스 대학에서는 학사학위 과정이 지나치게 전문화되어 있기 때문에 학부대학 수준에서 교양교육은 상상조차 할 수 없다. 학생들은 교양교육을 중등교육 기관에서 마치고 대학에 입학하는 것으로 생각한다. 미국에 비하면 그렇게 생각하는 것도 일리가 있다.

많은 나라에서는 교수와 학생들에게 필요한 최소한의 시설도 갖추려는 試圖조차 하지 않고 있다. 연구실도 없고 기본적인 도서관이나 실험실도 없으며, 강의실도 매우 부적합하고 그나마 태부족하며—이태리 대학들이 거의 이렇다—강의는 녹음기가 대신하고 있는 실정이다. 나는 교수의 給與만으로는 생활이 안되는 인도네시아 대학에서도 똑같은 경험을 하였다. 녹음 강의가 흘러나오는 동안 생활에 쪼들리는 대학교수는 얼마 안되는 부수입을 올리기 위해 보따리 행상을 할 것이 틀림없다.

미국이 세계에서 가장 우수한 대학의 절대 다수를 점유하게 된 이유를 설명하면서 나는 또다른 요소로 미국 사람들 특유의 지역적 自負心을 제시하고 싶다. 이러한 지역적 자존심은 다른 나라에도 있지만, 그 정도에 있어서 미국과 큰 차이를 보인다. 미국의 최상위권 대학들은 공·사립을 불문하고 지역주민들의 애향심의 발로임이 명백하다. 캘리포니아대학*, 노스 캐롤라이나대학(University of North Carolina : 1789년 설립 Chapel Hill, NC−역자 주), 위스콘신대학, 미네소타대학(University of Minnesota : 1851년 설립 Minneapolis, MN−역자 주) 등이 모두 이 범주에 속하는 대학들이다. 이외에도 다른 많은 대학들을 예로 들 수 있다. 이 거대하고 지방분권화된 나라에서 각 지역은 경쟁적으로 가장 우수한 대학을 세우기를 원했고, 때때로 지역주민의 그런 열망은 충분히 실현되었다. 캘리포니아주가 이상적인 실례가 될 수 있다. 점증하는 인구, 租稅 기반의 확충, 지역적 야심의 강세, 신흥 재벌의 출현 그리고 쾌적한 기후 등이 한데 어우러져 100년이 채 안되어 세계적 명성을 떨치는 경이적인 대학들을 이루어 놓았다. 캘리포니아주는 전통적으로 문화의 중심지 역할을 해 왔던 동북부와는 모든 면에서

---

* University of California 9개 Campus는 다음과 같다. UC Berkeley(UC의 본부 대학), UC Davis, UC Irvine, UC Los Angeles, UC Riverside, UC San Diego, UC San Francisco, UC Santa Barbara, UC Santa Cruz. 이 9개 대학은 캘리포니아 주 내 공립 고등학교 졸업생의 상위 12.5%를 받아들이도록 되었고, 고졸자의 상위 3분의 1은 19개의 캘리포니아 주립대학(State University)에 입학하도록 되었다.(제 4장 참조)

아주 딴판임에도 불구하고 명문 대학들*을 출현시켰다.

미국에는 파리대학, 동경대학 혹은 제 2차 대전 전 베를린대학 (University of Berlin : 1809년 설립 Berlin, Germany—역자 주)이 누렸 던 先取優先權이 도대체 존재하지 않는다. 이 점은 하나님께 감사할 일이다.

'미국이 이룩해 낸' 대학교육이 아직도 훌륭하고 사실상 수월성 측 면에서 볼 때 가장 훌륭하다는 것을 보증할 수 있다. 그러면서도 미 국 대학을 다룰 때는 '매우 조심을 요한다'는 또다른 꼬리표가 붙어 야 한다. 내가 이 책을 집필하면서 念頭에 두고 있었던 대학들도 바 로 이런 대학들이다. 내가 무엇을 얼마나 많이 언급할 수 있겠는가? 현재 미국에는 3,000여 개가 넘는 고등교육 기관들이 있다. 한 편에 는 1,000여 개 이상의 2년제 초급대학이 있어서 전체 학생의 36% 가 이들 학교에 등록하고 있고,[5] 또다른 한 편에는 50여 개의 최상 위권 연구중심 종합대학교**가 있으며, 전체 학생들의 10%가 여기

---

* California주에는 UC 9개 Campus 이외에도 Stanford University Palo Alto, California Institute of Technology Pasadena, University of Southern Califor- nia Los Angeles와 단설 학부대학으로 Claremont 소재 Pomona College와 Los Angeles에 있는 Occidental College 등이 있다.

** *U. S. News & World Report*에 발표된 최상위권 50개 대학 순위는 아래와 같다. 이 순위는 Rosovsky교수가 念頭에 두고 있는 최상위권 50개 대학과는 일치하지 않을 수도 있다. 1. Harvard ; 2. Princeton, Yale ; 4. Stanford ; 5. MIT ; 6. Duke ; 7. CalTech, Dartmouth ; 9. Brown ; 10. Johns Hopkins ; 11. Chicago, Pennsylvania ; 13. Cornell, Northwestern ; 15. Columbia ; 16. Rice ; 17. Emory ; 18. Notre Dame ; 19. Virginia ; 20. Washington Univ. ; 21. George- town ; 22. Vanderbilt ; 23. Carnegie Mellon ; 24. Michigan ; 25. Tufts ; 26. UC Berkeley ; 27. North Carolina ; 28. UC Los Angeles ; 29. Rochester ; 30. Brandeis ; 31. Wake Forest ; 32. Wisconsin ; 33. Lehigh ; 34. William and Mary ; 35. Case Western Reserve ; 36. New York ; 37. Boston College ; 38.

에 재학하고 있다.

나는 이 책에서 초급대학에 관해서는 거의 언급하지 않았고, 주로 최상위권 연구중심 종합대학교에 국한해서 논술하였다. 1,000여 개의 초급대학을 한 범주로 묶고, 50여 개의 최상위권 대학을 또 한 부류로 일괄하고 나면, 그 중간에 다양한 대학들이 엄청나게 많이 있다. 이 중에 연구는 거의 하지 않고, 주로 학부학생들에게 강의만 하는 대학도 있고, 석사학위 까지만 수여하는 대학들도 많다. 또, 미국에는 교육의 질 면에서 매우 다양성을 띠고 있는 학부중심의 단설 학부대학들이 많은데 학부교육만을 따로 떼어놓고 볼 때 최상위권 연구중심 종합대학교와 비견할 만한 대학들이 이 부류에 많다. 또, 분야별로 고도로 전문화된 미술학교, 음악학교, 건축학교, 군사학교 등도 병존하고 있다. 이것들이 전부 2,000여 개가 넘고 있는데, 이제 현명한 독자들은 이 책의 어느 부분이 자기의 대학에 해당하는 것인가를 각자가 자력으로 판단하지 않으면 안된다고 생각한다.

하지만 부연하고 싶은 것은 내가 미국의 최상위권 연구중심 종합대학교들에 초점을 둔다고 해서 나의 견해를 부당하게 과소 평가하지는 말아달라는 것이다. 이 학교들은 미국 知性의 최첨단에 서 있는 대학들이다. 이들 대학들은 고등교육의 지적 議題를 결정하고, 앞으로 나아가야 할 방향을 제시한다. 프린스턴, 미시간, 그리고 코넬대학*은

Tulane ; 39.Rensselaer Polytech ; 40. UC Davis ; 41. Penn State ; 42. Georgia Tech ; 43. UC San Diego ; 44. USC ; 45. Rutgers, Illinois ; 47. Florida ; 48. UC Irvine ; 49. Syracuse ; 50. University of Washington. 자료 : *U.S. News & World Report*, Sept. 18, 1995, pp. 126~129.

* Princeton University(1746) Princeton, NJ ; University of Michigan(1817) Ann Arbor, MI ; Cornell University(1865) Ithaca, NY.

미국 대학의 극히 일부분만을 대표하고 있으며, 이들 3개 대학들 간에도 상당한 차이가 있는 것이 사실이다. 그러나 이들 세 대학은 미국인들은 물론이거니와 전세계인 모두에게도 다같이 중요한 대학들이다.

【註】

1) *Asian Wall Street Journal*, May 5, 1986.

2) 미국은 현재 외국 유학생이 압도적으로 많은 나라이다. 단지, 아프리카 학생들만이 미국 이외의 나라, 특히 프랑스로 상당수 유학을 떠난다. E. G. Barber, ed., *Foreign Student Flows*, IIE Research Report No. 7(1984), 8면 참조.

3) Christopher Rathbone, "The Problems of Reaching the Top of the Ivy League … and Staying There," *The Times Higher Education Supplement*, Aug. 1, 1980.

4) *Harvard and Holland*(A collection of essays published on Harvard's 350th anniversary, 1986), 72면 참조.

5) 관련 통계에 대해서는 B. R. Clark, *The Academic Life*(Princeton : The Carnegie Foundation for the Advancement of Teaching, 1987), 17 ~23면 참조.

제 **3** 장

學長의 日課[1]

오전 6시 30분

겨우 눈을 뜨자마자「뉴욕 타임즈」,「보스턴 글로브」,「월 스트리트 저널」을 가지러 아래층으로 내려갔다. 한 때 나는 국내외의 중요한 기사를 집중적으로 살펴보기 위해 제 1면을 읽는데도 꽤나 많은 시간을 들였다. 그러나 요즈음은 그럴 시간이 없다. 나는 하버드대학에 관한 기사가—항상 지나치게 비판적이지만—세 신문에 실려 있는지 급하게 훑어본다. 오늘 아침에는「월 스트리트 저널」에 한 件이 났는데, 나를 특별히 불쾌하게 하는 기사는 아니었다.

만일 「워싱턴 포스트」紙의 편집책임자, 아이비엠 회장, 미국 성공회 大主
敎, 하버드대학 총장 등 네 사람이 동시에 대통령에게 전화를 건다면, 레이건
대통령은 누구의 전화를 먼저 받을까? 여론 조사에 의하면 41%가 「워싱턴
포스트」지의 편집책임자라고 답하였다. 그 다음은 아이비엠 회장, 하버드대
학 총장은 맨 마지막이었다.

신문을 보고 나서 샤워를 하였다.

오전 7시

교수회관에서 朝餐 모임이 있어서 집을 나섰다. 자동차 라디오를
켰더니 하버드대학의 로조프스키 학장이 학부학생을 성희롱해서 징
계되었다는 너무도 확신에 찬 목소리가 흘러나와 매우 당황하지 않
을 수 없었다. 그러나 그것도 순간이었다. 그 까닭은 바로 전날 여학
생에게 전적으로 잘못된 키스를 했던 한 교수를 징계 처분해야 하는
어이없는 일이 있었기 때문이다. 나는 대중매체가 사실을 왜곡하여
매우 심하게 誤報한다는 것에 꽤 익숙해 있다. 이른 아침이므로 이
방송을 들었을 학생들은 거의 없을 것이고, 교수들도 이 시간대에는
'오늘의 쇼'에 출연하고 있는 동료 교수들을 부러워하며 바라보고 있
을 것이기 때문에 방송국에서 정정 보도를 하기 전에 보도를 듣고
내게 문제삼을 사람은 거의 없을 것이다.(사실은 내 비서 한 사람이
이 방송을 듣고 즉시 방송국에 전화를 걸었다. 매우 흥미롭게도 이
비서는 곤혹스러웠던 그 소식으로부터 나를 두둔할 생각으로 나에게
는 전혀 아무 말도 하지 않았다.) 만만할것 같지 않을 긴 하루가 시

작되었다.

오전 7시 30분

나는 오래 되어 품위가 있어 보이는 하버드대학 교수회관으로 들어섰다. 그 곳에서는 **學內** 유력 인사들의 조찬회의가 진행되고 있었다. 나는 여기에 매일 나타나다시피 하는 사람들을 오늘도 보게 된다. 이들은 독신자이거나 아마 배우자들이 계란 후라이와 팬케이크를 해주기를 싫어하는 사람들일 것이다. 여기에선 많은 회의가 열린다. 나는 대부분의 회합을 알고, 그들이 어떤 주제로 모였는지를 안다. 대학의 중요한 운영주체인 **大學理事會** 이사들과 졸린듯한 두세명의 학생들 그리고 교수들로 구성된 한 위원회는 **議題**로 **南**아프리카 공화국에 대한 투자 철회에 관한 문제를 다룰 것임이 틀림없다. 대외협력 부총장과 두세 명의 대학발전계획 전문가들은 한쪽 구석에 모여 앉아, 3억 5,000만 달러를 어떻게 조달할 것인가 즉, 모금 운동의 진척 상황에 대해 논의를 할 것이다. 그들은 활기에 차 있고 웃음꽃을 피우고 있다. 이 위원회의 **勞苦**의 주된 수혜자인 나는 위원들이 모두 기분 좋아하는 것을 바라보는 것이 기쁘다.

나 자신의 모임은 학생처장과 그의 두세 사람의 보좌관들과 만나는 것이다. 오늘의 의제는 새로운 기숙사 **舍監**의 물색, 매우 호화로운 기숙사의 과밀 현상, 그리고 래드클리프대학과의 긴장 관계이다. 이러한 문제들은 대학행정의 공통적인 특징을 지니고 있으며, 항상 있게 마련이고 좀처럼 해결되지도 않는다. 하버드대학 학부학생들은 막연히 영국의 옥스퍼드대학과 케임브리지대학 풍으로 지어진 13개 동의 기숙

사에서 생활하도록 되어 있다. 최근에는 각 동마다 통례적으로 교수와
그 배우자로 二人一組의 '공동 사감'을 배치해 기숙사의 위엄을 갖추
고 있다. 사감직은 給料 이외에 지급되는 부수입도 있어서 해볼만한
일임에도 불구하고 학생들을 기쁘게 해주고, 성인으로서의 본분도 지
킬 줄 아는 '균형 잡힌'[2] 올바른 한 雙을 찾기란 무척 어렵다. 우리가
바라는 적임자로 여겨 초청하면 거절당하기 일쑤이다. 그래서 학생처
장과 나는 교수 명부를 검토하면서 적임자를 찾으려고 애썼다.

기숙사가 과밀하다는 문제는 설명이 간단하다. 하버드대학의 기숙
사는 1930년대 학생들의 생활양식을 반영해서 지어졌다. 당시 기숙
사에 든 학생들은 가정부와 수행원이 딸렸고, 식당에서는 식탁보가
덮인 식탁에 앉아 선별 차림표 중에서 주문을 하여 식사를 하였다.
제 2차 대전 이후 기숙사에 들어오는 학생 수가 25% 이상 증가하면
서 기존 기숙사는 매우 비좁을 수밖에 없는 지경에 이르렀다. 클래스
의 확장은 자연히 수업료를 올렸고, 자격을 매우 잘 갖춘 지원자들의
입학요구는 엄청난 것이었지만, 대학은 정중한 생활방식의 외관만
유지하는데 급급해 왔다. 그래서 우리들은 기숙사의 신축과 개축의
가능성에 관해서 논의를 했다. 우리들은 '經費', 비과세 공채, 이자율
등등에 관해 많은 이야기를 나누었지만 이렇게 이른 아침에 소화해
내기에는 힘든 주제였다. 그래도 다른 위원회의 투자 철회에 관한 주
제보다는 훨씬 좋았다.

하버드와 래드클리프는 별개의 대학이다. 1974년 나는 두 대학의
통합을 제안하고, 통합실체의 명칭을 하클리프로 제의한 바 있다. 이
제안에 기뻐한 사람들은 극소수에 불과하였고, 특히 래드클리프 측
고위인사들이 가장 싫어하였다. 그 대신 우리들은 양교 간에 '和親協

定'을—화친의 정도에는 분명 주기적인 변화가 있게 마련이지만—
맺었다. 나는 이 협정을 남녀공학을 지정하는 것으로 해석했고, 래드
클리프 측은 하버드 공동체에서 여성의 옹호자라고 하는 역할을 그
들에게 할당하는 것으로 해석하였다.

　래드클리프는 여성들에게 하버드 교육에 접근할 수 있는 기회를
주기 위해 설립된지 100여 년이 조금 지난 대학이다. 설립 당시 래
드클리프는 대학이라 불리는 통상적인 의미의 대학이 아니었다. 래
드클리프에는 교수진이 존재하지 않았다. 여학생들은 항상 하버드대
학 교수의 강의를 들었는데, 오랫동안 하버드 학생들과 따로따로 수
강하다가 1950년대 이후부터는 두 대학 학생들이 함께 강의를 듣고
있다. 지난 15년 동안 남녀 학부학생들은 한 기숙사에 들며, 같은
강의를 수강하고 동일 학위를 받으며, 다같이 하버드대학 행정당국
의 보살핌을 받아 왔다. 래드클리프는 女性史를 위한 일급 도서관과
여성학자를 위한 연구소 설립을 위해서 온갖 힘을 결집시켜 나가고
있다. 그럼에도 불구하고 래드클리프 측은 모든 문제에 대해서 발언
권을 어엿하게 가지고 있어서, 이것이 본질적이고 대외적인 문제를
야기시키는 원인이 되어 왔다. 그러한 문제 중에 몇 가지가 오늘 아
침의 토의 주제들이다. 즉, 우리들이 남성 클럽을 운영하고 있는 것
이 성차별이라든지 여성 특유의 요구를 인정하지 않으려고 한다는
등의 비난을 퍼붓고 있다. 정말 그럴까? 어떻게 하면 좋을까?

오전 8시 45분

　어느 문제 하나도 해결하지 못하고, 조반만 포식한 채 校庭을 가로

질러 유니버시티 홀에 있는 학장실로 들어왔다. 교정은 조용하다. 학생들은 아직 눈에 띄지 않고, 두세 명의 교수들이 와이드너 도서관으로 가는 모습이 보일 뿐이다. 첫 번째 면담 약속은 내가 속해 있는 경제학과의 격한 감정에 사로잡혀 있는 교수와 되어 있었다. 이 교수는 다음 학년도 급여 인상 내역을 알리는 내가 보낸 公翰을 막 받은 모양이었다. 계량적으로 잘 훈련된 이 경제학자는 즉시 계산해 본 결과 자기의 봉급이 단지 1%만 올랐다는 결론을 내리고, 이런 처사는 무례하고 모욕적이라며 분개하였다. 나는 그의 잘못된 계산을 바로잡아 주며 짓궂은 쾌감을 느꼈다. 그의 급여는 6% 인상된 것이었다. 그 교수는 자기 자신의 봉급도 제대로 모르고 잘못 산정된 기준을 적용했던 것이다. 그는 몹시 당황해 하며 학장실을 나갔다. 이 작은 승리 덕분에 나머지 일과도 잘 해낼 것 같은 기분이 들었다.

오전 9시에서 오전 11시까지

학장 사무실 직원들이 도착했다. 이들은 보좌관 한 사람과 네 명의 비서들이다. 걸려 오는 모든 전화는 비서에 의해서 選別되고, 끝없는 '전화 술래잡기' 경기가 시작된다. 비서 중 한 사람이 전화를 받는다. "모씨로부터 전화가 왔고, 나중에 다시 전화해 달라고 부탁한다." 비서는 다시 유사한 부탁을 남겨 놓는 일을 수 없이 되풀이 한다. 보나마나 마벨(Ma Bell : 미국 전화·전신회사의 별명 — 역자 주) 전화회사만 좋아 할 것이다.

두 시간 동안에 4개의 면담 약속이 있다. 면담을 제시간에 끝내는 기술을 익혀둬야 한다. 보좌관의 버저 소리에 시계를 쳐다보고 일어나 문을 향해 걸어간다. 무슨 일이든 어느 정도 시간이 필요하다.

약속 1 : 고민하는 학과장. 그의 과는 규모가 작은 학과인데 원로 교수 세 분이 내년에 安息年을 하겠다는 의사를 갑자기 알려 왔다. 이 교수들은 앞으로도 여러 해를 함께 잘 지내야 하는 학과의 선임 교수들이다. 학과장으로서 이 분들의 안식년을 거부하는 것은 즐거운 일이 아니며, 이는 앞으로의 인간관계에도 좋지 않은 영향을 미치게 된다. 안식년을 허락하는 일은 쉽지만 그렇게 되면 학생들만 어려움을 당하게 된다. 내 경험에 비추어 볼 때 공통적인 현상이긴 해도 학과장은 이런 상황에 감연히 맞서는 용기있는 사람이기보다 신중을 기하는 편이어서 학장의 직권으로 공한을 보내어 세 분 중 두 분의 안식년을 거부해 달라고 간청하였다. 나는 학장의 책임을 잘 알고 있다. 고약한 사람이 되는 것도 그 중의 하나이다. 단호한 편지가 저녁 쯤에 부쳐질 것이다.

1회 약속 시간이 10여분 남았다. 나는 이런 시간에 화장실[3] 가기를 좋아하지만, 학장 측에서 일방적으로 일찍 면담을 종결짓는 것은 실례로 여겨질지도 모른다. 학과장은 사무실 공간이 비좁고, 비서 수가 적으며 그의 학과에 대학이 무관심하다는 등 남은 시간을 이용해서 끝없이 불평을 늘어놓았다. 나는 졸린 듯이 눈을 감고 있었다. 9시 30분이 되어 버저가 울리고 면담은 끝났다.

약속 2 : 나의 재무담당 보좌관. 의제는 다음 학년도의 수업료와 교수 급여이다. 이것은 대학의 수입과 지출을 결정하는 주요소 가운데 결정적으로 중요한 문제이다. 수업료와 급여는 타 대학과 경쟁적으로 고려되어야 한다. 스탠퍼드, 유시 버클리, 엠아이티, 예일대학*

---

* Stanford University(1891) Palo Alto, CA ; University of California(1868)

그리고 다른 대학들의 결정은 지극히 중요하다. 우리들은 매우 자유스럽게 정보를 교환한다. 모순된 듯 하지만 교수 급여를 최고로 높이면서 수업료는 최저로 낮추는 것이 나의 바람이다. 재무담당 보좌관은 수업료 인상을 최대로 촉구했고, 그렇게 인상해야 할 충분한 근거를 제시하였다. 그러나 수업료를 인상하게 되면 대학총장과 이사회가 곤경에 처하게 되고, 특히 중산층 학부모들에게는 큰 부담이 된다는 것을 나는 안다. 부유한 학부모는 수업료를 지불할 여유가 있고, 저소득층 학부모에게는 다액의 장학금이 주어지므로, 중간 소득층 학부모만 경제적으로 몹시 압박을 받게 된다. 보좌관은 나같이 소심하고 연약해서는 예산 균형을 맞출 수가 없다고 말했다. 즉각적인 조치가 요구되는 순간이었다. 다시 한번 버저 소리가 들리고, 우리는 이 難題를 연기하기로 합의했다. 당장 이루어져야 하는 결정은 거의 없다는 것을 나는 잘 알고 있다. 사나이다운 기백으로 결정하지 않는 것이 상책이다.

약속 3 : 극히 드물지만 전례가 없었던 것도 아닌 대단히 고통스러운 사건. 내가 학창시절부터 잘 아는 원로 교수이자 고명한 학자 한 분이 교수회관에 거의 常住하다시피 하면서 간간이 소동을 피웠다. 그 교수는 이혼한 외로운 분인데, 점점 더 괴상한 사람처럼 행동을 했다. 최근에는 수업을 거부하기에 이르렀다. 그분의 복장이나 행동이 이상야릇한 것쯤은 참을 수 있다. 심지어 어느 정도 偏執症勢를 보이는 것까지도 수용할 수 있다. 그러나 학생들에게 수업을 거부하는 것만은 용납될 수 없다.

Berkeley, CA ; Massachusetts Institute of Technology(1861) Cambridge, MA ; Yale University(1701) New Haven, CT.

교수는 정시에 도착하였다. 그는 키가 작고 심하게 경련을 했다. 그는 수업 거부의 일방적인 결정을 부인하지 않았다. 그는 학생들이 "진실하지 못하다."고 말하였다. 수업 거부에 대한 보다 이해하기 쉽고 합리적인 설명은 나오지 않았다. 나는 건강 진단을 받아 볼 것을 점잖게 권유해 보았으나 거절당하였다. 수업 거부는 어떠한 경우에도 대학당국이 介意치 않을 수 없는 위반 행위가 되기 때문에 강한 징계처분이 있을 것이라고 나는 주의를 환기시켰다. 그 교수는 자기의 문제를 전체 교수회의에 상정시켜야 한다고 주장하였다. 우리는 완전히 다른 확신을 가지고 헤어졌다. 나는 그 교수가 失性했다고 확신하였고, 그는 내가 진실한 학생과 진실하지 못한 학생도 구별할 줄 모르는 완전한 바보라고 생각하였을 것이다.

약속 4 : 오전 10시 30분에 학생 정치집단 대표단을 만나도록 되어 있는 나의 일정표를 보고 크게 놀랐다. 거의 모든 사람들의 욕심은 한이 없기 때문에, 학장으로서 나는 학생이나 교수들이 참으로 좋다라고 하는 경우를 보지 못했다. 학생들은 일반적으로 강의실에서나 과외활동 중이거나 식사를 할 때는 즐겁고 유쾌하다. 그러나 불행하게도 학생들은 정치활동가로 급성장하였다. 그래서 따지기 좋아하고 말이 많으며, 독선적이고 잘난 체하며, 우월감을 의식하면서 짐짓 겸손한 체 한다. 또 이들은 기성 세대나 기존 제도에 회의적이며 강한 불신을 나타낸다. 물론 예외가 없는 것은 아니나 전형적인 학생 정치활동가들은 남녀를 막론하고 이런 유형에 해당된다고 해야 할 것이다. 학생문제야 늘 있기마련이므로 이들이 학장 만나기를 원하는 것은 놀라운 일이 아니나 오전 면담을 요구한 것은 극히 드문 일이었다.

　학생대표단은 3인의 유태학생들로 구성되었는데, 그 중 두 명은 正統派 유태교인이었다. 이것은 그들이 오전 10시 30분에 학장을 만나려고 하는 의도를 설명해 준다. 아침 기도가 오래 전에 끝났기 때문이다. 나는 학생대표단이 내세운 문제가 대단히 어려운 것임을 알았고, 그들의 입장에 동의하지 않았다. 6월에 행해지는 졸업식은 五旬節의 제 2일에 해당된다. 오순절이라는 것은 모세가 시나이 산에서 십계명을 받은 것을 축하하는 유태교의 휴일이다. 정통파 유태교 학생들 입장에서는 6월 졸업식에 참석한다는 것이 더욱 어려우니 (유태교리 고문의 말에 의하면 반드시 불가능한 것도 아니지만) 유태인의 관심사에 대한 학교당국의 배려의 상징으로서 졸업식 날짜를 변경시켜야 한다고 이들은 진지하게 주장, 아니 강요하였다. 나는 이들의 제안에 대해 나의 확고한 입장을 밝혀 주려고 하였다.

　25,000여 명을 위해 오래 전부터 계속해 온 계획을 100여 명의 유태교리 준수자들을 불편하지 않게 하기 위한답시고 뒤집는 것이 합리적인가? 다른 종교단체도 같은 요구를 해 오면 어떻게 할 것인가? 하버드대학은 종교와는 관계가 없는 대학이 아닌가? 사실상 우리는 유태교리를 준수하는 학생들에게 많은 편의를 제공해 왔다. 얼마 전까지만 해도 토요일 시험 면제와 유태인 聖日을 피해 등록하는 것 그리고 유태식 요리를 먹는 것 등은 대단히 어려웠다. 그러나 이번 요구는 불합리하고 좋지 않은 선례를 남기게 된다고 나는 생각하였다.

　이 문제는 정당한 근거에서라기보다는 강압에 의해서 제기되었다. 학생들은 나에게 졸업식 날짜 변경을 요구하는 '하버드대학 관계자 3,000명'의 서명을 받은 청원서를 제출하였다.[4] 서면과 전화를 통한 운동도 절정에 달했다. 정통파 유태교 선생의 한 편지에서는 보크 총장을 고대 이집트 국왕으로 비유하고, 이스라엘 백성들에게 모질게 굴지 말라고 촉구하였다. 나는 유태인 특유의 정치운동에 정통해 있었고, 또 자주 참여해 보았기 때문에 이런 전략들을 올바른 견해로 판단할 수 있었다. 나의 비유태인 보좌관들이 불행하게도 반유태주의자로 비난받지 않을까 하는 두려움을 떨치지 못했다.

보좌관들의 표현대로 나는 학생들과 '솔직한 의견 교환'을 했다. 보좌관들의 눈에는 내가 다른 나라 君主의 명령을 강요했던 17세기 法廷의 유태인으로 비춰졌을 것이다. 보좌관들이 이렇게 느끼는 것을 보고 나는 조금도 흥분하지 않았다. 나는 단연 내 견해가 옳았고, 보다 큰 유태인 공동체의 이익을 지지하는 것으로 확신하고 있었다.

어느 날 40여 년 동안 네 명의 학장을 보좌했던 나의 행정보좌관이 "로조프스키 선생님! 학장 하시기도 참 힘드시겠어요. 더구나 유태인으로서 학장은 정말 불가능하겠어요."라고 말했다.

오전 11시

총장과 會同하기 위해 교정을 가로질러 유니버시티 홀에서 매사추세츠 홀(Massachusetts Hall : 하버드대학에서 가장 오래된 건물로 총장실, 기타 대학 사무실로 이용됨—역자 주)로 갔다. 두 건물 사이의 통로는 나만이 오갔기 때문에 길이 잘 들어 있었다.

총장은 언제나 따뜻이 맞아 주었다. 그는 즐겁게 웃으며 나의 등을 다독거려 주었고, 우리는 곧 총장실에서 각자의 몸에 밴 의자에 앉았다. 내 의자는 앉기에 편안하게 느껴질 정도로 닳아 있다. 의자와 통

로는 똑같은 이유로 닮은 데가 많다. 총장과는 한 주일에 적어도 3
~4회 만나게 되는데 만날 때마다 즐겁다. 나는 그와 같이 있는 것
이 기쁘고, 하루 중 기분이 좋은 시간이다.

우리는 크게 다른 두 가지 주제를 논의하였다. 내가 경비 절감에
대해 집착하는 것은 대단히 중요한 결정을 하게 만든다. 예를 들면,
강의실 페인트칠이 벗겨졌다고 해서 공부하는데 지장을 주는 것은
아니기 때문에 강의실 페인트 칠 횟수를 줄이자는 주장과 같은 것이
다. 그러나 불행하게도 페인트 칠 횟수를 줄이는 일은 페인트 노동조
합에서 직원을 해고시켜야 하는 도미노 현상을 발생시키게 된다. 총
장은 '나중에 들어온 사람이 먼저 나가야 한다'는 원칙을 적용하다
보니 해직되는 사람들은 모두 흑인이라고 말하였다. 우리는 재빨리
文理科大學 건물들에 대해 종전과 같은 페인트 칠 횟수를 계속 유지
하기로 합의를 보았다.

다른 議題는 대학의 장기 발전 계획과 이의 엄격한 실행 결과 그
리고 조사연구와 통계자료 수집 등에 대한 보크 총장의 요망사항이
다. 우리 두 사람의 태도는 어느 누구도 놀라지 않는 일이지만 격에
맞지 않게 색다른 데가 있다. 어떤 이는 총장이 변호사로서 지금 자
기 요망에 초점을 맞추고 실용적인 것을 강조하기를 기대할 지도 모
른다. 나는 경제학자로서 실은 사회과학자로 더 자부하지만 숫자, 정
보, 통계 처리, 그리고 모든 종류의 교육연구에 열중하기를 바라고
있음에 틀림없다. 이러한 것은 우리들의 직위와 책임감이 각자의 태
도에 영향을 주었기 때문만은 아니다. 총장은 위엄있는 시각으로 대
학을 점검하면서 항상 격려하고, 취약점을 찾아 개선 방안을 제안한
다. 그는 학장들보다 더 높은 곳에서 거시적인 안목으로 연간, 심지

어 5년, 때로는 10년을 내다보면서 새로운 도전을 생각한다. 나는
나 자신을 예상치도 않은 방향에서 날아오는 流彈을 피해야 하는 야
전사령관으로 보고 있다. 목표들은 너무 자주 시간 단위로 측정되고
있고, 길어야 수주간 단위이다. 학장이 딛고 설 올림포스山은 아직
드러나지 않았다. 잘못 생각했는지 모르지만 나는 대부분의 계획과
연구들이 이미 내 머리 속에서 직관적으로 명백한 결과들을 산출하
고 있다고 생각했다. 물론 나는 총장의 지혜와 지성을 깊이 존중해
왔고, 또 그것은 나의 취약점을 보완해 주었음을 익히 잘 알고 있다.
우리들은 新財政 5개년계획과 로망스어 학과를 심도있게 검토할 것
에 합의하였다.

12시

나는 다른 학장들과 내 사무실에서 간단한 점심을 하기 위해 총장
실로 갔던 길을 되돌아 서둘러 유니버시티 홀로 왔다. 中食에 참석하
는 사람들은 러시아史를 전공한 일반대학원장,* 통계물리학을 전공
한 응용과학부 학장, 정치학을 전공한 학부교육담당 부학장, 신경생
물학을 전공한 생물과학부 부학장, 논리학 교수인 종신재직관계 특
별보좌관, 그리고 사학자 겸 경력행정가인 학문발전계획 전문 특별
보좌관 등이다. 중식을 겸한 이 회합은 우아한 행사는 아니다. 참석

---

* 일반대학원장(dean of the Graduate School of Arts and Sciences)이 대학행정직
  서열상 文理科大學 학장 밑에 있는 것도 우리 대학제도와 다른 점이다. 하버드대학교 문
  리과대학장이 하버드대학의 제 2인자라는 사실은 제 1장 소개 서한, 本章 '7+1' 회의
  에 하버드대학을 대표하여 참석하는 것 그리고 제 8장 졸업식석상에서의 서열에서 알
  수 있다.

자들은 커피 테이블 주위에 늘 같은 의자에 앉아 서류와 자료 등을 챙기면서, 커피나 콜라를 마시며 샌드위치를 먹는다. 이 모임은 매주 한 차례씩 두 시간 동안 진행되는데 우리 중에 어떤 이는 이 회합에 10여 년을 계속 참석해 오는 사람도 있다. 이들은 모두가 나의 가장 친숙한 조언자들이다. 이들에게는 아무 것도 숨길 것이 없다. 이들은 내가 알고 있는 사실[5]들을 모두 알고 있으며, 또 내가 알지 못하는 많은 것들도 알고 있다.

이 회의는 어떤 '定型'이 있는 것도 아니다. 우리는 단지 무엇이든지 중요하다고 생각되는 사안을 검토한다. 종신재직 교수 승진 문제도 이 회의에서 맨 처음 상정된다. 또 중요한 재정적인 결정도 검토하고, 직원 문제, 교육 정책, 특별 행사, 애로 사항 등이 언제나 빠지지 않고 議題에 오른다. 우리들은 투표로 결정하지 않는다. 결국 대부분의 결정은 내가 단독적으로 해야 하지만 동료들의 조언을 충분히 고려해서 결정한다.

일상적인 안건 처리 이외에 오늘의 모임은 두 과학자 간에 평균 수준에도 못미친 함성이었지만 고함을 질렀던 것을 특징으로 들 수 있다. 두 문화 간의 충돌이라고나 할까. 물리학자가 굳은 표정을 지으면서 대부분의 생물학자들은 자기중심적이어서 예를 들어 학부수업과 같은 대학공동체의 전체 이익을 위한 노력은 거의 하지 않는다며, 그들의 이와 같은 행실을 뜯어고치지 않는다면 예산을 대폭 감축해야 한다고 하였다. 그러나 생물과학부 부학장은 나지막한 음성으로 좀 다른 각도에서 이해를 당부한다. 그는 점점 초조해 하면서도 전체 학문 세계에서 가장 빨리 발전해 가는 전공 분야인 생물학에서 널리 퍼져 있는 '대단히 특수한 상황'을 설명한다. 이 때 인본주의적인 성향이 강한 사학자가 사실상 연구만 하고 가르치지 않는 모든 자연과학자들에 비해 젊은 어학 교수들이 곤란한 지경에 처해 있음을 환기시켜 줌으로써 아픈 상처를 더욱 아프게 하였다. 회의는 이렇게 진행되어 갔다. 나는 듣고 배우며, 나의 표정을 석가모니처럼 지어 보이려고 노력하였다.[6]

오후 2시

학장들을 배웅해 주고, 점심을 먹은 자리도 말끔히 치웠다. 나의 다음 약속은 求婚 시간이다. 신랑은 나로 대표되는 하버드대학교 文理科大學이고, 신부는 중서부 대학에서 철학을 강의하는 젊은 철학자이다. 나의 所任은 그가 하버드대학 정교수직을 수락하도록 설득시키는 것이다. 이것은 중요한 임무이며 오늘 할 일 가운데 가장 중요한 일이다. 나의 심장은 평균 이상의 자질을 갖춘 사람을 만나야 할 때는 언제나 더 빨리 고동친다. 더군다나 모든 종류의 증거로 미루어 볼 때 이 젊은이는 거의 천재에 가깝다.(신부는 대단히 아름답다!) 그렇다고 그것이 전부는 아니다. 하버드대학 철학과는 전국 순위 1위로 매겨질 정도로 탁월한 학과이다. 철학과가 너무 훌륭하다 보니 일류병 증상을 나타낸다. 즉, 철학과 교수가 될 만한 인재를 찾을 수가 없는 것이다. 철학과는 바야흐로 노신사 클럽이 될 절박한 위험에 처해 있다. 철학과는 교수가 정년 퇴임하거나 사망해서 그 숫자가 줄어들수록 더욱 배타적인 학과가 되어 갔다. 내 想像으로 철학과는 단지 한 분의 학과 즉, 반대투표가 가득 들어있는 거대한 자루를 움켜쥐고 있는 원로 교수 한 분의 학과로 묘사된다. 그런데, 마침

내 젊은 후보 교수가 나타난 것이다.

이런 이유 때문에 나는 가능한 한 매력적으로 설득을 하고 특별히 파격적인 제안을 하려고 결심하였다. 나는 만면에 웃음을 띠면서— 빨리아치*를 생각하지 않게 하려고—내방객인 젊은 철학자와 그의 부인을 맞이하기 위하여 영접실로 들어갔다. 요즈음은 부인을 동반하는 것이 이상한 일이 아니다. 철학자의 부인은 컴퓨터 프로그래머이다. 그녀의 하버드대학에 대한 인식과 그녀 자신의 취업 기회가 우리들의 구혼 결과를 결정할지도 모른다.

나는 크고 훌륭한 사무실을 학장실다운 분위기로 조성하는데 최선을 다하였다. 벽난로에 불을 펴놓고, 스페인産 백포도주와 브랜디도 몇 병 준비해 놓았다. 나는 손님을 즐겁게 해주는 이와 같은 교제상의 예의는 중서부에서는 훨씬 덜 할 것이라고 생각한다. 밖에는 보슬비가 내리고 있었다. 나는 이 젊은 철학자가 새로 들여온 흰 의자의 방석 위에 자기의 진흙투성이 구두를 아무런 조심성 없이 올려놓고 있는 것을 보았다. 내 행정보좌관이 달가워하지 않을 것이다.

우리는 처음 만난 사람들이 늘 하는 이야기부터 시작하였다. 하버드는 특별하고 어쩌면 독특하기까지 한 대학이다. 하버드대학이야말로 교수가 크게 발전할 수 있고, 가장 우수한 동료 교수와 학생을 만날 수 있는 곳이다. 나는 하버드대학으로 옮긴 것을 후회해 본 적이 없으며, 당신도 그럴 것이다. 보스턴 지역은 흥미진진한 곳이다.[7] 이 말들은 결코 그냥 해본 소리가 아니라는 것을 강조하고 싶다. 다른 대학 사람들도 같은 정도의 확신을 가지고 유사한 말을 하겠지만, 나

---

* Leoncavallo가 작곡한 2막 오페라의 주인공으로 1892년 5월 21일 이태리 밀라노에서 초연. 이 짧은 오페라의 주인공이 Pagliacci라는 '어릿광대'의 역할을 하였다.

는 내가 한 말이 결코 틀리지 않을 것이라고 믿는다. 놀라운 일이 아니지만 나는 내 방문객이 이런 式의 권유에 매우 친근감을 느낄 것이라고 여긴다. 모든 학문 분야에서 가장 우수한 학자를 誘致하자면 치열한 경쟁이 벌어진다. 이 젊은 철학자도 다른 대학으로부터 또다른 제안을 받았을 가능성이 크다.(그래서 신랑은 불안하다.)

다음에는 무슨 이야기가 나올 것인지도 잘 알고 있다. 나는 하버드, 보스턴, 케임브리지, 文理科大學 학과들 그리고 교수 급여 등등에 관해 잘못 생각하고 있는 것을 들어야 한다. 주택이 너무 비싸고, 공립학교는 열악한 반면 사립학교는 너무 비싸고, 배우자의 취업 기회도 적으며, 철학과의 규모가 작다 보니 우수한 학생들을 프린스턴대학(Princeton University : 1746년 설립 Princeton, NJ – 역자 주)에 빼앗기고, 하버드대학에서는 신참 교수들에게 대학행정 참여의 기회가 거의 없다는 불평을 늘어 놓았다. 이 모든 주장 가운데는 옳은 것도 있으나 이런 문제들을 세세하게 제시하는 것은 흥정을 통해 승부를 내려는 의도가 숨겨져 있다.(신부는 하버드대학에 지나친 열의를 보이지 않으려고 조심하는 눈치다.)

우리는 곧 구체적인 사항으로 들어갔다. 나는 높은 급여를 제시해 놓고, 다른 교수와의 형평을 고려해 보고 내심으로 움찔하였다. 기록적으로 많은 주택 보조금이 부가되고, 불시 지출에 대비한 비상금의 일종인 '買收資金'도 추가하기로 하였다. 그리고 배우자의 취업 알선과 자녀의 명문 사립학교 취학도 약속하였다. 그러나 그는 대학의 厚待를 무표정한 얼굴로 받아들였다. 일언반구 감사하다는 말이 없다. 오히려 안식년, 휴가, 그리고 퇴직에 관한 새로운 질의를 계속하였다.

이제 시간이 다 되었다. 다른 사람들이 밖에서 기다리고 있는 중이다. 그에게 공식 제의를 하기 위한 공한이 나의 모든 公約을 포함하여 작성되고 있다. 나는 방문객을 철학과 과장에게 인도하고 이들과 작별 인사를 하였다. 이들을 위한 한 차례의 칵테일 파티와 만찬, 그리고 보크 총장과의 간단한 면담이 있게 되고, 그 다음 부동산 매매 중개인을 만나 볼 계획이다. 나는 하버드대학 학보사 기자들과 약속이 되어 있다.

오후 3시

「하버드 크림슨」紙는 학부학생들이 펴내는 일간 학보이다. 이 신문은 국내외 보도기관들이 대학 소식에 관한 권위있는 資料源으로 자주 이용하기 때문에 상당한 영향력이 있다. 대체적으로 신문 기사의 질은 멋이 있고 활기차다. 이 신문은 우수한 학생들을 끌어들여 그들로 하여금 수업이나 다른 어떤 활동에서보다도 더 많은 시간을 보내는 주된 활동을 하게 하고 있다. 기자들 중에는 졸업 후에 언론계에서 대성한 사람들도 많다.

지난 20여 년 간 독자로서 내가 지켜본 바에 의하면 이 신문 기사의 정확성은 한결같지 못했다. 60년대와 70년대 초에는 파당성이 강한 경향을 띠면서 혁명세력을 지지하고 옹호하였다. 최근에는 보도의 공정성이 많이 향상되었다. 기자들은 보다 정확하고 때론 공정해서 일간 대중지에 비해 손색이 없었다. 사설의 논조는 별개 문제다. 「크림슨」지의 논설은 오랫동안 시종일관 中道左派의 입장을 견지해 왔다. 보다 중요한 것은 「크림슨」지가 특히 '대학당국'에 적대적 태도를 취해 왔다는 것이다. 만일 '모든 뉴스를 편집에서 인쇄까지'가 「뉴욕 타임즈」지에 적절한 표어라고 한다면, 「크림슨」지는 '당신이 부인을 때리는 것을 멈춘 것은 언제인가?'가 표어이다. 학장으로서 지난 11년 동안 「크림슨」지에서 호의적인 기사를 본 일이 거의 없다. 기자들은 내가 어떤 일을 솔선해서 추진해 나가려고 하면 반대했고, 나의 활동상에 관한 보도는 종종 보다 어둡게 가리어졌으며 불순한 동기를 암시하는 듯하였다. 나의 볼썽사나운 사진이 그것을 적절히 증명하고 있다. 사진의 질에 관한 한 부득이 한 것이긴 했어도 내게도 일단의 책임이 있다.

세 기자가 월례 會見을 하기 위해 학장실로 들어왔다. 나는 티셔츠, 스웨터, 진 바지를 입고 있는 젊은 남녀들을 바라보며, 이들 중 누가 먼저 정장한 신사 숙녀가 되어 나와 相面하게 될까 궁금하였다. 이들 가운데 누가 미래의 F. 루스벨트, C. 와인버거 또는 A. 루이스*가 될까? 기자들과의 공방전은 시작된다.

인기있는 여자 조교수 한 사람의 종신재직권이 거부되었다. 훌륭한 교수, 특히 여교수가 '해고'되었다. 이 문제와 관련해서 불미스러운 조치들을 내가 어떻게 설명할 수 있겠는가? 그들이 알고 있는 것처럼 나는 기밀에 속하는 인사 문제에 대해서 결코 언급할 수는 없지만, 복잡한 승진절차에 관해서는 몇 번이고 기꺼이 설명할 용의가 있다. 내 견해로는 그것은 공정하였다. 학생 기자들은 줄곧 질문을 바꾸고 설명도 규칙적으로 반복되도록 한다. 아버지가 자식들에게

---

* Franklin D. Roosevelt(1882~1945) 미국 제32대 대통령(1933~1945)이자 유일한 4選 대통령, 뉴딜 정책을 수행한 것으로 유명. Cap Weinberger(1917~) 미국의 정치가, 국방장관 역임. Anthony Lewis(1927~) 미국의 유명한 신문 칼럼니스트.

들려주는 듯한 답변은 비웃음을 당하기가 십상이다. 학생 기자들은 내 주장에 대해 의심하는 투로 항상 작자 미상의 인용구를 별로 어렵지도 않게 사용하곤 한다.

교육개혁은 지금 대학에서 뜨겁게 논의되고 있는 문제이다. 나는 학부대학 교육에 좀 더 짜임새를 더해주는 새 中核教育課程을 지지하는 사람으로 알려졌다. 나는 중핵교육과정이 학생의 자유를 제한하리라는 것을 이해하지 못하는 사람인가? 학생들은 왜 자기 자신의 결정을 할 수 없어야 하는가? 학생들에겐 왜 그들이 공부하고 싶은 것을 결정할 수 있는 권한이 주어지지 않는가? 이러한 질문들은 매우 중요하고 정당한 문제들이므로 나는 좀더 상세하게 답변을 하려고 하였다. 나는 교수의 책임감, 교양교육 그리고 학생이면 누구나 자연과학과 인문학 또 그밖의 많은 것들을 공부해야 할 필요성에 관해 이야기하였다. 내일 신문의 머릿기사는 '고등학교로 돌아온 것을 환영합니다.'가 될 것이다.

마지막 5분을 남겨 놓고, 나는 보란듯이 시계를 쳐다보았다. 기자들은 항상 오랫동안 머물러서 시간을 어기기가 일쑤이다. 나는 교수회의를 준비해야 한다. 기자들은 보크 총장과 간단한 사전 모임을 갖기 위해서 의사일정위원회 위원들이 도착하자 곧 떠났다.

오후 3시 45분

하버드대학교 문리과대학 월례 교수회의는 안무가 잘 된 발레단과 흡사하다. 무대는 학장실 바로 옆에 있는 위풍 당당한 교수회의실이다. 교수회의실의 위치는 대학에서 가장 아름다운 장소로 모두들 인정하고 있다. 교수회의실 벽은 유명한 교수와 총장의 인물 사진들로 온통 뒤덮여 있다. 제복을 한 교수들의 흉상도 여기 저기 눈에 띤다. 하버드대학의 역사는 견디기 힘든 부담이 될 수도 있고, 사람의 혼에 감화를 주는 영감이 될 수도 있다. C. W. 엘리어트, A. L. 로우엘, B. 프랭클린, T. W. 리차드(노벨 화학상을 받은 최초의 미국인), W. 제임스, S. E. 모리슨* 그리고 많은 偉人들이 우리 시대의 어리석음을 조용히 응시하고 있다. 이들은 모두 백인 남성들로서 대부분 영국계 신교도이다. 이것이 지난날 하버드의 정확한 초상화이다. 나는 오래 살아 다른 범주의 사람들도 이 교수회의실 벽에서 보기를 바란다.

교수회의실은 250명을 족히 수용할 수 있는 방인데 회의실로는 아주 안성맞춤이다. 교수회 회원은 교수직 전원과 100여 명이 넘는 대학행정 보직자들을 포함해서 1,000여 명에 이르나 약삭빠른 교수들은 대학이 위기에 처해 있지 않는 한 교수회의에 참석하지 않는다. 나는 회의 장소를 큰방으로 옮기게 될 때마다 무척이나 신경이 쓰였다. 이런 상황은 잊혀져 가는 60년대와 70년대 초에 있었던 대학의 위기를 상기시켜 주는데, 다행스럽게 나의 학장 재임 기간에는 그런

---

* Charles W. Eliot(1834~1920) 하버드 대학 총장을 40년간 (1869~1909)하면서 Harvard College를 연구중심(대학원 중심) 대학교(Harvard University)로 발전시킨 사람. A. Lawrence Lowell(1856~1943) Eliot 총장에 이어서 하버드 대학총장을 지낸 사람으로 Eliot 총장이 연구중심 대학으로 크게 발전시킨 데 비해 Lowell 총장은 학부중심대학 교양교육에 공헌한 사람. Benjamin Franklin(1706~1790) 미국의 정치가, 외교가, 저술가, 물리학자, 교육가. Theodore W. Richards(1868~1928) 미국의 화학자, 노벨상을 수상한 최초의 미국인. William James(1842~1910) 미국의 심리학자 겸 철학자, 실용주의 창시자. Samuel E. Morison(1887~1976) 미국의 역사가, 풀리처상 수상.

일이 자주 일어나지 않았다. 오후 4시 공식 개회 선언이 있기 직전 한 떼의 무리들이 회의실 한 쪽 끝에 모여 다과를 들면서 談笑를 나눈다. 하버드대학의 역사에 남을 이렇듯 품위있는 막간의 시간을 가질 수 있게 된 데는 설명이 필요할 것 같다. 사실상 내가 하버드대학에 오기 전 옛날부터 차를 마시는 관례가 있었다는 이야기를 들었다. 그리고 1971년 최악의 정치적 쟁점을 둘러싼 토론이 한창이던 때에 —주제는 미제국주의의 악의 산물이라고 여겨지는 성적평가제를 폐지하는 것이었는데—나는 오랫동안 지속해 왔던 이 관행을 다시 성공적으로 제도화시킨 것이다.

교수회의는 공식적으로 진행된다. 의회 法規에 따라 이 법규에 정통한 사람을 기용하고, 회의의 의장인 총장은 약간 높은 연단의 중앙에 앉고, 양옆으로는 래드클리프대학을 포함한 여러 학장들이 좌정한다. 의장이 개회를 선언하고 의회에서 하는 것 같은 회의 절차에 따라 안건을 처리한 다음, 두세 사람의 追悼辭를 듣는다. 추도사는 근년에 작고한 동료 학자들의 생애를 아주 정성 들여 쓴 사랑에서 우러난 유머스런 頌德文이다. 나는 추도사를 듣는 이 30분 간을 특별히 좋아한다. 찬사를 받는 이들은 교수들이고 친구들이며 혹은 知己들이다. 우리들 가운데 어떤 이는 추도사를 일류급으로 잘 쓴다. 다른 사람들이 이룩해 놓은 위업을 깊이 생각하며 묵상한다는 것은 스스로 겸허해질 수 있고, 적어도 우리들 중 상당수가 그러한 감정에 젖어 있게 된다.[8]

오늘 처리해야 할 대부분의 안건들은 일상적인 보고서들인데, 단지 한 가지 의제만은 중요하다. 생물학과가 이분법에 의해 나누어지는 아메바와 같이 유기생물학과와 세포생물학과로 양분할 것을 제안하고 있는 것이다. 分科는 교육정책에 속하는 문제이기 때문에 교수 회의 공식적인 표결이 요구된다. '토론'은 매우 순조롭게 진행되었다. 제안자와 찬성자가 각각 미리 준비된 동의에 대한 지지 발언을 하고, 또 두세 사람이 지원 설명을 하였다. 반대하는 사람은 아무도 없고, 거의 모두 지루함만 느끼고 있는 듯했다. 그들이 文理科大學 안에 몇 개의 생물학과가 있건 간에 신경을 쓸 리가 있겠는가? 그러나 그들은 반대 의견이 없는 것이 수많은 시간을 들인 타협의 결과이고, 그밖에도 상당한 난제들이 남아 있다는 것을 깨닫지 못하였다. 더욱이 학문상의 문제들은 미래의 전공 분야와 깊이 연루되어 있기 때문에 평범하게 다룰 문제가 아니다. 그러나 아무도 그러한 감정을 나타내지 않았다. 동의는 구두 표결에 부쳐져 만장일치로 가결되었다. 나는 안심했다. 약속은 지켜졌고, 사람들은 자기에게 부과된 역할을 잘 수행하였다. 교수회의가 항상 이런 것만은 아니며, 오히려 갈등과 예측 불허의 사건이 자주 야기된다. 물론 학장들은 조화와 질서를 더 선호한다.

6시다. 폐회할 시간이다. 나는 한 시간 안에 로건 공항까지 가야 한다. 회의장에서 빠져 나오다 「크림슨」지 기자와 마주쳤고, 그는 생물학과에 관련된 오늘의 동의 속에 내포된 의미를 물었다. 나는 적당히 어물어물하고 여행용 서류 가방을 움켜쥐었다.

오후 6시 15분

나는 로건 공항으로 가는 택시 안에 있다. 캘러한 터널 지역의 차량 속도는 시속 2마일이다. 샌프란시스코行 비행기는 30분 안에 이

류한다. 보스턴 지역의 장점을 격찬했던 것에 대한 죄값을 치르는 것
일까?

내일은 팔로 알토(Palo Alto, CA : 스탠퍼드대학교 소재지—역자 주)에서
'7+1'회의*가 열린다. 이 모임은 사립대학 수석부총장9)들의 회합
인데, 1년에 2회씩 집단요법을 위해 집회를 갖는다. 나의 전임자였
던 맥죠지 번디(McGeorge Bundy : 1919~ , 역사학 교육자 겸 전 정부관
료—역자 주)가 30여 년 전에 창설했던 이 모임의 초기에는 코넬, 예
일, 컬럼비아, 스탠퍼드, 시카고, 펜실베이니아 그리고 하버드 등 7
개 대학이 회원교였다. 이 모임은 강한 배타적 성격을 띠고 있다. 이
웃 대학을 헤아리는 애틋한 마음이 엠아이티를 회원교로 적극 추천
하게 되었고, 10년이 걸려 회원교가 된 후부터 이 모임을 '7+1'이
라 부르게 되었다. 우리는 교육 정책, 교육 문제, 미래 과제, 대 정
부 관계 그리고 무엇이든지 서로 화젯거리가 될 만한 것들을 상호
비교 검토하기 위해 모인다. 우리들은 우호적으로 집단 감수성 훈련
을 받는 것 같은 분위기 속에서 서로가 서로의 손을 꼭 잡고 많은 시
간을 보낸다. 우리는 회원 대학들을 대학 내외의 敵으로부터 지키기
위해 서로 원형의 고리를 이루는 4륜 마차와 같다고 생각한다. 나는
무지한 총장, 비협조적인 교수들, 성가신 학생들 그리고 인색한 동문
들에 대한 불평을 털어놓는 곳으로 이 모임보다 더 적합한 장소가
없는 것으로 생각한다. 몇 년 전 하버드대학의 고문 변호사는 이 모

---

* '7+1'회원교는 다음과 같다. Cornell(1865) Ithaca, NY ; Yale(1701) New
Haven, CT ; Columbia(1754) New York, NY ; Stanford(1891) Palo Alto, CA ;
Chicago(1892) Chicago, IL ; Pennsylvania(1740) Philadelphia, PA ; Harvard
(1636) Cambridge, MA ; Massachusetts Institute of Technology(1861) Cam-
bridge, MA.

임의 활동이 자유 交易을 제한하려는 것이고, 결국 독과점금지법을
위반하는 것으로 해석할 수 있다고 언급했는데, 나는 우리 모임을 좋
지 않게 보려는 그런 해석에 동의할 수 없다.

나는 가까스로 비행기에 탑승하여 관광객들과 우는 아기들로 붐비
는 일반석에 겨우 앉았다. 일등석의 쾌적한 여행은 대학의 방침으로
禁하고 있다. 그래도 12시간 동안 미친듯이 날뛴 다음 누구로부터도
간섭받지 않는 6시간은 꽤나 좋은 시간이다. 스카치 위스키를 두 잔
마신 후 밀린 우편물을 점검하기 위해 서류 가방을 열었다. 대부분이
대단치 않은 것들이어서 여백에다 메모를 해 놓는다. 두 통의 편지가
다소 관심을 끈다. 한 편지는 무기화학 정교수를 찾고 있는 것과 관
련해서 우리 대학 화학과 과장에게 보낸 짧은 편지를 복사한 것인데,
영국의 노벨상 수상자가 쓴 이 편지의 일부는 다음과 같다.

지난 30년 동안 가장 빨리 발전해 온 화학의 한 분야에서[10] 명성이 있는
하버드대학 화학과에 대해 아주 솔직히 터놓고 말한다면, 늙어서 쓸모 없는
사람일지라도 나는 결코 하버드 교수로는 추천하지 않겠다. 화학과에서 엄선
되어 압축된 명단 속에 든 유명한 학자는 모두 편안한 둥지를 떠난 미치광이
에 불과하다. 특히 지난날 하버드대학에서 쫓겨난 일이 있는 사람은 더욱 그
렇다. 나는 귀 대학 화학과에게 시간을 낭비하지 말라고 일러주고 싶다.[11]

또다른 편지는 대학의 동물실험시설에서 근무했던 나의 딸이 제출
한 辭職願을 복사한 것이다. 딸은 사직 이유 난에 '자본주의 사회에
서 근로자의 역할에 대한 불만과 여행을 하고 싶어서'라고 썼다. 나
는 S. 오하라(Scarlett O'hara : Margaret Mitchell 작 「바람과 함께 사라지

다」의 여주인공—역자 주)가 말한 것처럼 '이 일은 내일 생각하기로 하
자.'고 마음먹고, J. 카레(John le Carré : 1931~ , John le Carré 는 筆名
이고, 本名은 David Cornwell이다. Eton학교 校長을 역임했고, 외교관 생활을
하다가 지금은 專業作家가 되었다.—역자 주)의 신작 소설을 꺼내 들었다.
샌프란시스코 공항에 도착하니 동부 표준시간으로 오전 12시 30분
이었다.

【註】

1) 史實의 정확성을 기하기 위해서 이 日課가 하루에 일어난 사건이 아니라 여러 날에 걸쳐 일어난 일들을 엮어서 만든 것임을 밝혀둔다. 이 모든 사건들은 실제로 일어난 것이지만 어느 정도 시간을 두고 발생한 것들이다.

2) 균형이 잘 잡혔다는 것은 부인이 專業主婦가 아닌 夫婦를 의미하는 것이다.

3) 나는 화장실에 대해서는 별 어려움 없이 한 章의 글을 쓸 수 있다. 나의 특별한 事緣은 하버드대학의 고색 창연한 年輪과 직접 관련이 있다. 학장실은 실내 배관공사를 하기 전인 19세기 초에 준공된 유니버시티 홀에 있다. 배관공사가 완성되었을 때 화장실은 가용 공간이 있는 건물에만 만들어졌다. 화장실이 다른 건물에 있기 때문에 왕복 5분 거리의 건물 사이를 뛰어다녀야 했고, 나의 잦은 화장실 출입은 내게 필요한 운동과 그 건물에서 일하는 모든 사람들에게 웃음거리를 제공해 주었다. 사람들에게 창피 거리가 되었던 화장실 출입이 나와 실험실 과학자들과의 관계에는 큰 도움이 되었다. 하버드에는 忍耐心이 약한 별종의 학자들이 있는데, 이들은 비용이 많이 들더라도 실험실에서 엎드려 코 닿을 거리에 있는 화장실을 요구하였다. 건물 사이를 오고 가며 신선한 공기를 마시는 것이 이 사람들에게는 문제가 안되었다. 나는 이들에게 "당신들도 내가 화장실에 가야 하는 만큼을 걸어야 하는 것 아니오?"라고 천진하게 말하였다. 많은 사람들이 학장실 옆에는 氣泡가 나오고, 여자 안마사까지 있는 대리석으로 지은 로마식 비밀 욕실이 있는 것으로 생각하는 것 같다. 그들은 주저하지 않고 그렇다고 말한다. 실제로는 그렇지 않은 것이 하버드대학에 수백만 달러를 절약시켜 주었는지도 모른다.

4) 대학 사회에서는 어떤 事案에 대해서든 몇 시간 안에 수천 장의 署名을 받을 수 있다는 것을 일반인들은 알아야 한다.

5) 여기에 한 가지 중요한 예외가 있다. 하버드대학교에서는 文理科大學 학장만이 종신재직권을 받은 교수들의 給與를 정하고, 또 그 액수를 알 수 있는 유

일한 사람이다.(비종신재직 교수들의 급여는 공표 된 등급에 따른다.) 거의 대부분의 대학에서는 학과장과 특정 위원회가 교수 급여를 책정하는데 발언 권을 갖는다. 많은 주립 대학들에서 교수의 급여는 주정부 예산의 일부로 공 포된다. 하버드의 급여체계는 거물급 교수에 대한 파격적 待遇를 지양하고, 학문 분야간 교수의 급여 차이를 극소화하며, 또 오랫동안 이 모든 권한을 학장에게 일임함으로써 지금까지 가능했다. 나는 이러한 慣行을 다른 대학에 권유하지 않았고, 또 이 관행은 바뀌어야 할 때가 되었다고 생각한다.

6) 적어도 석가모니는 유태인의 옛 농담을 생각하고 있었다. 한 랍비가 두 商人 간의 분쟁을 해결해 달라는 부탁을 받았다. 첫 번째 상인이 자기 입장을 상 세하게 설명하였다. 랍비는 수염을 만지작거리며 "음, 당신 말이 옳은 것 같 군요."하고 말하였다. 두 번째 상인은 정반대로 자신의 처지를 이야기하였 다. 랍비는 그를 향해서도 역시 수염을 쓰다듬으면서 "음, 당신 말도 옳은 것 같군요"라고 말하였다. 방 뒤쪽에 앉아 있던 랍비의 부인이 끼여들며 물 었다. "여보, 당신은 한 사건에 대해서 완전히 다른 두 설명을 들으셨잖아 요. 그렇다면 둘 다 옳을 수는 없는 것 아닌가요?" 랍비는 고개를 끄떡이며 다시 한번 수염을 쓸어 내리면서 부인에게 이렇게 말하였다. "듣고 보니 당 신 말도 맞는 것 같군."

7) 캘리포니아에서 온 교수 후보자에게는 4계절이 주는 知的 자극에 대해 설명 하는데 긴 시간을 보낸다.

8) 나는 한 때 어느 유수한 대학이 제의해 온 가장 높고 매력 있는 行政職을 사 절한 바 있다. 적지 않은 이유 중의 하나는 追悼辭와 관계가 있다. 하버드에 서는 우리 학교를 사임하고 나간 사람들이 아니라 정년 퇴임하는 교수를 위 해서만 추도사를 쓰는 것이 관례이다. 나는 교수회의에서 추도사를 들으면서 나 자신의 追悼文을 썼노라고 아내에게 말한 적이 있다. 자기 자신의 추도문 을 쓴다는 것은 누구나 바라 마지않는 일이기는 하나 흔하게 이루어지는 일 도 아니다. 그렇지만 나는 나의 추도문이 이 청중들에게 읽혀질 기회를 소망

한다.

9) 하버드대학에는 교학부총장 직제가 없다. 하버드의 文理科大學 학장을 대학 행정의 어떤 직위와도 동등하다고 보기 때문에 회원교들이 본인을 회원자격으로 합의해 준 것이라 여겨진다.

10) 나의 연구 분야인 경제학도 그 이상으로 발전해 왔다.

11) 이 탁월한 학자는 한 때 하버드대학에서 승진하지 못했던 조교수였다. 그런 사람을 떠나게 한 것은 명백히 하버드대학의 잘못이다.

②

學　生

제 4 장　종합대학교 학부대학 : 선발과 입학

제 5 장　대학선택

제 6 장　교양교육의 목적

제 7 장　중핵교육과정

제 8 장　대학원생 : 자고이래 보편의 학자세계로

대학,
갈등과
선택

제 **4** 장

綜合大學校 學部大學
選拔과 入學

  미국의 대학교육은 학생들과 학부모들에게 당혹스러울 정도로 많은 선택의 기회를 제공한다. 장래가 촉망되는 학생들은 주립 대학이나 사립 대학, 宗派 대학이나 非宗派 대학, 남자 또는 여자 대학이나 남녀공학 대학, 대규모 대학이나 소규모 대학, 그리고 고도로 전문화된 공과대학, 경쟁이 매우 치열한 명문 대학 또는 입학이 사실상 개방된 대학들 중에서 마음대로 선택할 수 있다. 대도시의 전화번호부에 나타나 있듯이 각 식당의 수준에 따라 등급을 매기는 방법과 유사하게 미국 대학들은 교육의 질, 기숙사의 청결 정도, 대학의 분위

기, 식사 그리고 학생의 일반적인 만족도 등을 고려하여 대학의 등급
이 매겨지며, 이러한 정보가 제공되어 보다 효율적인 대학 선택을 할
수 있도록 해주고 있다. 진학지도 교사와 상당한 상담료가 드는 사설
진학상담 전문가들은 대학들을 정밀하게 선별하여 1차로 지원하는
대학에 합격할 수 있도록 학생과 학부모를 만난다. 이 전문가들은 학
생들에게 합격할 가능성은 적지만 지원하지 않는 것보다는 그래도
나은 명문 대학 하나와 합격할 가능성이 반반인 두세 개 대학 그리
고 마지막으로 이들 대학에 모두 실패했을 때 입학할 수 있는 안전
한 대학을 하나 제시한다. 지망생들은 대체적으로 10여 개 대학에
입학원서를 제출한다.

　미국의 젊은이들은 다양한 학교 선택의 자유를 누린다. 미국에 현
재 있는 3,000여 개의 대학 중에서 단지 175개 대학만이 지원자들
중에서 우수한 학생을 선발할 수 있는 대학[1]으로 간주되고 있는데,
이 사실은 지원자가 부족해서 학생을 선택할 수 없는 대학이 훨씬
더 많다는 것을 의미한다. 경쟁이 치열한 명문 사립 대학에 입학하려
면 우수한 내신성적, 추천서 그리고 財力을 필요로 한다. 명문 사립
대학들은 장학금을 이용할 가능성이 매우 높기 때문에 이에 따라 지
원자들의 입학 기회가 넓어진다. 예를 들면, 1950년대 이래로 아이
비 리그에 속하는 대학들은 '지원자의 학비 지불 능력과는 무관한'
입학 및 장학정책을 견지해 오고 있다. 즉, 지원자는 가족의 등록금
지불 능력과 관계없이 査定되며, 그가 소정의 학문적 혹은 다른 능력
의 기준에 의해서 신입생으로 선발되면 대학당국이 일괄적으로 재정
보조 즉, 장학금, 대부금, 근로장학금 등을 주선해 줌으로써 부족한
학비를 충당하도록 한다.[2] 비록 아이비 리그에 속하는 대학은 아니

지만, 많은 상위권 대학들이 우등생 장학금을 주고, 체육 특기생에게
도 장려금을 주어서 지원자들에게 입학의 기회를 넓혀 주고 있다. 더
욱이 미국의 대학교육은 등록금과 교육의 質 사이에 단순한 상관관
계가 성립되지 않는다. 가장 우수한 대학과 가장 열등한 대학이 동시
에 등록금이 많이 드는 대학들을 대표할 수도 있고, 훌륭한 대학들
중에 상당수가 주립 대학인데, 이 대학들은 수업료와 각종 납부금을
상대적으로 낮게 부과하며, 특히 州民의 자녀에게는 더욱 그렇다.[3]
미국 대학생들이 자기 형편에 맞는 진정한 대안을 찾아볼 수 있음은
의심할 여지가 없다.

노아의 方舟 : 승선권을 어떻게 얻을 것인가

선발이 엄격한 학부대학에 어떻게 입학할 것인가? 혹은 내 자녀를
선발력이 강한 학부대학에 어떻게 입학시킬 것인가?

우리는 '경쟁이 치열하다'는 것을 입학에 필요한 조건을 잘 갖춘
지망생들이 지나치게 많이 지원하는 것으로 규정할 수 있다. 합격선
바로 아래 사람들은 성적이 우수함에도 불구하고 입학이 허용되지
않는다. 대학입학관리처 직원들은 지망생을 거부할 구실을 찾아내야
하는 과제에 직면하며, 수험생들은 합격권에 들기 위해 자기 자신을
가장 유리하게 보이려고 노력한다.

선발이 아주 엄격한 약 50개 정도의 최상위권 대학들을 보더라도
입학이 어려운 정도는 매우 다양하다. 예를 들면, 1985년에 아이비
리그에 속하는 하버드, 프린스턴, 예일대학* 등은 각각 13,000여 명

---

* *U.S. News & World Report*의 America's Best Colleges 1996에 의하면 1994~
1995년에 하버드대학에 15,261명이 지원해서 14.08% 입학하였고, 프린스턴대학에는

의 지원자 가운데 17%에서 19% 사이의 지원자를 입학시켰다. 스탠 퍼드대학은 전술한 바와 같이 17,000여 명의 지원자 중에서 15%를 선발하였다.[4] 칼텍과 엠아이티*는 지원자 수가 한결 적은 편이어서 —1,270명과 6,000명—그 중 30%와 34%를 각각 받아들였다. 나는 이들 최정상급 공과대학에 입학하는 것이 결코 쉽지 않다고 생각한 다. 어느 정도 지원자 수가 적고 입학율이 높다는 것은 그만큼 자체 濾過力이 있음을 나타낸다. 즉, 과학에 대한 적성이 높지 않은 사람 이 일부러 지원할 리가 없기 때문이다.

입학할 가능성은 주요 주립 대학이 더 높다. 1985년에 유시 버클 리, 미시간, 위스콘신대학에는 각각 12,000여 명에서 13,000여 명 사이의 수험생들이 지원하였다. 유시 버클리와 미시간대학은 지원자 가운데 약 절반을 상회하는 학생을 받아들였고, 위스콘신대학은 80 %를 웃돌게 입학**시켰다. 어떤 학생들은 주립 대학에 입학하기가 비교적 용이하다. 州民의 자녀들에게 입학 우선권이 주어져 경쟁률 을 감소시키기 때문이다.[5] 대학입학 가능성과 그 변인이 무엇이든 선발력이 강한 대학의 입학관리처에서는 매년 수많은 불합격 통지서 를 준비한다.

대학 입학자를 선발한다는 것은 조금도 이상한 일이 아니다. 그러 나 미국에는 미국 대학 특유의 두 가지 특징이 있다. 첫째, 미국 대

14,363명 지원자 중 14.22%, 예일대학에는 12,991명이 지원 이 중 18.87%가 입학하 였다.

* 같은 해 칼텍에는 2,012명 중 24.85%를, 엠아이티는 7,136명 중 30.35%를 입학시켰 다.

** 같은 해 유시 버클리는 20,814명 중 40.45%를, 미시간대학은 19,393명 중 68.46% 를 그리고 위스콘신대학은 15,291명 중 68.79%를 입학시켰다.

학의 약 95%는 비교적 선별을 하지 않는다는 것이고, 둘째는 명문 사립 대학들은 고도로 엄격하게 선별을 한다는 것이다. 세계의 여러 나라들에서는 컴퓨터가 신입생 선발을 담당하고 있다. 교과서 내에서 출제된 입학시험은 지원자의 순위를 일등에서 꼴찌까지 매겨 놓고, 모집정원에 따라 대학 입학자가 결정된다. 이것이 일본의 각 대학에서 이루어지고 있는 대학입학 시험제도이다. 이러한 입시제도는 경제적이고 관리하기가 비교적 간단한 선발제도이다.[6] 어떤 이들은 이 제도가 適格者를 결정하기 위해 가장 공정한 방법이라고 주장한다. 경쟁이 치열한 미국 대학들도 학력적성검사 점수로 지원자들의 순위를 매기고, 나머지 전형 작업은 단순히 컴퓨터에 맡겨 버릴 수도 있다. 이 방법을 사용하면 많은 돈과 시간, 노력을 절약하게 될 것이다.[7] 하지만 무엇인가를 잃는다고 생각되지 않는가?

미국의 최상위권 대학들 간에도 학생선발 절차는 매우 다르다.[8] 검사 점수나 내신성적과 같은 객관적인 기준이 중요한 역할을 하기는 하지만 이런 것들은 주관적, 질적, 인성적 요소로 보완된다. 나는 학생선발 절차를 고등학교 성적, 논술, 면접, 교사의 추천, 그리고 무엇보다도 理想的인 신입생 구성에 관한 대학 측의 의도가 고려된 사회공학의 실천이라고 기술하고자 한다. 여기에서 이상적이란 내가 노아의 方舟로 암시했듯이 다양성의 최적도라고 쉽게 규정할 수 있는데 학문적 탁월성이라는 틀 속에서 학생들 상호 간에 배울 수 있는 기회를 극대화 하는 것이다. 다양성의 바람직한 정도와 유형은 장소와 시간에 따라 달라질 것이다. 나는 오늘날 명문 사립 대학에서 생각하고 있는 가장 중요한 신입생 집단을 기술하려고 한다. 이런 집단들은 엄격하게 학생을 선발하는 단설 학부대학이나 주립 대학에도 있다.

대학입학을 가장 쉽게 하는 집단은 당연한 이유이지만 학문적으로 탁월한 재능을 타고난 학생들이다. 나는 이 말을 경솔하게 쓰고 싶지 않다. 스탠퍼드, 프린스턴, 유시 버클리의 학부학생들은 '뛰어난' 학문적 재능을 가졌다고 말할 수 있다. 그렇지 않다면 이들 대학에 입학이 허용되지 않았을 것이다. 나는 그것과는 조금 다른 의미로 말해보겠다. 매년 고등학교를 졸업하는 학생들 가운데는 학문적으로 극히 우수한 소수집단의 학생들이 있다. 이들은 학력적성검사* 합계점수가 1,600점에 달하고, 학업성취검사 점수도 800점에 육박하며, 우수반 배치 고사에서 최고 점수를 받기도 한다. 또, 어떤 학생들은 일찍이 과학적 재능을 발휘하기도 하고, 고등학교 모든 과목에서 거의 만점에 가까운 점수 기록을 보유하고 있는 것도 널리 알려진 사실이다. 내 추측으로 하버드대학에 지원하는 수험생 13,000여 명 중에서 200명 내지 400명은 족히 이와 같은 범주에 드는 학생들로서, 이들은 자기가 원하는 대학은 어느 대학이든지 진학할 수 있다. 최상위권 대학들은 이와 같이 극히 뛰어난 학생들이 면접하는 동안 同門들 앞에서 이상한 짓을 한다든지 혹은 맨발로 入室한다해도 서로 유인하기 위해 치열한 경쟁을 한다. 두뇌가 매우 명석한 이러한 지망생들은 바늘귀를 통과하는데 전혀 어려움이 없으나, 여기서 '학문적 재능'이라는 용어는 가장 높은 수준에 적용된 개념임에 각별히 留念해

---

* 종전의 학력적성검사인 SAT(Scholastic Aptitude Test)는 1994년 5월부터 학력평가검사 SAT (Scholastic Assessment Test)로 바뀌었고, 이것은 SAT1과 SAT2로 구성되어 있다. SAT1은 종전의 SAT와 같이 추론능력평가(reasoning test)에 초점을 두고 있고, SAT2는 종전의 학업성취평가(achievement test)의 명칭을 변경한 것으로 주로 교과내용평가 혹은 학업성취평가에 초점을 두고 있다.

야 한다.[9]

또다른 한 집단은 동문의 자녀와 그 가까운 친인척 그리고 교수의 자녀들로 구성된다. 동문과 교수의 자녀들은 '다른 모든 조건들이 동일하다'는 것을 전제로 해서 우대받는다. 동문의 자녀에 대한 개념 규정은 대학마다 조금씩 차이가 있다. 하버드대학에서 동문의 자녀는 文理科大學과 래드클리프대학 졸업자의 자녀들을 가리킨다. 그러나 스탠퍼드대학에서는 모든 동문 즉, 학부대학 졸업자 뿐만 아니라 일반대학원과 전문대학원 졸업자의 자녀들도 동문 자녀로 규정하고 있다. 그리고 교수의 자녀는 지원자의 부모가 종합대학교 내의 학부대학이나 전문대학원 교수인 경우이다. 하버드대학 신입생 중 약 16%에서 20%가 이들 두 범주 가운데 하나에 속한다. '다른 모든 조건들이 동일하다'는 것은 동문과 교수의 자녀들이 경쟁해야 할 다른 지원자의 것과 똑같이 필요한 조건들을 갖추었다는 것을 전제로 입학 우선권이 주어지는 것을 의미한다. 다시 말하면, 실제로는 비현실적인 가정이지만 동일한 자격을 갖춘 두 지원자가 있을 때, 동문이나 교수의 자녀에게 입학 우선권이 주어진다는 것이다.

이러한 입학 우선권이 정당화 될 수 있는가? 그것은 바로 어떤 조직의 미래 발전을 위해 집단내의 충성심 배양이라는 견지에서 설명이 가능하다. 사립 대학들은 건실한 재무구조와 학문적 수월성을 지속하기 위해, 또 학교의 수준을 높이기 위해 동문들의 재정적 寄與나 다른 형태의 지원에 의존한다. 대학의 富와 質간에는 정비례 관계가 성립되며, 그 부의 대부분은 동문들이 喜捨한 기부금으로 이루어진다. 이러한 이유로 사립 대학이 특정 동문과 그 가족과의 유대를 공고히 하는 것은 대학 存立에 필수 불가결한 요건이 된다. 이것은 동

문의 자녀에게 입학 우선권을 줌으로써 代를 이어 이루어진다. 이와
유사한 이유가 교수의 자녀에게도 적용된다. 대학을 운영하는 사람
들은 대학의 명성을 결정하는 가장 중요한 요소가 교수의 질이라는
것을 잘 알고 있다. 최고의 교수진을 확보하고 유지하기 위한 방법의
하나는 특별한 상황하에서 흔치 않은 대학입학의 기회를 이용하는
것이다. 즉, 다른 모든 조건이 같다는 것을 전제로 해서 교수의 자녀
를 입학시켜 주는 것이다. 그러나 실제로 대다수의 동문 자녀들과 교
수 자녀들에게는 어떠한 종류의 우선권도 필요하지 않다는 것을 첨
언해 두고 싶다. 이들은 대개 매우 우수한 지원자 집단이기 때문이
다.

　대학과 특정 고등학교 간의 관계도 특수한 성격을 지니고 있다. 그
러나 이 관계는 지난날에 비하면 훨씬 대단치 않은 要素가 되었다.
훌륭한 학교로 잘 알려진 많은 공·사립 고등학교 출신의 우수한 학
생들이 여러 해 동안 최상위권 대학 진학을 主導해 왔다. 하버드대학
의 경우 앤도버, 엑세터, 그리고 보스턴 라틴 등이 우수한 학생들을
진학시키는 고등학교로 이름이 떠오르는 학교들이다. 얼마 후에는
이 관계가 가족적인 성격의 형태로 변하여, 대학 측은 추천자와 특정
학교 졸업생의 유형을 알고 믿게 되었다. 고등학교 측에서도 자기 학
교 출신이 꾸준하게 일정한 수만큼 입학되기를 바랐다. 연도별 합격
자 수를 나타내는 그래프가 표준선 아래로 크게 떨어지면 문제가 생
기고 어려움이 따른다. 그러나 그러한 일은 자주 일어나지 않는다.
그럼에도 불구하고 이 유대 관계는 지난 30년 동안에 점차 약화되어
왔고, 그 원인은 대학이 신입생들을 더 널리 찾게 되었기 때문이다.
신입생의 공급원 구실을 해 왔던 소수 고등학교들은 다양한 지원자

를 찾고 있는 대학의 興望을 더 이상 충족시킬 수 없게 되었다.

수험생에게 긍정적으로 또는 부정적으로 영향을 미치는 것으로서 대학들의 최근 목표는 전국적으로 혹은 정도는 덜 하지만 전세계적으로 우수한 학생을 모집하자는 것이다. 특히 제 2차 대전 이후 하버드대학 및 동일 수준의 미국 대학들은 국가를 대표하는 대학이 되기를 바라면서, 그 유일한 방법이 학생들을 전국 방방곡곡에서 모집하는 것이라고 생각하고 있다. 최근에는 많은 대학들이 세계적인 대학이 되기를 원하는데, 이것의 실현은 곧 전세계 여러 나라의 우수한 학생들을 입학시키는 것을 의미한다. 이 목표는 지리적, 문화적 다양성이 학생과 교수에게 다같이 유익하다는 교육적 근거에서 정당화된다. 그것이 현실 세계를 이해하는 방법이고, 미국 사회의 특징이기도 하다. 서로 다른 지역적, 국가적, 세계적 전망은 모든 수준의 교육에 새로운 도전과 관심을 더해 준다. 이 理想이 실현되면 분명히 어떤 수험생들에게는 긍정적인 영향을 미치게 될 것이다. 다른 州보다도 매사추세츠주, 뉴욕주, 캘리포니아주 등에 사는 학생들은 하버드대학을 더 많이 지원한다. 다른 모든 조건들이 동일하다면 이 3개 주에서 지원한 학생들은 더 치열한 경쟁을 하게 된다.[10] 오클라호마주의 시골이나 사우스 캐롤라이나주의 조그마한 읍에서 지원한 학생들이 입학에 유리할지도 모른다. 뉴욕시에 거주하거나 뉴욕시 교외의 중상류 가정 출신의 지원자들은 입학에 장애가 될 수도 있다. 적은 무리 속의 지망생이 훨씬 더 눈에 잘 띈다. 즉, 뉴욕시에서 제일 뛰어난 지원자보다 오클라호마주나 버몬트주에서 제일 뛰어난 지망생이 시야에 더 잘 띄게 되고 목표도 더 잘 이룰 수 있다. 외국인 지원자에 대한 대학의 태도는 차라리 열광적이라고 볼 수 있다. '대학의 세계화'는 최상위권 대학에서 가장 인기있는 슬로건이지만, 그것을 실현하려면 엄청난 비용이 든다. 우리는 학부대학에 외국 학생들이 들어오는 것을 열망하나 사실상 장학금 혜택을 받지 않고 미국 대학의 비싼 교육비를 감당할 수 있는 외국인은 거의 없다.[11] 일반적으로 미국의 대학교육은 自國人에게는 장학금, 보조금, 장기상환저리융자, 기타 저렴한 학비 대안을 제공해 줌으로써 '지원자의 학비 지불 능력과는 무관한' 입학정책을 통해서 현저하게 실현되고 있다. 그러나 外國人에게는 긴축 예산이 적용됨으로써 특히 학부대학 수준에서는 극히 제한된 학비지원이 할당된다. 적은 무리 속의 외국인 지망생은 개별적으로는 보다 쉽게 눈에 띌 수 있으나 평균적으로 볼 때 외국인은 불리한 입장에 서게 될 것이다.

　지난 25년 동안 주목되어 온 또다른 집단은 주로 흑인, 중남미계 미국인, 토착 원주민과 정도는 덜 하지만 아시아계 미국인 등 그 동안 입학 비율이 낮았던 소수민족들이다. 대학에서 이런 학생들을 눈여겨 보면서 찾고 있는 것은 지난날 사람을 고용하는데 차별한 것에 대한 差別修正措置에 상응하려는 것이다. 최상위권 대학들은 지리적으로 뿐만 아니라 인종적으로도 국가를 대표하는 대학이 되기를 열망한다. 그래서 가능하다면 미국 내의 다양한 인종의 학생들에게 교육 기회를 제공하고자 한다. 우리는 학생들이 상호간에 많은 것을 배운다는 것을 잘 알고 있으며, 학생들이 다양하면 다양할수록 그런 기회는 더욱 풍요로워진다고 믿고 있다. 우리는 특히 최상위권 대학에서 받는 교육을 사회적, 경제적으로 상승 이동하는 첩경이라고 믿고 있으며, 그래서 지금까지 차별과 배제로 희생되어 온 소수 인종들도 이런 유리한 교육의 기회를 이용할 수 있기를 갈망하고 있다.

현재 이 소수집단들은 그 동안 차별받은 것에 대한 수정조치의 일환으로 그들에게 유리한 대학 신입생 선발과 이와 관련된 적극적인 장려 정책을 요구하고 있다. 즉, 그들을 진심으로 환영하는 태도를 확신할 수 있어야 하며, 장학금으로 재정적 어려움도 극복되어야 하고, 개인 혹은 집단의 잠재적 이득으로 처음에 필연적으로 느끼게 되는 외로움과 서먹서먹한 감정도 이겨낼 수 있어야 한다는 것이다. 나는 매년 출범해야 하는 노아의 方舟의 승객으로서 다른 범주에 속하는 사람들도 이런 고독감과 소외감을 느낄 것이라 생각한다. 방주 안에는 오히려 여러 범주들이 극심하게 중복되어 있다. 많은 승객들은 하나 이상의 범주에 속할 것이다. 그러나 나는 흑인, 중남미계 미국인, 토착 원주민, 일부 아시아계 미국인들에게 적극적인 강화조치가 필요하다는 것에 이의가 없을 것으로 생각한다.[12]

또한 적극적인 강화조치를 요구하고 이용할 수 있는 집단은 입학비율이 낮은 소수민족에 비하여 더 넓은 집단일 수도 있고 더 좁은 집단일 수도 있다. 예를 들면, 하버드대학은 지역사회에 대한 책임의 일환으로 보스턴과 케임브리지 지역에 있는 공립 고등학교 졸업생들의 일정 수를 받아들이는 특별한 배려를 해 오고 있다. 사실상 앞에서 말한 중복에 관한 지적을 입증이라도 하듯 이 지역 학교들은 흑인계 및 중남미계 학생들이 압도적으로 많다. 또, 지나치게 남학생像을 표방하는—나는 거의 모든 종합대학교 학부대학에 적용된다고 생각한다.—학교들은 여학생 지원자를 격려할 필요가 있다. 우리는 학부모들이 종합대학교 학부대학의 과열경쟁, 도시생활의 위험성 그리고 고액 등록금에 대하여 걱정하고 있다는 것을 경험을 통해서 잘 알고 있다. 불행하게도 이 모든 문제들이 여학생들에게는 아직도 필요 이상으로 과장되어 적용되고 있다.

지금까지 나는 우선적으로 취급된 집단이라는 관점에서 종합대학교 학부대학에 입학하는 과정에 작용하는 사회공학을 기술하였다. 상당수의 지원자들은 하나 혹은 그 이상의 이런 選好集團에 속할 것이며, 또 상당수의 수험생들은 어떠한 선호집단에도 속하지 못할 것이다. 어머니가 래드클리프대학 출신이고 오클라호마주의 한 시골에서 학문적으로 천부적인 재능을 갖고 태어난 흑인 여학생이 받는 특권을 우리 모두가 누릴 수 있는 것은 아니다. 그러면 지원자들은 어떻게 선발되는가?

높은 학문적 기준을 충족시키기 위하여 먼저 충분한 학력을 준비하고 있지 않으면 안된다. 학력적성검사 합계 점수가 1,100점 이하로 떨어져서는 안되고, 보통 1,400점 정도나 그 이상이어야 하며, 고등학교 성적은 평량평균 A⁻이거나 그 이상이 되어야 하고, 마지막 학기 석차가 요구되는데 대부분의 학생들이 상위 10%안에 들어야 한다. 학생의 학업에 대한 자질과 취미를 강조하는 고등학교 선생님의 추천서도 있어야 한다. 물론, 지원자가 어떤 특기를 소유했더라도 대단한 노력을 요하는 필수과정을 마칠 능력이 없다고 판정되면 입학이 안된다. 위에서 든 것들은 필요 조건이지 충분 조건은 아니기 때문이다. 일반인들보다 뛰어나야 한다는 점은 중요하다. 즉, 아주 높은 평균 성적도 보여 주어야 하며, 또 '무엇인가'를 매우 잘 할 수 있어야 한다. 미국 대학 학부학생들은 대학구내 기숙사를 중심으로 공동생활을 하기 때문에 밤낮을 가리지 않고 활동한다. 또 경기팀을 만들어서 학내 또는 대외 경기에 참가한다.[13] 극장이 있고 모든 종류의 음악을 연주하는 관현악단이 있다. 학생들은 신문을 발행하고 기사를 쓰며, 많은 유형의 사회활동에 참여한다. 공동체에는 시인, 가수, 농구선수 그리고 정치활동 지도자가 필요하다. 또한 학부대학의 학과들은 대학이 제공하는 특정 과목을 전공하거나 집중적으로 공부할 학생들을 필요로 한다. 학부대학의 모든 전공이 교수들을 계속 바쁘게 할 정도로 높은 수준의 인기가 있는 것도 아니며 일부 좋지 않은 풍문과는 반대로 비인기 과목을 개설하고 있는 학과들이 만족하고 있는 것도 아니다. 근년 들어 상황이 호전되기는 했지만 여전히 남학생보다 훨씬 적은 수의 여학생이 理科系를 선택한다. 최근까지 자연과학은 비교적 적은 수의 학부학생들만 끌어들였다. 고전어학계 학과들은 많은 학생들을 받아들이는 여유가 있었다. 어느 학과가 앞으로 지원자 미달에 당면하게 될지 알아내는 것은 매우 어렵다. 그러나 학부학생을 많이 모집하는 과목을 전공할 의사가 있으면 입학의 기회는 그만큼 넓어진다. 이러한 변화는 해마다 큰 편이다.

이렇게 하여 서서히 그리고 해마다 입학생들은 구체화된다. 입학관리처장을 粘土로 아름다운 예술작품을 빚는 조각가로 생각하면 된다. 어떤 특수한 자질이나 탁월함의 표시는 입학 가능성을 높여 줄 것이다. 몇몇 자질은 歸屬的인 것이다. 즉, 어떤 지원자는 특정 소수민족의 일원이거나 혹은 동문의 자녀일 수도 있고 아닐 수도 있다. 남녀 누구나 자기 혼자 힘으로는 특정 선호집단의 일원이 될 수 없다. 그러나 대부분의 자질은 성취할 수 있는 요소이며 개인의 노력에 의해 좌우된다.

나는 미국의 최상위권 사립 대학의 입학절차를 설명하였다.[14] 대학마다 각각 정도의 차이는 있으나 기본적 특징은 같다. 즉, 유연하면서도 복잡한 입학제도는 여러 가지 많은 변수를 고려하고, 또 적어도 묵시적으로는 사회질서에 대한 관점을 반영한다. 이 입학제도는 '公正'한가? 대학입학시험이나 고교내신성적 혹은 대학입학자격증에 전적으로 의존하는 제도가 더 공정한가? 미국의 대학입학전형제도는 많은 장점을 갖고 있다. 어떤 귀속적 우선권이 주어진 지원자는 미국의 사회제도가 제공하는 우선 순위의 수혜자이나, 그 숫자가 이런 이점이 없는 많은 유능한 수험생들을 배제할 정도로 많은 것은 아니다. 내 추측으로는 하버드대학의 입학 동기생 가운데 기껏해야 3분의 1 정도가 유리한 조건으로 입학경쟁에 임하나 나머지 상당수는 그런 유리한 조건이 없어도 입학할 수 있는 사람들이다. 예를 들면, 우리는 동문 자녀의 잠재능력이 다른 수험생들과 큰 차이가 없으며, 또 그들은 좋은 사립 고등학교에 다녔을 가능성이 높다고 가정할 수 있다. 나는 내신성적과 검사점수를 초월하여 필요한 요건을 모두 갖춘 개인에 대해 배려하는 것이 의미있는 일이며, 또 미국 대학이 교양교육을 강조하는 것과도 일치한다고 생각한다. 미국 학생들이 학부대학에 다니는 것은 특정 전공과목을 공부하기보다는 지적으로, 사회적으로 성숙되기 위해서이다. 미국의 대학입학전형제도는 관대할 뿐만 아니라 대기만성형 학생을 찾으려고 노력한다. 우리는 모든 수험생들이 똑같은 利點을 갖고 경쟁에 임하는 것이 아니라는 것을 인정하면서, 입학할 때의 순위보다는 졸업할 때의 성취에 더 큰 관심을 기울이고 있다. 미국의 입학제도는 사회의 유동성, 愛校心과 대학의 私益, 학문적 능력, 그리고 공을 멋지게 차는 사람으로부터 바이올린을 잘 연주하는 사람에 이르기까지 학문 이외의 재능들도 함께 고려하는 대단히 복잡한 제도이다. 나는 미국의 대학입학전형제도가 다음과 같은 세 가지 이유로 인해서 다른 대안들만큼 공정하다고 믿는다.

첫째, 등록금 지불 능력이 누구를 입학시킬 것인가를 결정하는데
있어서 가장 적은 역할을 한다는 것이다. 사실, 합격이 곧 입학은 아
니다. 저소득층 및 중산층은 경제적인 어려움에 직면하게 되나 대체
적으로 지원자의 학비 지불 능력과 무관한 입학제도가—아이비 리그
와 최상위권 대학들에서 실시하는 것처럼—선발될 자격이 있는 모든
수험생들을 상당히 뒷받침하고 있다. 실제로, 이런 제도는 부자의 利
點이 의식적으로 제한되고 있는 미국의 몇 안되는 사회제도 중의 하
나이다.[15]

둘째, 대학입학 전형제도가 부패하지 않았다는 사실이다. 즉, 예일
대학(Yale University : 1701년 설립 New Haven, CT—역자 주)이나 듀크
대학(Duke University : 1838년 설립 Durham, NC—역자 주)에 돈을 써서
입학할 수도 있지만 사실 연줄이나 개인의 영향력, 뇌물 등은 대학
입학에 중요하지 않은 요인들이다. 거의 모든 경우, 학생의 선발은
주로 교수대표들로 구성되어 외부의 영향력이 극소화 되고, 교수들의
최선의 판단이 반영되는 입학사정위원회에 의해서 이루어진다. 동
문, 고위 공직자, 기증자 그리고 이와 비슷한 사람들이 때로는 자기
의 자녀나 친척, 친구들을 위해 영향력을 행사하려고 든다. 매년 가
을이 되면 오랫동안 잊고 있었던 친구들이나 우연히 알게 되었던 친
지들이 조그마한 선물 꾸러미를 들고 갑자기 나타나 자기의 자녀를
만나 달라는 강한 욕망을 표시하기도 한다. 그들은 다른 대학을 지원
하는 것이 더 좋을 듯한 만나기 거북한 10代를 데리고 와서는 나의
친절한 조언을 듣고자 한다. 방문의 진정한 목적은 하버드대학 입학
사정위원회에 제출할 나의 추천서를 요구하는 것이다. 어떤 때는 부

득이한 처지여서 마지못해 들어줄 수밖에 없는데, 그럴 때마다 나는
언제나 그 사람에게 고등학교 선생님의 추천서가 훨씬 더 가치가 있
을 것이라고 알려준다. 일반적으로 피상적인 지식에 기초한 나의 私
信은 별 의미가 없다. 이것이 수험생에게 특별한 불이익을 주지는 않
겠지만 정중하게 예의를 갖춘 거절의 文件임을 확인시킬 뿐이다.[16]
나는 미국 사람들이 내가 말하는 것이 진실임을 알고 있으며 또한
그렇게 믿어 주리라고 생각한다. 몇 해 전에 하버드대학은 이 대학의
주요 기증자 중의 한 사람이자 동문회의 지도자이기도 했던 어떤 분
의 손녀를 불합격시킨 일이 있었다. 이런 결단을 내리는 것은 쉬운
일이 아니었지만 입학관리처장으로서는 별 다른 도리가 없었으므로
이 좋지 않은 소식을 미리 알려주기 위해 그 지망생의 할아버지에게
전화를 걸었다. 그러나 이 老紳士가 오히려 안도감을 나타내자 입학
관리처 관계자들은 모두 놀랐다. 그는 앞으로 친구들이 도와달라고
자기를 괴롭힐 때 "대학당국은 내 손녀까지 낙방시켰어!"라고 하며
쉽게 거절할 수 있게 되었기 때문에 도리어 잘 된 결정이라고 믿었
다. 요컨대, 그의 말은 입학 사정 때 영향을 미치지 않았던 것이다.
　외국인들은 혼치 않은 대학입학의 기회가 암거래 없이 할당되어지
는 것을 좀처럼 믿기가 어려울 것이다. 하버드대학에 자녀를 입학시
키는데 학장인 나에게만 책임이 있다고 잘못 믿고 있는 여러 외국
학부모들을 나는 알고 있다. 여기에서 특별히 재미있는 일화 한 가지
를 약간 변형하여 다시 언급하고자 한다. 서아시아의 한 재벌 신사가
자기 아들을 하버드대학교 文理科大學에 입학시키기를 원했다. 우리
는 전부터 서로 알고 지내는 사이였고, 이런 관계로 그의 아들 입학
문제에 대해 여러 번 전화 통화를 하게 되었다. 나는 모든 것이 전적

으로 아들의 실력에 달려 있고, 다른 것은 중요하지 않다는 것을 확신시키려고 했다. 그러나 그는 내 말을 믿으려고 하지 않았다. 그의 아들은 내가 손가락 하나 까딱하지 않았는데도 합격되었다. 그는 탁월한 학생이었다. 서아시아의 그 재벌 신사는 국제전화로 심심한 감사의 뜻을 전해왔다. 기쁜 감정을 억누르며 우는 듯한 그의 부인의 목소리가 전화를 통해 들려 왔다. 나는 그가 내게 돌리려는 어떤 작은 공적도 나와는 전혀 관계가 없다고 말하였다.

몇 달 뒤 한 젊은 여자로부터 보스턴의 리츠 칼턴 호텔에서 전화가 걸려 왔다. 그녀는 약간 강한 발음을 내는 영어로 자신이 그 재벌 신사의 親書를 지참한 측근 비서라고 밝혔다. 나는 바쁜 일정이었지만 그녀가 도착하는 대로 마중 나가서 친서를 건네 받겠다고 했다. 늦은 오후, 약속 시간에 나가 그녀의 아름다운 손을 잡고 악수를 한 다음 봉투를 받아 넣은 후 잠시 중단되었던 회견장으로 돌아왔다. 정확하게 말해서 이것이 그 일의 전부였다.

6시 30분 경 칵테일 연회장에 가기 직전 나는 그 재벌 신사의 친서를 열어 보았다. 봉투 속에는 간단한 인사장과 보스턴에서 그 재벌 신사의 나라까지 갔다올 수 있는 1등석 왕복 열린 항공권 2장이 한 장은 내 이름으로 또 한 장은 아내 이름으로 들어 있었다. 열린 항공권은 현금과 대등하나 그렇다고 뇌물은 물론 아니다. 단지, 감사의 상대를 착각하였고 그 표시로 온당치 않을 뿐이었다.[17] 당혹스러움에서 벗어나지 못한 채 칵테일 연회장으로 가서 그곳에 먼저 와 있는 총장에게 다가갔다. 내가 생각지도 못했던 의외의 만남에 대한 이야기를 꺼내자마자, 총장은 놀라는 표정으로 자기 이마를 살짝 치면서 자기에게도 봉투로 호의를 보인 젊은 여자가 있었다고 말하였다.

그는 봉투를 총장실에 그냥 놓아두었다는 것이다. 우리는 바로 총장실로 돌아와 이미 짐작했듯이 두 장의 항공권을 더 발견하였다.

다음날 나는 그 재벌 신사에게 꽤나 긴 편지를 썼다. 약간 경건한 투로 서구식 개념의 공적, 개인의 성취, 그리고 합당한 기증 방식 등을 설명하였다. 물론 네 장의 항공권도 편지와 함께 모두 돌려보냈다. "하버드대학의 한 학부모로서 대학에 대한 당신의 감사를 표하는 방법은 여러 가지 다른 방법이 있습니다." 그 재벌 신사는 이 뜻을 알아차리는데 어려움이 없었다. 그래서 재벌 신사 명의로 碩座教授 자리를 하나 마련하였다.

이야기의 전말(顚末)이 이러함에도 불구하고 많은 외국인들은 실력을 중요시한다는 우리의 공언을 조금도 믿으려 하지 않은 것 같다. 외국인들은 아직도 인맥과 정실이 연루되었을 것임에 틀림없다고 믿고, 그것이 자기들의 우수한 자녀들에게는 불공정하게 작용했다고 결론을 내리고 있다.

미국의 대학입학전형제도가 공정하다고 주장하는 세 번째 이유는 객관적인 시험만을 기초로 한 체제에서는 외형적인 간결성이나 공평함 때문에 올바른 판단을 그르치기 쉽다는 것과 관련이 있다. 일본의 대학입학시험이나 프랑스의 대학입학자격시험은—이런 관점에서 보면 미국의 학력적성검사도 마찬가지이지만—모두 학업성취검사이다. 이 검사들은 학생들이 초등 및 중등학교 재학 중에 지식과 기술을 얼마나 잘 습득했는지를 측정하는 시험이다. 그런데 이러한 시험은 공정한 측정방법이 아니다. 왜냐하면 정작 주요한 것은 대학입학시험 이전의 학교교육의 질, 가정에서의 지도와 지적 자극 그리고 지적 추구를 위한 시간적 여유 등에 의해 영향을 받기 때문이다. 그리고 이런 요소들은 사회적, 경제적인 지위와 매우 밀접하게 관련이 되어 있다. 예를 들면, 일본의 대학입학시험제도는 모든 고교졸업자들을 정말 공평하게 다루는 듯 하지만 사실은 중상류층 가정의 자녀들이 보다 용이하게 동경대학이나 경도대학에 입학한다는 것을 우리는 알고 있다. 이러한 가정의 자녀들은 수준 높은 공·사립 학교에 다니고, 어릴 때부터 보다 우수한 수험준비나 지도를 받아 왔기 때문이다. 반면에 미국의 대학입학전형제도는 훨씬 폭 넓은 기준에 의해 지원자를 선발하고 있기 때문에 일본의 대학입학시험제도보다 훨씬 공정하다고 말할 수 있다. 두 제도가 모두 어떤 기준을 갖는다는 점에서는 같지만, 우리 미국제도가 보다 큰 폭으로 사회적, 경제적인 이동을 촉진시킬 수 있으리라 생각된다.

【註】

1) 이 용어는 지망생들 중에서 입학자를 선발할 수 있는 대학의 능력을 뜻한다. 미국의 많은 대학들은 만약 모집 인원을 모두 채우려면 입학자를 선발할 여지가 없는 실정이다. 이는 대학의 選拔力 有無가 대학의 질과 관련됨을 명백하게 나타내는 것이다. 1985년 스탠퍼드대학은 총지원자 중에서 15%만 선발하였는데, 이는 이 대학이 대단한 선발력이 있음을 의미한다. 같은 해 아칸소대학은 총지원자 중에서 99%를 선발하였는데, 이 대학은 선발력이 없음을 나타낸다. E. B. Fiske, *Selective Guide to Colleges*(New York : New York Times Books, 1985), xiii면 참조.

2) 이 제도는 다소 理想化된 것으로 실제로는 잘 운용되지 못하고 있다. 재정적인 도움을 받기 위한 학생은 부모의 所得稅 증명서의 복사본을 포함해서 상세한 가정 경제 보고서를 제출해야 한다. 실제로 주어지는 액수는 그렇게 후하지 않은 방식에 의해 행해진다. 年收入 75,000불인 중산층 가정에서 두 자녀를 동시에 대학에 보내게 될 때에는 많은 재정적 지원을 받을 수 없고, 겨우 장기상환저리융자를 받을 수 있는 정도이다. 이러한 가정은 자녀의 대학 교육비를 충분히 검토하여 대학 선택을 신중하게 해야 할 것이다.

3) 예를 들면, 사립 대학인 사라 로렌스대학의 수업료 및 납부금은 역시 사립인 하버드대학과 시카고대학보다 더 많다. 저지 시티 주립대학은 같은 주립 대학인 미시건대학보다 더 비싸다. *Chronicle of Higher Education*, August 10, 1988, 참조.

4) 선발력이 약한 사립 대학의 例로 1985년에 뉴욕대학은 10,000여 명의 지원자 중에서 48%를 입학시켰다. 미국 대학의 경우 경쟁을 통한 학생 선발은 확실히 戰後의 현상이다. 제 2차 대전 전에는 하버드대학도 총지원자 중 50%를 받아들였다. 물론, 특정 집단 즉, 유태인, 흑인 그리고 공립 고등학교 졸업생 등에 대한 差別的 選別은 있었다.

5) 주립 대학은 보통 학생을 미리 정해진 범주에 따라 선발한다. 예를 들면, 9개의 캘리포니아대학에는 주내 공립 고교 졸업생의 상위 12.5%만이 진학할 수 있다. 고졸자의 상위 3분의 1은 19개의 캘리포니아州立 대학 중 어느 한 대학에 입학할 수 있다. 이 기준에 못 미치는 학생들이 이들 두 종류의 대학에 일부러 지원할 필요는 없다. 공연히 지원하면 입학 비율만 높이는 결과가 될 뿐이다.

6) 선발방법은 나라마다 다양하다. 일본의 入學試驗은 대학별로 치러진다. 프랑스는 대학입학자격의 취득에 기초를 두고 있으나 명문 대학은 별도의 시험을 부과하기도 한다. 네덜란드 대학은 추첨을 통해서 의학과 같은 전공에 학생들이 과도하게 몰리지 않도록 제한한다. 미국의 명문 사립 대학의 선발방법과 비교하면 옥스퍼드와 케임브리지를 제외한 다른 나라들의 방법은 거의 전적으로 공식적이고 非情的이다.

7) 하버드대학의 입학관리처, 재정지원실, 학생직업보도과의 1년 예산은 대략 2,500,000불이고, 이 부서에서 약 25명의 전문가가 일을 하고 있다.

8) 나의 논의는 주로 내게 더 친숙한 종합대학교에 국한된다. 그러나 선발력이 강한 單設 學部大學의 학생선발 과정도 종합대학교와 거의 동일하다는 이야기를 듣고 있다.

9) 나는 아이비 리그에 속하는 어떤 대학의 입학관리처장에게 학문적으로 우수한 지망생을 낙방시킨 적이 있느냐고 물었다. 그는 두 가지 중요한 점을 지적하였다. 첫째, 모든 대학에서 이 용어가 같은 뜻으로 定義되고 있지 않다는 것이다. 예를 들면, 예일대학에서 어중간한 사례가 선발력이 약한 대학에서는 학문적으로 우수한 것으로 간주될 수도 있다. 둘째, 입학관리처 고위 인사들은 '인간적인 허약함'을 경계하지 않으면 안된다고 말하였다. 학문적 재능은 4년 간의 학부생활에 충분히 견딜 만한 건강한 인성과 결합되어야 한다. 그리고 마지막으로 '지원자의 학비 지불능력과는 무관한' 입학정책을 펴 오고 있는 관대한 대학까지도 외국 학생에게는, 심지어 학문적으로 극히

우수한 지망생에게까지도 너그럽지 못한 경향이 있다.

10) 그러나 다른 모든 조건들이 동일한 경우는 극히 드문 일이다. 매사추세츠, 뉴욕, 캘리포니아주 등에서 지원한 학생은 보다 우수한 공·사립 고등학교 졸업생이어서 더욱 높은 학력적성검사 성적을 제출할 수 있다. 동문의 자녀 수도 이 3개 주가 역시 많다. 명심할 것은 한 영역의 유리한 조건은 다른 조건에 의해 상쇄될 가능성이 크다는 것이다. 결국, 관련된 모든 요인들을 종합적으로 판단해서 입학이 결정되는 것이다.

11) 자녀를 미국 대학에 입학시키고 싶어하는 부유한 외국인도 확실히 있고, 그 요구를 들어 줄 대학도 미국에는 있다. 그러나 고도로 선발력이 강한 대학에서는 그렇게 간단한 문제가 아니다. 우리는 부모의 재력과는 관계없이 가장 뛰어난 외국 학생이 오기를 바란다. 많은 나라의 공무원, 교원, 근로자의 봉급으로 미국 대학 교육을 받는 것은 대단히 어렵다. 교환관리제도도 매우 까다롭고 복잡하다. 실제적으로 충분한 재정적 보조 없이 학위를 취득한 유학생은 거의 없는 실정이다.

12) 나는 아시아 사람을 다른 소수민족과 달리 생각한다. 실제로 '아시아인'이라는 定義는 너무 포괄적이다. 일본, 중국, 한국계 미국인은 미국 대학교육에 입학하는 비율이 지나치게 높은 집단이다. 미국에서 대학교육을 받은 사람은 전 국민의 2% 미만인데, 이 집단은 미국의 가장 선발력이 강한 대학에서 10% 이상을 차지하고 있다.(1987~1988학년도에 하버드대학에 14%, 엠아이티에 20%, 칼텍에 21%, 유시 버클리에 25%) 나는 대학교육을 받는데 인구비례가 표준이 되어야 한다고 주장하는 것은 아니다.—그런 비례대표조차 없다면 '불충분하게 대표되었다' 혹은 '과도하게 대표되었다'는 말까지 이해할 수 없지만—그러나 이러한 숫자들은 어떤 아시아계 미국인은 최상위권 대학에서도 어렵지 않게 찾을 수 있다는 것을 말해 준다. 다른 한편, 베트남, 캄보디아, 라오스, 필리핀 그리고 인도계 미국인은 흑인 정도만큼이나 도움을 필요로 하고 있다.

나는 어떤 아시아계 집단 특히, 일본과 중국계 미국인은 할당 형식으로 逆
差別 우대 조치나 학부대학 인구에 제한을 가해야 한다고 특별히 언급하고
싶다. 고도의 논쟁에 휘말려 들 수 있는 이러한 불평은 우리의 대학입학 전
형 기준이 내신성적과 검사점수와 같은 두세 개의 지표에만 의존하고 있다고
할 때 더 설득력을 갖게 된다. 그러한 불평은 이 章에서 기술하고 있는 것
같이 보다 광범하고 훨씬 더 복잡한 제도에 비추어 볼 때 그 타당성을 잃게
된다는 것이 내 생각이다.

13) 나는 운동선수를 동문 자녀나 소수민족과 같은 특별한 지원자의 범주에 넣
었어야 했다. 유감스럽게도 많은 대학에서 그렇게 하고 있다. 그러나 대학입
학을 아주 어렵게 하는 것과 대학의 운동경기에 대한 자세는 역상관관계에
있다. 그래서 나는 운동선수를 보다 큰 집단의 일부에 포함시켰다.

14) 선발은 최상위권 사립 대학에 국한되는 것은 아니다. 미국의 고등교육체제
에서는 많은 공립 대학들과 우수한 단설 학부대학들도 학생을 엄격히 선발한
다. 선발력이 강한 대학일수록 그 선발방식은 이 章에서 서술한 것과 더욱
더 유사할 것이다.

15) 나는 세상 物情에 어두운 사람처럼 보이고 싶지 않다. 돈이 있다는 것은 항
상 有利하고, 사회가 제공하는 것에서 내 몫을 주장할 때 가진 자가 없는 자
보다 훨씬 낫다. 대학에 입학하기 위한 이전 단계의 지표로서 지불 능력은
대단히 중요하다. 생활에 여유가 있으면 보다 좋은 초중등학교에서의 교육,
더 지원적인 가정 분위기 그리고 知的 성취를 보다 중요시하는 여건이 조성
되기 때문이다. 그러나 부자의 이점에는 한계가 있다. 집을 사는데는 돈이
제일 많은 사람이 먼저 사들이는 것은 틀림없다. 일급 변호사를 고용하는데
도 재력이 중요한 利點이다. 그러나 대학에 입학하는 데는 富의 힘이 훨씬
약화된다.

16) 나의 절친한 친구인 하버드대학 총장은 자기의 추천서를 요청하는 이에게
잘 포장된 추천서를 써 준다. 그가 쓰는 추천서에는 "하버드대학의 규칙에

는 총장으로 하여금 입학심사에 간여하는 것을 금지하고 있다."라고 써 있다. 나는 그의 기분을 잘 알고 있다. 그의 추천은 입학에 아무런 도움도 되지 못한다.

17) 나의 아내는 현금을 주려는 노골적인 시도를 알고 격노했고, 모욕을 당한 것 같다고 분개했다. 그 후에 아내는 좀 역설적이긴 해도 만약에 그 선물이 같은 가치에 해당하는 예술품이었더라면―우리가 고상한 審美眼을 가진 사람이라는 것을 인정하고―자기의 태도는 훨씬 우호적이었을 것이라고 附言하였다.

제 **5** 장

大 學 選 擇

　독일 속담에 선택은 고통이란 말이 있다. 나는 오랫동안 우리가—
학부모, 학생, 교사, 사회 전반에 걸쳐—대학 선택과 관련하여 너무
나 야단법석을 떤다는 인상을 받아 왔다. 매년 4월이 되면, 젊은이
들은 자기가 지원한 최상위권 대학으로부터 두툼한 봉투가 아닌 얇
은 봉투를 받고 비탄에 잠긴다. 부모도 이 슬픔을 함께 하며, 자기
자녀가 4년 후에 일류 법과대학원이나 경영대학원에 입학할 수 없게
되고, 결국 적성에도 맞지 않고 벌이도 시원치 않은 직업을 갖게 될
지도 모른다고 염려한다. 그러나 이러한 걱정은 거의 언제나 잘못된

것이다. 사람의 직업은 어느 대학에 다녔느냐에 달려 있는 것이 아니다. 특히 지방의 특성과 강한 지역적 자부심을 가지고 있는 거대한 나라, 미국에서는 더욱 그렇다. 어느 분야에서든지 지도급 지위에 있는 사람들 즉, 전문가, 실업가, 정부관료들의 많은 수가 학부 수준의 대학졸업자들이다. 이는 미국에 3,000여 개가 넘는 대학이 있고, 미국사회가 아직도 개인의 성취에 대해 보상을 해주고 있다는 것을 반영하는 것이다.[1] 미국에서는 어떤 분야의 고위직을 특정 대학의 졸업생들이 독점할 수 없다. 예외적으로 가능한 고등교육 기관이 사관학교*인데 심지어 이 경우도 군대에서 가장 성공적인 지도자들 가운데 몇몇은, 그 대표적인 예로 G. C. 마샬(George C. Marshall : 1880~1959, 미국 군인 겸 국무장관, Nobel 평화상 수상—역자 주) 장군과 같은 사람은 육군사관학교나 해군사관학교 출신이 아니라는 것을 상기해 볼 필요가 있다.

나는 미국 사람들이 대학을 가는데 현실적인 선택의 기회를 가지고 있고, 이 선택의 기회는 실질적인 차이가 있다는 것을 시사하고 있으며, 이것은 곧 사람들에게 어느 대학에 가서 공부해야 할지 망설이게 한다는 것을 말해 왔다. 매년, 하버드대학에 특차 입학예정자로 내정된 젊은 남녀 학생들에게 文理科大學의 학장으로서 환영사를 하는 것은 즐거운 일이다. 학구적으로 매우 뛰어난 이 집단은 600여 명을 약간 상회하며 하버드대학 당국이 신입생으로 등록해 주기를

---

* 미국의 三軍士官學校의 설립 연대 및 소재지는 다음과 같다. The United States Military Academy (1802) West Point, NY ; The United States Naval Academy (1845) Annapolis, MD ; The United States Air Force Academy(1954) Colorado Spring, CO.

특별히 갈망한다. 나는 이 일을 여러 번 해보았기 때문에 내가 할 일을 잘 알고 있지만 특히 금년에는 어떤 이는 맹목에 가까운 애교심을 발휘했다고 말할 정도로 가장 愛校的인 강연을 했다. 즉, 하버드대학이 정말 오고 싶은 곳이고, 이보다 나은 대학은 없으며, 다른 대학으로 간다는 것은 큰 실수를 저지르는 것이라는 등 미사여구를 동원하여 하버드를 강하게 선전하였다. 환영사를 한 다음날 아침 7시 반에 학장실에 들어서니 전화 벨이 울렸다. 전화를 건 사람은 놀랍게도 어제 내 강연을 들은 한 젊은이였다. 그는 대학 선택의 갈피를 잡지 못한 채 마음만 졸이고 있는 학생이라고 신분을 밝히고 간절히 면담을 요구하였다. 업무가 시작되려면 아직 한 시간 정도 남았기 때문에 나는 그를 오라고 했다.

몇 분 후에 도착한 젊은이는 사뭇 진지해 보였고, 면담 초에는 상당히 자기중심적이었다. 그는 장기적인 안목에서 대학 선택을 마치 인생의 반려자를 고르는 것과 같은 것처럼 행동하였다. 많은 젊은이들이 부모의 부추김을 받아 그런 생각을 하게 된다. 하버드대학은 그를 행복하게 해 줄 수 있을까? 그에게 올바른 知的 교우 관계를 맺게 해줄 수 있을까? 그는 대부분의 학생들보다 더 심각했는데, 그것이 그의 또다른 걱정거리였다. 다른 문제가 더 있느냐고 물었을 때 그는 그렇다고 대답했다. 그는 전형적인 경우이지만 하버드대학 출신인 아버지가 하버드대학 진학을 강요한다고 했다. 케임브리지의 방문과 하버드대학에 대한 홍보 활동도 이 젊은이의 의구심을 모두 떨쳐버릴 수는 없었다. 그는 브라운대학(Brown University : 1764년 설립 Providence, RI―역자 주)과 헤이버퍼드대학(Haverford College : 1833년 설립 Haverford, PA―역자 주)에도 관심을 갖고 있었다. 내가 과연 그의 대학 선택에 도움을 줄 수 있을까? 다음에 이어지는 이야기는 내가 그 젊은이에게 들려준 것의 일부이고, 나머지는 내가 이야기를 해주고 싶었던 것이다.

종합대학교 학부대학의 利點

당신 아버지의 생각을 잊도록 하자. 아버지의 選好度는 그렇게 중요한 것이 아니다. 아버지는 당신에게 가장 좋은 것을 권하나 당신은 성인의 한 사람으로서 당신 자신이 선택을 해야 한다. 부모는 일반적으로 자기의 모교에 대해 조금은 불건전한 생각일 수 있는 지나친 회고의 정을 갖는 경향이 있다. 1938년 하버드대학 졸업식 석상에서 행했던 존 부챤(John Buchan : 1875~1940, 미국의 외교관 겸 작가—역자 주)²⁾의 말보다 더 조롱조로 표현한 사람은 아무도 없다.

……우리 모두가 동감해야 하는 한 가지 사실이 있다. 나는 以前 학생들이었던 여러 同門들에게 말하고 있지만, 그것은 유감스럽게도 하버드대학의 위대한 시절은 끝났다는 것을 우리 서로가 고백하지 않을 수 없다는 사실이다. 지구상의 모든 대학의 위대한 시절도 끝이 났다. 40년 전 어느 날, 이 세상에 황금시대가 열렸다. 그 황금시대의 시작은 오늘 여기에 모인 사람들 중 나이든 동문들이 케임브리지에 다니던 시기와 일치한다. 그 당시의 삶은 그전에 경험했던 것보다 더 흥미로웠고, 사람들은 더 대담했으며, 더 유머가 넘쳤다. 우정은 더욱 두터웠고 더 따뜻한 것이었다. 세상은 열려지기를 기다리는 싱싱한 굴과 같았다. 이러한 시대가 어떻게 쇠퇴하기 시작했는지에 대해 영국의 사학가 깁본 씨의 말을 빌면 "쇠퇴라는 것은 그것으로 인해 고통받는 사람들에게 너무나 큰 아픔을 준다. 빛이 하늘에서 떨어졌고, 신들의

황혼이 내렸다고 말하기에 충분하다"라고 하였다. 그러한 시대로부터 남은 일부 선량한 사람들이 지금은 폴스타프와 같이 뚱뚱해지고 늙었지만, 어쨌든 그들은 자기 자신에 대해 체면을 유지하려 애쓰고, 그들이 한때 살아왔던 위대한 시대를 믿지 못하는 사람들에게 그들의 황금시대를 입증하려고 노력한다. 그가 아무리 무한한 낙천주의자라고 할지라도 우리가 대학을 졸업한 이후 문명이 심각하게 쇠퇴하였다는 것을 인정하지 않는 사람은 오늘 여기에는 한 사람도 없으리라고 나는 확신한다.

부모들은 자신들의 학부대학 시절 이후 알려진 모든 사실과 상반되게 대학이 쇠퇴하였다고 생각하면서도, 자식들에게도 같은 학교에서의 경험을 公有케 함으로써 부모와 자식 간의 결속이 강하게 되기를 바란다.

물론 당신의 부모가 졸업한 대학을 동문의 자녀로서 다니는 것도 좋은 점이 있다. 전통과 연속성에 대한 감정은 고상한 생각이다. 이러한 생각은 우리가 수준 높게 살아가도록 격려한다. 한편, 독자적인 개성을 보여주는 것 또한 美德이 될 수 있다. 당신 자신의 필요는 누구보다도 당신이 훨씬 더 잘 안다. 이제 당신 아버지의 그늘에서 벗어날 때가 된 것이다.

당신이 하버드, 브라운, 헤이버퍼드 세 대학 사이에서 고민하고 있다면 그건 아직도 어느 대학에 진학할 것인가를 결정하지 못하고 있음을 말해 준다. 솔직히 말해서 하버드대학과 브라운대학 간의 차이는 별로 대수롭지 않으나, 이 두 대학과 헤이버퍼드대학 간의 차이는 보다 더 심각하다. 당신은 세 대학 중 어느 대학을 택하든 훌륭한 교육을 받을 수 있다. 그러나 대학 선택에 앞서 당신은 각 대학의 주된 유형과 그 대학이 제공하는 것이 무엇인가를 신중하게 생각해야 한다. 내가 모든 대학의 유형에 따른 장단점을 전부 논의한다는 것은 도저히 불가능하다. 그 이유는 대학마다 너무 많은 다양성이 있지만 나의 경험은 제한되어 있고, 내 편견을 배제하기도 쉽지 않기 때문이다. 예를 들면, 내 견해는 규모가 작은 대학이 언제나 좋다는 일반인들의 생각과는 다르다. 학생들은 몰개성적인 대형 강좌에 대해 자주 불평을 한다. 그들에 대한 나의 대답은 간단하다. 규모가 작은 강의실에서 졸렬하게 강의하는 것 보다 더 나쁜 것이 있냐고 반문하고 싶은 것이다. 나는 대표적인 종합대학교 학부대학에 관해서는 잘 알고 있는데 하버드대학과 브라운대학은 둘 다 이 유형에 속한다. 그래서 이 대학의 중요한 특징을 설명해 보려고 한다. 당신은 학부대학 간에도 서로 차이점들이 있다는 것을 잘 이해하게 될 것이다.

종합대학교의 학부대학에 대한 엄밀한 定義는 없다. 나는 학부대학을 가장 포괄적인 수준에서 학부교육을 제공하고 학사학위를 수여하는 종합대학교의 핵심 교육기관이라고 말하고 싶다. 학부대학은 일반대학원과 여러 개의 전문대학원을 포함하고 있는 종합대학교의 일부이다. 하버드대학을 예로 들면, 전문대학원으로 경영대학원, 법과대학원, 의과대학원, 치과대학원, 보건대학원, 신과대학원, 행정대학원, 건축대학원, 교육대학원이 있다. 또 일반대학원이 하나 더 있어서 인류학에서 동물학에 이르기까지 모든 전통적인 학문 분야의 학자들을 양성한다. 17,000여 명의 학생 중 약 3분의 1에 해당하는 6,500여 명만이 학부과정 학생들로서 학부대학에 등록하고 있다. 이 학부학생들은 다른 모든 학생들이 연대한 것보다 더 강하게 자기 자신에게 주의를 집중시키고 있으며, 학부학생 지도자들은 모든 학생들을 대표하는 것 같은 인상을 주기를 좋아한다. 학부학생들은 떠들썩하게 놀아 대고, 정치활동을 하며 요란스런 시위 등을 할 시간이 많고, 그런 활동들은 대중매체나 관심있는 동문들에게 호소력이 있다. 게다가 미국 대학에는 대학원 교육 履修로 형성된 유대 관계를 무시하려는 묘한 습관이 있다. 하버드의 진정한 아들딸들은 학부대학인 文理科大學 졸업생들이다. 대학원 졸업자들은 모금운동이 진행되고 있는 때를 제외하고는 기껏해야 사촌 대접을 받는다. 모금운동이 한창일 때에만 모두 행복한 한 가족이 된다.

규모가 큰 사립 대학에서는 학부학생들이 전체 학생의 약 3분의 1을 차지하는 것이 전형적인 양상이다. 주립 대학은 더 많은 전문대학원들이 설치되어 있을 수도 있다. 전문대학원 수가 적고 학부학생 비율이 높은 소규모 사립 대학도 있다. 그 예로 프린스턴대학과 다트머스대학 그리고 몇몇의 다른 대학들을 들 수 있다. 일반적으로 종합대학교에는 일반대학원, 전문대학원, 학부대학이 공존하고 있고, 학부대학 학생들은 종합대학교 안에서 소수집단을 이룬다. 하버드대학과 브라운대학 그리고 앨라배마대학(University of Alabama : 1831년 설립 Tuscaloosa, AL—역자 주)이 그렇다. 그러나 헤이버퍼드대학은 그렇지 않다. 헤이버퍼드대학의 주된 교육목표는 학사학위를 취득하려는 학생들을 교육하는데 있다.[3]

이러한 차이점들은 대수롭지 않다. 대학은 대규모화 되어 가고, 바쁜 장소로 변화해 가며, 매우 빈번하게 도심지에 자리를 잡아가고 있다.[4] 대학생의 연령 범위도 크게 넓어져 18세의 신입생으로부터 '현실 사회'에서 여러 해를 보낸 뒤 전문 교육을 더 받기 위해 대학에 다시 돌아온 원숙한 성인에 이르기까지 다양하다. 따라서 교수진도 다양해졌다. 즉, 臨床醫, 변호사, 건축가들이 과학자, 철학자, 경제학자들과 합류하였다. 평균적인 대학이 있는 것은 아니지만 미국인들은 이러한 유형의 대학이 복잡한 도시 생활과는 아주 동떨어져 있기를 기대한다. 우리는 18세에서 22세에 이르는 연령층의 젊은 남녀 학생들로 가득찬 그리고 적절한 수의 지도 교수들로 에워싸인 잘 손질해 가꾼 정원같은 대학을 연상하기 쉽다. 이런 시각들은 단지 대학을 보는 고정관념에 불과하다. 물론, 그 이상도 그 이하도 아닌 전형적인 유형의 대학들도 있다.

대학은 분위기에 따라 큰 차이를 나타낸다. 그러나 학문적 특성이 보다 중요하다. 종합대학교 내의 대학원 교육 프로그램은 학부대학 학생들에게 별 영향을 주지 못한다. 전문대학원 교육은 독립적이고 내부지향적이다. 학부학생들은 종합대학교 내에 법과대학원, 경영대학원, 의과대학원 등이 있는지 없는지 잘 모른다. 중요한 것은 학부대학이 다음 세대의 학자들을 양성하는 産室로서 일반대학원과 공존해야 할 필요와 기회이다. 이것은 관계 당사자 모두에게 대단히 중대한 결과를 가져온다.

종합대학교 학부대학 교수와 단설 학부대학 교수를 비교해 보자. 그 차별성은 理想的인 유형 간에서 도출될 것이다. 단설 학부대학의 교수는 가르치는 능력을 중요시하여 임용된다. 이런 대학들은 학부 학생들에게 초급 및 중급 교재를 가르치고, 고취시키며 동기를 유발시키는 일류급 해설자를 구하고 있다.

그러나 최상위권 단설 학부대학들은 분명히 해설자 이상의 교수들을 찾아 왔다. B. R. 클락(Burton R. Clark : 1921~ , 미국의 사회학자 겸 고등교육연구가—역자 주)이 '최상위권 50개 단설 학부대학'이라고 지

칭한 대학에서는 지난 수십 년 동안 교수임용 과정에 연구능력
이 보다 큰 역할을 하고 있었음을 보여 준다. 최상위권 50개 단
설 학부대학들 중에는 헤이버퍼드, 오버린, 스미스, 얼햄 그리고
리드대학 등이 포함되어 있다.* 이러한 사실은 최근에 교수의 需
要보다 供給이 많아서 구매자가 유리한 때를 맞아 종합대학교에
서 교수직을 구하지 못한 사람을 단설 학부대학에서 신임교수로
임용할 수 있고, 단설 학부대학에서도 연구의 중요성에 대해 긍
정적 평가를 반영한 결과로 보여진다. 그래서 두 유형의 학부대
학 간의 차별성은 다소 모호해졌지만 종합대학교 학부대학이 연
구를 더욱 중요시 하는 것은 여전하다. 클락의 연구에 의하면 최
상위권 연구중심 종합대학교에서는 교수 중 33%가 한 週에 20
시간 이상을 연구하는데 보낸다. 그러나 최상위권 단설 학부대학
에서는 그 수치가 5% 낮아진다. 최상위권 연구중심 종합대학교

---

* 1995년 9월 18일자 *U.S. News & World Report*에 발표된 최상위권 25개 단설 학
부대학의 순위는 다음과 같다. 1. Amherst College Amherst, MA ; 2. Swar-
thmore College Swarthmore, PA ; 2. Williams College Williamstown, MA ; 4.
Bowdoin College Brunswick, ME ; 5. Haverford College Haverford, PA ; 5.
Wellesley College Wellesley, MA ; 7. Middlebury College Middlebury, VT ; 8.
Pomona College Claremont, CA ; 9. Bryn Mawr College Bryn Mawr, PA ; 10.
Smith College Northampton, MA ; 11. Carleton College Northfield, MN ; 12.
Wesleyan University Middletown, CT ; 13. Vassar College Poughkeepsie, NY
; 14. Grinnell College Grinnell, IA ; 15. Washington and Lee University Lex-
ington, VA ; 16. Claremont McKenna College Claremont, CA ; 17. Colgate
University Hamilton, NY ; 18. Bates College Lewiston, ME ; 19. Colby Col-
lege Waterville, ME ; 19. Mount Holyoke College South Hadley, MA ; 21.
Davidson College Davidson, NC ; 22. Oberlin College Oberlin, OH ; 23. Ham-
ilton College Clinton, NY ; 23. Trinity College Hartford CT ; 25. Connecti-
cut College New London, CT.

의 교수 49%가 수업보다는 연구에 의존하고 있는데 비하여 같은 단설 학부대학의 교수 44%는 연구보다는 수업에 의존하고 있음을 보여주고 있다.[5] 단설 학부대학은 교수 수가 적고 학과 규모나 수도 적으며, 학생 수도 많지 않기 때문에 수업 분위기가 화기애애하다. 결과적으로 개별 학생의 인성에 대한 관심이 커진다. 학생에 대해 배려해 주고, 학생에게 시간을 할애해 주며 수업은 활기가 넘치고 또 좋은 상담자 역할을 해 준다. 이러한 목표는 기대한 결과를 가져온다. 즉, 탁월한 수업능력을 지닌 교수진은 학부학생들을 돕고 지원하려는 강한 의욕을 갖고 있다. 교수의 입장에서 볼 때 단설 학부대학에서는 초급 및 중급 수준 이상의 강의를 할 기회가 거의 없다는 것에 주목할 필요가 있다. 또 고급 수준의 강의 내용을 받아들일 수 있는 학생들도 극소수이다. 결과적으로, 교수들은 연구할 필요성을 별로 느끼지 않게 된다. 초급 및 중급 수준의 학문은 서서히 변화하며, 학문의 최신 경향을 따라잡거나 최첨단 지식의 邊境을 개척해야 할 압력도 훨씬 약하다. 단설 학부대학에는 최근에 유행하고 있는 최첨단 지식으로 지도해야 할 대학원생이 없다. 더욱이 대학 측의 평가인정도 학문적으로 생산적인 학자가 되는 것과 밀접하게 관련되어 있지 않다. 물론 단설 학부대학에서도 어떤 교수들은 탁월한 연구를 수행하고, 학문에 몰두하며 학문을 발전시킨다.[6] 그러나 상대적인 견지에서 볼 때 학부교육이 우선되고 있다.

종합대학교 교수들은 血統이 좀 다른 종류의 사람들이다. 종합대학교의 교수들은 학부와 대학원 강의를 하며—대학원 강의를 선호한다고 비평가들은 추정하고 있지만—그들 동료들 간의 지위, 승진, 보수 그리고 다른 요소들은 아마도 무엇보다 연구 성과에 따라 정해지는 것이라 볼 수 있다. 대학의 기본적인 사명 중의 하나가 학부학생들을 교육시키는 것인데 이와 같은 관행은 어떻게 옹호될 수 있을까? 학생들이 대학이 주는 편안함과 보살핌을 손쉽게 누릴 수 있고, 교육비도 같은 수준이거나 저렴한 단설 학부대학을 굳이 마다하고 自己虐待的일 정도로 힘든 종합대학교 학부대학을 선택하는 이유는 무엇일까?

잠시 상상의 날개를 펴 보자. 당신은 하버드대학에 진학할 것을 결심하였고, 이제 신입생이 되어서 아름다운 10월 오후에 챠알스 강변을 따라 산책을 하고 있다. 당신의 왼손은 영예로운 노벨 물리학상을 받은 하버드대학의 교수 중 한 분의 손을 잡고 있다. 그 교수는 우주의 기원에 대한 자기의 최신 이론을 설명하고 있다. 당신의 오른쪽 팔은 풀리처賞을 세 번씩이나 수상한 영문학과 교수 중 한 분의 어깨 위에 걸쳐져 있다. 그는 어떤 새로운 학설을 제시하지는 않았지만, 당신에게 엘름우드街에 있는 D. 보크 총장 부처의 저택에서 차를 마시고 싶은지 아니면 J. K. 갤브레이스(John K. Galbraith : 1908~ , 미국의 유명한 경제학자, 하버드대학 명예 교수—역자 주) 교수 댁에서 마시고 싶은지를 묻고 있다. 당신은 E. 케네디, M. 대처, J. 폴웰* 등을 항상 만나고 싶어했기 때문에 갤브레이스 교수 댁을 원할 것이다. 환상에서 깨어나라! 이것은 결코 현실일 수가 없다. 챠알스 강변도, 케임브리지도, 세느 강변도 아니거니와 샌프란시스코灣의 해안도 아니다. 종합대학교 학부대학은 수천 명의 귀엽고 사랑스러운 학부학

---

* Edward Kennedy(1932~) 미국의 정치가, 상원의원. Margaret Thatcher(1925
  ~) 영국의 정치가, 전 영국 수상. Jerry L. Falwell(1933~) 미국의 성직자.

생들에 의해서 둘러싸인 500명의 칩스*선생님들과 같은 교수들로
구성되어 있지 않다.

1950년대의 옥스퍼드대학에 대한 다음과 같은 서술은 또다른 현
실을 시사해 주고 있다.

오래 전 깁본 시대처럼 대학생활은 지금도 변함없이 진행되어 나가고 있
다. 마치 진정한 학부학생 따위는 존재하지 않는 것처럼 학부학생들은 학기
가 시작되어 끝날 때까지 꼭 야만적인 침략자들의 무리처럼 대학을 점령하여
취해 떠들며 거친 쾌락을 추구하고, 또 그들의 숫자가 많은 것을 이용하여
잠시의 점령 기간 동안 대학의 질서있는 평온함을 훼방놓는 존재에 지나지
않는다. 대학원생들은 가능한 한 평소와 다름없는 생활을 하고 있다. 홀에서
멋진 식사를 하고 연구를 계속한다. 원자를 분할하고 프랑스 상징파 詩人 말
라르메가 지은 「주사위 던지기」를 분석하며, 教會史를 심층적으로 논의한
다. 하지만 그들이야말로 영원히 변하지 않는 학문의 전당으로서 옥스퍼드의
역할을 대표하기도 하며, 선배로서 학부학생들과는 구분되어 있다. 아마 西
고트族에 점령되어 있는 동안 그들보다 훌륭한 로마人들이 이렇게 초연한 모
습을 보이고 있었을 것이다.

물론 학부과정 학생이 옥스퍼드에서 교육을 받을 수도 있었다. 그러나 그
것은 결코 쉬운 일이 아니었으며 당시 그렇게 할 필요도 전혀 없었다.[7]

---

* James Hilton 작 *Good-bye, Mr. Chips*의 주인공 Mr. Chipping의 별명. 영국 文法學
校 Brookfield의 古典語 교사인 Mr. Chipping은 모든 사람들이 Chips라는 별명으로
다정하게 부르던 교사로 1870년에 이 학교에 취임하여 43년 동안 은퇴할 때까지 이 학
교의 명물일 뿐만 아니라 전설적인 존재로 숱한 학생들의 뇌리에 남게 된 인물.

물론 이것 또한 풍자에 불과하다. 진실은 그 중간 정도에 놓여 있겠지만 이와 같은 상황 묘사는 둘 다 상당히 사실적인 요소를 함축하고 있다. 즉, 유명한 교수 이름들이 제시되고 있지만 학부 학생들과 반드시 친밀한 존재는 아니며, 오히려 학생으로부터 초연한 교수는 자기 자신의 연구에 여념이 없어서 더욱 냉정하게 느껴진다. 규모가 좀 더 작은 단설 학부대학에서는 다른 세계가 펼쳐질 수도 있으나 가부장적 간섭이 보다 더 심하고 교수진과 학생들간에 다양성이 덜 하며, 또 인간미를 더할 수 있는 학문 분야가 협소하다는 代價를 치러야 한다. 학생의 관점에서 볼 때, 대학의 규모와 선택의 범위는 밀접하게 관련되어 있으며, 이는 교과과정, 친구, 과외활동, 그리고 우리가 말하는 생활방식에도 그대로 적용된다. 이것은 순수한 개인적 판단이다. 그러나 종합대학교 학부대학은 의욕적으로 도전해 보려는 학생들이 선택할 수 있는 모든 대안들 중에 가장 매력있는 선택이라고 확신한다.

왜 가르치고 硏究하는가?

미국에 있는 종합대학교 학부대학의 정확한 수는 대학의 정의에 따라 다르다. 미국에는 수백 개의 종합대학교가 있다. 요컨대, 대부분의 州는 하나 이상의 주립 종합대학교를 가지고 있다. 그러나 제 4장에서 이미 언급한 것처럼 나는 이 용어를 보다 제한적인 의미로 쓸 생각이다. 나는 종합대학교의 학부대학을 많아야 50개 안팎으로 보고 있다. 종합대학교 학부대학은 가장 연구지향적인 종합대학교의 중앙에 위치해 있다. 하버드와 브라운대학은 물론이고 유시 버클리, 코넬, 존스 홉킨스, 미시간, 텍사스대학* 등도 이런 예에 속한다. 이 대학들은 소재지, 유형, 교육과정, 학생선발의 엄격성 그리고 주된 財源이 각각 다르다. 그러나 이들 대학들의 연구와 교육은 상호 보완적인 활동이라는 점, 종합대학교 수준의 교육은 연구를 통해서 얻어낸 새로운 지식과 시사가 없이는 기대하기 어렵다는 점, 그리고 학부학생들과 대학원생들을 지도하는 것을 통해 교수는 이상적인 지적 균형을 유지한다는 강한 信念을, 때로는 논란이 되기도 하지만, 공통적으로 가지고 있다.[8]

나는 이들 세 가지 신념 중에 이상적인 지적 균형은 다른 두 가지 신념만큼 크게 인정을 받지 못하고 있다는 사실에 동의하지 않을 수 없다. 어떤 대학교수들은 대학원 학생들에 한하여 수업하기를 좋아한다. 대학원 수업이 더 위엄이 있고 고상하다고 생각한다. 더욱 중요한 것은 대학원 수업이 보다 큰 명성과 위신을 부여한다고 믿고 있는 것이다. 몇몇 교수들은 전혀 가르치지 않고, 모든 시간을 연구하는데 보내기를 원한다. 일반적으로, 대학의 社會契約은 항상 불문율이지만 대학 사회에서 잘 이해되고 있다. 즉, 종합대학교 교수들은 가르치는 일과 연구하는 활동에 그들의 시간을 반반씩 할애하고, 가르치는 시간 중에 절반은 학부 수업에 나머지 반은 대학원 강의에 투입하도록 되어 있다. 그러나 이 공식을 엄격하게 단순한 방법으로 적용할 수는 없다. 예를 들면, 실험과학은 수업과 연구활동이 사실상 구분이 안될 정도로 얽혀 있다. 그렇지만 내가 말한 사회계약이라는

---

* Harvard University(1636) Cambridge, MA ; Brown University(1764) Providence, RI ; UC Berkeley (1868) Berkeley, CA ; Cornell University(1865) Ithaca, NY ; Johns Hopkins University(1876) Baltimore, MD ; University of Michigan(1817) Ann Arbor, MI ; University of Texas(1883) Austin, TX.

것이 유용할 뿐만 아니라 대개 시행 가능한 지침으로서의 효력도 가
지고 있다.

학생과 교수가 보는 세계는 서로 다르다. 학생들은 연구에 대한 교
수의 관심을 학부 수업에 흥미가 없는 것으로 보려는 경향이 있다.
연구를 강조하지 않는 대표적인 몇몇 대학들은 교육과 연구는 '得과
失의 합계가 항상 零이 되는 것과 같은 경기'라고 믿도록 부추긴다.[9]
비슷한 사례를 많은 대학 안내서에서도 볼 수 있다. 불행하게도 때때
로 몇몇 교수의 태도는 부정적인 고정관념을 확고하게 해준다. 즉,
부실한 강의준비, 수업시간 빼먹기, 학생들 윽박지르기 등이 모두 연
구라는 소중한 이름으로 행해진다. 그러나 이러한 일들은 연구라는
대의명분 없이도 일어날 수 있다. 수업하는데 무책임한 행위는 종합
대학교 학부대학의 전매특허가 아닌데도 다른 어떤 대학보다도 자주
일어난다. 휴가, 상담계약, 회의초빙, 기타 유사한 활동의 형태로 더
많은 유혹을 받기 때문이다.

연구와 교육을 동시에 수행하는 것은 연구중심 종합대학교 교수의
本分이다. 이런 대학교수는 학생 세대에게 단지 기존 지식만을 전달
하는 교사가 아니다. 교수는 대학원생들의 도움을 받으면서 새로운
지식을 창출하며, 모든 수준의 학생들에게 최첨단 지식을 가르치는
사람이다. 단설 학부대학의 학생과 교수 간의 관계와 연구중심 종합
대학교 학부대학의 학생과 교수 간의 관계는 知的인 면에서 크게 다
르다. 어느 쪽 관계가 더 좋다거나 나쁘다는 것이 아니라 그저 다른
것이다. 실제로는 어떤 면에서는 좋을 수도 있고, 다른 면에서는 나
쁠 수도 있다. 내가 두 유형의 대학의 理想型에 대하여 논의하고 있
음을 상기하기 바란다. 그 차이를 설명하는 한 가지 방법은 일차 자

료를 사용하는 것과 이차 자료를 사용하는 것 간의 차이와 유사하다고 하겠다. 일차 자료나 이차 자료는 모두 필수이긴 하나 그것들이 같은 기능을 수행하는 것은 아니다.

學部學生들은 왜 研究指向型 教授를 願하는가?

이 문제에 대해 진지하게 생각해 본 일은 거의 없다. 연구지향적인 교수로부터 배운 것이 아무 것도 없다고 생각하는 학부학생들은 '이 득이 없다.'는 자명한 대답 이외에 더 이상의 설명을 요구할 필요도 없다고 여기는 경향이 있다. 이것은 득과 실의 합계가 항상 영이 된다는 것과 같은 태도이다.[10] 이와 대조적으로 나처럼 公理가 타당하지 않다고 믿는 사람들은 그 문제를 합리적인 설명이 불가능한 신비로움으로 여긴다. 그럼 그 신비성의 일부나마 밝혀 보도록 하자.

우선, 첫째로 연구란 무엇을 의미하는가? 내가 제일 좋아하는 1936년도 판 웹스터 대학사전에 의하면 연구는 '학문적 탐구 즉, 새로 발견된 사실에 비추어 이미 받아들여진 결론을 수정하려는 목적으로 비판적인 철저한 조사와 실험으로 이루어진 활동이다.'라고 정의되어 있다. 이 훌륭한 상식적인 정의에서 몇 가지 측면을 강조할 필요가 있다. 우리는 독서와 연구는 같지 않은 것이라고 推論할 수 있다. 사람들은 단지 즐거움을 얻기 위하여, 사회 각 분야의 화제에 뒤지지 않기 위하여 혹은 새로운 기술을 익히기 위하여, 단순히 새로운 지식과 정보를 얻기 위하여 독서를 한다. 이러한 독서는 '새롭게 발견된 사실에 비추어' 이미 받아들여진 결론을 수정할 의도를 전혀 내포하고 있지 않다. 물론 실험과 마찬가지로 독서는 연구활동에 절대 필요한 것이나 그러한 독서가 되기 위해서는 의도적이고 계획적이며 목표지향적인 특수한 종류의 독서이어야 한다. 둘째, 연구와 출판은 동일한 것은 아니지만 대단히 밀접한 관계가 있다. '받아들인 결론의 수정'이 의미있게 되기 위해서는 새로 발견된 사실들이 발표되어 열띤 토론을 통해 채택되던가 거부되어야 한다. 또, 그것은 어떤 형식으로든지 출판된다는 것을 의미한다.

우리를 이러한 연구활동에 끌어들이는 것은 무엇인가? '연구'라는 말은 이제 너무 평범하게 사용되어 世俗化 되었기 때문에 연구라는 말의 의미를 명확히 해야 한다.[11] 대부분의 연구는 상업적인 목적으로 이루어진다. 즉, 새로운 제품을 개발하기 위해서 또는 증가하는 이윤과 株主의 이득을 늘릴 목적으로 기존 제품을 개선하기 위해 수행된다. 미국에서 수행되는 연구의 상당 부분은 공격력 및 방위력을 증강시키기 위해 軍의 후원을 받아 이루어진다. 나는 상업적 동기가 아주 약한 학술 연구에 국한해서 고찰해 보고자 한다.

학술 분야의 연구도 상업적 목적이 약하기는 하지만 전혀 없는 것은 아니다. 학술 연구의 성과도 기술 이전을 통해 많은 분야에서 상당히 상업적 가치를 지닐 수 있게 되었다. 최근 내가 아는 여러 사람들, 그 중에도 분자생물학자와 경제학자들이 억만장자가 되었다. 그 비결은 실험실에서 창안된 혹은 도서관에서 연구된 어떤 과정을 상품화 해서 모험적인 자본가의 후원을 얻어서 그 결과를 세상에 내놓는데 있다. 이 때, 아이디어의 창안자인 교수는 큰 돈을 벌게 된다. 상품화한 것이 계속해서 성공할 것인지 못할 것인지는 별로 중요하지 않다. 연구는 때로는 학계에서나 일반인들에게 인정되고 심지어 名聲을 얻게 해줄 수도 있다. 우리 사회에서는 거의 어떤 종류의 명성이라도 현금 가치를 지니고 있다. 베스트 셀러를 저술하고, 텔레비

전에 출연하며, 공개 강좌를 맡는 것 등은 모두 '박봉'의 교수들에게 큰 돈을 벌게 해준다.

교수들을 연구활동에 끌어들이는 것이 무엇인가를 다시 생각해 보았을 때, 무엇보다도 중요하게 떠오르는 두 가지 요소가 있다. 첫째는 학문에 대한 사랑이다. 이것은 흔해 빠지고 감상적이며, 자기 잇속만 차리는 듯한 소리로 들릴지 모르지만 엄연한 사실이다. 진로선택은 '직업'의 요구조건에 의해 영향을 받는다. 軍人을 직업으로 선택할 사람은 제복 착용을 좋아하고, 육체적 도전을 필요로 하며, 애국심을 고취하는 성향을 타고나야 한다. 정치인은 민중, 권력, 연설에 대하여 매력을 느끼지 않으면 안된다. 그리고 大學人은 다 자라지 않는 학생 즉, 그의 餘生을 학생으로 남아 있기를 바라는 사람들이다. 이것이 학문에 대한 사랑이 아니고 무엇이겠는가?[12)

연구에 대한 이러한 시각은 단지 동전의 한 면에 불과하다. 다른 한 면은 전문적으로 출세하기 위한 요구 사항들이다. 대학에서 승진, 종신재직권, 보수, 명성 등은 모두 연구 및 출판과 밀접하게 관련되어 있다. 이러다 보니 학문에 대한 순수한 사랑을 소홀히 하는 경향이 있다. 우리는 세계의 학자들과 우리의 아이디어를 私心없이 공유하기 위해 연구하고 저술하며 출판할 뿐만 아니라 조교수에서 부교수로 승진하고, 평균 급여 인상률이 6%일 때에 7%로 인상된 봉급을 받기 위해서도 이러한 활동을 한다. 이러한 압박감은 평소에 '출판하라 그렇지 않으면 없어져라'는 슬로건과 관련되어 害로운 결과를 낳을 수도 있다. 최악의 경우, 연구의 성과는 제대로 된 연구의 결과물이 아니라 자기의 업적을 부풀리기 위하여 여러 책들의 내용들을 모자이크 해 놓은 종이 쪽지들의 연속에 불과할 수도 있다.[13) 사람들이 개인의 출세와 관련된 이기적 동기가 필연적으로 열등한 연구를 유도한다고 假定하는 것은 매우 비관적으로 보인다. 이런 일이 생길 수도 있으나 이것이 전형적인 결과라고 생각할 만한 이유 또한 없다.

나는 다른 문제도 함께 검토해 보고자 한다. 연구가 교수 개인에게 정신적으로나 경제적으로 도움을 줄 것인지 아닌지는 중요한 문제가 아니다. 또 대학들이 저질 연구와 그 출판을 지나치게 권장하거나 장려하지 않아서 문제가 있는 것이 아니라, 그럼으로써 '전문화'라는 知的 병폐가 만연한다는 점이 중요한 문제이다.[14] 왜 학부학생들은 대부분의 교수들이 스스로 자기 자신을 학자이면서 교수라고 생각하는 대학을 선택하는가? 이것이 문제이지만 해답이 그렇게 어려운 것만은 아니다.

연구는 발전할 수 있다는 가능성에 대한 믿음의 표현이다. 학자로 하여금 한 주제를 연구하도록 하는 추진력은 새로운 것이 발견될 수 있고, 보다 새로운 것이 보다 더 우수하며, 보다 깊은 이해를 가능하게 한다는 신념을 내포하고 있어야 한다. 연구, 특히 학술 연구는 인간의 조건을 낙관주의적 관점에서 보는 표현 형식이다. 앞서 언급되었던 학생들이 왜 연구지향형 교수를 선택하는가에 관한 질문에 대해 나는 이제야 해답의 첫 부분을 제시할 수 있게 되었다. 진보에 대한 강한 신념의 소유자이면서 지적으로 낙관적인 성향을 지닌 사람 즉, 학자이자 교수가 더 흥미를 자아내는 보다 훌륭한 교수일 것이다. 이런 교수들은 자신의 연구주제를 냉소적이고 부정적인 용어로 제시할 가능성이 훨씬 적다.

연구와 교수의 脫盡 현상의 위험 간에는 밀접한 관련이 있다. '교수'를 다룰 이 책의 제 3부에서 나는 교수직의 고유한 특성을 논의하겠지만, 이의 적지 않은 부분이 교수들이 선생으로서 기본적으로 동일한 職務를 40년 이상 수행해 나가야 할 것이라는 기대이다. 많은 교수들이 20대에 조교수가 되어 일단 교수직에 들어서면 70세 정년 퇴직할 때까지 혹은 70세 이후에도 어리석게도 현재의 상태가 계속된다면* 직무상 거의 아무런 변화가 없다. 교수들은 주로 자기 전공 분야 과목을 가르치며 교수직을 수행하는 동안 큰 변동이 없다. 이론가는 이론가로 남고, 실험가는 언제까지나 실험가이다. 셰익스피어를 강의했던 교수가 晩年에 현대 미국 문학 교수가 되는 일은 없다. 자기의 전문 분야에서 어떻게 관심을 지속할 것인가가 중요한 문제이다. 어떻게 하면 경제학원론을 졸지 않고 25년 이상 강의할 수 있을 것인가? 대단히 어려운 일이다. 물론 오랜 기간의 반복에 따른 권태로움은 교수만의 전유물이 아니다. 콧물 흘리는 코를 하나라도 더 보아야 하는 의사들, 판에 박힌 遺書를 계속 써야 하는 변호사들, 그리고 줄곧 팔기만 해야 하는 판매원들도 같은 문제에 직면하게 된다.

전문직마다 대개는 탈진 현상을 다루는 독특한 방법을 가지고 있다. 어떤 교수는 항상 변화하는 학생 세대 속에서 활력소를 찾는다. 이것이 바로 칩스 선생 유형의 해결방법이다. 그는 가을마다 생기발랄한 젊은 얼굴들을 바라보면서 수천 명이나 되는 학생들의 아버지로서의 역할을 하고 있다는 사실에 고무된다. 또, 어떤 교수들은 독서를 통해서 활기를 찾는다. 독서로 쌓아올린 학문의 대부분을 가르

---

* 미국 대학교수의 停年退職 연령은 종래에는 65세였으나 1982년부터 聯邦法에 의해 70세로 연장되었다. 이것은 다시 1986년에 통과된 강제 퇴직을 금하는 연방법이 1993년 12월 31일부터 發效됨으로써 1994년 이후에는 정년퇴직 연령이 사실상 없어졌다.

치는 것으로 되돌려 주지도 않으면서 해마다 계속 축적하기만 하는 독서광이 된다. 그러나 지금까지 탈진 현상을 극복하는 가장 건전하고 효과적인 방법은 연구였다. 다소 탐욕스럽고 소극적인 독서광과는 달리 연구하는 사람들은 切磋琢磨하면서 국제적 수준의 무대에서 활동하는 비평가나 동료들과 상호 교류하며 지낸다. 연구활동은 年老해서 시간이 남아도는 교수나 열의가 다 식은 교수들에게는 적합하지 않다. 그들은 학문적 자극을 주고받는 대열에 참여할 수 없다. 이것이 내 답변의 두 번째 부분이다. 연구지향형 교수는 늙어서도 지적으로 쓸모 없는 인간이 될 가능성이 적은 사람이다. 활동적이고 예리하며, 열띤 토론과 논쟁을 즐기는 현대사조에 밝은 사람이 보다 훌륭한 교수가 된다.[15]

내 마지막 대답은 교수와 교육의 질에 대한 평가가 어렵다는 것과 관계가 있다. 우리는 어떻게 타당한 평가를 할 수 있을까? 학생들에게 물어 보는 것이 가장 확실한 한 가지 방법이다. 그러나 이 방법은 약간의 결함을 지니고 있다. 학생들은 그들이 선생을 좋아하는지 좋아하지 않는지, 강의 교재가 흥미로운지 흥미가 없는지 또 수업이 명료하고 자극적이며 재미가 있는지 어떤지를 말할 수는 있다. 그러나 이런 것들은 어느 정도 인기의 척도는 될지 몰라도 학문의 이해나 수업의 본질과는 아무런 관계가 없다. 학생들의 견해는 경험부족, 장기적인 전망의 결여 그리고 快樂主義를 추구하려는 본능에 의해서 결함을 지니게 된다. 그렇다고 과장할 필요는 없다. 하버드대학에서 학생들의 평가는 강의의 질과 수업 부담량 간에 유의한 상관관계를 보여준다. 쾌락주의를 반드시 태만과 동의어로 생각할 필요는 없다.

나이가 지긋하게 든 우리들은 고등학교나 대학시절에 그렇게도 싫

어했던 선생님들 중 많은 세월이 지난 다음에야 그분의 강의가 탁월
했었다는 것을 떠올릴 때가 있다. 그 증거로서 나 자신을 포함한 거
의 모든 사람들의 고등학교 때 라틴어 선생을 예로 들 수 있다. 동시
에 우리들은 그토록 노련한 선생으로 가장 존경을 받았던 분이지만
뒤늦게 그분의 진정한 正體가 단지 감상적인 수다쟁이—유감스럽게
도 그런 인물들이 미국 대학에 많이 있다—였음을 기억할 것이다.
나는 물론 학생들의 평가는 가치가 없다고 주장하려는 것은 아니다.
조사결과는 그렇지 않다는 것을 보여 왔다. 나는 학생들의 평가를 자
료로 사용할 때에는 매우 신중을 기해야 한다는 것을 언급하고자 할
뿐이다. 다른 증거들이 필요하기 때문이다.[16]

　교수들이 동료의 수업을 평가하는 것은 어떨까? 이 방법도 어려움
이 많다. 전형적인 방법은 승진 대상으로 검토 중인 젊은 교수들의
강의실을 방문하는 것이다. 그러나 이런 참관 수업은 일상적인 수업
과는 거의 관련없이 요청에 따라 행해지는 수업이 될 가능성이 크다.
또 많은 대학에서 불시 방문은 결례로 간주된다. 이론적으로는 경험
이 많은 敎授團이 여러 번, 심지어 매일도 방문할 수 있으나 전체적
으로 보아서 그런 운영방식은 실천에 옮기기가 극히 어렵다.

　오해없이 들어주기를 바란다. 수업을 개선하기 위해 많은 조치들
이 취해질 수 있다.[17] 젊은 교수들에게 훌륭한 지도자, 전문적 비평,
세미나, 사례연구 등을 포함한 지원체제를 마련해 줄 수 있고 또 마
련해 주어야 한다. 그러나 우리는 대학교육을 정밀과학으로 바꾸려
고 하는 것은 아니기 때문에 교수 개인의 장점에 관해서는 많은 의
견 차이를 감수해야 한다. 약간 표현을 달리하면, 탁월한 교수방법이
무엇을 의미하는지에 대한 전문가의 합의 정도는 그렇게 중요하지

않다는 것이다.[18]

연구 능력과 업적에 대한 합의는 훨씬 더 이루어지기 쉽다. 다른 학문 분야는 덜 하지만 과학 분야에서는 학자 개인에 대한 상대적 평가가 쉽게 이루어진다. 신빙성 있는 근거들이 전문가의 견해를 뒷받침할 수 있다. 동료 교수의 평가는 선택할 만한 방법이다. 이 방법은 경우에 따라서는 보수적이고 때로는 정치적이어서 이해 갈등을 빚기도 하지만 십중팔구는 적어도 수업의 평가에 비교하여 상당한 정도의 일관성과 객관성을 지닌 분명한 해답을 얻는다.[19]

반드시 그런 것은 아니지만 학부학생들이 연구지향형 교수를 選好하는 이유를 설명하기 위한 이 章의 목적에서 나의 이야기가 조금 빗나간 듯하다. 따라서 이제부터는 세 번째이자 마지막 논의를 하고자 한다. 나는 연구 수행 능력에 기초한 교수 선발이 定義하기조차 어려운 가르치는 능력에 근거한 교수 선발보다 실수를 적게 하게 된다고 생각한다. 두 능력이 다 같이 고려되어야 하나 전자가 보다 더 신뢰할 만한 장기적인 지표가 된다. 연구에 대한 보다 객관적이고 측정 가능한 기준의 강조는 신선하고 혁신적인 탐구 정신 등 인정된 목표에 가까운 特質을 지닌 인물들을 모여들게 하고, 그러한 특질을 유지할 수 있는 힘도 되게 한다.

강의 전문 교수들은 연구지향형 교수들과는 대조적으로 고도로 효과적인 설명능력을 갖추고 있다. 이 경우 그들은 학자 동료 교수들에 비하여 호의적으로 평가된다. 많은 강의 교수들은 소크라테스式 問答法을 사용하는데 대단한 기술을 지닌 사람들로서 강의실의 토론을 능숙하고 창의적으로 이끌어 나간다. 그들은 학생들의 글을 세심하게 읽고, 자세하고 철저한 강평을 해주는 것으로 유명하다. 이러한 것은 모두 학부학생들에게 완전히 긍정적으로 받아들여진다. 그들은 대부분의 시간을 다른 사람의 아이디어에 초점을 맞춘다. 그들의 주된 역할은 강의실에서 타인의 아이디어를 학생들에게 전달하는 것이다. 물론 연구지향형 교수도 인정받고 있는 권위자의 견해나 업적을 활용하지 않고는 가르치는 일이 불가능하다. 가르치는 활동에 있어서 우리 모두는 지난날 다른 사람에 의해 개발된 지식을 전달하는 고리 역할을 한다. 그러나 이에 대한 비중이나 강조, 능력의 정도는 여전히 문제로 남는다. 연구할 시간과 취향의 부족으로 전형적인 단설 학부대학 교수들은 주로 비판적 논평을 해주는 것으로 끝내기를 바란다. 대부분의 단설 학부대학에는 같거나 유사한 주제를 연구하는 동료 교수의 아이디어를 검증할 수 있는 교수들이 충분하지 않기 때문에 연구하는 것이 쉽지 않다. '臨界量'*의 부재현상이다.

최상위권 연구중심 종합대학교 교수는 자기 자신을 특정 학문 분야의 학회 즉, 경제학회, 영문학회, 물리학회의 한 會員으로 우선 생각하고 교수직은 단지 부차적으로 생각하는 경향이 있다. 학생들도 뚜렷이 구별되는 두 집단으로 나뉜다. 즉, 학문에 뜻을 둔 초심자인 대학원생들과 학부학생들이다. 전자는 고급 수준의 강좌를 필요로 하고 있고, 후자는 초급 및 중급 수준의 과목부터 시작하도록 되어 있다.[20] 가르치는 일 이외에도 종합대학교 교수들은 다른 여러 가지 활동 즉, 저술 활동, 자문 역할, 증언, 학회 참석, 연구비 조달, 그 밖의 유사한 활동들을 하고 있다. 이런 활동 중 어떤 것은 반드시 필

---

* 臨界量은 본래 핵분열 물질이 연쇄반응을 일으킬 수 있는 최소의 質量을 나타내는 용어로, 바람직한 결과를 효과적으로 얻기 위한 충분한 양을 의미한다. 이 文脈에서는 단설 학부대학에서 硏究에 필요한 연구지향적인 교수의 충분한 人員 수를 말한다.

요한 것이 아닐 수도 있다. 어떤 활동은 放縱일지도 모른다. 종합대
학교 교수들은 대단히 바쁘기 때문에 단설 학부대학 교수들보다 만
나 보기가 쉽지 않다.

　대학공동체의 소중한 구성원 중의 한 사람이며 유망한 학부학생인
당신이 훌륭한 지도자로서의 德目을 고루 갖춘 교수와 함께 공부하
기보다 단지 교수 생활의 일면만을 보여주는 여행을 많이 한 교수와
같이 연구하는 것을 더 원하는가? 모두 때와 형편에 따라 다를 것이
다. 종합대학교 학부대학은 지상에서 젊음을 최고의 상태로 약동시
킬 수 있는 장소 중의 하나이다. 종합대학교 교수들은 사람들의 화제
들을 책으로 저술하기도 하고, 공개 논쟁의 당사자가 되기도 하며,
중요한 고위 공직에 취임하기도 한다. 나의 선생님들 중 한 분은 大
使를 지냈고, 학과 동료 교수 중의 한 사람은 외교사절단의 일원으로
봉직했으며, 또 한 사람은 장관이 되기도 했다. 세 사람은 대통령경
제자문위원회 위원이었고, 그 중에 한 사람은 위원장이었다. 또 많은
사람들이 대통령과 외국 정부를 위하여 고문 역할을 해 왔다. 물론
이러한 종류의 가시적 활동은 무의미한 한순간의 영광으로 덮여 버
릴 수도 있으나 나는 그렇지 않다고 생각한다. 지적 자극은 책을 썼
던 저자들, 중요한 실험을 했던 사람들, 정부의 정책 담당 요직에 있
었던 인사들과의 접촉을 통해서 강화된다. 이러한 모습들은 교수로
서 형평에 어긋난 모습으로 비춰질 수도 있다. 그러나 그들은 자신의
아이디어나 발견을 위해서라면 變節을 시도할 수도 있을 것이다. 그
들은 양자에 대한 권리를 다같이 주장할 수도 있다. 몇몇 사람은 유
혹에 넘어가서 지난날의 영광이나 유명인사의 이름을 함부로 거명하
는 사람이 되기도 한다. 그래도 대체적으로 補償이 위험을 보충하고

도 남는다. 만약 일반대중을 선동하는 대논쟁이 전개된다면 양 진영을 대표하는 인물은 대학 안에 있고, 또 이러한 논쟁은 매우 빈번히 공개적으로 그리고 격렬하게 표현된다.[21] 중대한 발견이 일어났을 때 대학 안에 있는 누군가가 그 발견의 意義에 대하여 해설을 해야 하고, 발견자 중의 한 사람은 종종 대학안에 있기도 하다. 특히, 최상위권 연구중심 종합대학교들은 모든 정치적 견해, 생활양식 그리고 모든 난해한 학문 분야가 망라되어 있는 곳이다. 예를 들면, 하버드대학에서는 60개 이상의 언어로 강의를 하고 있다.

우리는 흔히 정반대적인 것들에 끌린다고 말하지만 나는 학생들과 교수들은 끼리끼리 어울린다고 생각한다. 최상위권 연구중심 종합대학교 학부학생들은 전국적이면서도 세계적이다. 학생들은 논쟁을 좋아하고 재능이 풍부하며, 교수진의 다양한 관심과 폭넓은 정치적, 사회적 견해를 반영한다.[22]

대성한 학생들이 이루어 낸 업적은 동료 학생들을 충동질 할 수도 있다. 당신이 여가 시간에 희곡 쓰는 것을 좋아한다면, 아마도 당신의 주변에 있는 누군가가 브로드웨이 밖에 있는 소극장에서 單幕 희극을 무대에 올렸던 때문은 아닐까? 당신의 야망이 단편 소설을 출간하는 것이라면 아마도 창작 강의를 같이 수강했던 한 젊은 여학생의 첫 작품이 좋은 평판을 받았던 때문일 수도 있다. 이런 종류의 압력은 운동선수의 업적과—특히 아이비 리그가 아닌 대학들[23]—학문의 업적에도 작용하는 것이 사실이다. 실험실 의자를 같이 나누어 앉던 친구가 웨스팅 하우스의 과학상을 수상할지도 모른다. 이러한 일들이 일상적으로 일어나는 것은 아니지만 실재하는 것만은 사실이다. 브루크 쉴즈(Brooke Shields : 1965~ , 미국의 모델 겸 영화배우—역자 주)는 프린스턴대학에 다녔고, 요 요 마(Yo Yo Ma : 1955~ , 미국의 음악가, 국제적인 첼로 연주자—역자 주)는 하버드대학 학부학생이었으며, 예일대학의 한 여학생은 지난 수십 년 동안 가장 영향력 있는 예술 작품 중의 하나인 월남 전쟁기념비를 설계하였다. 어떤 학생들에게 는 이런 스타와 같은 유명한 학생의 존재가 자신의 참가를 가로막는 장애가 된다. 그들은 자기 자신의 껍질 속으로 기어들어 가려고 한 다. 만일 이러한 불안이 문제가 된다면 경쟁이 치열한 종합대학교 학 부대학에 진학하는 것을 피해야 할 것이다. 나는 좀 더 언급하겠다. 만일 당신이 선천적 재능이든 혹은 후천적 재능이던 관계없이 우선 참가에 意義를 둔다면 가족적인 분위기를 제공해 주고 있는 단설 학 부대학을 선택할 일이다.(가족 연식 야구팀에서는 전 구성원 모두에 게 참여할 자격을 부여한다.) 종합대학교 학부대학에서는 반드시 경 쟁이 있게 마련이다. 학생신문에서의 지위, 연극에서의 역할, 교내경 기 팀에서의 위치 등 모든 것들이 승자와 패자가 공존하는 냉엄한 대결의 產物이다. 누구나 다 경쟁을 좋아하는 것은 아니다. 어떤 경 쟁은 당신의 특정한 발달단계에 맞지 않을 수도 있다. 이러한 상황에 서는 충분한 학습을 할 수도 없을 것이다. 그러나 다른 경쟁들은 기 대치 이상으로 높은 성취 수준에 도달할 수 있도록 자극을 한다.

하버드대학에서는 학생들이 교수보다도 다른 학생들로부터 더 많 은 것을 배운다는 말을 종종 한다. 이것을 혼란스러운 논평으로 받아 들일 수도 있을 것이다. 이러한 평을 강의를 한 뒤 재빠르게 강단에 서 사라져서 학생들과의 직접적인 접촉을 거의 갖지 않는 교수들을 호되게 질책하는 표현으로 해석해야만 할까? 나는 그렇게 생각하지 않는다. 나는 오히려 이 말을 모두에게 개인적 성장을 할 수 있는 독특한 기회를 제공하는 하나의 단체로서 크고 다양한 그리고 엄선된 재능있는 모든 학생집단에 대한 찬사라고 생각한다.

하나 남은 마지막 논의는 연구중심 종합대학교의 뚜렷한 특징 중의 하나는 대학원생의 존재이다. 이들은 학부대학 학생들보다 약간 연상인 남녀 학생들로서 상급 학위를 취득하기 위해서 공부하고 있다. 대부분의 대학원생들은 자기 자신이 학부학생들의 유치한 관심사를 넘어선 수준에 있다고 믿으면서 학부생들을 무시하려고 든다. 그러나 학부학생들은 원생들을 수습교사로서 대하려고 한다. 그런데 바로 그 수습교사 제도가 빈번하게 비판의 표적이 된다.

종합대학교의 학부대학이 아닌 단설 학부대학에는 대학원생이 아예 없거나 있어도 극히 드물다. 단설 학부대학 교육은 '正規' 교수들에 의해 이루어진다. 이러한 유형의 대학을 칭송할 때 되풀이되는 말은 다음과 같다. 즉, 거물급 교수, 유명 교수들이 예컨대 라이스대학, 미네소타대학, 워싱톤대학* 등에 있지만 이 교수들은 학부학생들을 가르치지 않는다. 학부학생들이 일상적으로 접촉하게 되는 대부분의 선생들은 대학원생 조교들이다. 대학원생 조교들은 미숙하고, 경험이 없는 젊은이들로서 영어로 겨우 말하는 외국인인 경우도 드물지 않다. 현명한 학생이라면 누가 이와 같은 선생을 선택하겠는가? 내가 이런 비난을 들었을 때, 나는 하버드대학에서 조교를 했던 한 사람으로서 당시 나의 공동 연구자였던 H. 키신저, Z. 브레진스키, J. 슐레진저**

---

* Rice University(1912) Houston, TX ; University of Minnesota(1851) Minneapolis, MN ; University of Washihgton(1861) Seattle, WA.

** Henry Kissinger(1923~) 미국의 정치학자, 전 국무장관. Zbigniew Brzezinski (1928~) 미국의 정치가, 전 국가안전자문위원. James R. Schlesinger(1929~) 미국의 경제학자.

라는 이름을 상기하고 싶다. 1950년대 초 당시 대학원생이었던 이들 중 두 사람은 심한 강성 발음으로 힘들어하고 있었음에도 불구하고, 조교로서의 능력이 상당한 수준에 있었으며, 우수한 단설 학부대학 교수들의 성취 수준 이상이었다고 확신하고 있다. 사실상, 나는 대학원생 조교제도의 활용은 심한 강성 발음 영어를 알아들을 수 있고, 중국어 회화 능력을 향상시킬 수 있는 기회를 뛰어넘는 이점이 있다고 본다.

경험이 없는 대학원생 조교들이 강의를 책임지고 있는 것은 아니다. 보통 집단토론이나 개인지도를 해 나가는 역할을 맡고 있다. 대학원생으로서 그들은 자신의 과목을 너무도 잘 알고 있다. 그들은 학부대학 내에서 최신 기술 및 현재의 논쟁거리들에 대해서 누구보다도 精通하고 있을 가능성이 높다. 그들은 세대 차에 대한 부담감을 갖지 않을 것이고, 그들 중 대부분은 경쟁력이 매우 치열한 대학원의 원생으로서, 극히 우수한 두뇌를 갖고 있다. 경험부족으로 인하여 때때로 어려운 일이 생기는 것도 사실이다. 그리고 세대 차가 없기 때문에 강의실에서 사회적인 문제를 야기시킬 수 있는데, 특히 이성 간에 문제가 생겨 날 수도 있다. 또, 학부학생들은 거물급 교수와 일대일 토론이나 논의를 할 수 있는 기회를 보다 많이 갖기를 바랄지도 모른다. 아마도 그럴 것이다. 그러나 내가 말하고 싶은 요점은 대학원생 조교제도를 종합대학교 학부대학의 약점으로 여겨서는 절대 안 된다는 것이다. 이 대학들은 학부학생들에게 매우 자극적인 수업 경험을 제공해 줄 것이다.[24]

지금까지 말한 것들 중에 어떤 것은 아침 7시 30분에 유니버시티 홀로 나를 찾아온 젊은이에게 들려준 것들이다. 또, 어떤 것들은 말할 기회가 없었으나 시간이 주어졌다면 이야기했었을 것들이다. 그 젊은이가 선택할 수 있는 학교는 브라운, 하버드, 헤이버퍼드대학 등이었고, 그는 어떻게 결정해야 할지를 모르고 있었다. 결국, 나도 그 선택이 쉽지 않다는 것에 동의해야만 했다. 세 대학 간의 차이는 미묘하다. 세 학교 모두가 다 탁월한 대학이다. 어떠한 선택도 나쁘지 않으며, 세 학교 모두가 경쟁이 매우 치열한 대학들이다. 실제로 차이는 있겠으나 정도의 문제이다. 나중에서야 나는 그 젊은이가 하버드대학으로 오지 않기로 결정했다는 소식을 들었다. 나는 그가 나와의 토론으로 가능한 한 현명하고 올바른 선택을 할 수 있기를 바랐다.

【註】

1) 그 증거로서 하버드대학 經濟學科의 正敎授를 예로 든다. 각자 세부 전공에서 권위자로 인정받고 있는 30명의 정교수 중에 4명은 하버드대학교 文理科大學 출신이고, 3명은 유시 버클리, 2명은 오버린대학 출신이다. 한 명씩 교수를 배출한 대학은 미시간, 로체스터, 리드, 보우링 그린, 규니, 노스웨스턴, 브라운, 워싱턴대학, 코넬, 윌리엄 앤 메어리, 엠아이티, 코네티컷 웨슬리언, 존스 홉킨스 그리고 프린스턴대학 등이다. 또 외국 대학으로는 암스테르담, 부다페스트, 온타리오 농과대학 그리고 바르셀로나대학 등이 있다.

2) 1875~1940, 제 1대 Tweedsmuir 남작. 외교관이었고, 「39의 계단」과 「프레스터 존」을 포함한 많은 멋진 모험소설을 쓴 작가. 나도 10代 때는 이 작가를 좋아했었다. *Harvard Alumni Bulletin*, Vol. 40, July 1, 1938, 1142~43면 참조.

3) 누구나 일련의 예외나 복잡한 요소를 들 수 있을 것이다. 어떤 대학은 한정된 대학원 교육을 제공하면서도 종합대학교라고 칭한다. 나의 모교인 윌리엄 앤 메어리대학이 이에 해당된다. 어떤 대학은 최근에 새로운 강조점을 반영하기 위해 대학의 명칭을 바꾸었다. 펜실베이니아 주립대학은 현재 종합대학교가 되었고, 대학 소재지 명칭도 스테이트 칼리지에서 유니버시티 파크로 변경하였다. 학부과정이 없는 종합대학교도 있다. 록펠러대학교가 드물게 이 유형에 속한다.

4) 한 가지 이유로 많은 환자들이 없으면 의과대학원을 운영하기가 어렵고, 따라서 도시 밖에서는 거의 불가능하다.

5) 행정에 투입되고 있는 시간이 두 유형의 대학에서 매우 유사한 것은 흥미 있는 일이다. Burton R. Clark, *The Academic Life*, 表 8, 9, 10.

6) 최근의 한 연구는 소위 연구에 치중하는 단설 학부대학으로 칼턴, 프랭클린 앤 마샬, 마운트 홀리요크, 오버린, 리드, 스와스모어, 윌리엄스대학 등을

포함한 48개 교를 발표하였다. 이들 대학에서는 교수 중 상당한 수가 연구
를 수행하고 있고, 연구수행 능력이 채용이나 승진에 고려되는 듯하다. 이
대학들은 미래 과학자를 교육시키는데 특별히 성공적이라고 주장한다. 대학
원생이 없기 때문에 과학연구 교수들은 조교나 동참자를 학부학생들에게 의
존할 수밖에 없는데, 이러한 것이 계기가 되어 학부학생의 진로를 장래 과학
자로 선택하도록 고무하는 것 같다.

Gene I. Maeroff, "Science Studies Thrive at Small Colleges," *The
New York Times*, 18, 1995. "The Future of Science at Liberal
Arts Colleges," a conference held at Oberlin College, June 9 and 10,
1985를 참조.

7) Michael Korda, *Charmed Lives*(New York : Random House, 1979),
371면.

8) 최상위권 단설 학부대학 중에는 교수의 연구활동에 대한 의의를 인정하고 있
지만 이에 대한 중요성이 상대적으로 낮은 대학들이 있다. 그러나 대학원생
과 학부학생을 동시에 가르치는 것은 종합대학교로 국한된다.

9) 한 가지를 얻는 것은 곧 다른 한 가지를 잃는 것을 의미한다. 즉, 보다 우수
한 연구는 보다 부실한 수업을 유도하게 되고, 그 반대의 경우도 성립한다는
것이다. 최근에 캘리포니아의 한 연구보고서에서 완벽한 例를 볼 수 있다.
"학부수업의 탁월성은 연구활동의 수월성을 희생시킨다."

"California Colleges Are Said to Neglect of Teaching," *The New
York Times*, August 4, 1987 참조.

10) D. S. Webster, "Does Research Productivity Enhance Teaching?",
Educational Record(Fall, 1985) 참조. '향상시키지 않는다'는 假說을 실증
하기 위한 경험적 연구문헌이 있다. 그러나 연구결과는 설득력이 없다고 생
각되며 그 이유는 다음과 같다. 먼저, 향상은 조사도구에 나타난 대로 학생
(보통은 학부학생)의 만족도라는 견지에서 광범위하게 측정된다. 이것은 중

요한 정보가 될 수도 있으나 단지 제한적인 정보일 뿐이다. 둘째, 연구성
과가 거의 전적으로 質的이라기 보다는 量的으로 다루어졌다는 점이다. 마
지막으로, 연구와 수업간의 관계가 지나치게 ― 단순한 경험적 분석에 적합
하지 않다고 생각하기 때문이다.

11) Jacques Barzun, "Doing Research―Should the Sport Be Regulat-
ed?," *Columbia Magazine*(Feb., 1987) 참조.

12) 확실히 잘못된 동기에서 대학에 영원히 남기를 원하는 사람들이 있다는 것
은 잘 알려진 사실이다. 나는 이러한 사람들을 성숙하기를 두려워하는 學園
人間이라고 기술하고 싶다. 그들의 만족은 학구적인 생활로부터 오는 것이
아니라, 비학술적인 부분과 관련된 사교적 분위기로부터 오는 것이다. 세월
이 지나감에 따라 그들은 점점 더 불행해지고 젊은이들로부터 배척 당하며
동료들로부터도 존경을 받지 못한다.

13) Barzun, 前揭文, 21面.

14) 과도한 출판은 수십 년 전 한 무명의 천재가 제안한 방식에 의해 해결될 수
있다. 신규 채용시 모든 교수들을 정교수로 임용한다. 그리고 임용한 이후
책을 출간할 때마다 자동적으로 한 직급씩 내린다는 것이다. 이렇게 하면
대단히 중요한 것에 대해 무엇인가 말을 해야만 한다고 진정으로 믿는 사람
만이 책을 낼 수밖에 없을 것이다. 부가적인 利點이 또 있다. 학부학생들은
특히 책을 많이 써서 명성을 날리고 있는 종신 교수를 만나 보기 어렵다고
불평을 한다. 이 방식에 의하면 가장 활발하게 책을 출간한 사람은 소장 교
수일 것임에 틀림없다. 비평가들에 의하면 전통적으로 학부 수업을 담당했
던 사람들이기 때문에 아주 안성맞춤이다.

15) 대학원생으로서 또 교수로서 하버드대학에 여러 해를 근무하면서 미숙하고
특히 서투른 강의를 하는 교수들을 많이 만났다. 그러나 나는 학부시절에
수강했던 서투른 강의를 경험해 본 적이 없다. 즉, 노교수가 세월이 흐름에
따라 누렇게 變色된 강의 노트를 그대로 읽어 주는 진부한 강의 말이다. 때

때로 강의 노트 한 장이 바닥으로 떨어지면 수업이 풍지박산되곤 했다.

16) "지난 10여 년 동안 평가자로서 학생들의 잠재적 가능성, 신뢰성, 타당성 등에 관한 중요한 연구가 이루어졌다. 교수의 승진과 종신재직권에 관한 결정은 학생들의 평가에만 의존하지 않되, 학생들은 강의실에서 수업의 質에 대한 책임 있고 신뢰할 수 있는 증인의 한 집단이라는 결론으로 받아들여지는 연구가 광범위하게 수행되었다."

K. P. Cross, "Feedback in the Classroom : Making Assessment Matter," The AAHE Assessment Forum, Third National Conference on Assessment in Higher Education, June 8 — 11, 1988, Chicago, 6면.

17) Cross, 上揭文, 17면 이후 참조.

18) "교수방법을 전공하는 사람들은 자신들도 왜 어떤 교수는 성공적인데, 어떤 교수는 어려움이 따르는지 설명할 수 없기 때문에 효과적인 교수법에 대한 궁극의 공식을 알지 못한다고 한다." C. R. Christensen in M. M. Gulette, ed., *The Art and Craft of Teaching*(Cambridge : Harvard — Danforth Center for Training and Learning, 1982), xiv 면. 이 전설적인 하버드대학 경영대학원 교수는 또 에이미 로우웰의 말을 다음과 같이 알기 쉽게 바꿔 쓰고 있다. "수업은 인간의 無意識의 우체통 속에 아이디어를 집어넣는 것과 같다. 당신은 언제 우체통에 넣었는지는 알지만 상대방이 그 아이디어를 언제 받게 될지, 어떤 형태로 받게 될지는 알 수 없다. 어느 것도 검증해 볼 命題를 제시하고 있지 않다."

19) 종신재직권은 동료교수들의 철저한 검토를 거친 후 주어진다. 제 11장에서 논의한 「종신재직권 : 전형적인 사례」가 여기에 상당히 관련이 있다.

20) 실제로는 그처럼 선명하지 않다. 종합대학교의 利點의 하나는 우수한 학부생들이 3, 4학년이 되면 대학원 수준의 공부를 할 수 있는 점이다. 단지 학생의 知的 素養 정도만이 그 경계를 결정한다.

21) 하버드대학에서는 "학생들이 먼저 그울드 교수의 '生命의 歷史와 地球'에

대한 강의에 몰려들어서 그의 환경지향론적 進化論을 들을 수가 있다. 그 다음 학기에는 그울드 교수의 반대학파의 우두머리 격인 윌슨 교수의 반박 강의를 들을 수 있다. 이 강좌는 '進化生物學'으로 교수는 사회유형과 인간 행동의 유전학적인 기초를 논하게 된다." Fiske, Selective *Guide to Colleges*, 237면. 이러한 경험은 단설 학부대학에서는 불가능하다.

22) 몇 년 전 나는 아침 식사를 하면서 「뉴욕 타임즈」紙를 읽고 있었다. 1면 기사로 워싱턴의 한 사건이 보도되었다. 레이건 대통령이 국내의 우수한 고교생들에게 주는 상의 수상자들을 백악관에 초청하여 환영회를 열었다. 환영회 중간에 한 젊은 여성이 일어나서 대통령 쪽을 향해 그의 중남미 정책을 비판하는 짧은 연설을 하였다. 나는 아내를 바라보며 자신만만하게 말하였다. "저 여자는 하버드대학으로 올 것이다." 나의 말은 틀리지 않았다.

23) 아이비 리그에서는 운동선수들에게 장학금을 주지 않으며, 대학 대표선수 수준의 아마추어 운동을 성공적으로 장려하고자 한다. 이것은 최근의 일이 아니다. 몇 년 전 나는 中國 北京大學의 경제학 교수를 만났다. 1925년에 하버드에서 박사학위를 받았던 사람이다. 이 노신사는 美式 축구가 제일 좋아하는 경기라고 말하고, 그가 케임브리지에 있는 마지막 몇 년 동안 하버드가 모든 경기에서 패했던 사실을 상기해 냈다. 「보스턴 글로브」紙는 머릿기사로 '하버드는 전멸 당했다'라고 실었다. 이 기사는 하버드의 운동역량에 대해서는 불리하게 논평하고, 하버드에 남아있는 것의 전부는 '탁월한 학문'뿐이라고 쓰여져 있었다고 말하였다. 나는 하나님께 감사하면서 우리 동문에게 지난 60년 동안 운동 경기는 적절하게 향상되었다고 말할 수 있었다. 그러나 우리의 학문적 명성은 옛날과 변함이 없다고 하였다.

24) 대학원생 助敎制度가 결코 완벽하지 않기 때문에 학부학생들의 비판이 정당화된다. 대학원의 특별 연구생이나 강의조교들은 아무렇게나 선발되고 있는 실정이며, 교사로서의 훈련도 전혀 받지 않은 경우가 허다하다. 이러한 결점이 있다는 것을 알고 있지만, 학부학생을 희생시켜서 그들을 채용한

다. 등록한 학생수가 예상보다 많고, 또 대학원생이 장학금을 받을 수 있도록 돕는 방법의 하나이기 때문이다. 이것들은 모두 잘못된 것이며 개선의 필요성이 절실하다. 강의조교들은 그들에게 주어진 임무에 충분한 적성을 인정받은 후에 훈련과 감독을 거쳐서 채용되어야 한다. G. D. Rowe, "Why Not the Best?", *Harvard Crimson*, Nov. 23, 1987, and Nov. 24, 1987 참조.

제 **6** 장

敎養敎育의 目的

미국 학생들이 대학에 진학하는 이유는 매우 다양하다. 일반적인 목적은 기술자, 간호원, 회계사 혹은 다른 전문직업 분야에서 1급 자격증을 획득하려는 것이다. 그러나 어떤 대학들은 학사학위 과정에서는 전문직업 교육을 실시하지 않는다. 특히, 연구중심 종합대학교 학부대학과 단설 학부대학*에서 볼 수 있는 현상이다.[1] 이러한

---

* 여기서 단설 학부대학은 Liberal Arts College를 의미한다. 1995년 9월 18일자 발행 *U.S. News & World Report*에 의하면 전국적으로 161개 정도의 경쟁이 심한 단설 학부대학이 있고, 그 중 50여 개의 대학은 경쟁이 더욱

학부대학에 입학한 학생들은 장차 법관, 의사, 교수 등과 같은 전문직의 일원이 되기를 열망한다. 이들은 학부대학 교육을 마친 다음 전문화된 대학원 교육을 받는다. 그렇기 때문에 이러한 학부대학에 재학하고 있는 대부분의 학생들은 결국 어떤 형태의 대학원 교육이건 받게 된다. 따라서 학부대학의 교육목적은 敎養敎育*이―전문적, 직업적, 기술적 敎育課程과 대비되는 일반적인 지식과 보편적인 지적 능력을 개발시키기 위한 교육과정을 공부하는―된다.[2] 사실상 교양교육의 매력과 가치는 대학원 교육을 목표로 하는 사람들에게만 국한되어 있는 것은 아니다. 교양교육을 위한 교육과정은 그 자체만으로도 합리적인 존재 이유가 있다.

교양교육은 어떤 때는 자유교육 혹은 일반교육이라고도 하는데, 이 교육은 4년 간의 학부대학 교육을 표현하는 한 방법이다. 4년 간의 학부교육은 대체로 세 부분으로 나누어진다. 첫 1년은 幅에 중점을 두고 있는 필수과목의 해로 좁은 뜻에서의 일반교육 혹은 中核敎育課程 기간이다. 그 다음 1년은 선택과목의 해로 학생들이 각자의 학문적 흥미에 따라 각 분야를 자유로이 공부하는 기간이다. 나머지 2년은 때로는 그보다 짧기도 한데 특정한 과목 즉, 영어, 사회학, 수

치열하며, 그 중에서도 최상위권 25개 대학은 연구중심 종합대학교 학부대학에 들어가는 것 만큼 입학이 매우 어렵다.(제 5장 참조)

* 교양교육은 이 책에서 education in liberal arts, liberal education, general education을 문맥에 따라 옮긴 것이나 이 세 가지가 같은 것은 아니다. 때로는 liberal education을 自由敎育, general education을 一般敎育으로도 번역하였으나 그 교육들 간의 엄격한 區分이나 定義를 내리기는 쉽지 않다. 그러나 이러한 교양교육을 단설 학부대학(the liberal arts college)이나 연구중심 종합대학교의 학부대학(the university college)에서 강도 높게 실시해 오는 것이 미국 대학교육의 특징인 것만은 틀림없다.

학 등을 집중적으로 이수하거나 전공하는 기간이다. 이 기간을 모두 마치면 文學士 또는 理學士 학위를 받을 수 있는데 이것을 교양교육이라고 한다.

교육은 과학이 아니기 때문에 교양교육 또는 일반교육에 대한 과학적인 定義는 내릴 수 없다. 보편적으로 받아들여지는 이론은 존재하지 않으며, 많은 역사적 견해나 현대적 관점에서도 실험적으로 혹은 논리적으로 검증하는 것은 불가능하다. 유일한 진리는 있을 수 없지만 특별히 내 마음에 드는 두 가지 견해를 인용해 보고자 한다.

> 일반교육은 직업교육과는 달리 개인의 全人的 발달을 의미한다. 일반교육
> 은 인생의 목표를 醇化시키고, 정서적 반응을 精鍊시키며, 이 시대의 최고
> 지식에 비추어 사물의 본질에 관한 이해력을 높이는 것을 포함한다.

우리는 워싱턴대학 로망스語 교수였던 H. L. 노스트랜드(Howard L. Nostrand : 1910~ , 미국의 언어 및 문학교육자—역자 주)가 1946년에 쓴 위와 같은 훌륭한 정의에 고마움을 느낀다.[3] 그가 더 최근에 이 글을 썼다면 '남성'에만 한정되었던 이 말을 '여성'과도 연결시켜 함께 생각했을 것이다. 그러나 그러한 것은 사소한 문제에 지나지 않는다. 오히려 다음과 같은 핵심적인 구절에 주목할 필요가 있다. '직업교육과는 달리'라는 것은 전문직을 위한 특정 교육이나 직전 직업교육과는 무관하다는 것을 의미하고[4] '인생의 목표를 순화시킨다'는 것은 하루하루의 식생활을 얻는 것에만 머물지 않는 인생과 문화의 중요함을 암시하며, '이 시대의 최고 지식에 비추어'라는 것은 주기적인 시대 변화의 가능성을 시사하고 있다.

앞 장에서 인용한 바 있는 J. 부챤의 사상은 이와는 약간 다른 견해를
나타내고 있다.

지금 우리들은 그 누구도 미래를 예측할 수 없는 고뇌에 찬 혼돈의 시대에
살고 있다. 밑바탕부터 흔들리기 시작했으며, 우리들이 문화로 命名해 놓은
和解案도 심각한 위기에 처해 있다. 이러한 위기의 시대에 살면서 우리들과
같이 교양교육을 받은 인간이 취해야 할 태도는 무엇인가? 왜냐하면 이 시대
를 살아가고 있는 우리들에게 교양교육이 어떤 지침도 되어주지 못한다면 그
것은 어디에도 쓸모가 없을 것이기 때문이다.[5]

이렇게 말한지 50년이 지난 오늘날에도 우리들은 여전히 고뇌와
혼돈의 시대에 살고 있다는 것이 얼마나 우울한가!
부챤은 교양교육은 그 교육을 받은 사람들에게 겸손, 인간애, 해학
이라는 세 가지 특징을 부여한다고 말하였다. 그는 사람들이 겸손해
야 할 이유로 '우리들이 세계적인 지혜의 보물을 마음 속에 간직한
교양인이라면, 자기 자신을 과대 평가하거나 자신이 이룩한 업적에
대해 너무 많은 권리를 요구해서는 안되기' 때문이라고 하였다. 부챤
에게 있어서 겸손이란 지식에 앞서 갖춰져야 하는 것이었다. 인간애
가 있어야 할 이유로는 우리들이 인간성에 대하여 경의를 품지 않으
면 안되기 때문이라고 하였다. 개성을 말살하고 국가라고 말하는 괴
물스런 메커니즘 속에 인간을 몰개성적이고 특징없는 존재로 만들어
버리는 사람들에게는 이러한 인간성에 대한 경의의 표현이 있을 수
없기 때문이다. 부챤이 이렇게 말한 것은 1938년의 일이었다. 그는
히틀러와 스탈린을 염두에 두고 있었음이 틀림없다. 끝으로 해학이

필요한 이유로는 '종교적 구속력이 이완된 지금과 같은 시대에서는 대중의 지도자들이 일종의 사이비 神으로서 자신들의 지위를 높이고, 그들의 천박한 信條를 신의 계시로 치부하려는 경향이 있다. 이러한 모든 어리석음에 대한 대답은 웃음밖에 없기' 때문이라고 하였다.[6] 부챤의 속마음을 정확히 알 수는 없지만 요즈음에도 그의 생각은 우리들의 가슴에 와 닿는다.

다음으로 명백하고 중요한 것은, 지금 우리들은 20세기 말기에 살고 있다는 것이다. 당연한 일임에도 불구하고 조금이나마 설명이 필요하다. 우리 시대는 지식이 전례없이 가속적으로 증가하고 있다. 새로운 지식은 과거의 사실, 방법론, 이론보다 우월하기 때문에, 또는 우월하다고 생각되기 때문에 특정 분야의 전통적 지식은 그 수명이 현저히 짧아졌다. 가장 확실한 예를 과학에서 찾을 수 있다. 과학 학술지가 처음으로 출판된 것은 1665년이었다. 1800년에는 학술지 數가 약 100여 종이었으나 1850년에는 1,000여 종을 넘었고, 1900년에 이르러서는 10,000여 종이 되었다. 현재는 100,000여 종에 육박하고 있다. 17세기 이후 학술지 수는 15년마다 두 배가 되었다. 과학자의 증가율도 비슷하여 "지금까지의 과학자를 전부 합한 수의 약 80%~90%가 오늘날 살고 있다."[7] 또 하나의 예는 경제학에서 들 수 있다. 경제학은 고전파적인 컨센서스가 한 세기 이상을 지배해 온 학문이지만 그 뒤를 이은 케인즈(John M. Keynes : 1883~1946, 영국의 경제학자—역자 주)의 세계관은 50년이 채 경과하기도 전에 중병에 걸리고 말았다.

나는 단순히 양적 관련성을 설명하려는 것이 아니다. 더욱이 학문의 발달에 어떤 법칙이 있다는 것도 아니다. 학문의 분야와 그 학문

의 하위 분야는 각기 다르며, 모든 것이 같은 비율로 발전하는 것도
아니다. 人文學의 연구는 확실히 이전보다 빠르고 심도있게 발전하
고 있으나 보편적으로 인정되는 관점의 변화를 정확하게 안다는 것
은 점점 더 어렵게 되었다. 내가 말하고 싶은 것은 간단하다. 결국
역사적으로 보면 우리 시대의 특징은 이례적으로 빠르게 학문이 발
전하고, 따라서 낡은 사실과 이론 역시 이례적으로 많아진 시대라는
것이다. 영원한 가치를 지닌 古典들은 대개 요즈음 우리들이 말하는
인문학에 한정되어 있다. 성경이나 셰익스피어, 플라톤, 공자 그리고
톨스토이의 작품들은 그것이 쓰여졌던 시대와 마찬가지로 오늘날에
도 적절한 것으로 간주된다. 인간의 윤리, 도덕에 관한 기본적인 문
제들, 예를 들면 正義, 충성, 개인의 책무 같은 것들은 예부터 변한
것이 없으며, 그러한 문제를 대하는 사고방식은 현대 쪽이 더 우세하
다고 간단하게 입증되지 않고 있다. 그러나 분야가 다르면 이야기는
좀 달라진다. 수학과 과학의 천재 I. 뉴턴(Isaac Newton : 1642~1727,
영국의 수학자, 물리학자, 미적분과 만유인력의 발견자―역자 주)이라도 그의
발견과 방법론은 250여 년에 걸쳐 과학의 발달에 의해 종종 손질되
어 고쳐지고 때로는 버려지기도 하였다. 사회과학 분야에서의 업적
은 이 양극단 사이에 존재한다. 예를 들면, 18세기의 위대한 사상으
로 A. 스미스(Adam Smith : 1723~1790, 영국의 경제학자 겸 철학자―역자
주)의 자유방임주의나 19세기 초 D. 리카르도(David Ricardo : 1772
~1823, 영국의 정치경제학자―역자 주)의 比較優位論 같은 것은 지금도
그 중요성을 잃지 않고 있다. 이 두 이론은 세밀하게 분석되어 초기
의 사상이 오늘날까지 영향을 미치고 있으나 경제학자가 이 이론들
을 연구하고 가르칠 때는 주로 과거의 위대한 인물의 이름들을 儀禮

的으로 언급할 뿐이다.

학문이 급속하게 발달한다는 것은 '우리 시대 최고의 지식에 비추어 본 사물의 본질'이 고정적이지 않다는 것을 의미한다. 또한 그것은 교육과정의 필수과목을 변하지 않는 고전(세대마다 재해석된)과 현재 실천되고 있는 최고의 것들 간에 시의적절한 균형을 유지해야 한다는 것도 의미한다. 어느 과목을 더 중요시 하느냐에 따라 그 과목의 요청을 반영하게 되지만 양쪽에서 접근하는 방식이 제일 좋을지도 모른다. 그러나 보다 많은 정보가 생산되고 새로운 이론과 학설이 계속 생겨나는 현실에 적응할 수 있도록 학생을 가르치는 일이야말로 우리들의 임무가 아닐 수 없다. 많은 과목에 있어서 이러한 환경 변화에 대응하는 능력의 배양은 특정한 데이터 베이스나 현재 유행하고 있는 이론을 강조하는 것보다 중대한 목표일 수 있다.

이런 의미에서 보면, 14세기의 옥스퍼드대학과 1930년대의 시카고대학 그리고 제 2차 대전 직후의 하버드대학 등이 有用性이 부족했던 전형적인 대학들이다.[8] 일반인들에게 잘 알려져 있고 상당히 특성있는 과목을 통해 능력을 갖추게 하는 전문교육에 이르게 되면 유용성은 거의 문제가 되지 않는다. 왜냐하면 유사한 범주에 있는 과목들의 지적 진보를 우리는 잘 알고 있기 때문이다. 우리들은 오늘날의 물리학이 50년 전의 물리학이 아니라는 것, 또 수학은 사회과학 분야에서도 불가피하게 이용되는 공통적인 道具라는 점을 알고 있다. 교양교육도 그 목표를 달성하기 위해서는 역시 변화가 필요하다. 전문교육에서와 마찬가지로 변화의 속도는 학문적 컨센서스의 修正에 달려있다. 오늘날 교육과정은 25년 정도마다 큰 변화가 일어나고 있다고 생각해도 무리가 없을 듯 하다.

현대의 또다른 특징은 교육받는 기간이 연장되었다는 사실이다. 평생교육은 보다 많은 사람들에게 적용된다. 단지 직업을 갖기 위한 직업교육만으로는 충분하지 못하다. 수명이 길어지고 여가시간이 늘고 있는 요즈음은 그에 따른 여러 가지 기회와 문제가 생긴다. 중년의 나이에 직업의 변화를 겪을지도 모르며, 평균 수명의 증가는 고령에 이르러서도 직업을 가지고 있게 되거나 퇴직한 이후의 기간이 길어지는 결과를 가져올 수 있음을 의미한다.[9] 예를 들면 제조업으로부터 서비스업으로의 전환 같은, 산업구조에 있어서 기술의 진보와 변화가 급속하게 진전됨에 따라 우리들은 인생의 여러 시점에서 새로운 기술을 배우고 새로운 사고를 받아들이지 않으면 안된다. 누구든지 여기에 순응하지 않으면 안된다. 더욱이 여성에게는 柔軟性이 중요하다. 직장과 가정을 양립시키려는 여성들이 많아지고 있기 때문이다. 장기간의 휴직 후에 복직하는 경우도 많아질 것이다. 그 휴직 기간이 10년 간 계속되었다면 일하는 방법이 완전히 바뀌었을 것이고, 옛 이론은 낡아서 폐기되고 새로운 발견이 이루어졌을 것이다. 이러한 상황에 대처할 수 있는 정신의 소유자야말로 교양있는 인간이라 일컫기에 꼭 알맞은 사람이다.

졸업식 때마다 하버드대학 총장은 학부대학 졸업생들에게 '교양인으로서 남녀공동체'가 된 것을 환영한다는 축사를 한다. 매년 6월이 되면 전국적으로 수천 개의 대학*에서 총장들이 유사한 축사를 한

---

* 미국에는 현재 3,000여 개의 고등교육기관들이 있으나 이 중 1,000여 개는 二年制 초급대학들이고, 최상위권 연구중심 종합대학교는 50여 개 정도이다. 그 중간에 1950여 개나 되는 다양한 고등교육 기관들이 있는 셈이다. 이 중에 25개 정도의 단설 학부대학들은 연구중심 종합대학교에 못지 않게 입학하는 것이 어렵다.(제 2장 참조)

다. 총장들은 어떠한 마음으로 그러한 축사를 하는 것일까? 어떻게 새겨들어야 하는 것일까? 학사학위는 학부대학의 일정한 課程을 일단 수료했다는 의미밖에 안될지도 모른다. 대학을 졸업한 모든 사람이 교양있는 사람도 아니고, 교양인의 전부가 반드시 대학을 졸업한 것도 아니라는 것은 조금 생각해 볼 여지가 있다. 총장들이 졸업식전의 축사 속에서 말하고자 하는 것은 학생들이 일정 수준까지의 지적 발달을 끝마쳤다는 것에 지나지 않는다. 우리도 졸업생들이 문예, 과학 또는 전문 분야에서 큰 修養을 쌓았다고 생각하지 않는다. 실제로 학사학위가 그들의 지적 성장의 정점에 도달한 것이라 생각한다면 그것은 잘못이다. 졸업생들을 교양인의 벗으로 기쁘게 받아들이는 것은 그들의 이해력이나 지적 능력이 어느 정도의 수준에 도달했다고 믿고 있기 때문이다.

　몇 년 전 나는 현대 교양교육의 표준을 만들려고 시도한 적이 있다.[10]

　1. 교양인은 명료하고 효과적으로 생각하고 그것을 글로 표현할 줄 알아야 한다. 이것은 학생들이 학사학위를 받으면 정확하고 설득력 있게 효과적으로 의사전달을 할 수 있어야 한다는 것을 의미한다. 다른 말로 표현하면 학생들은 비판적으로 사고하도록 교육받아야 한다는 것이다.

　2. 교양인은 우주, 사회 또 우리 자신에 대한 지식과 이해를 얻는 방법에 대한 비판적 안목을 갖고 있지 않으면 안된다. 따라서 교양인은 자연과학과 생물과학의 수학적 또는 실험적 방법에 대한 지식이 있어야 하며, 현대사회의 기능이나 발전을 연구하는데 필요한 분석방법이나 역사적, 수량적 검증 기법을 익혀야 한다. 그리고 과거의

중요한 학문적, 문학적, 예술적 업적과 인류의 주된 종교적, 철학적
개념에 대한 지식도 갖고 있어야 한다.

　이와 같은 거창한 定義는 너무나 비현실적인 것인지도 모른다. 많
은 교수들은 자기들도 그러한 수준에 도달하였는지의 여부를 알아내
기 어렵다고 고백한다. 그러나 그것은 근시안적인 견해이다. 먼저 잘
진술된 理想을 갖는다는 것은 그 자체로서 가치있는 일이다. 다음으
로 내가 앞에서 제시한 일반적 정의는 물리학, 역사학, 영문학 등과
같은 제분야에도 충분하게 적용할 수 있기 때문이다. 그러나 이 중의
어느 분야도 우리가 모두 통달할 수 있는 것은 아니다. 물론, 통달하
는 것이 우리의 목표도 아니다. 우리의 목표는 현명한 지식을 갖추는
것이며, 이것은 폭넓은 생각과 사고 방식을 갖춘 필수과목을 통해서
언제라도 충분히 달성할 수 있는 것이다.

　단지 많이 안다는 것에서 비판적 안목을 지니는 데까지 도약하는
일은 더 중요할 뿐만 아니라 어려운 일이기도 하다. 그러한 자질을
배양하려면 단순히 내용의 문제를 뛰어넘어 무엇을 어떻게 배웠는지
에 대한 적용의 문제를 생각하지 않으면 안된다. 학문이 급속하게 발
전하기 때문에 학생들이 평생학습자의 태도를 기르도록 용기를 북돋
워주어야 한다. 학생들에게는 시간제약이 加해지고 있고, 한정된 과
목만 선택할 수 있게 되어 있다. 과학도가 아닌 학생들에게 과학과목
을 수강케 할 수는 있으나 물리학, 생물학, 화학, 지질학, 수학을 모
두 공부하게 하는 것은 무리이다. 따라서 필수과목은 일반적으로 특
별히 높은 유용성을 갖지 않으면 안된다. 그 분야의 고유한 지식과
그 분야의 주된 연구 방법에 중점을 두고 가르치는 것이 이상적이다.
예를 들면, 경제학을 교양교육이라는 관점에서 배우는 것도 좋지만

사회과학이라는 넓은 맥락에서 생각하는 것도 보다 높은 가치가 있다.

3. 금세기 마지막 4반세기를 살아가는 미국의 교양인들은 다른 문화나 다른 시대에 대해 무지하고 편협한 사람이어서는 안된다. 우리는 보다 더 넓은 세계, 그리고 현시대를 형성하고 미래를 형성해 갈 역사적 힘을 고려하지 않고 삶을 영위해 갈 수는 없다. 넓은 안목을 가진 교양인일지라도 충분히 폭넓은 시야를 가진 사람은 그렇게 많지 않은 것 같다. 어쨌든 교양있는 사람과 교양없는 사람 간의 결정적인 차이점은 자신의 삶의 경험을 얼마나 폭넓은 맥락에서 보려고 하느냐에 달려있다고 본다.

4. 교양인은 당연히 윤리, 도덕적인 문제에 대한 이해와 고찰의 경험을 가졌으리라고 본다. 이러한 문제는 수세기를 지나는 동안 거의 변화되지 않았지만, 각 세대들이 개인적인 선택의 岐路에 직면하게 되면 다시금 긴급히 재고해야 하는 것들이다. 교양인의 보다 중요한 특징은 정보에 대한 판단력을 가지고 그것을 다른 것과 구별해 내는 도덕적 선택을 가능케 한다는 것이다.

5. 끝으로 교양인이라면 특정 학문 분야에 대해서 깊이를 가지고 있어야 한다. 여기서 나는 전문적 능력과 현명한 지식 사이에 놓여 있는 중간쯤을 마음 속에 떠올린다. 미국 대학 용어로는 '전공' 또는 '集中履修'라고 부른다. 나의 이론은 단순하다. 즉, 누적 학습은 추리력과 분석력을 개발하기 위해 효과적인 방법이다. 왜냐하면, 누적 학습은 점점 더 복잡해지는 현상, 기술, 분석적 개념을 고려해 나가지 않으면 안되기 때문이다. 모든 전공에서 주어진 문제의 쟁점을 정의하고 각 쟁점을 다양한 측면에서 합리적인 증거와 논의를 통해 발전

시키며, 그 증거들에 바탕을 두고 납득할만한 평가를 하여 결론에 도
달할 수 있도록 학생들은 자료와 이론, 방법 등을 통제하고 처리할
수 있는 충분한 능력을 갖추어야 한다. 따라서 이것은 처음에 든 목
표와 겹치는 면도 있다.

학부교육에 대한 '타당한 기준'을 설정하는 데는 반드시 문제가 부
각되기 마련이다. 예를 들면, 수학의 鬼才라고 불리는 학생처럼 때로
는 한쪽으로 치우친 천재가 있는 법이다. 또 B. 러셀(Bertrand Rus-
sell : 1872~1970, 영국의 수학자 겸 철학자―역자 주)이 말한 것과 같이
모차르트와 같은 재능을 가진 사람은 음악학교에서 거의 배울 것이
없게 된다. 그러나 이러한 경우는 매우 희귀하며, 넓은 교육적 관점
에서 볼 때 중요한 것도 아니다. 우리가 할 일은 결코 맞춤 양복을
만드는 일과 같지 않다. 그렇지만 조금 특별한 학생에게도 대처할 수
있는 충분한 유연성을 언제나 갖고 있어야 한다.

여기에 정치적인 반대 또한 있을 수 있다. 일련의 기준을 설정하는
데는 의견의 일치, 보통 교수진의 의견일치가 필요하지만 그것이 강
제된 總意라고나 할까 심지어는 무엇인가 숨겨진 목적, 다시 말해 국
가의 '지배계급'이나 특정 종교인 기독교를 위하여 학생들을 통제하
는 것으로 볼 수도 있다. 그러나 나는 지금껏 한번도 이러한 견해에
동의한 적이 없다. 내가 제시하고 있는 기준은 어떠한 것도 정치적
또는 敎條的 견해를 대표하는 것도 그렇다고 배제하는 것도 아니다.
나는 학생들이 감수성의 폭을 넓혀 사회적 통념을 비판적 사고로 대
체하기를 바란다.

이러한 것을 지금부터 100년 전 이튼(Eton) 학교 교장 W. J. 코
리가 아주 잘 표현하였다. 그는 1861년 젊은이들에게 다음과 같은

연설을 하였다.

여러분들이 하고 있는 일은 지식의 습득이라기 보다는 비판적으로 생각하는 힘을 기르기 위한 노력이라고 보는 것이 더욱 좋다. 어느 정도의 지식을 습득하고 기억하는 것은 사실 평균적 능력으로 가능하다. 그리고 많은 것을 잊어버려도 시간을 낭비했다고 후회할 필요는 없다. 지식은 잃어버렸어도 적어도 그 그림자는 남아서 여러분들이 그릇된 신념에 빠지지 않도록 지켜줄 것이다.

여러분들이 이 위대한 학교에 다니는 것은 지식을 얻기 위한 것이 아니라 技藝와 습관을 몸에 익히기 위한 것이다. 관심을 기울이는 습관, 표현하는 기법, 무엇인가 주목해야 하는 것을 보는 순간 새로운 것에 知性을 접근시키는 기술, 다른 사람의 思想에 곧 빠져들어 가는 기술, 비난이나 반박을 받아들이는 습관, 찬성과 반대를 적절한 용어로 표명하는 기술, 미세한 점도 정확하게 관찰하는 습관, 주어진 시간 내에 가능한 일을 해내는 습관, 식별력, 정신적 용기 및 침착성 등을 몸에 익히기 위해서 이 학교에 온 것이다.

무엇보다도 여러분들은 여러분 자신을 인식하기 위해서 이 위대한 학교에 다니고 있는 것이다.[11]

나는 이러한 표현들이 현대 학부대학 교육의 중심 원리를 잘 설명하고 있다고 본다. 학생들은 배운 것의 많은 부분을 망각하게 되고, 지금 이후의 새로운 발전은 현재까지 전수해진 것의 대부분을 몇 년 안에 쓸모 없는 것으로 만들 것이다. 知性의 가치와 유용성을 이해하는 것이 교양인의 본질이라는 점에 이의를 제기할 사람은 아무도 없을 것이다. 그러나 문제는 '기예와 습관'을 어떻게 가장 효과적이고 지속적인 방법으로 가르쳐 줄 수 있는가 하는 것이다. 그것은 한쪽으로 치우친 고도로 전문화된 교육과정에 의해서는 안되며, 교육과정 자체만으로도 안되는 것이 확실하다.

W. J. 코리는 위와 같이 대학교육 이전의 교육목표에 대해 언급하였다. 그러나 어떤 이들은 내가 개략적으로 제시한 학부교육의 기준이나 목표가 중등교육에 걸맞는다고 하며, 미국 대학 교육은 보다 전문화된 유럽 대학 모형으로 옮겨가야 한다고 주장할지도 모른다. 그러나 미국 대학에서 4년 동안 대부분의 학생들에게 교양교육을 실시하는 데는 합당한 이유가 있다. 우리 사회에서 대학은 젊은이들에게 인생을 풍요롭게 하는 최대의 기회라고 생각한다. 미국의 교육제도는 너무나 다양하기 때문에 어떠한 형태로든지 일반화 한다는 것은 무리한 일이다. 다만 확실한 것은 고등학교는 누구나 입학할 수 있으며, 대다수의 미국 사람들이 졸업하는 학교이지만 교양교육이라는 개념에 비추어 볼 때 교육적, 재정적, 사회적으로 불가결한 자원을 갖고 있지 못한 학교라는 사실이다.

이와는 대조적으로 또한 시야를 넓히기 위하여 유럽과 일본의 교육제도를 주목해 보기 바란다. 어느 쪽도 미국 교육제도보다 비민주적이고 덜 관용적이다. 학령 인구에 비해 상대적으로 낮은 비율의 학생이 대학에 입학한다. 그래서 공식적으로 혹은 비공식적인 형태로 早期에 능력별 교육이 시작된다. 일본에서는 시험과 면접을 거쳐 좋은 유치원에 들어가는 것이 최고 명문 대학인 동경대학에 입학할 기회를 넓히는 수단으로 되어 있다. 좋은 유치원은 일류 초등학교에 들어가기 위한 문을 열어준다. 마찬가지로 일류 초등학교는 우수한 중등학교에 입학하는 길을 터 준다. 그 중등학교에서는 대학입학 시험에 대비하여 가장 효과적인 준비를 시키는 것이다. 프랑스에서는 리세(Lycée:프랑스 대학에 입학하기 위한 예비 교육을 하는 국립 고등학교-역자주)에 입학하는 것이 그 후의 학력을 결정하는 중요한 요인으로 작용한다. 그리고 영국에서는 장기간에 걸친 재정 긴축과 精銳主義 사상이 혼합되어 다양한 계층의 사람들이 고등교육을 받을 수 있는 기회를 제한해 왔다. 이러한 교육제도는 가파른 피라미드형으로 잘 설명되어질 수 있다. 극소수의 사람들만이 피라미드의 바닥으로부터 정점까지 오를 수 있다. 그리고 정상에 오른 사람들은 일반적으로 출신, 계층, 수입과 관련된 혜택이 주어진 이들이다.[12] 이러한 영향이 미국에 전혀 없는 것은 아니지만[13] 미국 교육제도와 유럽이나 일본의 교육제도 간에는 유사성보다 차이점이 시사하는 바가 더 크다. 미국 교육은 대학 진학에의 길이 덜 경직되어 있어서 幼年부터의 준비가 돌이킬 수 없을 정도로 장래를 결정하는 것도 아니다. 제 2, 제 3의 기회가 있다고 하는 것은 실로 미국 교육제도의 훌륭한 장점이 아닐 수 없다.

가파른 피라미드형 교육제도는 학부교육의 성격이나 기준에 필연적으로 영향을 미치게 된다. 대학 신입생들은 자신들이 살아가는 곳에서 소규모 지원자 집단으로부터 선발되는데 그들의 특성은 대개 비슷하다. 동경대학, 옥스퍼드대학, 파리대학의 入試管理 책임자들은 지원자가 어떠한 교과목을 배웠는지, 어떤 책을 읽었고 어떠한 수준에 도달하였는지를 실로 잘 알고 있다. 미국 대학에서는 상상조차 할 수 없는 일이다. 소규모 지원자 집단은 미국보다 훨씬 제한된 수의 중등학교 졸업생들이지만 많은 중등학교들은 졸업생들에게 교양교육을 제공하려 하고, 그들 중 일부는 정말로 성공을 거두고 있다.

미국 사회와 같이 모든 시민들에게 고등학교를 졸업시키려는 목표를 가지고 있는 민주사회에서는 그 수준을 얼마간 낮추어야 하는 것은 어쩔 수 없다. 어느 모로 보나 미국의 교육제도는 분권화 되어 있음이 사실이다. 지역사회의 통제가 일차적인 목표이고, 전국적 기준이라는 것은 사실상 존재하지 않는 것이나 마찬가지이다. 학교의 질적 차이는 실로 다양한 요인에서 연유하고 있다. 지방정부나 주정부의 세수입, 도시의 인종 구성 및 연령 구조, 개인의 기부, 공립이든 사립이든 학교의 연혁 그 밖에도 많은 다른 요소들이 있다.

그러므로 미국의 초등학교와 중등학교는 아동이나 학생들에게 적어도 기본 기능을 가르치려고 한다. 읽기, 쓰기, 셈하기의 기초 능력을 기르는 것과 동시에 가능한 한 과학, 역사, 문학, 외국어도 부과한다. 물론 예외는 있다. 높은 수준의 교양교육을 학습시키는 초일류급 공·사립 고등학교도 있다. 그러나 그것은 어디까지나 예외이다.

미국 대학에서는 사회의 특수한 다양성을 지리적, 인종적, 경제적으로 고려하면서 특기를 가진 자, 능력 있는 자, 장래성이 있는 자, 소질이 있는 자를 발굴하지 않으면 안된다.(그 과정은 제 4장에서 이미 설명하였다.) 지원자 전원이 같은 조건에서 경기를 시작하지 않는다는 것을 인정하면서 대학에 들어올 때에는 관대한 태도를 취한다. 대학의 관심은 어떻게 경기를 끝내느냐에 달려 있다. 대부분의 다른 나라에 비해서 미국은 장래성에 대한 다양한 지침 이외에는 신뢰할 만한 것이 별로 없는 편이다. 따라서 대학에서 교양교육과 기초적인 지식교육의 필요성은 결코 감소되지 않으며 언제까지나 대학당국의 과제로 남아 있다.

교양교육으로부터 얻어지는 것은 나이가 들고 경험이 더해짐에 따라 시야가 넓어지면서 더욱 意義가 커질지도 모른다. 그 효과는 눈에 띄지 않으나 반복을 통해 얻어지며, 때로는 너무 젊은 사람들에게는 낭비가 될 것 같은 생각이 들기도 한다.[14] 그러나 대부분의 사람들은 적어도 교양교육 교육과정을 가진 대학에 진학할 수 있는 것을 다행으로 여기며 그들의 대학 시절이야말로 이상적인 기간이라고 생각할 것이다.

전문직을 위한 대학원 교육의 시기까지 교양교육을 연기하는 것은 분명 현명한 정책이 아니다. 미국인 중 대학원에 진학하는 학생 비율은 대학 졸업생에 비해 훨씬 적다. 1983년에는 단지 8.9%의 大卒者만이 대학원에 진학하였다. 교양교육을 대학원까지 연기하다 보면 실로 많은 사람들로부터 인생을 보다 풍요롭게 하는 기회를 빼앗는 셈이 된다. 게다가 대학원 교육은 시간이 부족할 뿐만 아니라 대학원 교육의 주된 사명인 2~3년 안에 고도로 훈련된 전문 직업인을 양성하는 일에서 벗어나게 된다는—어찌보면 잘못된 것일 수도 있지만—견해도 있다.[15] 대학원생이 소화하지 않으면 안되는 정보의 양은 대단한 것이다.

대학에서 교양교육을 언제 履修하든지 교양교육은 최고 수준의 전문직에도 불가결한 필수 요건이라고 할 수 있다. 우리가 전문가들에게 고도의 專門性을 기대하는 것은 너무나 당연하다. 의사가 과학과 질병에 대해 고도의 지식을 갖고 있는 것은 당연한 일이며, 변호사는 주된 판례나 법적 절차에 대해서 깊은 이해가 있어야 된다. 또 학자는 특정한 주제에 관해 최첨단 지식을 가지고 있어야 한다. 그러나 이러한 전문직업에 따른 지식과 이해가 필요하면서도 그것으로 충분하다고 하기에는 요원한 일이다. 전문직 교육의 理想이 단순히 유능한 기술 관료들을 배출하는 것에 있어서는 안된다. '겸손, 인간애, 해학'을 갖춘 전문적인 권위자를 양성하는 것이 보다 타당한 목표일 것이다. 나는 나의 변호사나 의사가 고통, 사랑, 웃음, 죽음, 종교, 정의 그리고 과학의 한계도 알고 있으면 더욱 좋겠다.[16] 그것은 최신 의약과 대법원의 새로운 판례를 알고 있는 것보다 훨씬 중요한 일인 지도 모른다. 새로운 정보는 별로 고생하지 않고도 언제라도 입수할 수 있지만 인간에 대한 이해는 컴퓨터에 몇 가지 질문을 하는 것으로 대답이 나오는 것이 아니기 때문이다.

【註】

1) 미국의 전 학부학생의 약 15%가 이러한 대학에 재학하고 있다. B. R. Clark, *The Academic Life*, 18면 참조.

2) *Encyclopaedia Britannica*, 15th ed. , vol. Ⅵ, 195면 참조.

3) Jose Ortega y Gasset, *Mission of the University*(London : Kegan Paul, Trench, Trubner, 1946), 1면. 노스트랜드가 번역한 이 얇은 책에 그가 직접 序文을 썼는데, 이 글은 거기에서 인용한 것이다. 노스트랜드는 또 이렇게도 말하고 있다. "만약 일반교양교육에 성공한다면, 우리들은 확실하게 제 3차 세계대전이 일어날 가능성을 분쇄할 수가 있을 것이다." 心琴을 울리나 確信할 수는 없다.

4) 이 文句는 교양교육을 전문직업 교육이나 職前 직업교육으로부터 분리시켜야 한다고 주장하는 것처럼 읽을 수 있다. 그러나 나는 개인의 全人的 발달을 좁은 뜻의 직업교육에 국한시켜서는 안된다고 생각한다. 이상적인 상황에서는 여러 가지 종류의 교육에 일반교양과목과 전문과목이 모두 포함되어 있다. 최근에 직업윤리학 프로그램이 개발되어 중시되어 왔고, 이것은 교양교육인 도덕철학을 직업교육의 범주로 가르친다고 말할 수 있다.

5) *Harvard Alumni Bulletin*, vol. 40, July 1, 1938, 1143면.

6) 上揭誌, 1143∼1144면 참조.

7) Derek de Solla Price, *Science Since Babylon*(New Haven : Yale University Press, 1975). 제 8장 科學의 病 참조. 자료는 거기에서 인용한 것이다.

8) 중세의 七自由學藝科인 三學과 四學藝는 문법, 논리학, 수사학과 기하, 천문학, 수학, 음악으로 구성되어 있다. 전체적으로 이 과목들은 아직도 유용하나 대단히 시대에 뒤진 것만은 틀림없다. 사회과학은 보이지 않으며, 문학도 거의 무시되어 있다. 1940년대까지만 해도 '하버드 강좌목록'은 서양 이외의 思想研究는 전혀 이루어지지 않고 있음을 보여준다. 메릴랜드州 아나폴리

스와 뉴멕시코州 샌타페이에 있는 세인트 존스대학들의 유명한 교과과정도 마찬가지다. 130 古典名著들은 모두 서양문명에 국한하고 있을 뿐이다.

9) 오늘날 사람들은 평균적으로 三回 轉職하고, 일곱 가지 일을 한다고 말해지고 있지만 신뢰할 수 있는 자료는 아니다.

10) 앞으로 몇 쪽은 하버드대학교 文理科大學 학장으로서 나의 年次報告에 의존한다. Harvard University, Faculty of Arts and Sciences, *Dean's Report*, 1975~76 : "Undergraduate Education : Defining the Issues." 참조.

11) *Eton Reform*(London : Longman, Green, Longman & Roberts, 1861), 6~7면.

12) 비교하기 위한 통계자료는 입수하기가 어렵다. 단지 指標로서 하나 쓸 수 있는 것은 25세 이상인 사람들이 중등교육 이후 교육을 받고 있는 정도이다. 1984년에 미국은 32. 2%, 일본은 14. 3%, 영국은 11%(1983년)이다. *Britannica Book of the Year, 1986*, 946~951면 참조. 입수한 자료는 이것뿐이다. 미국과 일본의 차는 해마다 좁혀져 왔다.

13) "미국은 어느 계층의 사람들도 같은 학교에 다닐 수 있는 전통 위에 그 사회가 서 있다고 믿고 싶다. 한 학교에서 하버드로 진학할 지방 은행장의 딸과 R. 레이건이라는 주정뱅이 아들이 함께 공부한다. 승용차를 갖고 있는 사람들이 늘고 郊外住民이 나타나면서 민주주의의 이상은 市의 中心에서 사라지고, 이제는 어느 지역이라도 理想 神話는 붕괴되고 말았다. 오늘날은 미국 최고의 공립 고등학교에 아이를 입학시키기 위하여 학교 가까이 있는 25만 불 짜리 작은 집을 사기도 하는 시대이다." N. Macrae, "The Most Important Choice So Few Can Make," *The Economist*, Sept. 30, 1986.

14) 지금 생각할 수 있는 最適의 例로서 톨스토이 작 「안나 카레니나」와 나 자신과의 만남을 들 수 있다. 나는 13세 때 처음으로 이 소설을 읽고, 가장 동정해야할 인물은 안나의 남편 알렉세이 카레닌이라고 생각하였다. 인생 경험

이 부족했던 나는 톨스토이의 意圖를 이해할 수 없었다.

15) 앞에서 서술한 바와 같이 이제는 이 태도도 바람직한 방향으로 변화해가고 있다.

16) 1930년 J. O. 가셋트는 한 강연에서 이렇게 말하였다. "의과대학원은 최고의 생리학과 화학을 가르치고자 한다. 그러나 좋은 의사란 어떤 사람인가, 우리 시대에 理想的인 의사는 어떤 의사인가를 신중하게 생각하고 있는 사람은 아마도 전세계의 의과대학원에서 찾아도 없을 것이다." *Mission of the University,* 62면. 지금도 아직 그러할까? 하버드대학 의과대학원의 '새로운 길 프로그램'은 그러한 人間을 기르기 위한 시행 과정에 있다. 가셋트도 同意해 줄 것으로 믿는다.

제 7 장

中核敎育課程

교양교육은 미국 대학의 학부교육을 기술하는 한 방법이다. 교양교육이라는 용어는 협의로 전공 영역 이외의 필수영역을 의미하고 있으며, 이 영역의 교육을 통하여 한 개인이 넓고 조화로운 안목을 갖춤으로써 全人的인 발달을 할 수 있도록 설계되어 있다. 학생들에게 필수영역을 부과하는 것은 개인적인 선택의 자유를 제한한다는 점에서 상당히 중요한 의미를 갖는다. 예를 들어 세인트 죤스대학 (St. John's College : 1784년 설립 Annapolis, MD—역자 주)과 같이 학생들의 선택권이 거의 없는 대학이 있는가 하면, 브라운대학(Brown

University : 1764년 설립 Providence, RI—역자 주)과 같이 학생들에게 필수과목을 거의 요구하지 않는 대학도 있다. 대부분의 대학들은 이들 양극단에 있는 대학의 중간에 위치한다. 대학이 이러한 연속선 상의 어느 곳에 위치하든지 필수과목의 의미는 교육적으로 일관된 시각에서 해석되어야 할 것이다. 필수과목을 제공하는 대학은 학생들에게 왜 그들이 반드시 이러한 과목들을 공부해야 하는지, 강제성을 부과하는 것이 꼭 필요한지에 관해 설명할 수 있어야 하고, 또 필수과목을 요구하지 않는 대학은 필수의 강제성이 없는 경우가 왜 학생들에게 보다 나은 교육을 시킬 수 있다고 생각하는지 설명할 수 있어야 한다.

미국 고등교육의 다양성을 고려해 볼 때, 어느 정도로 교양교육을 필수로 부과해야 하는지를 일반적으로 논의하기는 어렵다. 그 대신 오늘날 교양교육의 한 예로서 하버드대학의 中核敎育課程을 간단히 살펴보면서 이러한 교육과정의 철학과 논리 그리고 내용에 대해 알아보도록 하겠다. 미국 대학의 학부교육을 위한 완전한 교육과정이 단 하나만 존재하지 않는다. 설사 완전한 교육과정의 기준에 대한 合意를 할 수 있다고 해도, 어떠한 필수과목들도 학생들에게 바람직한 모든 '기예와 습관'을 부여하기에 충분하다고 믿을만한 근거는 없다. 교양인으로 이끄는 길은 여러 갈래가 있으며, 이상적인 실현을 위하여 하나만이 아닌 여러 길을 체험해 보아야 할 것이다. 그 대학이 어떠한 자원, 교수진, 학생들을 가지고 있는지 등의 요소에 따라 그 길이 선택될 것이다.

하버드대학의 중핵교육과정은 모든 학생들에게 1년 간 履修해야 할 필수과목을 부과함으로써 학부교육의 4분의 1을 차지하고 있다.

이 과정은 이수 학년의 제한없이 1년 기간의 학습량을 졸업하기 전에 이수하면 된다. 대학은 학생들이 2년 동안의 전공교육을 통하여 한 분야에 대해 '깊이 있는 학문'[1]을 하고, 1년 기간의 선택과목을 통하여 선택의 자유를 마음껏 누리며, 중핵교육과정을 통하여 보다 유용한 '교양인'으로 성장하도록 돕고 있다.

하버드대학의 학부학생들은 졸업을 하기 위해 엄격히 말하면 중핵교육과정이 아닌 세 개의 필수과목을 이수하여야 한다. 이 과목들을 통해 효과적으로 자신의 생각을 글로 표현하고(교양인은 명확하고 효과적으로 글을 쓸 수 있어야 한다.) 외국어에 능통하며(타문화에 대해 무지해서는 안된다.) 컴퓨터와 숫자로 나타낸 자료를 파악하는 능력과 기초적 통계 기법을 익혀 양적 추리 능력을 기르게 한다.(자연과학과 사회과학에서 사용되는 수학적, 양적 처리 기법에 대해 충분히 알고 있어야 한다.)

엄밀한 의미의 중핵교육과정은 學際的 接近에 입각한 명백한 지침에 따라 특별히 설계된 여섯 개의 科目群으로 구성되어 있다. 중핵교육과정에 대한 공식적인 설명은 다음과 같다.

중핵교육과정의 철학은 하버드대학의 모든 학생들이 폭넓은 교육을 받아야 한다는 신념에 토대하고 있다. …… 이러한 목표를 달성하기 위해서는 학생들에게 적절한 지도가 필요하고, 대학은 학생들이 교양인으로서 갖추어야 할 지식과 지적 능력, 사고하는 습관을 얻을 수 있도록 인도해야 하는 임무를 갖고 있다.

중핵교육과정은 일련의 고전에 精通하고, 일정량의 정보를 소화하며, 특정 분야의 새로운 지식을 탐구하는 것에 지성의 폭을 한정하지 않는다. 중핵교육과정은 대학이 학부교육에서 필수적이라고 고려하는 학문 영역에서 '지식에 접근하는 중요한 방법들'을 학생들에게 소개하고자 한다. 즉, 제시된 학문 영역에 어떠한 종류의 지식과 어떤 형태의 탐구 방법이 있으며, 서로 다른 분석 수단이 어떻게 획득되고, 어떻게 사용되며 어떠한 가치를 지니고 있는지 보여 주는 것을 목적으로 한다. 이러한 중핵교육과정의 각 영역이나 세부 영역에 속하는 과목들은 그 주제들이 다양한 반면, 사고하는 방법을 강조한다는 의미에서 동등한 위치에 놓여 있다.[2]

1) 문학과 예술

중핵교육과정에서 이 분야에 해당되는 과목들은 교육받은 눈과 귀로 보고, 읽고, 들을 수 있는 능력을 갖추게 한다. 여기서 핵심이 되는 구절은 '교육받은 눈과 귀'이다. 우리들 대부분에게 보기, 읽기, 듣기는 별다른 특별한 훈련이 필요없는 자연스럽고 단순한 행위로 인식된다. 그러나 읽고 쓰는 능력이 풍부한 鑑賞 능력, 비판적 판단 능력, 고도의 이해력을 포함하는 것을 의미한다면 시각적, 청각적 그리고 다른 유형의 문맹이 많음을 알 수 있다. 문학과 예술 분야의 과목들은 '인간이 이 세계에 대한 그들의 경험을 어떻게 예술적으로 표현하는가'를 설명해 주는 人文學 과목들이다.[3] 이러한 과목들은 소설, 시, 교향곡 같은 특정한 예술형식의 가능성과 한계를 탐색하고, 개인의 재능과 예술적 전통 그리고 특정한 역사적 순간과의 상호작용에 대한 이해력을 얻는 것을 목적으로 한다. 이러한 목표를 달성하기 위하여 학생들은 다음과 같은 세 영역을 각각 이수해야 한다. 첫째는 문학의 장르로, 예를 들어 J. 오스틴, C. 디킨즈, 발쟈크, J. 죠

이스*와 같은 작가들이 쓴 '19세기와 20세기 초반의 위대한 소설들'을 배우고, 둘째는 시각적, 음악적 표현의 장르로 '램브란트와 同時代人들' 또는 '현악사중주의 발달' 같은 과목이 포함되며, 셋째는 '르네상스의 인간상'에서와 같이, 특정 시기의 예술작품과 그 작품의 사회적, 지적 관계를 탐구하는 과목이다. 이러한 영역의 과목을 통하여 학생들은 과거의 중요한 학문적, 문학적, 예술적 업적들과 인류의 중요한 종교적, 철학적 개념들에 대해 더욱 정확한 이해를 할 수 있게 된다.

2) 과학

요즘에는 과학적 방법과 원리에 대하여 어느 정도 이해하지 못하면 폭넓은 교육을 받은 사람이라고 할 수 없다는 것이 명백해졌다. 과학의 이해가 학문에의 '大道'라는 것은 자명한 일이다. 우리는 우리의 삶을 지속적으로 변화시키는 새로운 발견, 주요한 물리학적, 생물학적 법칙에 대한 깊이 있는 탐구, 새로운 기술의 창출 등이 이례적으로 급속하게 일어나고 있는 과학발달의 시대에 살고 있다. 최근 과학은 우리에게 핵무기와 유전공학을 제공하였다. 핵무기는 어느 날 지구상에서 인류의 삶을 종식시킬 지도 모르며, 유전공학은 인간의 평균 수명을 연장시킴으로써 가까운 장래에 사회적으로 복잡한 영향을 미칠 수도 있다. 교양인이라면 당연히 우리의 미래에 그와 같

*Jane Austen(1775~1817) 영국의 여류 소설가, 대표작으로 「자존심과 편견」이 있음. Charles Dickens(1812~1870) 영국의 소설가, 대표작으로 「크리스마스 캐롤」이 있음. Honor de Balzac (1799~1850) 프랑스의 寫實主義 작가. James Joyce (1882~1941) 아일랜드의 소설가, 대표작으로 「율리시즈」가 있음.

은 중요한 역할을 할 수 있는 요인들에 대해 어느 정도의 이해력을 갖추고 있어야 한다. 민주사회의 시민으로서 우리가 투표권을 어떻게 행사하는 가에 따라 과학적 진보를 우리 사회의 번영을 위하여 사용할 수도 있고, 반대로 재난을 몰고 올 일에 사용할 수도 있게 된다. 따라서 민주사회의 교육받은 시민으로서 올바르게 투표권을 행사하기 위해서는 과학적 원리에 대한 지식을 갖추는 것이 필수적이다.

교양교육 프로그램을 통해서는 의미있는 수준의 과학적 교양을 갖추는 것이 불가능하다고 생각하는 사람들이 있다. 그들은 과학이 매우 복잡하고, 깊이 있는 탐구를 요하며, 지식의 축적이 상당량에 달하고, 고도로 전문화 되었으며, 수학적 응용을 필요로 하기 때문에 오늘날은 과학자들 조차도 폭넓게 과학적 素養을 갖춘 사람이 드문 실정이라고 말한다. 더 나아가 과학적 지식과 책임있는 시민이 맡은 일 사이에 어떤 관련이 있는지 확실하지 않다고 말하는 비평가조차 있다. 무엇보다도 정부 정책에 대해 과학전문가들 간에도 찬반이 종종 갈리어 그들이 각각 내세우는 이유가 과학자가 아닌 사람들에게는 양쪽 다 그럴듯하게 생각되기도 한다.

교양교육을 통하여 과학적 소양을 갖추는 것이 어렵다는 견해에 반대하고 있는 M. 샤모스 교수는 과학을 교양교육에 포함시키는 것을 독특하게 정당화시키고 있다. "학생들이 과학이 던져주는 심미적, 지적 가치를 발견하기 위해 과학을 탐구한다면 그들은 그들이 얻을 수 있는 대부분의 것들을 얻게 된다."[4] 이러한 관점은 이미 19세기에 생물학자인 T. 헉슬리(Thomas Huxley : 1825~1895, 영국의 생물학자—역자 주)와 그 시대의 수학자인 J. 푸앵카레(Jules—Henri

Poincaré : 1854~1912, 프랑스의 수학자—역자 주)에 의해 지적되었던 것이다. 샤모스는 그들의 이러한 생각이 결국 지지를 받게 될 것이라고 믿었다.

의미있는 수준의 과학적 교양을 얻는 다는 것이 달성하기 어려운 목표가 될 수밖에 없다는 것에 나도 동의한다. 그러나 '비판적 이해력'을 갖추는 것을 목표로 한다면 아마 달성 가능한 기준이 될 수 있을 것이다. 나는 과학이 우리 사회의 공공정책 문제와 관련되어 있는 한, 교양교육 프로그램을 통해서 과학을 배우는 것이 유용한 일이라고 생각한다. 그러나 나의 견해나 이와 반대되는 견해 모두 자신의 입장을 뒷받침해 줄만한 명확한 근거는 제시하지 못하고 있다. 나는 학생들이 심미적 가치, 순수한 지적 가치를 위하여 과학을 탐구하기를 진심으로 바란다. 과학을 배우는 동기로 이보다 더 훌륭하고 근본적인 것은 없을 것이다.

학생들을 위한 교양교육 과정 속에 과학교육이 차지하는 비중이 가장 적다. 그 이유는 명백하다. 전공이 아니더라도 과학을 공부하는 학부학생들은 '자연과학과 생물과학의 수학적, 실험적 방법들에 대해 익숙'하여야 한다. 그러나 많은 학부학생들은 수학적 자질이 부족하거나 스스로 부족하다고 생각하고 있고, 고등학교에서 과학적 주제와 가까워 질 수 있을 만큼의 지도를 받지 못했으며, 대부분의 대학에서 과학과목들이 비전공자를 위해 특별히 설계되어 있지 않은 등의 이유로 과학과목을 택하는 것을 꺼린다. 이러한 이유로 인해 생겨난 문제들은 교육적으로 중요한 문제들이다.

하버드대학이 새로운 중핵교육과정을 구상하고 있을 때, 내 동료 중의 한 사람이 보인 반발은 아마 잊지 못할 것이다. 세계적으로 유명한 美術史家였던 그는 나에게 자기가 모교의 명예를 높였는지, 그의 오랜 경력이 학자로서 가치있는 것인지 물었다. 그는 하버드대학의 가장 뛰어난 졸업생 중의 한 사람이었다. 나는 그의 두 가지 질문에 모두 그가 간절히 듣고자 하는 긍정적인 대답을 해주었다. 대답을 들은 후에, 그는 우리 대학에서 새롭게 요구하는 필수과목 특히, 과학과 수학적 추론에 관련된 과목들이 그의 재학 당시 요구되었다면 자신은 아마 하버드대학 졸업이 불가능하였을 것이라고 하였다. 비록 이러한 과목들이 가장 초보적인 수준일지라도 그로서는 이해할 수 없는 과목들이라는 것이다. 그렇다고 그를 과연 그가 받은 학위만큼의 가치를 지니지 못한 사람이라고 평가해야 하는 것인가? 만약 그가 대학 재학시절 필수과목을 이수하지 못했다면 오늘날 전문 분야에서의 업적이 드러날 수 없었을까? 그는 자신과 같은 입장에 처한 사람들이 이러한 새로운 필수과목의 요구 때문에 장래에 아니면 과거로 소급되어 불리한 처지에 놓이지 않도록 나에게 영향력을 발휘하여 대학이 필수과목제를 채택하지 않도록 막아 달라고 간청하였다. 나는 이 고명한 교수의 간절한 청을 이해하고 있었지만, 이러한 과목들을 제대로만 배운다면 잘 할 수 있을 자신의 능력을 과소평가하고 있다고 그를 설득하였다. 그러나 그는 내 말을 전혀 믿지 않았다.

물론 과학전공 학생과 과학전공이 아닌 학생들 간에는 불균형이 존재한다. 과학을 전공하는 학생들은 인문학과 사회과학 과목들을 수강하는 것이 상대적으로 수월하다. 문학적, 역사적 접근방법이 생화학을 전공하는 학생들의 취향에 꼭 맞는 것은 아니지만, 적어도 그들을 당황하게 하거나 기를 꺾지는 않는다. 이러한 학생들이 교양교육을 받는다는 것은 적어도 표면적으로는 큰 문제가 아니다. 그러나 과학을 전공하지 않는 학생들의 입장은 다르다. 이러한 학생들의 상당수는 과학이나 수학 공포증으로 괴로움을 당하고 있다. 이러한 두려움은 같은 강의를 수강하는 다른 학생들이 성공적으로 과목을 이수하고, 이 분야의 재능을 부각시키는 것을 바라보면서 더욱 증가하게 된다. 이 문제는 '詩人들'에게 우월감을 의식하면서 짐짓 친절하게 과학을 지도한다고 해서 해결될 과제가 아니다. 이러한 학생들을 위한 특별한 교육학적 配慮가 필요하다는 것을 인식하여야 한다.

교수들은 학생들의 이러한 감정을 잘 이해하고 있고, 그들 나름대로 대응하려고 한다. 자신의 강의에 흥미도 없고 잘 해내지도 못할 것으로 확신되는 학생들이 수강하기를 바라는 교수는 아무도 없다.[5] 또한, 예를 들어 역사과목과 견주어 볼 때 과학 분야는 난이도가 계속 높아지므로, 학생들은 자신이 낮은 수준에 머물러 있다는 것에 더 큰 두려움을 갖게 된다. 실제로는 과학의 초보적인 개념을 익힌 수준에 불과하면서도, 자기 자신이 진정으로 과학에 숙달했다고 착각하는 학생들을 배출하게 된다면 굉장히 위험한 일이 아니겠는가? 위와 같은 장애물 중 어느 것도 바라지 않지만 과학이 차지하는 학문적 중요성을 고려해 볼 때, 어떠한 교양교육 과정에서도 과학을 제외할 수는 없다. 학생과 교수는 서로에게 적합한 실제적인 대안들을 고안해 냄으로써 이러한 난관을 극복해야 할 것이다.[6]

중핵교육과정의 과학교과는 미래에 과학자가 되지 않을 학생들을 위해 설계되었다. 그리고 이 과목들의 공통된 목표는 '인간과 세계를 바라보는 한 방법으로서의 과학에 대한 일반적 지식을 전수하는 것'이다.

물리학적, 생물학적 세계를 관찰함으로써 과학자들은 여러 가지 현상들을 보편적으로 설명할 수 있는 원리들을 이루어 냈다.

여기에는 고전역학과 열역학, 방사선물리학, 물질의 미시적 구조를 밝히는 법칙들이 있으며, 화학, 분자생물학, 세포생물학, 생물학적 진화와 행동의 기반이 되는 기초적인 원리들이 있다. 중핵교육과정의 과학과목들은 이러한 기초적인 과학의 개념과 발견에 대해 어느 정도 깊이 있게 다룬다. 이 과정을 통해 과학자들이 자신의 영역에서 진실이라고 믿는 것들이 무엇이고, 그들의 법칙과 원리를 어떻게 발전시키고 정당성을 부여했는지에 대하여 고찰한다.[7]

학생들은 두 개로 구분된 科目群을 필수로 이수해야 한다. 한 과목군의 예를 들면, '공간과 시간과 운동'과 같은 물리학과 화학, 생물학 등의 과목으로 주로 구성되어 있는데, 양적 분석기법을 활용하여, 자연 현상에 대한 예언적, 연역적인 분석을 주로 다루고 있다. 다른 과목군은 보다 복잡한 과학체계를 분석하는 것으로 그 해명에는 自然界에 대해 보다 기술적, 역사적, 진화론적 설명이 필요하다. 말하자면 지질학과 유기생물학의 분야인 '지구와 생명의 역사'가 가장 좋은 예가 될 것이다.

3) 역사 연구

역사는 '우주와 사회와 우리 자신에 관한 지식을 얻고 이해하기' 위하여 어떠한 분석법보다도 더 광범위하게 사용된다. 역사적 접근 방법은 본래 역사학자들에 의해서 뿐만 아니라 언어의 발달이나 특정한 예술 형태를 분석하는 인문학자 예를 들면, 經濟史나 정치이론

을 연구하는 사회과학자에 의해서도 사용된다. 지나치게 단순화시키
는 위험이 있기는 하지만 우리는 두 가지 유형으로 그 방법론을 구
별할 수 있다. 어떤 역사학자는 이 두 방법론을 일반적으로 결합하여
사용하기도 하지만, 원칙적으로 이들은 각기 구별된다. 첫째는 역사
를 시대의 흐름이나 장기적인 변화를 관찰하며 연구하는 방법이다.
이 접근방법은 거시적 관점에서 人間外의 세력들 그리고 종종 사회
경제의 발달 혹은 '역사적 필연성'의 논리를 중시 하는 경향이 있다.
그러나 역사분석 방법에는 이와는 매우 다른 거의 정반대에 가까운
관점이 있다. 이것은 미시적 관점에서 인간, 우연 등을 중요시하며,
역사의 흐름을 필연으로써 단순화 하지 않고 사건의 복잡성을 강조
한다.

중핵교육과정의 역사적 연구 영역에서 학생들은 이 두 가지 접근
방법을 익히게 된다. 한 科目群은 현대사회의 중요한 측면과 쟁점으
로부터 시작하여 그것의 역사적 발전과 배경에 관하여 설명하고 있
다.[8] 예를 들면, '개발과 저개발 : 국가 간 불평등의 역사적 기원'과
같은 강좌는 오늘날 우리가 알고 있는 세계, 즉 산업혁명을 경험한
부유한 15~20개의 선진국과 개발도상국으로 분류되는 100개의 나
라를 중심으로 진행된다. 이 강좌는 오늘날의 세계를 이해하기 위하
여 중세와 유럽 팽창의 초기로 거슬러 올라가 그 변천 과정을 살펴
본다. 이러한 강의는 특히 역사에 관한 지식이 부족한 미국 대학생들
에게 귀중한 경험을 제공할 것이다. 또다른 과목군은 현대의 정책적
과제에서 벗어나서 중요한 역사적 전환점이나 사건들을 다루는데 여
기서는 역사의 한 순간에 집중적으로 초점을 맞춘다. 이러한 과목들
을 통해 달성하려는 목표는 장기적 관점에서의 변천사를 탐색하는

과정에서 종종 간과하는 개인의 학문적 열망과 결정에 특별한 관심을 기울이며, 역사적 설명의 불확실성과 복잡성을 밝히는 것이다. '러시아 혁명'은 이러한 강좌의 한 좋은 예가 될 것이다. 러시아 혁명은 정말 불가피하였는지, 그 사건은 왜 1917년에 일어났는지, 레닌(Nikolai Lenin : 1870~1924, 러시아의 혁명가, 1917년 혁명의 지도자— 역자 주)이 없었다면 혁명의 결과는 달라졌을 것인지 등과 같은 질문에 대한 답을 찾아보는 강좌이다. 위에서 언급한 두 종류의 과목군에서 한 강좌씩 이수함으로써 학생들은 중요한 역사 지식과 역사적 연구방법에 대해 보다 잘 이해하게 될 것이다.

4) 사회 분석

우리들이 살고 있는 사회를 이해하기 위한 중요한 방법들 중의 하나는 사회과학의 비교적 새로운 방법들 가운데서 찾아 볼 수 있다. 18세기말 경제학을 비롯하여 최근의 정치학, 사회학, 심리학 등의 접근방법은 무엇보다 이 시대의 인간 행동에 대한 이해를 높이는 것을 목적으로 한다.[9] 인간의 행동과 사회제도를 설명하는데 있어서 어떠한 법칙도 예외는 있겠지만, 사회과학은 가능한 범위까지 실증적인 자료에 의해 검증된 법칙을 개발함으로써 발전되어 왔다. 중핵교육과정에서 사회 분석에 속하는 과목군은 모두 이러한 특징을 공유하고 있으며, 학생들이 '현대사회의 조직과 발전을 탐구하기 위해 필요한 역사적, 수량적 분석기술과 분석형태에 대해 익숙해 질 수 있도록' 설계되어 있다. 경제학원론은 이상적인 형태의 과목으로 그 이론은 상당히 정립되어 있고, 전문가들의 합의가 강하며, 실험적인 검증도 고도로 발달되어 있다. 그러나 이와 비슷한 통찰력은 심리학에

뿌리를 둔 '인간성의 개념'과 같은 강의를 수강함으로써 얻어질 수
도 있다. K. 마르크스라든가 S. 프로이드, B. F. 스키너, E. O. 윌슨*
의 이론과 철학적 전제, 실질적 자료를 사용한 검증방법을 이데올로
기 대 과학 이론으로 탐구함으로써 학생들은 사회과학자들이 인간의
행동을 어떻게 설명하고 있는지를 배우게 된다.

5) 외국 문화

제 2차 대전 이후 미국은 초강대국의 하나로 부상했다. 러시아는
이데올로기와 군사력 면에서 미국의 주요 경쟁국이고, 일본은 경제
적 측면에서 최대의 경쟁국이다. 서유럽도 하나의 공동체로 연합하
여 경제적, 정치적으로 막강한 영향력을 가지게 되었다. 중국과 인도
는 인구 면에서 초강대국이며, 국제문제에 상당한 영향력을 행사한
다. 아랍 국가들은 産油國으로 거대한 세력을 형성하고 있고, 미국의
미래는 중남미와 아프리카에서 일어나는 사건들과 경제적, 정치적인
면에서 절대로 무관하지 않다.

제 2차 대전까지는 미국인들이 세계의 다른 나라들을 무시하는 것
이 가능했다. 미국은 두 개의 大洋으로부터 보호받고 있는 대륙국가
로 국제적인 변화로부터 멀리 벗어나 있다고 느꼈다. 해외로는 무역
과 식민지의 매력을 예외로 하면, 주로 서구 문명의 발상지로 미국
문명의 뿌리가 되고 있는 서유럽 특히 영국을 주시하곤 했다. 大戰

---

* Karl Marx(1818~1883) 독일의 경제학자, 과학적 사회주의 창시자, 대표적 저서로
「자본론」이 있음. Sigmund Freud(1856~1939) 오스트리아의 심리학자, 정신분석학
의 창시자. B. F. Skinner(1904~) 미국의 심리학자, 행동주의 창시자. Edmund O.
Wilson(1895~1972) 미국의 작가 겸 비평가.

이후 짧은 기간 동안 미국의 자부심은 절정에 달했다. 미국의 번영이
미국 자신과 지구상의 나머지 나라들에게 모델이 되었다고 여기면
서, 다른 나라들이 미국을 배우는 것은 당연한 일이고, 미국은 다른
나라들로부터 배울 것이 없다고 생각했다.

　오늘날 이러한 상황은 근본적으로 변화하였다. 두 대양은 미국을
보호할 수 있는 힘을 상실하였고, 국제적 변화는 미국의 일상생활에
즉각적인 영향을 미치고 있다. 초강대국으로서의 位相에도 불구하고
미국은 이 세계에서 점점 더 작은 부분이 되어가고 있다. 세계의 국
민총생산과 무역, 인구 면에서 미국이 차지하는 몫은 모두 격감하고
있다. 이것은 미국이 불경기를 맞고 있기 때문이 아니라 세계 다른
나라들의 성장이 더욱 가속화되고 있기 때문이다. 移民의 새로운 물
결이 미국 인구의 인종적 배경을 변화시킴으로써 미국에 내린 전통
적인 서구의 뿌리도 변화하게 되었다. 따라서 더 넓은 세계에 대한
지식이 없이는 더 이상 미국의 삶을 제대로 영위해 나갈 수 없다는
것이 명백해 보인다. "20세기의 마지막 사반 세기를 살고 있는 미국
의 교양인은 다른 나라의 문화에 대해 무지한 채로 편협하게 생활할
수 없다."

　상식있는 독자들이라면 교육평론가 A. 블룸(Alan Bloom : 1930~
1995, 미국의 사상가 겸 교육자, 대표작으로 「미국 정신의 종말」이 있음—역자
주)이 이러한 유형의 교육을 선동적인 것으로 규정하고 있다는 사실
에 놀랄 것이다. 그에 따르면 "이러한 교육은 학생들에게 다른 사고
방식들이 존재하여 서구의 방식이 그보다 더 좋은 것이 아니라고 인
식하도록 강요하는 것이다." 그러나 "만약 학생들이 진정으로 비서
구적 문화가 지닌 정신을 알게 된다면 이러한 문화들은 모두 제각기

자기민족중심적이라는 것을 발견하게 될 것이다. 이들은 모두 자국의 방식이 최상의 방식이고, 다른 것들은 하찮다고 생각한다. 서구의 나라들 가운데 오직 그리스 철학의 영향을 받은 국가들만 그들의 방식이 善이라는 생각에 대해 부정적인 태도를 취한다."[10] 나는 이렇게 기이한 글에 함축된 철학적 난해함을 이해할 수 없다. 나는 그의 견해에 대해 啞然할 뿐이다. 확실히 자기민족중심주의는 비서구 국가들만의 전유물이 아니다. 일본과 미국을 비교하여 어느 나라가 더 자기민족중심적인지 명확하게 순위를 매길 수 있겠는가? 설사 비서구 국가들의 자기민족중심주의가 더 강하다고 해도(나는 그렇게 생각하고 있지 않지만), 학생들이 다른 문화들에 대해 공부할 때 이와 같은 그릇된 편견을 고쳐시킬 이유가 없다.

블룸은 다음과 같은 일본인의 견해에 대해 놀랄지도 모른다. "전통적인 교양교육에 함유된 서구 사상은 知性의 역사에 대단한 공헌을 하였다. 그러나 틀림없이 그들의 대학은 자기민족중심주의와 타협하였다. 예를 들면, 서구적 理想이 학생들을 유럽 문화가 아시아 문화보다 우월하다는 가정으로 이끄는 것은 당연하다 할지라도, 그러한 가정은 명백하게 보편 타당성이 부족하다. 이러한 관점에서 유럽의 교양교육은 근본적인 한계를 지니고 있다."[11] 나는 이러한 자기민족중심주의 전쟁에 휴전 선포를 촉구하고 싶다.

중핵교육과정의 외국 문화 영역에서는 모든 학생들에게 세계 특정 지역의 '구조나 사회정신을 설명하는 독특한 사고방식과 행동양식을 익힐 것을'[12] 필수로 부과하고 있다. 학생의 입장에서는 강조점을 달리하여 선택적으로 이수할 수 있다. 학생들이 그저 막연히 외국 문화를 배운다면 아무런 의미가 없다. 그래서 학생들이 개인의 선호도에 따라 세계의 각기 다른 지역을 선택할 수 있도록 다양한 과목을 준비해놓고 있다. 주요한 문명발상지인 인도, 동아시아, 러시아, 이슬람, 아프리카 등에 대한 과목들이 다수 제공되고, '일본의 통일, 1560~1650'이나 독일어로 읽기가 요구되는 '오스트리아의 문화, 1890~1938' 등과 같이 훨씬 좁혀진 범위를 다루는 과목들도 제공된다. 모든 과목들은 학생들의 문화적 경험의 범위를 확장시키고, 자기 나라의 문화적 假定과 전통에 대하여 새로운 시각을 갖도록 한다.

6) 도덕 이론

미국인들은 종교적으로나 철학적으로 통일된 인생관을 갖고 있지 않다. 흔히 정치가들은 미국을 기독교국이라고 하지만 이러한 견해는 명백히 잘못된 것이다. 기독교 인구가 유태교도나 불교신자 혹은 무신론자보다 더 많을지 모르지만, 유일한 국가적 종교란 존재하지 않으며, 이러한 일은 헌법상 금지되어 있다. 우리 중 상당수가 강한 비서구적 뿌리를 갖고 있기 때문에 우리들이 전적으로 서구 문명을 이어 받고 있다고 생각하는 것은 훨씬 더 어렵다. 20세기에 들어와서 많은 사람들이 미국 사회의 異種混交性이 우리의 창조성과 힘의 원천이라고 믿고 있다. 미국 국민들은 일찍이 '여러 인종이 혼합되어 있는 나라'가 되기를 열망하였다. 오늘날 우리는 정치적, 사회적 행동에 대한 공통된 규범을 요구하면서도 항상 성공적인 것은 아니지만 다양성의 가치 또한 잘 알고 있다.

중핵교육과정의 도덕 이론 영역은 특정의 윤리나 철학을 가르치거나 주입하는 것을 목적으로 하지 않는다. 이런 방식의 교육은 적절한 것이 못된다. 우리의 목적은 '인간이 체험하는 경험 중에 되풀이하여 일어나는 중요한 선택과 가치의 문제들에 대해 논의하는 것이다.'[13) 도덕적 문제들은 인류에 관한 많은 종교적, 철학적 개념들에 의해 공유되고 있으며, 단순히 감정에 호소해서는 해결될 수 없는 문제들이다. 도덕 이론은 이러한 문제들을 다룬다. '이 課程은 정의, 의무, 시민권, 충성심, 용기, 개인적 책임과 같은 문제들에 대해 합리적으로 심도있고 분석적으로 숙고하는 것이 가능하다는 것을 보여주려는 의도를 가지고 있다.'[14) 모든 강좌들은 개인, 집단, 국가 그리고 국가들 간의 德의 本質에 대해 탐구한다. 전형적인 두 가지 예를 들면, '정의'라는 강좌는 아리스토텔레스, J. 록크, I. 칸트, J. S. 밀, 도덕 철학가 J. 로울즈*의 고전적, 현대적 이론들을 비판적으로 검토하고, 오늘날의 문제에 대한 실제적인 적용에 대해 논의한다. '예수와 도덕적 삶'에서는 폭력과 비폭력, 부와 빈곤, 개인도덕과 공중도덕과의 관계를 강조한다.

위에서 살펴본 여섯 가지 영역으로 구성된 중핵교육과정은 뚜렷이 식별될 만한 공통된 특징이 있다.

● 이 과정에 속하는 모든 강좌는 비전공자를 위한 學際的 接近을 토대로 한 지침에 따라 설계되었다. 전공자들은 중핵교육과정 중에서 그들의 전공분야와 밀접한 영역이 면제된다. 예를 들면, 물리학을 전공하는 학생은 중핵교육과정의 과학 과목들을 이수할

---

* John Locke(1632~1704) 영국의 철학자 겸 정치사상가, 대표적인 저서로 「인간오성론」이 있음. Immanuel Kant(1724~1804) 독일의 철학자, 대표적인 저서로 「순수이성비판」이 있음. John S. Mill(1806~1873) 영국의 경제학자, 대표적인 저서로 「자유론」이 있음. John Rawls(1921~) 미국의 철학자, 대표적인 저서로 「정의론」이 있음.

필요가 없다.

● 각 영역의 강좌들이 추구하는 것은 학생들에게 지식에 접근하는 주요한 방법을 소개하는 것이다. 이러한 주요한 접근방법들은 내용이 다른 다양한 강좌들을 통해 제시되고 학생들은 선택권을 가질 수 있다. 그러나 어느 경우라도 강좌의 내용은 그 강좌의 중요성 때문에 선정되는 것이며, 강좌의 목표는 그와 같은 영역에 있는 모든 다른 강좌들과 동일한 교육적 價値를 갖는 것이다.

● 중핵교육과정이 전통적 탐구와는 반대로 주요한 접근방법을 강조하는 것 외에도 다음과 같은 혁신적 과정을 포함하고 있다. 첫째, 一般敎育에서 종종 제외되는 시각 예술과 음악을 포함하고 있고, 둘째, 일반교육의 경우와는 달리 외국 문화와 도덕 이론에 대한 명확한 이해를 강조하고 있으며, 셋째, 전산법과 자료분석을 강조하는 양적 추론영역을 필수로 과하는 것—적어도 하버드대학에서는—등이다.

중핵교육과정에 대해 일치된 간결한 定義는 '기본적인 주제들을 설정하고, 관례적으로 분리 제공되던 교과목들로부터 설정된 주제에 맞는 자료를 이끌어 내고 이를 결합하여, 모든 학생들에게 공통의 경험을 제공하는 것을 목적으로 하는 교과과정의 배합'이라고 내릴 수 있다.[15] 하버드대학은 학생들에게 공통된 학습경험을 제공하고 있는가? 하버드대학의 제공방식이 중핵교육과정과 공통학습에 대해 주장하는 그 밖의 견해들과 다른 점이 많다고 해도, 앞의 질문에 대한 대답은 '그렇다'라고 내릴 수 있다. 하버드대학의 교양교육의 내용은 '우주와 사회와 우리 자신에 대한 지식과 이해'를 얻게 되는 여섯 가지의 주요한 연구방법들로 구성되어 있다. 서구문명의 역사나 화학과 같은 구체적인 내용보다는 역사 연구, 외국 문화 등과 같은 여섯 가지의 주요한 연구방법들에 대하여 친숙해 짐으로써 모든 학생들이 공통된 학습경험을 할 수 있게 되는 것이다. 모든 학생들이 같은 과목을 이수하는 것은 아니지만, 모두들 탐구하는데 필요한 포괄적이고 중요한 형식과 관련된 분석방법 및 사고방식에 대해 배우게 된다. 하버드대학 학생이 셰익스피어를 읽지 않고 졸업할 수 있겠는가? 이러한 질문이 종종 던져지는데, 그 대답은 '그렇다'이다. 그러나 학생들이 전문가의 지도하에 분석적이며 비판적으로 古典을 읽지 않고서는 학위를 받을 수 없다. 경제학을 배우지 않고서도 졸업할 수 있겠는가? 그 대답 역시 '그렇다'이지만, 경제학을 단지 한 예로 포함하고 있는 사회 분석의 기초과목을 수강하지 않고서는 졸업할 수 없다.

이러한 중핵교육과정의 개념은 많은 장점들을 가지고 있다. 첫째, 지식에 대한 주요 접근방법에 중점을 둠으로써 젊은이들이 전례없이 많은 정보와 새로운 이론들이 생겨나는 환경에서 더욱 효과적으로 살아갈 수 있도록 준비시키는 것이다. 이러한 방법에 대해 배우는 것은 일정량의 정보를 얻기 위한 것을 목적으로 하는 학습보다 더 중요한 것이다. 둘째, 中核의 개념은 평생학습과 미래에 여러 가지 경력을 추구하는 것과도 조화를 이룬다. 중핵을 구성하는 각 강좌는 더 포괄적이고 유용성의 폭이 넓은 범주를 대표하는 것이다. 대학을 졸업한지 15년 후에 사회과학이 사용되는 새로운 전문 분야에서 일하려고 생각하는 졸업생이 있다고 가정해 보자. 그가 원하는 특정 직업이 사회사업, 경영, 교직 등 어떤 것이든 상관없이 중핵교육과정은 그 졸업생에게 사회 분석가들이 우리 세계를 어떻게 분석하고 연구

하고 있는지 그 槪要를 이미 가르쳐 준 것이다. 이러한 선행학습을
통하여 더욱 식견있고 타당한 선택이 가능한 것이다. 셋째, 중핵교육
과정의 여섯 가지 영역들은 그 자체가 중요한 교육적 기능을 수행한
다. 그것은 다양한 학생들 간에 知的 공감대를 형성하는 것을 돕는
다. 인문학에·정열적인 학생들이 과학적 이론을 검증하는 멋진 장면
을 감상할 수 있는 기회도 갖게 된다. 물론, 그 반대의 경우도 가능
하다.

　나는 중핵교육과정을 이수한 다음 종종 전공을 바꾸는 학생들을
보아 왔다. 학생들은 때로는 마음에 와 닿지 않는 새로운 것을 배우
기도 하지만, 그것에 깊은 흥미를 품게 되기도 한다. 이것이야말로
중핵교육과정의 가장 멋진 장면이다. 끝으로, 각 하위 분야마다 적절
한 수의 강좌를 제공하므로 학생들에게 선택권이 주어진다는 점도
좋은 현상이라고 생각된다. 모든 과목이 교육적으로 동등한 가치를
갖도록 배려하기 때문에—이 理想은 실현하기 쉽지 않으며 때때로
실패하는 경우도 있지만—학생들이 자기 취향에 가장 잘 맞는 과목
을 선택할 수 있도록 격려하는 것이 온당하다고 생각한다. 이렇게 함
으로써 교수와 학생이 모두 이익을 얻을 수 있게 되는 것이다.

　가장 어려운 문제는 아직 이 장에서 다루지 않았다. '비판적으로
사고하려는 정신적 노력'이나 '기예와 습관'과 교육과정의 세밀한 내
용들 간에 어떠한 관계가 있을까? 우리는 두 학기에 걸쳐 개설되는
교양교육의 과학과 한 학기씩 다루는 도덕 이론과 외국 문화 강좌를
통해 우리의 더 높은 목표에 비추어서 대체 무엇을 얻고자 하는 것
일까?

　따라서 教育課程이라는 것은 단지 교양교육의 일부분에 불과하다

는 사실을 염두에 두고 결론을 맺고 싶다. 적어도 수업의 質과 강의, 세미나, 자기 진도에 맞춘 수업 등의 교수방법 또한 같은 정도로 중요하다. 게다가 교수는 역할 모델로서 교양교육의 결정적인 因子라고 생각된다. 수준높은 자질을 갖추고 있고 학생들에게 깊은 애정과 관심을 보이는 교수는 학생들이 여러 해에 걸쳐 필수과목을 통해서 배우는 것보다 더 많은 윤리적 행위를 가르칠 수 있을 것이다.

대학원 재학시절 나의 절친한 친구가 어느 과목을 이수하는데 상당한 어려움을 겪고 있었다. 그래서 그는 헝가리 태생의 세계적 경제학자인 담당 교수에게 면담을 요청하였다. 그들은 몇 시간동안 대화를 나누었고, 내 친구는 오후 6시가 되어서야 문득 너무 오랜 시간이 지났다는 것을 깨달았다. 물론, 그는 교수에게 귀중한 시간을 너무 오래 빼앗은 것에 대하여 사과를 하면서 교수가 당연히 더 중요한 다른 약속이 있었을 것이라고 말하였다. 그러나 교수는 "전혀 그렇지 않다."고 대답하면서, "결국 우리는 같은 분야의 전문가가 아닌가?"라고 말하였다. 저명한 학자가 대학원 1학년생에게 해준 이 말은 내 동기생들 가운데서 전설적인 이야기가 되었다. 그 교수의 言行은 우리들에게 많은 시간을 교실에 앉아 얻는 것보다 더 많은 윤리와 도덕을 가르쳐 주었고, 우리 이후의 학생들에게도 이러한 가르침을 주었을 것이라고 확신한다.

또한 학생들 상호 간에도 지대한 교육적 영향을 주고받는 다는 점을 상기해 보자. 그래서 지적인 성취를 높이 평가하는 학생집단의 학생과 대학대표팀 운동선수로서 자격이 부여된 학생집단의 학생들 간에는 서로 주고받는 영향이 다르다. 교과목 설명, 대학안내 지침, 필수과목 같은 것들은 교육의 過程 속의 내적 활동에 대해서는 아주 조금 밖에 설명해 주지 못한다. 물론, 그러한 것들은 필요한 것이지만 교양교육의 높은 기준을 달성하기 위한 충분한 조건에는 훨씬 못 미치는 것이다.

따라서 교육의 인간적 측면에 대한 체계적인 분석과 개선이 요청된다고 할 수 있다. 이러한 면을 향상시키고자 하는 노력을 통해, 우리는 더욱 효과적으로 학생들을 가르칠 수 있는 방법을 배울 수 있고, 교실 내에서의 목표를 명확히 할 수 있으며, 교수로서 혹은 행정 보직자로서 학생들에게 모범이 되는 삶을 영위해 나갈 수 있을 것이다. 물론 고등교육은 많은 비평가들이 자주 주장해온 바와 같이 낡고 비능률적인 방식을 제거함으로써 더욱 생산적인 교육이 되게 하는 것도 매우 중요한 일이다. 나는 가장 깊은 의미를 지닌 교육은 언제나 신비스런 要素를 지니고 있기에 수량화나 과학적 설명 그리고 생산성에 대한 측정을 어렵게 하는 결정적 요소가 항상 존재한다고 믿고 있다. 교육과정은 뼈대에 불과하다. 살과 피와 심장은 교수와 학생 사이에 일어나는 예측하기 어려운 상호작용에 의해서 형성되는 것이다.

【註】

1) 이 章의 인용부호나 괄호 안의 文句는 대부분이 제 6장 敎養人의 定義를 인용한 것이다.

2) Harvard University, Faculty of Arts and Sciences, *Courses of Instruction, 1986〜87*, 1면.

3) 上揭書, 16면.

4) Morris Shamos, "The Lesson Every Child Need Not Learn," *The Sciences*(July〜August, 1988), 20면.

5) 일반적으로 대학의 과학 교수들은 모순된 태도를 나타낸다. 한편으로는 자기들의 과목을 가볍게 다루고 있다고 불평을 하면서도(예를 들면, 하버드에서는 과학 이수 연한은 필수적으로 1년이나 문학 예술은 일년 반이다.) 다른 한편으로는 교양교육의 일환으로 학부학생들을 가르치는 것에는 매우 소극적이다.

6) 중핵교육과정 속의 과학에 대한 비평 중 전체가 다 현실적인 것은 아니지만 F. H. Westheimer가 매우 엄격한 비평으로 "Are Our Universities Rotten at the Core?" *Science*, (June 5, 1987)에 게재하였다. 그는 우리의 과학 필수과목이 너무 초보적이라고 생각하고 있다. 그는 그의 동료들이 '무지한' 즉, 과학전공이 아닌 학생들을 가르치고 싶어하지 않는다는 것을 인정하고, 특히 비전공 수준의 낮은 과학교육이 고등학교에 끼치는 영향을 탄식하고 있다. 해결책은 과학전공을 희망하는 학생을 더욱 많이 입학시키는 것이라고 한다. 그러나 이것으로는 전혀 해결이 되지 않는다. 그렇게 하여도 교양교육과는 아무런 관련이 없기 때문이다. 물론, CalTech이나 MIT에서 과학 필수과목은 보다 높은 수준을 유지하고 있다. 과학에 '무지한' 학생이 한 사람도 없기 때문이다. 그래서 이 학교들은 종합대학교가 아닌 인스티튜트라고 한다. 종합대학교는 지적으로 더욱 異質的인 학생집단을 교육해나가

지 않으면 안되는 특유한 과정에 직면하고 있다. 웨스트하이머씨의 제안도 이 문제와는 근본적으로 성격을 달리하는 것이며, 사태의 진전은 점진적으로 이루어질 가능성이 있다.

7) Harvard University, Faculty of Arts and Sciences, *Courses of Instruction*, 1986~87, 31면.

8) 현대 세계는 처음부터 주된 문제를 다루지 않고도 시대의 흐름을 배울 수 있다. 예를 들면, 로마의 衰亡을 연구하여도 좋다. 그러나 현대의 문제로부터 출발해야 학생이 시민으로서 직면하게 될지도 모르는 문제를 보다 깊이 이해하는데 도움이 되는 부가적인 利點이 있다.

9) 주로 그렇다는 것이지 全部 그렇다는 것은 아니다. 역사가는 가능한 한 古代로 거슬러 올라가 발생된 사건을 설명하기 위하여 사회과학의 연구방법을 채택해 왔다.

10) Alan Bloom, *The Closing of the American Mind*(New York : Simon and Schuster, 1987), 36면 참조.

11) Yasusuke Murakami, "The Debt Comes Due for Mass Higher Education," *Japan Echo*(Autumn, 1988), 72면.

12) *Courses of Instruction*, 2면.

13) 上揭書, 29면.

14) 上揭書.

15) *Webster's Ninth New Collegiate Dictionary*(1984).

제 **8** 장

大 學 院 生
自古以來 普遍의 學者世界로

　성대한 졸업식이 끝난 다음에 졸업생 각자에게 학위를 수여하는 행사는 하버드대학의 관례로 되어 왔다. 이 거대한 儀式은 25,000여 명의 하객들이 지켜보는 가운데 야외에서 이루어지며, 학생들의 연설, 축제행렬과 축가, 그리고 영광스러운 명예학위를 받는 몇몇 인사들의 얼굴을 볼 수 있는 기회이다. 이 의식이 끝나면 학부대학 졸업생들은 졸업장과 상장을 받는다. 전문대학원 졸업자들도 비슷한 행사를 하기 위해서 각자의 대학원으로 간다. 철학박사 학위를 받는 사람들은 대강당으로 간다. 그 곳에서 하버드대학교 文理科大學 학장으로서 내가 새로운 박사들에게 학위증서를 수여하는 일은 대단한 특권이다. 나는 이 즐거운 임무를 11년 동안이나 계속 해왔다. 이것은 매년 그 해의 최고 행사 중의 하나이다.

졸업식에 참석한 사람들은 노부모(박사들은 젊은 부모가 있기 힘드니까), 배우자 그리고 꽤 많은 어린 자녀들이다. 박사학위 과정 동안 아주 긴 길을 같이 걷다가 학생들과 친한 친구가 된 교수들도 참석한다. 새로운 학자로서 인정받게 된 박사들이 한 사람씩 단상에 올라오면 거기에서 학과장이 대학원 원장에게 소개한다. 그리고 대학원장은 졸업생을 나에게 소개한 다음*, 그 이후에 학위 수여, 악수, 박수 그리고 잠시 후에 미지근한 샴페인盞을 드는 순서로 이어진다. 여러 광경들이 아직도 내 뇌리에 생생하다. 논문지도 교수들과 학생들의 포옹, 대견스러운 표정을 짓는 학부모, 남편, 부인, 아이들, 점점 많아져 가는 여성들, 진홍색 가운 밑으로 낡은 테니스 화를 신은 이상한 옷차림을 한 사람의 모습도 눈에 띈다. 대학교수직을 얻지는 못했지만 졸업식에 참석한 용기있는 졸업생의 모습도 생각난다. 주위의 시선을 두려워하는 사람들도 있었으며, 들뜬 기분으로 허세를 부리는 사람들도 있었다.

1973년부터 1984년까지 내가 학장으로 재임하는 동안 박사학위를 취득한 졸업생들의 취업문은 한결같이 좁아만 갔다. 해마다 별로

---

* 단상에 올라온 졸업생을 학과장(the departmental chairman)이 일반대학원장(the dean of the Graduate School of Arts and Sciences)에게 소개하고, 일반대학원장이 다시 로조프스키 학장(the dean of the Faculty of Arts and Sciences)에게 소개하면 總長이 아닌 로조프스키 학장이 학위를 수여하는 것도 우리 나라 대학 직제와 크게 다르다. 로조프스키 학장의 직제상의 位相은 제 1 장과 제 3 장에서도 볼 수 있다.

반갑지 않은 소식이 많이 들려왔다. '空席이 없음'이라는 소식이 잦아지고 또 이 보다 더 많은 '종신재직 교수 不要'라는 소식도 들려왔다. 이와 같이 침울한 분위기 속에서 나는 졸업생들에게 격려사를 해야만 했으며, 관례대로 싸구려 샴페인을 플라스틱 잔에 따라 건배를 해야 했다. 내가 그 동안 어떠한 격려사를 했는지 확실한 기억은 없지만 상투적인 말과 생색을 내는 듯한 태도만은 보이지 말아야 겠다는 생각으로 무척 신경을 썼던 기억이 난다. 구직난에 봉착한 절망적인 졸업생들의 눈에 내가 자기 만족에 차서 점잖빼는 듯한 사람으로 비쳐지지나 않았을까?

이러한 때에는 진취적 기상과 과거의 업적에 대한 자랑 그리고 미래에 대한 희망을 말할 수밖에 없다. 유명한 도쿠사께(毒酒) 이야기라도 해주어야 했을까? 제 2차 대전 前 일본 대학에서의 교수 자리는 엄격한 할당제로 되어 있었다. 재직 교수 중에 누가 죽거나 퇴직하지 않는 한 승진은 바랄 수 없었다. 독주 사건은 1930년대 동경대학의 참을성 없는 한 助敎授에 관한 이야기이다. 그러나 축배를 들기 직전에 이런 이야기를 하는 것은 약간의 위험 부담이 있다.

가끔, 나는 꽤 훌륭한 말을 해놓고도 이미 늦은 것 같다고 생각한 적이 많았다. 조언을 해줘야 할 때는 일을 시작할 때이지 끝날 때가 아니다. 그래서 대학원 신입생들이나 장차 대학원생이 되려는 사람들에게 도움이 될 만한 몇 가지 조언을 하려고 한다.

環境

대개 종합대학교 안에서 학부학생들은 소수집단을 이룬다. 대다수의 학생들은 전문대학원이나 일반대학원에 다닌다. 그런데 하버드대학교 文理科大學 학생들만이 진짜 하버드 맨, 하버드 우먼이다. 미국 대학제도에서는 학부 출신 대학이 무엇보다도 중요하다. '올드 블루'라든지 '트로쟝'이라는 칭호를 받을 수 있는 것은 오직 학부학생들뿐이다. 앞에서 나는 대학원생을 四寸에 비유한 바 있지만 오히려 六寸이라고 하거나 아니면 아예 남이라고 말하는 것이 더 좋을지도 모른다. 대학 대항 축구경기 때에 이 사촌들은 관중석 가장자리에 앉는다. 기숙사의 배정도 제일 마지막으로 차례가 온다. 캠퍼스의 중심으로부터 아주 멀리 떨어진 곳에 있는 임대료가 싼 아파트에서 초라한 생활을 하거나 장학금, 또는 운이 좋으면 배우자의 수입으로 그럭저럭 생활하고 있는 학생들이 대부분이다.

同門이라는 말은 첫째로 학부대학을 졸업한 사람들을 의미한다. 물론 예외도 있다. 앞에서 말한 바와 같이 대학이 돈이 필요하게 되면 어떤 사람이든지 대환영이다. 마찬가지로 유명 인사가 되면 다른 대학들은 물론 하버드대학에서도 비록 하기 강좌만 수강해도 하버드 가족의 일원으로 인정받게 된다. 1988년 가을, 우리들은 갑자기 M. 듀카키스(Michael Dukakis : 1933~ , 미국의 정치가, 전 미국 대통령 후보—역자 주)를 하버드 맨으로 만들었다. 그는 하버드대학교 법과대학원을 졸업했을 뿐이어서 일반적으로 하버드 맨이라고 부르지 않는데도 불구하고 그렇게 했다. 그러나 스와스모어대학(Swarthmore College : 1864년 설립 Swarthmore, PA—역자 주) 이외에 누가 우리를 나무랄 수 있겠는가?

그러나 대학원생들이 모두 같다고 말한다면 큰 잘못이다. 대학원생들은 그야말로 정말 다양하다. 특히, 학부학생들보다 훨씬 다양해서 어떤 하나의 공통점을 찾는 것은 거의 불가능하다. 이렇게 다양한 데에는 여러 가지 원인들이 있다. 학부과정을 마친 후에 여러 방면에서 사회경험을 쌓고 들어왔다는 것, 대학원 교육은 전문화 되어 있기 때문에 특정한 전문 분야에서 특수한 재능을 갖고 있는 사람들에게만 매력적이라는 것, 그리고 각 대학원들은 그들만의 독특한 문화와 가치, 우선 순위가 있다는 것 등이다. 그러나 보다 더 중요한 것은 그 다양함의 정도가 앞으로 여러 전문 분야의 경력을 쌓아나가는 사람들의 모임이 될 것이라는 것이다.

富裕함이 예상되는 전문대학원 셋을 먼저 들어보자. 법과대학원("…그들은 사람들을 자유롭게 하는 현명한 억제수단을 기획하고 적용하는데 조력하는 능력을 갖추었다."),[1] 경영대학원("…그들은 사회에 공헌하는 사람과 조직의 일반관리를 선도하는 역량을 갖추었다."), 의과대학원("…그들은 의사로서 명예와 자비가 넘치는 전문직에 종사하는 능력을 갖추었다".)이 바로 그것이다. 이들 세 전문대학원은 각각 지위가 높고 보수도 대단히 많은 전문직업인으로서 대성할 수 있도록 대학원생들을 교육한다. 분명히 법조인이나 의사, 또 이보다 정도는 훨씬 덜 하지만 경영인도 '公益을 위한' 직업인이고, 불우한 사람들을 도와준다. 재학 중에 이런 훌륭한 활동을 시작하는 원생들도 있고, 전생애를 통해서 그런 일을 계속 하는 사람들도 있다. 이런 대학원생들은 모두 자기들의 미래에 대해 자신감이 넘치는 것이 특징이다. 그들은 사회가 자기들의 능력을 필요로 하고, 그들이 갖고 있는 기술에 대해 높은 가치를 인정하고 있다는 것을 안다. 그들 대부분은 正裝을 하고, 여섯 자리 숫자의 수입(年俸이 최소 10만 달러 이상—역자 주)을 올리는 전문직업인으로 자신들의 미래를 예측하고 있다. 이 미래의 꿈을 마음 속에 간직하고 큰 만족감을 얻게 된다.

다음으로 淸貧함을 신조로 하는 전문대학원이 둘 있다. 둘 다 사회에 봉사한다는 숭고한 목적을 갖고 있으며, 보수가 적다는 점에서도 똑같다. 교육대학원("…그들은 현대사회의 학습요청에 응하여 그것을 지도하는 능력을 갖추었다.")과 신과대학원("…그들은 신앙공동체를 건전하고 활력있게 이끌어 갈 뿐 아니라 보다 넓은 차원의 사회와도 공통적인 가치관을 형성해 나가는 일을 도울 준비가 되어 있는 이들이다.")이 그것이다. 이러한 古來의 전문직에 종사하려는 대학원생들은 비교적 나이가 많고 그래서 배우자나 자녀를 가진 경우가 많다. 그러나 유감스럽게도 그들 역시 우리 사회가 '신앙세계'나 '현대사회의 학습요청'보다는 기업체 전속 변호사가 조작하는 '현명한 억제수단'에 훨씬 강한 관심을 갖고 있다는 것을 인정하지 않을 수 없을 것이다. 만약 돈을 사회 평가의 지표로 삼는다 해도 부인할 길이 없는 것이 사실이다. 좀더 타당한 지표는 없는 것인가? 미래의 교직자나 성직자들은 자기들에게 '여피族'* 같은 높은 보수가 걸맞지 않는다고 생각하고 있으며, 대개는 그런 것에 신경도 쓰지 않는다. 그들이 우선하는 것은 다른 것이다. 그러나 안타깝게도 그들은 대학이나 사회에서 경시 당하고 있다는 인상을 떨쳐버릴 수가 없을 것이다.[2]

'부유함'과 '청빈함' 사이에 또다른 4개의 전문대학원들이 있다. 건축대학원("…나는 그들이 우리의 생활공간을 구축하는 능력을 충

---

* 1940년대 말에서 50년대 전반에 출생한 베이비 붐 후반 世代로 산업계에서의 활약과 우아한 생활의 兩立을 지향하는 대도시의 화이트칼라 엘리트 층. 1980년대에 專門職에 종사하는 유망한 젊은이들을 가리켜 만들어 낸 신조어이다.

분히 갖춘 것을 증명할 수 있다."), 치과대학원("…그들은 의학의
엄격한 한 분야에서 실천과 연구에 종사하는 자격을 얻었다."),[3] 보
건대학원("…그들은 질병을 방지하고, 건강을 증진함으로써 여러 사
람들의 복지를 촉진시키는 능력을 갖추었다."), 행정대학원("…그들
은 진보적인 공공정책과 효과적인 행정을 추구하는데 있어서 지도력
을 발휘하는 능력을 갖추었다.")이 그것들이다. 이 4개 대학원의 공
통된 특징은 수입이 법과대학원, 경영대학원, 의과대학원보다는 적
고, 교육대학원과 신과대학원보다는 훨씬 많다는 것이다. 또 치과대
학원을 제외한 세 대학원들은 공공 분야와의 관계 및 그 雇傭과도
중요한 관계를 맺고 있다.

내가 말하고 싶은 것은 간단하다. 이 전문대학원들은 각기 독자적
인 전통과 개성, 공적인 얼굴을 갖고 있다는 것이다. 하버드대학의
졸업식에서는 매년 경영학석사 학위를 받자마자 졸업생들이 자리에
서 일어나 환성을 지르면서 공공연히 달러 지폐를 흔들어 댄다. 주위
의 학생들은 그것을 보며 경멸의 야유를 보낸다. 그러나 이것은 중요
한 행사처럼 되어 있다.

전문대학원에 대해 철저히 규명하는 일은 나에게 적합하지 않다고
생각한다. 그들은 일반대학원과도 떨어져 있고, 종합대학교 생활의
중심에서도 멀리 떨어져 있다. 물론 이러한 생각은 대학에서의 생활
만을 놓고 본 것일 수도 있다. 하지만 나의 견해를 뒷받침하는 두 가
지 사례를 들어보겠다. 어느 것이나 다 먹는다는 기본적인 관습과 관
련이 있는 것이다. 1950년대 초 법과대학원 원생들과 일반대학원
원생들은 같은 식당을 이용하고 있었다. 이 식당은 더 우아한 학부학
생용 시설과는 떨어져 있었다. 당시 세계는 격동하고 있었다. 韓國戰

爭은 아직 종결되지 않았고, 유감스럽게도 맥카시(Jeseph R. McCar-thy(1909~1957), 위스컨신주 출신 공화당 상원의원(1946~1950)—역자 주) 상원의원이 활약하고 있었으며, 냉전체제는 극에 달하고 있었다. 이 식당에서 나는 매일 저녁 법과대학원 원생들을 이러한 중대 사건에 대한 이야기에 끌어들이려고 애썼다. 하지만 대개는 실패로 끝나고 말았다. 그들의 관심은 다른 데에 있었다. "A가 D의 머리를 때렸다고 가정하자, 그리고 정당방위를 주장했다고 하자 등등." 그렇다면 원생 여러분,[4] K. 훅스(Klaus Fuchs : 1911~1988, 영국의 물리학자, 美英의 원자탄 비밀을 소련에 제공한 첩자—역자 주)의 경우는 어떠할까요? 상황은 점점 더 좋지 않게 되었고, 드디어 나는 대학원생평의원회에 교양있는 식사라는 명목으로 법과대학원생과 일반대학원생을 구분하는 경계를 식당에 설치하는 문제를 제안했었다. 그러나 나는 지금도 이 제안이 받아들여지지 않은 것을 다행으로 생각한다. 왜냐하면 나이가 들어갈수록 인내심이 강해졌고, 일반대학원생의 '文明使節로서의 임무'를 더 진지하게 생각해야 했다고 느꼈기 때문이다.

한 가지 더 나누고 싶은 이야기가 있다. 경영대학원에는 좋은 식사와 서비스를 제공하는 훌륭한 교수회관이 있다. 질적인 측면에서 보면 별 하나 짜리 '美' 정도의 식당인데 그래도 다른 많은 대학시설 수준에서 보면 굉장한 것이다. 하버드대학 구내 식당 가운데 가끔 오는 손님을 제외하고 학부대학이나 다른 대학원 교수 이용을 금지한 곳은 이곳뿐이다. 그럴듯한 몇 가지 이유가 있다. 그렇게 하지 않으면 너무 북적거리게 된다. 교수회관의 성격이 달라진다. 좋지 않은 사람이 들어온다 등이다. 결국 이질적인 사람, 최악의 경우 여기에 걸맞지 않은 사람들과는 어울리고 싶지 않다는 것이다.

지금까지는 시작에 불과하다. 이제부터 쓰고 싶은 것은 일반대학원에서 특히 철학박사 학위 취득을 열망하는 학생들에 관한 이야기이다. 지난 15년 동안 졸업식 때마다 총장이 "…… 나는 여러분들의 장래에 큰 희망을 안고 自古로 보편적인 학자 세계로 들어가는 당신들을 진심으로 축하합니다."라고 말하면, 빌린 가운을 입은 젊은 남녀 졸업생들이 일어서자마자 주위의 大觀衆 속에서 그 순간을 참지 못하고 웃음이 터져 나온다. 다음 순간 그 웃음에 사과라도 하듯이 열광적인 박수 갈채를 보낸다. 특히 교수들이 열렬히 박수를 친다. 일반대학원이라는 데는 분명히 성원을 보내고 싶은 곳인 동시에 약간의 불안을 느끼게 하는 무엇인가가 있는데 도대체 그것이 무엇일까?

무엇보다도 먼저 철학박사 학위를 양성하는 것은 연구중심 종합대학교로서의 지위를 유지하기 위한 필수적인 조건이다. 그것이야말로 종합대학교를 종합대학교답게 하는 것이다. 일반대학원이 없으면 종합대학교는 학부대학이 되고 만다. 법과대학원이나 의과대학원, 경영대학원이 없어도 중요한 종합대학교라고 불리는 대학이 있다. 프린스턴대학(Princeton University : 1746년 설립 Princeton, NJ―역자 주)에는 그러한 전문대학원들이 없음에도 불구하고 최상위권 종합대학교인 것을 의심하는 사람은 아무도 없다. 학부과정이 없는 대학도 있을 수 있다. 록펠러대학(Rockefeller University : 1901년 Rockefeller Institute로 창설된 후 1965년 현재의 校名으로 바뀜. New York, NY―역자 주)이 그 좋은 예이다. 하지만 철학박사를 양성하는 것은 기본적인 필수조건이다. 어느 것으로도 이것을 대체할 수 없다. 이것이야말로 다음 세대의 학자를 양성하고 그것에 의해 종합대학교를 존속시킬 수 있는 유일한 활동이기 때문이다.

연구활동이 활발한 학자들은 질 높은 일반대학원에 단연 매력을 느낀다고 한다. 교수들은 대학원생이라는 새로운 세대를 가르치고 양성하는 것을 최고의 일이라고 생각한다. 대학원생들을 가르치는 것은 다른 어떠한 활동보다 자신들의 전문 능력을 유지하고 발전시키는데 적절하다고 믿고 있다. 이것이야말로 教授職에 매력을 느끼게 되는 최대의 이유라고 할 수 있다. 실험과학자는 자기를 대학실험실에 묶어 놓는 이유가 대학원생들과 함께 일을 할 수 있는 기회가 주어지기 때문이라고 말한다. 다른 직장에서는 회사의 연구소에서 연구활동을 하는 것이지만, 연구책임자의 조수가 기술자들이기 때문에 대학원생에 비하여 창의적인 상호작용 면에서 훨씬 경색된 환경이라는 생각이 든다는 것이다.

이것을 더 넓게 생각할 수도 있다. 일반대학원생은 학문의 계승을 확실하게 해주는 교수의 젊은 제자이기도 하다. 또 자식 같기도 하고 후계자이기도 하다. 독일에서는 박사학위 논문을 지도해주는 교수를 博士父親이라고 부르는데, 이것은 대학원의 理想을 적절히 표현한 말이라고 생각된다. 이 이상이야말로 일반대학원과 전문대학원을 구별해 주는 것이다. 경영, 법과, 의과 등 전문대학원들의 주된 목적은 학교 밖에서 실천하는 전문인을 배출하는 것이다. 경영대학원 졸업생들이 할 일은 기업을 경영하는 것이다. 의과대학원 졸업생들은 대다수가 가르치기 보다 진료에 종사하고, 변호사들의 대부분은 법률회사에서 일을 한다. 이에 비해 철학박사 과정에 있는 원생들은 학자나 교수가 되어 단설 학부대학이나 연구중심 종합대학교에서 교수직을 얻기 위한 교육을 받는다. 비록 정부기관이나 산업계에 취업하게 되는 철학박사가 상당수 있다고 해도 그렇다. 철학박사 후보들은 학교라는 울타리 속에서 평생을 보내고 '배움을 지속'하는 일에 전념하게 된다. 그러므로 대학원생과 지도교수 사이에는 더욱 강렬한 상호작용이 생기게 된다. 때로는 아주 오랫동안 아니면 그 스승이 죽을 때까지 師父의 충실한 제자로서 살아가는 경우도 있다.[5] 그러나 교육과 연구는 모두 계속적으로 수정되어야 하는 것이고, 그것은 일반적으로 그 때까지 받아들여져 온 思想을 공격하는 형식을 취하게 되는데, 그 사상이 다른 사람이 아닌 바로 자신의 사부가 제창하고 소중하게 키워온 것일 경우도 가끔 있다. 사부의 죽음을 소망하는 것은 학계에서는 널리 알려진 현상이다. 요컨대, 일반대학원의 교수와 원생의 관계는 다른 경우보다 훨씬 친밀도가 높게 형성된다는 것이다. 여기에서 다양한 결과가 예상된다. 따뜻한 가족관계 속에 있을 수 있는 행복한 원생들과 학계의 代理父母로부터 무시당하고 있다고 느껴지는 비슷한 수의 매우 불행한 원생들, 그리고 그 중간에 많은 원생들이 있다.

최근 나는 미래의 학자들인 원생들과 교수 간의 이 특수한 관계에 많은 양면성이 있다는 것을 깨달았다. '여러분들 미래의 큰 희망'도 이제는 확실한 예상이 아니라 간절한 소망으로 전락해 버렸다. 그 이유는 간단하다. 1970년대 초부터 젊은 학자들에 대한 수요가 감소되었고, 적어도 지난 20년 동안 우리는 전체적으로 박사를 과잉 생산해 왔다. 그 결과로 대학교수직은 수요와 공급 간에 균형을 유지하는 것이 점점 어렵게 되었다. 1976년부터 1985년까지 철학박사에 대한 수요가 충족되지 못했던 분야는 컴퓨터 과학을 포함한 공학부뿐이었다. 다른 분야인 자연과학, 생명과학, 사회과학, 심리학, 인문학, 교육학 등에서는 모두 교수직을 원하지만 채용되지 못한 새로운 박사가 생겨났다. 추정 잉여율은 자연과학처럼 11%라는 낮은 분야에서부터 인문학의 67%라는 高率까지 전공마다 다양하다.[6] 우리처럼 최상위권 대학에서 가르칠 수 있는 행복한 사람들은 수요는 부족한데 공급이 많아서 구매자가 임자인 때일수록 질 높은 교육내용으로 명성을 얻고 있기 때문에 졸업생들이 보다 유리하게 대해 질 수 있기를 바란다. 국내 대학 가운데 최상위권 10위 내지 20위 안에 드는 대학*을 졸업한 젊은 박사는 역사가 짧고 실적이 없는 학교를 졸업한 박사보다 좁디좁은 임용 기회를 붙잡을 가능성이 클 것이라고 생각한다. 하지만 반드시 그렇다고 말할 수도 없다.

제 2차 대전 이후 박사과정을 설치한 대학이 현저히 많아졌다. 1940년에 미국에서 박사학위를 취득한 사람은 3,290명이었다. 그것이 1980년에는 32,615명으로 늘어났다. 1960년부터 1970년까지 10년 간만 해도 새로 탄생한 철학박사 수는 3배가 넘었다. 이것은

---

* 미국의 최상위권 20개 연구중심 종합대학교의 설립년도와 소재지는 다음과 같다. Harvard University(1636) Cambridge, MA ; Princeton University(1746) Princeton, NJ ; Yale University (1701) New Haven, CT ; Stanford University (1891) Palo Alto, CA ; Massachusetts Institute of Technology(1861) Cambridge, MA; Duke University(1838) Durham, NC ; California Institute of Technology(1891) Pasadena, CA ; Dartmouth College(1769) Hanover, NH ; Brown University(1764) Providence, RI ; Johns Hopkins University(1876) Baltimore, MD ; University of Chicago(1892) Chicago, IL ; University of Pennsylvania(1740) Philadelphia, PA ; Cornell University(1865) Ithaca, NY ; Northwestern University(1851) Evanston, IL ; Columbia University(1754) New York, NY ; Rice University(1912) Houston, TX ; Emory University (1836) Atlanta, GA ; University of Notre Dame(1842) Notre Dame, IN ; University of Virginia(1819) Charlottesville, VA ; Washington University(1853) St. Louis, MO. 자료 : *U.S. News & World Report*, Sept. 18, 1995, pp. 46~47.

박사과정이 잇달아 많이 신설된 결과이며, 기존 박사과정의 확장만
으로 그와 같은 증가가 이루어진 것은 아닐 것이다. 1950~1951년
미국에서는 學士가 최고 학위인 대학이 800개였고, 碩士가 360
개, 博士가 155개였다. 그러나 1983년에는 이 숫자가 각각 827
개, 705개, 466개로 늘었다. 박사과정을 신설한 대학이 전통있는
대학과 어느 정도 경쟁할 수 있을지는 미심쩍다. 내 생각으로는 대학
교수 시장이 잘 분할되어 있어서 최상위권 대학은 철학박사의 양산
에도 불구하고 비교적 영향을 받지 않으리라고 본다. 그러나 이러한
전망은 어디까지나 추측일 뿐이다. 덜 연구지향적인 대학은 최상위
권 대학이 양성한 박사들에 대해 편견을 갖고 있는 경우도 있을 것
이다. 그러한 박사들은 우려스런 표현을 쓴다면 과잉 자격을 갖추어
大家인척 하는 태도를 취하게 될 것이라고 생각할지도 모른다. 그러
나 이러한 시각은 최상위권 대학교수들에게 많이 해당된다는 것이
통설이고, 이 말은 맞는 경우도 간혹 있기는 하지만 거의 누명을 쓰
는 것이다.[7]

　어느 대학이라도 졸업동기생 중 우수하다고 인정받는 수석 졸업자
들은 취업하는데 고생을 덜 하게 된다. 그리고 거의 모든 대학들이
그 동안 차별해온 것에 대한 差別修正政策을 펴오고 있기 때문에 활
약하고 있는 사람들이 별로 없는 집단에 속하고 있으면 이것도 유리
하다. 다른 조건이 같다면 여성이나 선택된 소수민족 사람들은 약간
유리하게 취급되어 첫 직장을 얻기가 쉬울지도 모른다. 그러나 그렇
다고 근본적으로 달라진 것은 없다. 즉, 1970년대 초부터 적어도
1980년대 중반까지 사실상 각 대학에서는 모든 분야에 걸쳐 젊은 학
자들을 위한 자리가 감소되어 왔다.

대학교수 시장에서 需給間에 균형을 유지하기 어려워진 이유가 두세 가지 있다. 먼저, 가장 기본적인 흐름에서 보면, 고등교육이 금세기 후반에 와서 이전처럼 成長産業이 아니라는 것이다.[8] 20세기 전반 미국의 고등교육은 경제상황과는 상관없이 기하급수적으로 급성장 했다. 대학에 진학하는 학생 수는 15년마다 2배가 되었고, 고등교육에 관여하는 교수의 수도 같은 속도로 증가하였다. 교수 양성의 수요는 점점 커지고 대학원은 더 빠른 속도로 늘어났다. 철학박사의 수는 11년마다 2배가 되었다. 이들 중에 3분의 2 이상이 대학교수로 취업하였다. 이와 같은 성장기가 너무 순조롭게 오래 지속되었기 때문에 대학들은 이러한 상태가 당연한 것이라고 생각하게 되었다.

제 2차 대전 이후 10년에서 20년 사이에 큰 변화가 일어났다. 그때까지는 학생의 증가와 교수의 증가가 거의 전적으로 최종학력 수준이 높아진 것에 기인하였다. 대학생 수는 같은 연령의 인구 증가보다 10배의 속도로 늘어났다. 고등학교를 졸업하는 학생의 비율이 높아졌고, 고등학교를 졸업한 다음 더 많은 젊은이가 대학에 진학하였고, 대학을 마친 다음에는 대학원으로 진학하는 학생들이 늘어났다.

오늘날 이러한 추세는 근본적으로 달라지게 되었다. 더욱 성숙해 가는 미국 사회에서 고등학교를 졸업하는 학생의 비율, 고등학교를 졸업하고 대학에 진학하는 비율, 대학을 졸업하고 일반대학원에 진학하는 비율은 지난 4반세기 동안 꽤 안정된 경향을 보여왔다.

이렇게 되어 대학에 진학하는 사람의 수는 대학연령 인구집단의 변동에 크게 좌우되었다. 그리고 이 연령 인구는 '베이비 붐'의 영향으로 1980년을 전후해서 정점을 맞게 되었고, 적어도 1995년까지는 줄어들 것으로 예상되었다.[9] 이것이 1980년대에는 대학입학생이

격감할 것이라고 많은 사람들이 예측했던 두 번째 이유이다. 그러나 이 반갑지 않은 예상은 적중되지 않았다.

앞의 두 가지 이유만큼 그렇게 중요하지는 않지만 세 번째 이유로는 퇴직연령이 높아진 것을 들 수 있다. 전에는 대학교수직을 은퇴하는 나이로 65세가 일반적이었으나 요즘은 70세가 되었다. 현재 심의중인 연방정부법안이 통과되면 1994년부터는 연령에 의한 강제퇴직은 없어진다. 최상위권 대학의 거의 모든 원로 교수들은 가능한 한 오랫동안 학내에서 활동하고 싶어할 것이다.

그러나 이에 대한 반론이 없는 것은 아니다. 새 법률이 제정되어도 교수의 퇴직에 영향을 미치지 않을 것이라 시사하는 증거도 있다.[10] 하지만 내 경험으로 볼 때 특히 '최상위권 대학의 3분의 2'라고 말한 대학에서는 문제가 생길 것 같다. 비교적 적은 수업시간과 대단히 좋은 근무조건, 게다가 일만 하면 해마다 퇴직수당이 높아질 것이니 내 동료들의 인생 설계에도 영향을 미칠 것임에 틀림없다.

실제로 퇴직하는 연령이 조금이라도 높아지면 교수의 평균 연령은 높아지고, 새로운 박사들의 취업기회가 줄어들지 모른다. 1975년에 미국의 대학교수 평균 연령은 약 42세이고, 그 가운데 60세 이상은 약 6%였다. 퇴직연령이 70세라고 한다면 1995년에는 평균 연령이 약 57세, 60세 이상은 33%가 될 것이라 예측되었다. 바람직한 퇴직연령을—그런 것이 혹시 있으면—몇 세로 할 것이냐는 제쳐두고, 이제 막 일을 시작하려고 하는 젊은 학자들에게 이런 변화의 조짐에 대해 신경을 쓰지 말라고 하는 것은 무리한 이야기가 될 것이다. 젊은 학자들에 의해 압도적으로 진보, 발전되고 있는 분야 주로 자연과학에서는 대단한 영향을 미칠 것이 분명하다. 그래도 학생 감소 추세가 대학교수의 시장성에 미치는 영향에 비하면 퇴직자의 비율이 이런 젊은 학자들에게 미치는 영향은 사소한 정도라 할 수 있다.[11]

대학교수의 시장성은 장기적인 경향에 의해서만 좌우되는 것이 아니다. 어떤 학자에게는 학자생활을 하는 동안 단기적 영향이 보다 더 중요할 것이다. 지금의 대학원생들은 1960년대의 팽창기와 1970년대의 축소기로 인하여 가장 직접적인 영향을 받게 된다. 이러한 요인에서 오는 종합적인 작용은 그들의 취업 전망을 결정하게 될 것이다.

여러 가지 사회적 요소들이 1960년대의 붐을 일으켰다. 이 10년 동안에 모든 고등교육 기관의 입학자가 두 배로 늘어났다. 전후의 베이비 붐, 재향군인연금, 소련의 인공위성 스푸트니크에 대한 대항심, 존슨〔Lyndon B. Johnson(1908~1973), 미국 제36대 대통령(1963~1969) ―역자 주〕 대통령의 '偉大한 社會'계획 등이 이러한 추세를 북돋았다.[12]

뒤를 이어 1970년대에 일어난 대학교수 시장의 불황에 대해서는 컬럼비아대학 소번 총장이 잘 表現해 주었다.

> 지금 우리가 직면하고 있는 문제의 근원은 별로 대수롭지 않게 생각했던 1960년대의 현상인 포스트 스푸트니크 붐에 있다. 이 때 미국 대학들은 몇 천명의 젊은 교수들에게 終身在職權을 주었다. 그 결과 대학교수 시장은 1970년대 대풍작이 된 철학박사들을 반갑게 맞이해 주지 않았다. 그들이 구하는 교수직은 이미 다 차 있었고, 금세기가 끝날 때까지 이 현상은 계속될 것이다. 이 운명을 예측한 유망한 젊은이들이 다른 직업을 얻기 위하여 전문 대학원으로 갔다. 단설 학부대학이나 종합대학교에서 교수가 되어 가르쳐야 할 일류 학자 한 세대의 대부분이 영원히 학자로 태어나지 못했다.[13]

철학박사 혹은 어떤 박사든 과잉생산은 需給均衡을 유지하기 위하여 自己修正力을 가동하기 시작하였다. 우리는 거의 20년 동안이나 이러한 억압상태에 있었고, 고통은 程度를 넘어서 장기적으로 해를 미칠 가능성도 여전하였다. 1960년대 말까지 연방정부는 장학금과 연구 프로그램을 위한 재정 지원으로 박사과정의 팽창에 가세하였다. 그러나 1970년에 연방정부의 대학원 지원 전성기는 확실히 끝났다. 연방정부의 장학금 지원은 1968년에서 74년 사이에 80%이상 줄었다. 그와 동시에 私設 재단들도 많은 장학금 제도를 단계적으로 축소해 갔다. 하버드대학에서도 외부 장학금을 받는 대학원생의 비율이 1967~68년의 42%에서 1977~1978년에는 25%까지 떨어졌다. 예상했던 대로 인문학이나 사회과학 분야 지원자가 급격히 감소되었고, 입학이 허가된 학생수도 더욱 큰 비율로 줄어들었다.[14]

문제는 장학금 지원 감소 뿐만이 아니다. 초봉이 낮은 것도 고려하지 않으면 안된다. 즉, 법과대학원, 의과대학원, 경영대학원 졸업생들에 비해서 교수의 초봉이 낮은 것이다. 1988년 졸업식에서 D. 보크 총장은 다음과 같이 말을 했다. "1954년 내가 법과대학원을 졸업했을 때에 금융계의 초봉은 4,200달러이고, 교수의 초봉은 3,600 달러이었습니다. 현재 금융계의 봉급은 70,000달러에서 75,000달러이고, 교수는 17,000달러에서 18,000달러인데 이는 15년 전보다 실질적으로 더 낮아진 것입니다." 최근에 와서는 조교수 봉급이 22,000달러에서 26,000달러로 금융계 초봉의 3분의 1에 불과하다.[15]

그러면 장기적 손해란 무엇인가? 일반대학원은 종합대학교 존속의 '필수 조건'이라는 것을 상기해주면 좋겠다. 만약 일반대학원생들이 아주 사라지거나 극소수가 되면 종합대학교는 존재할 수 없게 된다.

과학연구 특히, 실험 과학연구는 거의 불가능해진다. 다른 분야 교수라면 살아남을 수가 있을 것이다. 그러나 일반대학원 교수에게는 자식 같은 후계자나 제자가 필요하다. 학자들이 돌연 나이 든 독신자들의 모임이 되어버리면 안된다. 연구중심 종합대학교는 지금까지 적은 財源에서 예산을 늘여 대학원생들을 받아들이려고 해왔다. 가장 여유가 있는 대학에서도 재원은 부족한 실정이다. 그러기에 營繕, 도서, 실험실 등 다른 중요한 항목을 뒤로 미루고서라도 일반대학원에 예산을 배정하게 된다.

취업하기도 어렵고 게다가 봉급까지 낮다면 지금의 원생의 질에 또 장래의 교수의 질에도 영향을 미칠 것은 틀림없다. 분명히 어떠한 상황에서라도 학자가 되고 싶어하는 사람은 있을 것이다. 학자생활의 장점에 魅了되어 단점에는 관심을 갖지 않는 사람들이 있다. 그러나 일반적으로 젊은이들은 합리적으로 신중하게 직업을 선택한다. 누구나 많은 보수를 받을 수 있는 생활을 하고 싶어한다. 다른 데에 흥미를 끄는 길이 있다면 주저없이 그 길을 선택할 것이다.

하버드대학이 학부학생들에게 주는 최고의 賞은(최우등상) 수머 쿰 라우디*이다. 제 2차 대전 이후에도 이 상을 수상하기 어려운 점은 변함이 없다. 그 수준은 신중하게 유지되어 왔고, 때로는 다소 올라가기도 하였으나 이 최고의 자리를 차지할 수 있는 사람은 해마다 졸업생의 5%에 불과하다. 1964년에는 이 상을 받은 학생의 77%가

---

* summa cum laude는 GPA(grade point average)가 3.85이상 점수를 받은 최우등생이다. magna cum laude는 3.65이상, cum laude는 3.50이상을 받은 사람들이다. cum laude는 Latin語인데 영어로는 with praise이고, magna는 high, summa는 highest를 뜻한다.

일반대학원에 진학하였고, 연구와 교육에 몰두하는 인생의 준비로서 철학박사 학위를 취득하게 되었다. 근년에는 이 숫자가 급격히 떨어졌다. 1981년에는 최우등생의 4분의 1만이 일반대학원에 진학하였지만 1987년에는 이 비율이 32%까지 회복되었다. 마음 든든하기는 하지만 그래도 법과대학원, 의과대학원, 경영대학원으로 진학하는 수에는 미치지 못하고 있다.[16] 누가 그들을 나무랄 수 있겠는가? 그리고 결국 교수 자질이 低下될 것이라는 것을 누가 의심하지 않겠는가? 지금이야 '최우수'라는 표현이 대수롭지 않을지 모르지만 그래도 '최우수'인 것은 틀림없는 사실이다. 이 집단 전체를 대학교수직으로 끌어들일 필요는 없다. 그러나 대학이 필요로 하는 자신의 몫도 있다. 그것은 대략 하버드대학의 최우등생들과 그들에 맞먹는 실력을 갖춘 다른 대학 학부에서 온 학생들을 합친 숫자가 3분의 1을 넘어서는 수준이어야 하는 것이다.

우리와 같은 길을 걸으며 이 어려운 세상을 살아가려고 하는 대학원생들에게 우리가 들려 줄 이야기는 무엇인가? 과잉 공급, 현상을 유지하려는 定常 상태, 무발전, 잉여 인원, 모두 이런 말밖에 없다. 좀더 희망적인 메시지는 없을까? 나는 있다고 말하고 싶다. 그 이유는 다음 세 가지이다. 첫째는 베이비 붐이 끝난 후에도 예상했던 대로 1980년대의 대학입학자 감소 현상은 일어나지 않았다는 사실이다. P. E. 해링턴과 A. M. 서엄이 지적한 대로 대학입학자의 동향을 결정하는 것은 인구 뿐만이 아니기 때문이다.[17] 1970년부터 1983년 사이에 대학연령 인구는 22% 늘어났는데 대학입학자는 45% 증가했다. 1980년에서 1987년 사이에는 대학입학자 수가 3.8% 더 늘어났다. 1983년에서 1993년 사이에 대학연령 인구가 17% 감소할 것임에도 불구하고 이러한 수치가 나왔다. 이 숫자 상의 차이를 만들었던 이유 중의 하나로 社會人 학생들이 많아졌다는 점을 들 수 있다. 특히, 35세부터 59세까지의 定時制 여학생들이다. 이것은 미래의 대학 사회에 매우 유익한 것이지만 아마 미국 경제의 구조적 변화의 결과일 것이다. 경제의 중기 전망에 의하면 제조업 부문의 고용은 줄어들고, 서비스업 부문에서는 고용기회가 확대되고 있다고 한다. 서비스업 부문이라고 하지만 대개 전문직, 기능직, 관리직이어서 대학의 학위를 필요로 한다.("…1973년에 대학을 졸업한 사람들의 봉급은 고등학교를 졸업한 사람들보다 21% 높았지만 1986년에는 이 수치가 57%까지 올랐다.")[18] 이런 구조적 변화와 거기에 따르는 수입의 차이는 장기적으로 대학교수 시장에 새롭고 유리한 결과를 가져오게 될 것이다.

그러나 훨씬 중대하고 희망적인 요소는 제 2차 대전 이후 베이비붐의 '餘波' 가운데서 찾을 수 있다. 그 베이비 붐의 결과로 미국의 출생률은 1970년대 중순부터 올라가기 시작하여 1990년대에 들어와서도 계속 올라가게 되었다. 그렇다면 금세기 말까지 대학입학자는 늘고, 일자리도 많아지며, 교수 부족 현상이 일어날 것이다.

마지막으로 희망적인 요소는 앞에 서술한 바와 같이 1970년대와 80년대의 철학박사의 생산 저하와 외국인들에게 주었던 高學位의 비율이 증대함으로써 현직 교수진의 노령화가 한층 더 빨라졌다는 것이다. 교수들이 65세에서 70세까지의 '표준적인' 연령으로 퇴직하든 안하든 간에 또 법률이 어떻든 간에 제 2차 대전 이후의 팽창기에 박사학위를 취득한 사람들도 언젠가는 70세가 되어 얼마 안되는 때에 퇴직하게 될 것이다.

이러한 이유로 인해서 '대학교수 임용에 대해서는 1990년대 중반에서 후반에 걸쳐서 지금까지 보다 훨씬 전망이 밝을 것'이라고 예상하는 전문가들이 많다.[19] 앞으로 25년 간 신규로 임용되는 교수는 전교수진의 3분의 2 아니면 그 이상이 될 것이 틀림없다.[20] 물론 그 수는 각 분야마다 다르겠지만 전체적으로 1990년대 후반의 낙관적인 견해에서는 일치한다.[21] 그렇다고는 하지만 해링턴과 서엄의 저서에 인용되어 있는 덴마크의 물리학자 N. 보어(Niel H. D. Bohr : 1885~1962, 1922년 노벨 물리학상 수상—역자 주)의 말을 기억해 두는 것이 좋을 것이다. "예측이라는 것은 때에 따라 매우 어려운 일이다. 특히 미래에 대한 예측은 더욱 그렇다."

현재와 장래의 大學院生을 위한 신중한 助言

미국의 연구중심 종합대학교에서는 학부대학 과정과 대학원 과정에서 배우는 목표가 다르다. 최상위권 대학에서 학사학위를 목표로 공부하는 젊은이가 원하는 것은 교양교육이다. 그들은 전공을 선택하도록 되어있지만 학부대학의 주된 목적은 깊은 학문에 접하는 기회를 학생들에게 주는 것에 불과하다. 학부과정을 마치고 대학원에 진학한다고 해도 학부대학에서 배운 것과 대학원에서 배울 것 사이에는 아무런 관련이 없어도 된다. 문학을 전공한 학생이 의과대학원*

---

* 하버드대학교 의과대학원(다른 최상위권 대학도 마찬가지이지만)에서는 학부대학에서 文學을 전공한 학생 뿐만 아니라 학부대학 전공 혹은 集中履修가 다양하면 다양할수록 의학을 전공할 우수한 학생집단이라고 생각한다. 우리 나라와 같이 의예과 과정에서 千篇一律的인 교육을 2년 동안 불만스럽게 받고 의과대학으로 진학하는 것과는 너무 좋은 대조를 이룬다.

으로 진학하고, 경제학과 학생이 대학원에서는 건축학을 전공하는
경우도 드물지 않다. 폭넓은 교양교육 과정은 어떤 전문직의 공부에
도 훌륭한 기초가 된다. 철학박사 과정의 전공 분야를 선택해야 하는
심각한 문제를 학부과정에서는 직면할 기회가 없다. 학부과정에서는
선택을 잘못해도 그렇게 중대한 결과를 가져오지 않는다. 언제든지
수정이 가능하기 때문이다. 그러나 대학원 과정에서는 선택을 잘못
하게 되면 방향을 그르치게 되어 불행한 학자생활로 연결될 가능성
이 높다. 학부학생은 취미 삼아 이것저것에 손을 대보는 어설픈 지식
인이고 또 그래도 된다. 그러나 대학원생은 학문과 평생의 관계를 맺
는 것이다.

이런 이유로 대학원생 '일반'에 대해 논의한다는 것은 학부학생에
대해 논하는 것보다 훨씬 어렵다. 문화, 생활양식, 의욕, 장래 등도
각각 특정한 분야에 따라 좌우된다. 그러므로 대학원 교육의 종합적
인 재검토나 개혁이라는 것은 거의 의미를 가질 수가 없다. 몇 년 전
일이지만, 하버드대학교 文理科大學 교육과정의 문제점에 대해 모든
동료 교수들에게 설문지를 보낸 적이 있다. 의견을 적은 답장이 한꺼
번에 몰려들었다. 거의 전원이 뚜렷한 견해를 갖고 있었고, 공개 포
럼에서 토론할 기회를 갖기를 원하고 있었다. 대학원 문제점에 대해
서도 같은 설문을 보냈다. 그러나 놀랍게도 아무도 관심을 안 보
였고 의견도 없었다. 학과 수준을 뛰어넘는 의견 교환을 원하는
소리는 하나도 없었다. 이유는 학과마다 학문 분야에 따라 교육내
용이 결정되기 때문일 것이다.(영어 교수와 화학 교수에게 공통되
는 문제는 거의 없고, 만약 있다해도 돈이 더 많이 있으면 대부분
의 문제는 해결할 수 있을 텐데 하는 느낌밖에 없을 것이다.) 일

반대학원생을 위한 분야를 초월하는 교양교육이라는 것은 없다. 매우 드물게 어딘가에 있는지 모르지만 있다면 대단한 예외가 된다. 그렇지만 여기서는 대학원생들을 위해서 많지 않은 공통점이라도 생각해 보겠다.

학자생활을 선택하는 적극적인 이유는 다음 章들 특히, 「학자생활:그 장점과 단점」과 「종신재직권:그 의미」에 대한 장에서 다루겠다. 이 장들에서는 좁은 범위의 대학으로 문제를 축소하지 않고 포괄적으로 다루려고 노력했다. 좁은 범위의 대학이라고 하는 이유는 훌륭하고 명성있는 학교라 인정하는 정도를 낮게 잡으면 잡을수록 더 많은 장점들이 도외시될 수 있기 때문이다. 그렇게 되면 장점으로 든 것들도 별 장점이 아니게 된다. 즉, 감독이 철저하지 않고, 일상적인 일이 많지 않으며, 봉급도 나쁘지 않고, 우수한 학생들이 많다는 등등 대학 특유의 매력도, 대학 순위가 내려가면 감독이 엄해지고, 하찮은 일이 많으며, 봉급이 낮고, 좋은 학생들이 적다는 단점이 된다. 물론 이것들을 대신할 만한 다른 매력이 있을지도 모른다. 입지조건, 기후, 대학의 규모, 특정한 동료 등이다. 개인의 趣向이라는 것은 매우 복잡한 것이다. 최상위권 연구중심 종합대학교에서 종신재직 교수가 되는 권유를 거절하고, 단설 학부대학에 계속 머물겠다는 교수들을 나는 잘 알고 있다. 그렇다고 그들의 선택이 불합리한 결정이라고 여길 필요는 없다.

이 모든 것을 念頭에 두고, 나는 다음과 같은 온건하고 유용한 제언을 하고자 한다. 나는 학생들의 의욕을 꺾을 의도는 없다. 다만 현실을 있는 그대로 강조할 뿐이다.

1) 눈을 크게 뜨고 哲學博士 과정에 들어와야 한다.

최상위권 종합대학교 대학원에 들어가는 것은 그렇게 어려운 일이 아니다. 단지 대학이나 전공 분야에 따라 어려운 程度가 다르기는 하다. 예를 들면, 인문학 쪽에서는 입학과정에서 오히려 마구잡이로 뽑는 경향이 있어 다루기 쉬운 규모로 줄여가기 위해 높은 중도 탈락율에 의존하고 있다. 그러나 실험과학 쪽에서는 적정 인원을 고려해야 하고 입학기준도 엄격하다. 어떤 전공 분야에서는 무능한 학생이라도 전력을 다해서 불러 모아야 하고, 또 어떤 전공 분야에서는 매년 많은 수의 입학 희망자를 떨어뜨려야 한다. 일반적으로 최상위권 종합대학교인 경우에도 학부대학보다 대학원의 경쟁이 심하지 않기 때문에 대학원 입학은 비교적 쉽다. 스탠퍼드대학, 시카고대학, 예일대학*과 또 같은 수준의 타 대학들을 보더라도 학부대학보다 대학원의 입학이 훨씬 쉬우나 졸업하기는 어렵다. 1983년 미국에서는 학사가 박사가 될 때까지의 평균 소요 기간은 놀랍게도 10년이었다.[22] '웬만한' 단설 학부대학이나 연구중심 종합대학교에서 종신재직 교수가 되어 이 길에서 성공하는 것은 더 어려운 일이다.[23]

대학원에 들어가는 것이 제일 어려운 일은 아니다. 졸업하려면 오랜 시간이 걸리나 그래도 대개는 졸업을 하게 된다. 최대의 난관은 박사과정에 들어간지 10년에서 15년 후에 맞이하게 된다. 즉, 만족할 만한 대학에서 종신재직권을 얻을 수 있는지 여부가 바로 그것이다. 이를 위해서라도 자기가 선택한 분야의 雇傭 기회에 대해 조금이

---

* Stanford University(1891) Palo Alto, CA ; University of Chicago(1892) Chicago, IL ; Yale University(1701) New Haven, CT.

라도 지식을 갖는 것이 매우 중요하다. 현재 자리는 있는가, 그리고 장래의 전망은 밝은가? 장차 산업계나 政界 이외에는 일이 없을 때에 그래도 만족할 수 있는가? 만약에 대학원에서 가르칠 기회가 없고, 도서관 설비도 빈약하며, 등록금만 내면 어떤 학생이라도 환영한다는 서남부 시골에 있는 최하위권 대학밖에 교수 자리가 없어도 만족할 수 있는가? 도저히 만족할 수 없을 것이라고 생각하는 데에서도 견디어 나갈 수 있는가? 이와 같은 불쾌한 질문을 왜 하느냐 하면 대학원생들은 자신이 공부한 대학원에서의 경험으로 인하여 잘못된 판단을 내리기가 쉽기 때문이다. 박사과정이 설치되어 있는 연구중심 종합대학교는 미국 고등교육의 최고 수준에 있는 대학교들이다.[24] 대학원생들은 그 속에서 자신의 장래를 상상하기 쉽다. 그들의 대학원 입학 당시나 재학 기간 중에 누군가가 그들에게 대학교수직을 선택하는 많은 사람들이―일시적인 것이라면 좋겠지만―질적으로 하향 길을 따라가게 된다는 이야기를 마땅히 들려주어야 한다.

그러면 어떤 사람들이 철학박사 과정에 들어가야 하는가? 그 과정의 교육을 마칠 수 있는 능력이 있어야 하는 것은 당연한 일이며, 이것이 문제가 되는 일은 거의 없다. 각 분야에서 어떠한 능력이 필요한가, 또 자신에게는 어떠한 재능이 있는가 하는 것들을 학사가 된 단계에서 잘 알고 있어야 한다. 재능만으로는 결코 충분하지 않은 것이 현실이다. 주어진 과제에 대한 정열, 가능하면 거기에 빠져버릴 정도의 열의가 필요하다. 1960년대 대학교수 시장이 비약적으로 확대되었을 때 왠지 교수 생활 스타일이 좋다는 이유만으로 단설 학부 대학이나 연구중심 종합대학교의 교수가 된 사람들도 있다. 우리 주변에는 이와 비슷한 이유로 聖職者가 된 사람들도 있다. 자신이 하나님을 믿는지 확신이 없지만 郊外의 교회에서 설교하는 것 자체를 좋아하는 사람들이다. 그러나 오늘날은 그것만으로는 동기가 충분하지 않다. 갈 길은 우회해야 하는 길 뿐이며 실망할 가능성이 매우 높다. 우리는 학업인지 놀이인지 구별하지 못할 정도로 연구에 몰입하는 그러한 젊은이를 찾아내야만 한다. 그렇지 않으면 더 쉬운 길을 선택할 수밖에 없을 것이다. 내가 생각하는 완전한 철학박사 후보는 연구에 심취하는 정열과 그 분야에 대한 최근의 需給 정보를 잘 파악하면서 연구할 수 있는 학생이다.[25] 이러한 조건에 맞는 사람이면 꼭 우리와 함께 하여주기를 바란다.

2) 박사논문 指導敎授는 아주 세심한 주의를 기울여서 選擇해야 한다. 그것은 학생이 하는 가장 중요한 선택의 하나이다.

연구중심 종합대학교의 철학박사 과정은 보통 2년 간의 학과목 이수 과정이 있고, 그 후에 논문을 위한 연구와 논문집필을 하게 된다. 학과목 이수 기간은 학부과정의 연장선에 있는 것 같다. 수업은 학부과정 보다 어렵고 전문화되어 있지만 분위기는 친숙하고 편안하다. 이상하게도 성적은 대학원 과정이 더 厚해서 평균이 A⁻일 때도 꽤 많다.[26] 그것도 일리는 있어 보인다. 그러나 미래 학자가 될 사람의 성공을 가늠하는 척도로 학과목 성적은 믿을만한 것이 못된다. 논문이 훨씬 더 중요하다. 그러므로 박사부친 혹은 대리부모라고 불리우는 논문지도 교수를 선택할 때에 특별히 세심한 주의를 기울여야 하는 것이다.

중요한 연구계획을 세우는 일과 논문을 쓰는 일은 거의 모든 원생들에게 새로운 경험이 될 것이다. 연구계획을 작성하는데 도와주는

사람이 필요하다. 때로는 논문주제를 지도 교수가 시사해 주는 경우
도 특히, 자연과학 분야에서는 없지 않다. 원고를 읽어주는 사람, 비
판을 해주는 사람도 필요하다. 연구의 일부 비용은 교수의 연구 조성
금으로 충당되는 경우도 더러 있고, 논문을 잘 쓰게 되면 그것이 학
자로서 장래를 향한 연구의 첫걸음을 내딛게 되는 수도 있다. 그러나
이것은 연구논문의 지도일 뿐 좋은 지도 교수의 의무가 그것으로 끝
나는 것은 아니다. 대학원생이 교수직을 얻는 일을 도와주는 것도 지
도 교수의 책임에 속한다. 恩師가 될 사람이 동료 교수들로부터 신뢰
받고 있는 사람인가? 그는 모든 사람들로부터 존경을 받고 있으며
전국에 있는 여러 형태의 대학들과 연결 고리를 갖고 있는가? 대학
교수들은 각자 독자적인 연락망을 갖고 있기 때문에 연구하는 분야
의 연락망 속에 들어가 있게 되면 장기적으로 볼 때 대단히 유익하
다. 앞으로 교수직을 얻으려고 하는 대학원생에게는 대학 취업보도
과의 규모나 능력이 어느 정도이냐 보다는 이러한 점을 더 중요하게
고려해야 할 것이며, 그것이 훨씬 중요한 일이라 할 수 있다. 끝으
로, 결코 소홀히 여길 일은 아니지만 쉽게 이해하기 어려운 이야기를
하고자 한다. 가능하다면 논문지도 교수는 마음의 支柱가 되어주는
사람이면 좋겠다. 논문을 완성할 때까지 어려운 계곡을 건너갈 때에
손을 내밀어 주는 사람, 학자생활의 초보단계에서 고난에 부딪치게
될 때 곁에 있어 주는 사람이면 좋겠다는 것이다. 나에게는 두 분의
지도 교수가 있었는데, 그 중 한 사람은 지도 교수의 귀감(龜鑑)이
었다. 그 분은 내가 편지를 보내면 두 손가락을 이용하여 낡은 타자
기를 직접 쳐서 쓴 답장을 반드시 보내주는 그런 사람이었다. 내가
하고 있는 일이 소중한 일이라고 느껴지게 해주고, 그는 나로부터 즐

겨 배우기까지 했던 것이다. 어려울 때에는 일주일 동안 당신의 집에
머물도록 해주고, 매일 몇 시간씩 내가 연구해 온 성과에 대해서 토
론을 하기도 하였다. 지금도 지도 교수들은 이런 일들을 하고 있을
까?

바른 선택을 하는 일은 여간 어렵지 않다. 그것은 정보가 부족하기
때문이다. 한 학과 안에서도 논문지도하는 일이 교수들 간에 균등하
게 배당되어 있지 않다는 점도 기억해야 한다. 많은 학생들을 지도하
는 교수가 있는가 하면 적은 수의 학생밖에 지도하지 않는 교수도
있다. 심지어 지도하는 원생이 한 명도 없는 교수도 있다. 빛나는 업
적이 있는 교수를 선택하는 일이 반드시 최선의 선택은 아니다. 지도
자로서의 자질이야말로 가장 먼저 생각하지 않으면 안되는 일이다.
내 경험에 의하면, 온갖 대학에 특강을 나가고, 저작활동을 하는 일
보다 철학박사 논문지도에 최대의 공헌을 하고 있는 교수도 적지 않
다는 것이다. 책의 謝辭에 조용히 그러나 영원히 이름을 남기는 그런
사람이야말로 대학에 공헌하는 귀중한 존재일 것이다. 연구업적과
논문지도를 전부 다 잘 해낼 수 있는 초인적인 남녀 교수도 있을 것
이다. 그러나 나는 지금까지 그러한 사람을 별로 만난 적이 없다. 다
시 말해두지만 중요한 것은 세심한 주의를 기울여 선택하는 것이고,
겉으로 드러난 화려함에 눈이 어두워지지 않도록 해야 한다는 것이
다. 가장 많은 학생들을 지도하고 있는 사람은 누구인가? 그 이유가
무엇인지를 알아내야 한다. 동기생들이나 선배들의 의견을 들어보아
야 한다. 여하튼 물어보는 것이다. 더 많은 질문을 하는 것이다.

3) 孤獨과의 싸움 — 고독이야말로 대학원생의 최대의 敵이다.

연구는 고독한 작업이다. 실험실에서가 아니라 도서관에서의 작업은 더욱 그렇다. 내 경험에 의하면 중앙 도서관 아래로 깊숙이 들어가서 논문을 위한 자료를 모으면서 느끼게 되는 외로움보다 더 지독한 고독은 없다. 아무도 도와주지 않는다. 인기척도 일절 들리지 않는다. 곁에 있는 것은 단지 腐蝕되고 있는 책의 독특한 냄새뿐이다. 나는 正道에 들어선 것인가? 이러한 일을 하고 있는 것은 막대한 시간 낭비가 아닐까? 의혹은 갈수록 커진다. 이러한 상황과는 정반대로 실험실이란 일종의 공동체라고 나는 계속 생각해 왔다. 사려깊고 인자한 과학자의 감독 하에 커피 포트가 있고, 다양한 연령과 기능을 갖고 있는 사람들이 서로 도와가면서 24시간 동안 활동하는 공동체라고 늘 생각해왔다. 아마 과학자가 아닌 나의 다소 낭만적이고 시샘 섞인 생각일지도 모른다. 또 인문학자의 고통을 너무 과장했을지도 모른다. 분명히 이들 두 가지 상황 묘사는 많이 감해서 생각해야 할 것이나 그래도 큰 차이가 남는다. 모든 연구는 고독한 면을 지니고 있다. 기본적인 아이디어는 개개인의 두뇌에서 생각해 내야 하기 때문이다. 인문학과 사회과학의 대학원생들이 한층 더 고독한 이유는 특히 논문을 쓰는데 공동연구를 하지 못하기 때문이다. 논문이란 개인의 능력을 보이는 개개인의 일이기 때문이다.

주변의 상황이 고독에 박차를 가한다. 대학원생의 많은 수는 기혼자이고, 가족을 돌봐야 하는 책임이 있으며, 캠퍼스에서 멀리 떨어져 집세가 싼 지역에 살고 있다. 대학원생들 간의 경쟁은 문제를 더욱 심각하게 한다. 그들은 보통 즐기는 마음으로 상대방에게 이기려고

하는 것은 아니다. 클래스에서나 세미나에서의 경쟁에 그들의 미래
가 걸려 있을지도 모른다. 그렇다면 교수나 세미나를 같이 하는 대학
원생들 앞에서 동료를 깎아 내리고 싶은 것도 당연한 것이다. 이러한
여러 가지 情況으로 인하여 대학원생들의 자신감은 점점 줄어들고,
고독감은 늘어나기 마련인데 이러한 일들이 아직 만사태평인 학부대
학 학생들과는 뚜렷한 대조를 보이고 있다.

　나는 고독과의 싸움에 적용될 수 있는 어떤 일반 원칙도 모르고
있다. 나는 오래 전에 流動性 선호 행진 및 차우더會 창설 회원의 한
사람이었다.[27] 이것은 경제학과 대학원생들이 공부와 사교를 겸해서
정기적으로 집회를 가졌던 작은 모임이다. 그 모임을 계속 운영하고
있는 동안 회원인 우리들은 누구나 다 수혜자들이었다. 이러한 모임
은 학과가 장려하고 지원해주어야 한다고 생각한다. 사회과학에서는
공동연구집회가 실험실과 같은 기능을 하는 장소가 되기도 한다. 보
통 공동연구집회는 경제사, 미국정치, 문학이론 등 하위 분야마다 갖
게 되고, 전용 독서실이 있고 진지한 토론이나 잡담과 그리고 한밤중
에 자기 의혹이 정점에 달해 말벗이 필요할 때에 거의 24시간 모임
장소로 이용된다. 물론 교수도 이 모임의 정식 회원이 되기도 하고,
심야일 필요는 없지만 '9시에서 5시' 이외에는 거기에 있는 것이 좋
을 것이다. 실험실이 공동체가 되는 요소로서 특히 중요한 것은 밤낮
없이 실험실 곁에서 시중들어 주는 사람이 있어야 된다는 것이다. 작
업은 거의 연속적으로 이루어지고, 여러 사람들이 장비를 필요로 하
기 때문에 24시간 준비 태세를 취하지 않을 수 없다. 이런 것들은
다른 분야에서는 별로 없는 일이다. 그렇다고 철학 교수나 대학원생
에게 밤에 일을 하라고 하는 것은 아니다. 다만 자연과학 이외의 분

야에서도 實驗精神을 찾으려는 자각이 필요하다고 말하고 있을 뿐이다. 인문학은 특히 이런 문제를 숙고할 필요가 있다. 고독감을 조금이라도 줄일 수 있는 방법은 적극적으로 장려할 필요가 있다.

4) 처음 任用될 때에 가능한 한 좋은 대학을 선택해야 한다. 다소 경제적인 惠澤이 적더라도 또 昇進 가망성이 없어 보여도 가장 좋은 대학을 선택해야 한다.

나는 종신적 지위를 받게 될 교수직에 매력을 느끼는 것도, 불안정한 대학교수 시장에서 안정을 바라는 마음도 이해할 수 있다. 그러나 바로 그 불안정함 때문에, 많은 새로운 학자들이 가장 기대가 큰 동료나 가장 우수한 대학원생이 앞으로 가져다 줄 장기적인 이익을 과소 평가한다는 것도 알고 있다. 동료들이나 대학원생들로부터 가해오는 挑戰이야말로 신임 교수가 그 능력을 최대한 발휘하기 위한 자극이 될 것이다. 경쟁자가 적고 노력을 하지 않고도 최고의 자리에 오를 수 있는 직장에 있으면 그러한 목표는 좀처럼 이루어질 수 없는 일이다. 우리는 자신이 속해 있는 조직 내에서 끊임없이 도전받는 일을 커다란 은혜로 알아야 한다. 이것이야말로 우리들의 두뇌 발달에 없어서는 안되는 것이다. 기억해 둘 것은 학자생활에서는 질적으로 하향하려는 유인력이 대단히 크다는 것이다. 대학이 신임 교수를 구할 때에는 같은 수준의 대학에서 찾는다. 불리한 조건하에서 별로 우수하지도 않은 대학에서 근무하면 할수록 상위권 대학으로 올라가는 것은 더욱 어려워진다. 어떠한 경우에서도 한번 내려갔다 다시 올라오는 것은 어려운 일이다.

지금까지 내 意圖와는 달리 '피와 땀과 눈물'의 이야기가 되고 말

왔다. 내가 우울한 충고를 했다고 해서 미안한 생각이 드는 것은 아니다. 단지, 대학교수직이란 어떤 것인가를 이해시키고, 앞으로 실망하지 않도록 지금의 현실을 설명하려고 했을뿐이다. 그러나 충고란 사람을 지키고 오류를 방지하기 위해서 하는 것이지 문호를 닫기 위해 하는 것은 아니다. 나는 學究生活도 사생활도 충실히 잘 하고 있는 행복한 대학원생들을 많이 알고 있다. 그리고 대학교수 시장에도 좋은 징조가 나타나고 있다고 보는 동료들도 많다. 유감스럽게도 너무 서서히 진행되고 있지만 노령화 세대가 은퇴함에 따라 고용 기회도 늘어날 것으로 전망되고 있다. 다음 章에서는 현실적인 교수생활의 장점과 그 즐거움을 우선적으로 서술하려고 한다. 여러분, 계속해서 꼭 읽어주기를 바란다.

【註】

1) 괄호 안은 졸업식 席上에서 총장이 학위를 수여할 때 하는 말로써 전문 학위를 필요로 하는 직업분야를 묘사한 것이다.

2) 신학대학원이나 교육대학원의 교수 급여는 대학의 평균 봉급 액수보다 낮으며, 장학금도 얼마 안되고 시설설비는 경영대학원보다 훨씬 초라한 경우가 많다.

3) 치과대학원의 경우에 상상력과 詩情은 사라지고 마는 것 같다.

4) 서둘러 덧붙여 말하면, 1952년에 법과대학원에는 여학생이 거의 없었다.

5) 여성의 경우에는 박사모친이라든가 박사어버이라는 新造語가 필요할지 모른다.

6) American Council on Education, *Fact Book on Higher Education, 1986 ~87*(New York : The Macmillan Co., 1987), 39면. 1976년부터 1985년까지 쓰고 남은 사람 수는 推定値이기는 해도 어느 경우에도 결국 비슷한 수치가 나오고 있다. *The University of Chicago Record*, May 3, 1982, 77~81면 참조.

7) 관련된 수치에 대해서는 B. R. Clark, *The Academic Life*, 35면, 表 3 참조. 동시에 *Fact Book*, 106면도 참조할 것.

8) Harvard University, Faculty of Arts and Sciences, *Dean's Report, 1977~78* 참조. 1899~1900년에 미국 고등교육기관에서 학위를 받은 사람 수는 29,000명, 1949~50년도는 500,000명, 1980년대 초에는 1,300,000명에 도달했다. National Center for Educational Statistics, *Digest of Education Statistics, 1983~84*, 132면, 表 114 참조.

9) 몇 가지 예측에 의하면 1990년대 중반 이후에는 현격한 증가는 없을 것이라고 한다. *Fact Book*, 4면 참조. 그러나 최근의 자세한 조사에 의하면 1997년 경부터 대학입학자는 급격히 늘어나고, 그것이 적어도 2010년까지 계속

될 것이라고 예상하고 있다. W. G. Bowen & J. A. Sosa, *Prospects for Faculty in the Arts and Sciences*(Princeton : Princeton University Press, 1989), 42면 참조.

10) "조사 결과에 의하면 1990년대에 예상되는 퇴직의무 폐지는 교수과잉을 불러일으키지 않는다." *The Chronicle of Higher Education*, Dec. 16, 1987. 이것은 1982년에 퇴직의무 연령을 65세에서 70세로 올렸을 때의 변화에 근거하고 있다.

11) Bowen and Sosa, *Prospects for Faculty*, 126면, 159~61면 참조.

12) M. J. Sovern, "Higher Education—The Real Crisis", *The New York Times Magazine*, Jan. 22, 1989 참조. 동시에 *Fact Book*, 98면 참조.

13) *The New York Times Magazine*, Jan. 22, 1989.

14) *Dean's Report, 1977~78* 및 S. L. Coyle and Yupin Bae, *Summary Report 1986 : Doctorate Recipients From United States Universities*(Washington, D. C. : National Academy Press, 1987), 2~14면 참조. 1970년에서 1986년까지 미국 종합대학교에서 박사학위를 받은 사람 수는 증가하지 않았다. 그러나 외국인에게 주어지는 박사학위는 점점 많아지고 있으며, 지금은 17% 가량이 되었다. 정부의 연구장학금은 生命科學 분야에는 변함없이 많이 지급되고 있으나 다른 분야는 아주 적게 지급된다.

15) *Fact Book*, 22면. 수치는 1984~1985년도의 것. '學外'에서 수입을 보충할 수 있는 大學人이 있는 것은 확실하다. 그리고 3개월간의 여름 방학은 어떻게 생각하는가? 이것과 관련된 문제에 대해서는 다음 篇「교수」에서 논할 것이다. 지금은 '학외'에서의 기회는 市場性이 높은 기술을 가진 비교적 소수의 교수진밖에 없다고 말해주고 싶다.

16) 수치는 Harvard University, Office of Career Services, "Highlights of the Educational and Career Plans of the Summa cum Laude Graduates and the Members of Phi Beta Kappa in the Class of

1987," December, 1987.

17) P. E. Harrington and A. M. Sum, "Whatever Happened to the College Enrollment Crisis?" *Academe : Bulletin of the American Association of University Professors*(Sept. ～Oct. , 1988), 17면.

18) 上揭文, 22면.

19) W. G. Bowen, "Scholarship and Its Survival : Demography," A Colloquium on Graduate Education in America(Princeton, Dec., 1983), 13면.

20) H. R. Bowen and J. H. Schuster, *American Professors : A National Resource Imperiled*(New York : Oxford University Press, 1986), 197～198면.

21) 경고로서는 P. D. Syverson and L. E. Foster, "New Ph. D.'s and the Academic Labor Market," Office of Scientific and Engineering Personnel(National Research Council), Staff Paper No. 1, Dec. , 1984 참조.

22) 주된 분야별 내역은 자연과학과 공학이 7.4년, 생물과학이 7.9년, 사회과학이 9.3년, 인문학이 11.1년이다. 이 수치들은 전 고등교육에 대한 것이며, 교수가 되는 학생뿐만 아니라 각각 전문직으로 나가는 학생도 포함되어 있다. 교수가 되는 학생만 고려하면 이 수치는 평균 14.1년이 된다. 최상위권 대학은 비교적 효율적으로 대학원생들에게 과정을 마치게 하고 있는 것 같다. 하버드대학에서는 학사에서 박사까지 평균 연수는 6년이다. 그래도 충분히 긴 것은 아닐까! *Fact Book 141*면 참조.

23) 철학박사는 학자생활을 지향한다고 서술했으나 그래도 상당수의 철학박사가 고등교육계 이외의 분야에서 종사하고 있다. 1984～85년의 조사에 의하면 미국의 철학박사 중 57%가 대학교수가 되었다. 제 2차대전 이후부터 지금까지 가장 높았던 해는 1975～76년의 70%이다. Bowen and Schu-

ster, *American Professors*, 179면 참조.

24) 최고 수준을 유지하고 있는 대학은 연구중심 종합대학교 뿐만 아니라 100
여 개 정도의 질 높은 단설 학부대학이 있다.

25) 그 동안 차별한 것에 대한 차별 수정 조치의 효과에 대해서 이미 논했다.
그리고 여성, 흑인, 중남미계 미국인 등 '대표자가 적은 소수파'가 有利한
것도 분명하다. 앞으로 종합대학교에서는 이러한 사람들을 교수로 맞이하려
는 노력이 계속될 것이다. 이 범주에 속하는 사람은 이런 유리한 입장을 이
용하는 것이 가능하며 또한 이용하여야 할 것이다.

26) 오스트리아 경제학자 J. A. 슘페터는 1930년대와 1940년대에 하버드대학
에서 강의를 하였는데, 이 교수는 3종류의 A를 매겼다고 한다. 외국 유학생
전원에게 자동적으로 주는 中國 A, 그 당시 아주 조금밖에 없었던 여학생 전
원에게 주는 女性 A, 그 외 클래스의 모든 학생에게 주는 普通 A였다.

27) 경제학자라면 유동성 선호란 케인즈가 제안한 이자율 결정 因子라고 금방
알 수 있을 것이다. 二重의 意味가 있다는 것은 명백하며 이것이 유감스럽게
도 대학원생의 전형적인 유머인 것도 사실이다.

3

教　授

제 9 장　학자생활 : 그 장점과 단점

제 10 장　종신재직권 : 그 의미

제 11 장　종신재직권 : 전형적인 사례

제 12 장　탈진, 질투 그리고 다른 유형의 고통

제 13 장　시장성으로 본 대학

대학,
갈등과
선택

제 **9** 장

學 者 生 活
그 長點과 短點

　대부분의 사람들에게 아침에 일하러 나가는 것은 즐거운 일이 아니다. 일은 단조롭고 기계와 출퇴근 기록시계 그리고 권위적인 직장 上司가 부과한 규율에 억눌리게 된다. 공장의 물리적인 환경은 매력이 없고 소란스럽다. 육체적으로 괴로운 일은 노동자에게만 한정되어 있는 것은 아니다. 약 40여 년 전 젊은 시절에, 나는 뉴욕에 있는 메이시 백화점의 완구 매장에서 수개월 동안 일한 적이 있다. 일주일에 두 차례 일을 했다. 백화점은 아침 9시부터 밤 9시까지 영업을 하였는데, 그 긴 시간을 카운터 뒤에 서서 보내는 것은 정말 고통스러웠다.

관리직 수준이 되면 또다른 苦惱가 있다. 복장에 관한 묵시적인 규칙, 정치에 관한 암묵적 규정 그리고 생활방식에 이르기까지 조정을 받는다. 게다가 일을 하면서도 후에 겪게 될 퇴직이나 해고라는 것을 생각해야 되며, 쇠퇴해 가는 산업계의 절망적인 실업상황에 대해서도 대처하지 않으면 안된다.

물론 누구나 이러한 상태에서 일하고 있는 것은 아니다. 많은 근로자들이 자신의 일에 만족하고 있으며, 疎外는 싫증나게 남용되어 온 개념이다. 그럼에도 불구하고, 많은 사람들이 주로 생계를 위해 즐거움도 없이 일하러 다니고 있는 것이다. 내가 관찰한 바에 의하면, 최상위권 대학의 교수들은 자신의 일에 대해 훨씬 더 긍정적인 태도를 보이고 있으며, 이를 뒷받침하는 몇 가지 증거도 있다.[1]

그 이유 중의 하나는 미국의 단설 학부대학이나 연구중심 종합대학교가 매력적인 환경 속에 있다는 것이다. 캠퍼스라는 말을 듣고 상상할 수 있는 것은 잘 가꾸어진 정원수와 잔디, 훌륭한 건축물이 펼쳐져 있는 情景이다. 미국 최고의 건축물 중 상당 수가 대학 구내에 있다. 나는 윌리엄 앤 메어리, 유시 버클리, 하버드 등 세 대학에서 각각 오랜 기간을 지내 왔고, 많은 대학을 방문한 경험도 있다. 윌리엄 앤 메어리대학에는 C. 렌(Christopher Wren : 1632~1723, 영국의 건축가, St. Paul's 대성당을 지음—역자 주)卿의 설계로 건축된 미국에서는 '아마도' 유일한 건축물이 있다. 아름답고 간소한 벽돌로 지은 이 건물 안에는 교회, 강당 그리고 강의실이 있고, 한 단계 아래로 경사지게 만들어진 정원은 아주 인상적이다. 윌리엄 앤 메어리대학의 모든 것은 식민지 시대의 윌리엄스벅(Williamsburg, VA : 윌리엄 앤 메어리대학 소재지—역자 주)과 우아하게 조화되어 동해안에서 가장 아름다운 명소 중의 하나가 되었다.

유시 버클리는 캘리포니아대학 캠퍼스 중의 하나이다. 한 때 에덴동산이었던 이 學園도 주정부의 관료주의와 제 2차 대전 후 확장으로 인하여 옛날의 모습은 많이 없어졌다. 그럼에도 불구하고 이곳보다 더 멋진 경관을 가진 축복받은 장소는 없다고 해도 과언이 아니다. 構內의 여기 저기에서 샌프란시스코灣의 조망을 즐길 수 있고, 안개에 싸인 버클리는 그 나름의 독특한 신비로움을 더해준다. 오래된 건물의 대부분이 19세기 말 캘리포니아 최고의 창조성을 지금까지 전해주고 있다.

하버드 야드와—다른 대학에서는 캠퍼스라고 말하는 곳—그 주변은 마치 3차원에 펼쳐지는 미국과 유럽 건축의 역사라고 말해도 좋을 것이다. 하버드 홀과 매사추세츠 홀은 독립전쟁 이전에 세워진 건물로 지금도 사용되고 있다. 야드에서 가장 멋진 건물인 회색 석조로 된 유니버시티 홀은 19세기 초 C. 불핀취(Charles Bullfinch : 1763∼1844, 미국의 건축가—역자 주)의 설계에 의해 지어진 것으로 내부에는 文理科大學 학장실이 있다. 그 앞에는 D. C. 후렌치(Daniel C. French : 1850∼1931, 미국의 조각가—역자 주)가 이상화하여 창작한 존 하버드像*이 있어, 연중 관광객의 발길이 끊이지 않고 있다. 그 외에도 야드

* 존 하버드의 靑銅像은 유니버시티 홀 앞에 자리잡고 있는데, 그 碑文에 새겨져 있는 세 가지 잘못된 사실을 바로 잡으면 다음과 같다. 1. 존 하버드는 하버드대학의 設立者가 아니다. 2. 하버드대학의 설립 연도는 1638년이 아니고 1636년이다. 3. 존 하버드의 像은 실제 人物이 아니라 1882년도에 졸업한 美男 학생을 조각가 D. C. French가 鑄造한 것이다. 자료:*Harvard at a Glance*, 1995.

안에는 기숙사와 와이드너 도서관, 메모리얼 교회 그리고 르 코르뷰 제의 설계로 이루어진 카펜터 시각 예술센터가 있다.(北美에서 르 코르뷰제가 설계한 건물은 이것 뿐이다.)

나는 우리들이 일하는 곳의 환경이 굉장히 중요하다는 관점을 다시 강조하고자 한다. 나는 꾸준히 변화하는 하버드 광장을 지나 야드로 들어오는 매일 아침 그러한 것을 느낀다. 여기는 오아시스이고, 사계절 내내 눈과 마음을 즐겁게 해 주며, 하루 일이 상쾌하게 시작되는 곳이다. 유리로 된 塔의 인공적인 환경에서 하루를 보내기 위해 보스턴의 도심지로 들어서는 이웃들이 가엾게 느껴진다.

캠퍼스의 매력은 건축과 조경에만 있는 것이 아니다. 사람들은 대학 주변에 모여든다. 그 분위기가 좋기 때문이다. 대학들이 많이 모여 있는 보스턴은 미국 젊은이들의 중심지로 일컬어진다. 정신과 의사와 성공한 기업가들은 하버드가 있기 때문에 케임브리지에서 살고 있는 것이다. 이들 이외에 누가 그렇게 비싼 토지를 매입할 여유가 있을까? 그들에게 있어서 캠퍼스는 박물관, 미술관, 도서관, 강연장 등 무료 공연이 가득한 서커스場과 같은 곳이다. 학생들도 그들의 흥미있는 대상이다. 학생들은 복장, 음악, 영화, 음식 등 최신 유행의 시발점이기도 하고, 그러한 유행을 따르기도 한다. 학생 가까이 있다는 것은—옆에 있으면서 때때로 떨어질 수 있는 만큼의 거리를 갖는—중년의 사람들에게 젊음의 활력을 느끼게 한다. 케임브리지나 버클리 뿐만 아니라 스탠퍼드대학의 소재지인 팔로 알토, 노스캐롤라이나대학이 있는 채플 힐 그리고 미시간대학의 앤 아아버 등이 대학과는 관계없이 중상류층의 사람들에게 인기있는 주택지가 되고 있다.

그러나 교수가 하는 일 가운데 중요한 것은 환경이 아니라 내용이다. 여기에서도 학자생활의 장점이 명확해지는 것이다. 아나폴리스에 있는 세인트 존스대학(St. John's College : 1784년 설립 Annapolis, MD-역자 주)에서 개인지도 교수를 하고 있는 나의 부친의 친구는 왜 그 직업을 선택했는지에 대한 물음에 '책을 읽는 것이 무엇보다도 좋기 때문이라고' 대답했다. 대학교수는 책을 읽는 것에 대해 報酬를 받을 수 있는 유일한 직업이다. 학자생활의 근본은 자기 자신에게 투자를 계속하는 기회라는—실제로는 요구 사항—것이다. 일생 동안 지적인 자본을 쌓고 또 새롭게 하는 독특한 기회인 것이다. 가르치는 것이 최대의 만족이라는 사람도 많다.[2] 그러나 어떤 사람들은 연구하는 것이 더 중요하다고 생각한다. 연구는 지적 호기심을 만족시켜 주고 발견의 기쁨과 영광을 키워준다.

그렇다면 정신 노동을 하는 직업은 모두 그런 것 아닌가? 그리고 모든 교육 수준에서의 교사들이 그런 것 아닌가 하는 의문이 생길지도 모른다. 그것은 확실히 정도의 문제이겠지만 그 차이는 크다. 내가 주로 논의해 왔던 연구를 강조하는 종합대학교에서는 시대 변화에 동참하기 위해 대단한 노력과 시간을 필요로 한다. 예를 들면, 현대 생물학은 1950년대에 J. 와트슨(James Watson : 1928~ , 미국의 생화학자, 1962년 F. Crick과 노벨상 공동 수상—역자 주)과 F. 크릭(Francis Crick : 1916~ , 영국의 생물학자, 1962년 J. Watson과 노벨상 공동 수상—역자 주)이 유전 因子의 암호를 解讀한 이래로 새로운 지식과 함께 급격히 발달해 왔다. 더구나 연구 현장에 있는 학자들은 한정된 좁은 분야의 것이긴 하지만 새로운 발견에 뒤떨어지지 않기 위해서는 거의 전 시간을 연구에 투입해야 할 정도라고 호소하기도 한다. 게다가

'정말 시간이 없다.'는 이유로 강의 부담을 줄여 달라는 요구가 계속되고 있다. 학장으로서 그 말이 의심스럽기도 하지만, 한편으로는 그들의 입장을 이해할 수도 있다.

컴퓨터 과학이나 물리학 분야도 그다지 큰 차이가 있는 것은 아니지만, 그런 압박감과 긴장감을 받는 가장 극단적인 학문의 예를 들면 그것은 현대 생물학일 것이다. 이것은 자연과학에 국한된 특유의 현상도 아니다. 나는 1950년대 초 하버드대학교 일반대학원에서 경제학박사 과정을 마쳤다. 그 당시만 해도 수학에 관한 지식은 경제학의 수단으로서 절대적인 필수 분야라고 여겨지지 않았다. 그러나 10년도 채 안되어 계량경제학과 수리경제학을 모르면 전공 서적을 읽는 것조차 불가능한 상황이 되었다. 경제학에서 일어난 이와 같은 현상이 이제는 양적 모델의 사용이 증가하고 있는 정치학에서도 일어나고 있다. 인문학 분야의 학자들은 이런 변화에 대해 필사적으로 저항하고 있으나 그들조차도 이러한 종류의 혁명을 누그려 뜨릴 수는 없다. 최근 20년 사이에 문학이론이나 기호론, 신역사주의의 영향이 커지고, 게다가 새로운 이론 구성, 서로 다른 어휘나 종래와 다른 철학적 가정이 도입되고 있다. 그러므로 학자들도 새로운 기능을 익혀야 하며, 새롭고 난해한 논법을 배워야 한다는 압박을 받고 있는 것이다.

이와 같은 예들은 학자의 연구활동에 관한 어려움을 생각나는 대로 나열한 것에 지나지 않는다. 이보다 더한 압박이 대학원 원생들로부터 온다. 장차 학자가 될 사람은 오직 미래에만 눈길을 돌린다. '최첨단에 서 있다'는 것은 그들에게 성공의 열쇠이다. 전통에 얽매이는 것은 위험한 일이다. 교수의 역량은 지도하는 대학원생의 수와 질에 의해 판정되는 것으로, 가장 최신의 사정을 '잘 아는 상태'에 있으려고 하는 자극 역시 상당히 있을 것이다.

학자생활은 이와 같이 끊임없이 움직이는 세계이다. 변화가 학문 분야에 혁명을 일으키는 일도 있고, 전혀 새로운 분야가 생겨날 수도 있으며, 태어나서는 곧 잊혀지게 되는 단명한 혁신도 있다. 새로운 思想은 새 것과 오래된 것을 고수하려는 것 사이에 갈등을 야기시키면서, 오래된 방식을 버린 많은 사람들의 생활을 비참하게 할 수도 있다. 학자라면 누구나 일생동안 이러한 근본적인 난제에 직면하게 될 것이다. 이것은 부담이기도 하고 도전이기도 하지만 학자생활의 매력 중의 한 가지이기도 하다.

知的인 투자는 다른 사람들로부터의 도전에 대응하기 위한 것만은 아니다. 동료와는 별로 관계없이 오직 자신의 아이디어를 추구하고 있는 학자들도 많다. 동기가 무엇이든 연구라는 행위는 두뇌를 재생시키고 본인에게도 많은 잠재적 이익을 가져다 줄 수 있는 것이다. 이런 도전과 기회는 다른 직업에도 어느 정도 있겠지만 그리 많지는 않을 것이다. 연구와 사물에 대한 새로운 견해와의 융합이야말로 연구중심 종합대학교의 특징이 아닐까 생각한다. 틀에 박힌 일에 대한 반복작업이 다른 어떤 직업보다도 적기 때문이다.

나는 미국 상위 50위 내지 100위 안에 드는 대학의 종신재직 교수를 염두에 두고 있지만, 학자생활의 또다른 결정적인 장점으로는 상사가 없다는 것을 들 수 있다. 상사는 무엇을 하라고 명령하고 그 명령에 따를 것을 요구할 수 있는-자유에 대한 제약이지만-사람이다. 행정직으로서 학장인 나의 상사는 총장이다. 나는 총장의 뜻에 따라 일하고, 그는 나에게 명령하는 입장에 있으며 또 사실상 그러하였다. 그러나 교수로서 나는 동료로부터의 압박 이외에 나를 지배하는 것을 인정하지 않는다. 비도덕적이라고 비난받는 것 이외에는 무서운 것이 없고, 무엇보다도 그런 것은 있을 수도 없다. 연구중심 종합대학교에서의 연구와 교육만큼 현장에 있는 인간에게 자율과 안정을 함께 보장해주는 직업이 또 있을까? 이 점을 좀 더 자세히 살펴보자.

1950년대 초 캘리포니아대학은 캘리포니아주에 고용되어 있는 공무원은 반공산주의를 표방하는 忠誠宣誓에 서명해야 한다는 주정부의 요청 때문에 일대 논란이 일었다. 당시는 맥카시와 '공산주의의 威脅'시대였다. 주와 연방의 非美活動委員會가 나라를 휩쓸었다. 대학 내외에서 선언서에 반대하는 소리가 있었으나 결국은 거의 모두가 서명을 하였다. 그러나 몇몇 교수들은 서명을 거부하였고 마침내 해고까지 당하게 되었다.

그 중에서도 가장 흥미있는 것은 유명한 中世史家이며 독일의 히틀러 체제로부터 망명해 온 E. K. 칸토로비치 교수의 거부였다. 이 교수는 충성선서의 요구에 대해서 특별히 반대하지는 않았다. 그렇다고 찬성하는 것도 아니었다. 오히려 더 깊은 의미에서의 반대였다. 그는 캘리포니아주에 고용되어 있는 공무원으로 분류되기를 바라지 않았다. 칸토로비치 교수는 교수직이 직무상의 규정에 구속되어 있는 대학직원과 같은 부류로 취급될 수 없다고 믿었다. 교수직은 특별한 직업이다. 공무원이나 직원은 정해진 근무 시간만 일하고, 만약 더 일하면 초과 근무 수당이 지급된다. 구체적인 일이 부과되고 보통 일과 휴가가 확실히 나뉘어 있고 수행하는 업무는 비개인적인 것이다. 구두를 살 때 누구에게서 사는가 하는 것이 문제가 될 수 있을까?

칸토로비치 교수 자신의 말이 있다.

가운을 입을 수 있는 자격이 주어지는 직업이 세 가지 있다. 判事와 聖職
者 그리고 學者이다. 이러한 가운은 입고 있는 사람의 정신적 성숙과 판단의
자율성 그리고 자신의 양심과 자기가 믿는 신에 대한 직접적인 책임을 나타
낸다.

가운은 이들 세 개의 서로 관련된 직업의 정신적 독립을 의미하고 있다.
행위를 강요받고 압력에 굴복하는 것이 조금이라도 있어서는 안되는 직업
이다.

대법원의 판사가 법정에서 피켓을 든다든지, 주교가 자신의 교회에서 피켓
을 든다든지, 교수가 자신의 대학에서 피켓을 들고 있는 것을 상상하는 것이
왜 그렇게 우스꽝스러울까? 무슨 까닭일까? 대답은 참으로 간단하다. 판사
는 법원 그 자체이고, 성직자는 신자와 더불어 교회 그 자체이며, 또 교수는
학생과 함께 대학 그 자체이기 때문이다. …… 그들은 그 기관들 자체이고
따라서 법정의 廷吏, 교회지기, 敎區 하급직원, 대학의 용역 직원에게는 없
는 특권을 그 기관에 대해 그리고 기관 내에서 갖고 있는 것이다.[3]

칸토로비치 교수가 나타낸 차별성은 대단히 중요하다. 즉, 우리 교
수들은 공무원으로서 급여를 받지만, 예술가로서의 자유를 누린다는
것이다. 이것에는 특정한 의무가 따르게 된다. 대학이 부여한 공식적
인 의무는 극히 적다. 1년에 8개월 동안, 일주일에 6~12시간 강의
를 하면 된다.[4] 그러나 대부분의 교수는 그것보다 더 긴 시간 일을
하고, 책상 앞에서나 실험실에서 밤을 지새우는 경우도 많다. 자신들
의 문제를 토론하고자 찾아 온 학생들에게 오늘은 휴가를 얻었으니

다른 교수를 찾아가라고 말할 수는 없다. 天職으로 생각하고 일을 하며 자신은 대학에 고용되어 있는 것이 아니라, 이른바 대학의 株主의 —소유 집단—일원이라고 생각하고 있다. '株價'는 경영의 질과 제품에 의해 결정된다. 우리들은 가능한 한 높은 상태로 주가를 유지하려고 노력한다. 우리들은 이 직업을 즐기고 있고, 사회적 가치가 아주 높은 일을 하고 있다고 믿고 있다.

칸토로비치 교수의 이름으로 한번 더 예로 들어야 겠다. 1963년 그가 사망했을 때 실로 짓궂은 사태가 발생하였다. 그 당시 그는 뉴저지주에 있는 프린스턴의 고등학술연구소의 교수 지위에 있었다. 샌프란시스코「크로니클」紙는 그가 캘리포니아주에 있었을 당시 저명 인사였으므로 그의 죽음을 기사화 하였다. 그런데 우리 동료들 중에는 이름이 잘못 기재되는 결례에 익숙해져 있는 사람도 있긴 하지만, 칸토로비치 교수의 이름 철자를 카토로비치라고 틀리게 쓰는 누를 범하고, 게다가 사망 기사에 "그는 1939년부터 1950년까지 캘리포니아의 유시 버클리에 '고용'되어 있었다."[5]라고 쓴 것이다.

종신재직 교수들의 특권은 이 밖에도 몇 가지 더 있다. 安息年은 특히 마음에 드는 관습 중의 하나이다. 대학교수가 정신적인 재충전을 위해 7년마다 한 번씩 가르치는 의무에서 해방되는 실로 고마운 제도이다. 이 재충전의 해에는 급여는 줄지만, 연구비 또는 기타 보조로 그 부족분은 보충되어 진다. 교수들은 안식년을 제일 좋아한다. 여러 가지 연구계획을 완수할 수 있고, 여기 저기 방문할 수도 있으며, 멀리 떨어져 만나기 어려운 동료들을 만나러 갈 수도 있기 때문이다. 교수들 중에는 열렬한 여행가들이 많고, 안식년 동안 이와 같은 생활방식은 그들의 이러한 본래의 성향에 박차를 가한다. 교수들 중에서 가장 우수한 학자들은 실로 국제적 名望이 있는 집단들과도 관계를 갖는다. 게다가 연구 주제의 상당 부분이 여행과 외국에 거주하는 것을 필요로 하기도 한다.

나의 경우는 조금 예외일지도 모른다. 나는 군인으로서, 대학원생으로서, 선생으로서 또는 연구자로서 5년 가까이 일본에서 살았다. 영국이나 인도네시아, 이스라엘에서도 상당히 오랫동안 강의하고, 연구하였으며, 자문 역할도 하였다. 회의에 참석하기 위해 방문한 나라는 셀 수 없을 정도로 많다. 이러한 활동은 일과 즐거움을 함께 가져다 주기 때문에 부가 이득이라고 할 수 있다. 최상위권 대학의 교수들은 '빈번한 여행객'으로서 우위를 차지하고 있는데, 나는 조종사와 승무원, 프로 운동선수보다는 덜 하지만 외판원과는 비슷한 수준이 아닐까라고 생각한다. 물론 지나침은 있으나 내 동료 중에서도 '팬 아메리칸 생물학 교수'라든가 '스위스 항공 물리학 교수' 그리고 'El Al 사회학 교수'라는 심한 야유를 받는 동료들도 있다.

학자의 관습에 관한 최근의 연구에서—최근 20년 간 학자생활에 혁명을 가져다 준 세 가지를 제트기와 직통 전화기 그리고 복사기라고 처음 지적한—소설가 D. 로쥐는 시종 열려 있는 우리의 學會에 대해 이렇게 이야기하고 있다.

현대의 학회는 중세 그리스도교도의 巡禮와 닮았다. 참가자는 심각한 얼굴로 자기 개선에 힘쓰는 모습을 하면서 여행의 여러 즐거움에 잠길 수 있다. 논문 발표라든가 다른 사람의 보고를 듣는 따위의 회개하는 일은 확실히 해야 할 것이다. 그러나 이러한 것을 구실로 새롭고 재미있는 곳을 여행하고, 초면인 사람과 재미있는 사람들을 만나고, 그들과 관심 분야에 대해 관계를

맺고 잡담이나 비밀을 나눌 수 있는 것이다.(매우 진부한 이야기가 상대에게
는 신선함을 줄 수도 있고, 그 반대가 될 수도 있다). 매일 밤 동료들과 먹
고, 마시고, 그들과 어울리지만, 결국에는 진실한 사람이라는 평판을 높이고
돌아올 수 있는 것이다. 게다가 오늘날의 학회 참석자에게는 예전의 순례자
에게는 없었던 부가적인 利點까지 있다. 비용은 가장 자주 행해지는 것이 대
학의 부담이지만 보통 정부에서든, 회사에서든, 어쨌든 그들이 소속된 기관
이 전액 혹은 적어도 일부를 부담해 주는 것이다.[6]

근거없는 주장들이 실제보다 더 명백하게 보일 수도 있다. 다시 말
해서 현실은 이처럼 심각하지 않다는 것이다. 나의 옛 동료였던 C.
M. 루비아(Carlo M. Rubbia : 1934~ , 이탈리아 물리학자, 1984년 노벨
상 수상—역자 주)는 1984년에 노벨 물리학상을 받았다. 그는 하버드
대학의 교수로 素粒子에 대해 연구하는 高에너지 물리학자로서 대형
가속기가 필요했다. 그러나 매사츄세츠주의 케임브리지에는 대형 가
속기가 한 대도 없었다. 국내의 다른 곳에서도 부적당하여 루비아는
스위스의 제네바에 있는 유럽 핵 연구 센터로 활동의 場을 옮겼다.
실험을 하기 위하여 격주로 해외에 나가야 하기 때문에 케임브리지
를 떠나있는 일이 많았다. 현명한 루비아는 7일 정도마다 한번씩 가
장 싼 豫賣 할인표를 구입하여 그것을 교대로 사용하였는데, 이것은
사용자가 15일 이상 외국에 체재해야 하는 조건이 뒤따르는 것이다.
스위스 항공사의 사람과 친하게 되어 항상 일등석으로 바꾸어 탄다
고 들었다. 이것은 노벨상을 수상하기 바로 전의 일이다. 나도 서해
안 여행을 자주 하면서 대개는 스탠퍼드 線形加速器를 사용하기 위
해 이동중인 한두 사람을 볼 수 있었다.

안식년과 여행의 밀접한 관계는 적어도 교수의 입장에서 볼 때, 학자생활의 또다른 장점이다. 교수직의 자율성과 함께 상사가 없다는 것, 그리고 공식적인 직무가 가볍다는 것 등은 이미 언급한 바 있다. (비공식적인 업무를 진지하게 수행하려고 할 때면 노력과 시간이 많이 필요하며, 그것이 일반적인 경우이다.) 교수는 타인이 생각할 수 없을 만큼 자신의 시간을 가질 수 있으며, 그 일부를 '學外의 일'에 배당하는 것이 일반적으로 인정되고 있다. 긴 휴가를 그러한 목적에 이용할 수 있는 것이다. 게다가 하버드대학이나 다른 대학에서도 교수는 일주일에 하루를 대학 이외의 활동에 사용해도 좋게 되어 있다.[7]

'학외의 일'에는 여러 형태가 있고, 그 경계를 규정하기도 어렵다. 일반적으로 公務는 장려되지만, 무엇이 공무에 해당되는지에 대해서는 견해가 구구하다. 정치후보자를 위해 선거전에 참여하는 것과 議會의 위원회에서 전문가로서 증언하는 것과의 사이에는 명확한 차이가 있다. 그러나 예를 들어, 정부의 일을 위해 1년 또는 그 이상의 기간동안 대학을 무급 휴직하는 것 같은 공무는 호의적인 눈으로 보고 있다.[8]

교수진의 대다수는 결코 아니지만, 일부 교수들은 학외의 일로 급여 이외의 돈을 버는 기회도 갖는다. 하버드대학에서는 대단히 드문 경우지만 어떤 교수가 파이린즈백화점의 시간제 판매원이 되었던 예도 있다. 사기업체에서 자문 역할을 하고 있는 교수는 더 많으며, 그 활동은 보수도 상당하다. 회사를 설립하여 성공한 사람들도 있다. 故人이 된 동료이자 저명한 경제학자인 O. 엑스타인(Otto Eckstein : 1927~?, 미국의 경제학자, 임금과 가격 이론으로 유명 — 역자 주)은 경제 예상 기업으로서 크게 성공한 DRI의 창설자이다. 하버드대학 교수가 시작한 생물 유전자 공학에 관련된 회사가 적어도 다섯 개는 될 것이다. 강연 여행을 떠나는 교수도 많고, 음악회를 열 수 있을 정도의 솜씨를 갖고 있는 교수도 있다. 대학원에 따라서는, 특히 경영대학원에서는 간단히 회사의 理事가 될 수 있다. 저술활동으로도 큰 재산을 모을 수도 있는데, 지난 30여 년 동안 하버드대학에 재직했던 J. K. 갤브레이스 명예교수가 좋은 예이다.

학외의 일에는 중요한 부정적인 측면도 있다. 그 상세한 것은 뒤로 미루기로 하고, 여기서는 한 마디만 말해 두고 넘어가겠다. 대학 밖에서 일하는 능력은 우리가 사용하는 대학의 이름과 밀접하게 관련되어 있다. 최상위권 대학에 재직하고 있으면 그것만으로도 대단한 힘이 된다. 경제학적으로 말하자면 대학과의 관계로부터 超過利潤을 얻게 되는 것이다. 학외 인사가 독자적으로 교수의 능력을 판정하는 것은 여간 어렵지 않기 때문에 때로는 현명하지 못하지만 하버드대학 교수라는 직함을 신용하게 된다. 그러나 이것은 개인이 소속된 기관의 일부를 파는 것이 된다. 물론, 대학의 명성을 외부에 팔 수 있는 교수들은 비교적 소수이다. 전문대학원의 경우는 사정이 다르므로 별도로 본다면, 학외에서의 돈은 거의가 과학자, 경제학자, 그리고 일부 사회과학자들의 몫이 된다. 역사 교과서나 영어 교과서가 많이 팔리는 경우도 있지만 상상하는 것만큼 많지는 않다. 이 점에 대해서 신뢰할 수 있는 숫자는 모르지만, 추측하건대 하버드대학교 문리과대학에서 급여의 20% 이상을 학외에서 버는 교수는 전체 교수 중에 3분의 1정도 밖에 없을 것이다. 20%를 훨씬 넘는 사람은 아주 적을 것이다. 학자생활의 경제적인 면에서 대부분의 사람들에게는 급여가 차지하는 비율이 더 높다고 생각해도 좋을 것이다.

아래 사람들이 보는 견해

동료들 특히, 종신재직권이 주어지지 않은 교수들(제 10장 참조) 중에는 교수직과 그 즐거움에 대해 나와 견해를 달리하는 사람들이 있을지도 모르겠다. 그들은 내 말이 독선적이고 자기 만족적이며 '성공한' 사람을 칭찬하여 쓴 것으로, 지금도 필사적으로 계단을 올라가고 있는 젊은 학자나 정상까지 다다를 희망이 없는 학자와는 아무런 관계가 없는 것으로 생각할 것이다. 그 기분은 잘 알 수 있다. 그러나 처음부터 종신재직 교수였던 사람은 아무도 없으며, 누구라도 같은 고통을 경험해 온 것이다. 다만 때때로 변하는 것은 학자로서의 경력이 시작되는 시점에서 대학교수직의 시장 상황이 다른 것뿐이다. 예를 들면, 1950년대에는 구직자에게 보통 10년이 지나도 좋은 직장을 찾기가 어려웠다. 내가 일본에서 연구하고 있었던 마지막 해(1957∼58년)가 생각난다. 이미 처자가 있었으므로, 본국에서 일자리 제의가 오기를 간절히 기다리고 있었다. 마침내 유시 버클리에서 제의가 온 것은 봄이 거의 지나서였고, 그것이 유일한 제의였다. 이와는 대조적으로 1960년대에는 스푸트니크 충격*과 偉大한

---

* 1957년 소련이 최초로 人工衛星(Sputnik)을 발사하게 되어 미국은 朝野가 들끓었다. 우선 학계, 교육계가 깊은 省察을 하게 되었다. 진보주의 敎育思潮에 터한 지나친 兒童中心 교육을 반성하면서 1959년 34명의 학자, 교육자들이 Woods Hole에서 초·중등학교 수학, 과학교육 개선을 위한 10일간의 회의를 개최하였다. 이 회의에서 논의된 것들을 토대로 J. S. Bruner가 「敎育의 過程」을 출간하면서 知識의 構造를 강조하는 학문중심 교육과정으로 미국교육은 대전환을 하게 되었다. 따라서 초·중등학교에서 수학, 과학교육이 중요하게 다루어지면서 대학에서 수학자, 과학자의 수요가 기하급수적으로 늘어갔다.

社會(미국 제36대 Lyndon B. Johnson 대통령이 1963년에 내세운 사회개혁 정책—역자 주) 정책 덕분에 국내의 모든 대학들이 큰 규모로 확장되어 교수의 수요가 현저히 증가하였다. 물론 수요의 대폭적인 초과로 인하여 교수 채용 기준이 저하되었음은 사실이다. 1970년대의 거의 전기간과 80년대 전반은 정부의 교육 축소정책과 불황으로 인한 物價高 때문에 대학교수직 시장은 비극적인 상황이 되었다. 대부분의 우수한 젊은 학자들이 자리를 구하기 힘들었다. 최근에는 제 2차 대전 후 곧바로 학자가 된 세대가 70세에 가까워져 오고 있고, 경제면의 대체적인 향상으로 인한 혜택에 의해 고등교육 기관의 상황이 호전되어 가고 있다. 젊은 교수들이 교수직과 승진을 두고 서로 경쟁하는 분위기는 명백하게 대학교수직 市場에서 그들 자신의 기회와 밀접하게 관련되어 있다. 몇몇 천재나 천재에 가까운 사람들은 언제든지 수요가 있지만, 그 이외에는 뛰어난 재능의 소유자일지라도 윗자리에 공석이 얼마나 있느냐에 따라 상황은 크게 변한다.

　市場力의 강약만이 이야기의 전부는 아니다. '승진 아니면 탈락'이라는 제도, 결국 가채용 제도(제 10장 참조)의 결과는 '少壯 교수들'에게 항상 냉엄한 상황으로 비춰진다. 그 말을 쓰는 것 자체가 우월감을 의식하면서 짐짓 겸손하게 구는 분위기를 자아낸다. 젊은 교수들도 모두 철학박사 학위나 이에 준하는 학위를 갖고 있다. 성인으로서 거의가 30代이며 그 분야에서 국제적인 권위를 인정받고 있는 경우가 많다. 전문적 능력이나 최신 연구방법의 숙달도는 보다 최근에 공부한 탓으로 원로 교수들을 능가하는 경우도 많다. 교육, 연구, 자문 또는 위원회 활동 면에서도 그들은 원로 교수와 동일한 임무를 수행하고 있다. 사실, 젊은 교수들은 언제나 제일 궂은 일을 담당하게 된다. 인기없는 필수과목, 역시 인기없는 학생지도, 아침 8시에 시작하는 수업이나 금요일 오후 늦은 수업 시간을 배당 받는다. 마지막으로 종신재직권이 없는 교수들은 원로 교수와 똑같은 일을 하고도 봉급은 절반밖에 안되고 지위는 낮으며, 특전이 적고 장래가 불안정한 것 등 매우 이해하기 어려운 상황에 처하게 된다. 이것이 대학교수직을 가장 이상하고 소원하게 하는 상황이다.

또다른 계급조직으로서 예를 들면, 군대의 경우 장교는 위관급, 영관급, 장성급으로 나뉘고 각각의 보수와 특권도 다르다. 계급은 각각의 선임 순위, 의무, 책임을 잘 반영한다. 소대를 지휘하는 것과 군단을 지휘하는 것은 같은 일이 아니다. 일을 잘 해내기 위해서 장군은 부관보다 더 많은 참모를 필요로 하는 것이다. 동료와 보조자의 구별이 있는 변호사회사가 대학에 더 가까울지도 모른다. 그러나 이곳에도 여전히 대학과는 다른 점이 있다. 변호사회사의 보조자는 흔히 동료를 도와주기도 하고, 동료의 감독 아래 일을 하기도 하는데, 이러한 점은 대학과 전혀 다른 상황이다. 대학의 조교수는 누구를 돕는 사람이 아니고, 부교수는 누구에게 부속된 사람이 아니다. 정교수와 같은 일을 하면서 낮은 급여를 받고, 비서를 거의 두지 못하는 독자적인 학자들의 단순한 호칭에 불과하다. 외부 사람들에게 또 내부의 많은 사람들에게도 이 모든 것은 搾取로 비쳐질 것이다.[9]

이 모든 것으로도 충분치 않은 것 같아 가장 깊은 심리적 상처 중의 한 가지를 덧붙여 말해 보겠다. 대개 6년에서 8년의 임기가 끝난 후 정교수에의 승진이 확실하게 거절당한다는 것이다. 하버드대학교 문리과대학에서는 약 8할 정도가 이렇게 탈락된다. 비율은 다양하지만 소위 '최상위권 3분의 2'에 해당하는 대학에서 종신재직권을 받

는다는 것은 결코 쉬운 일이 아니다.* 그러나 종신재직 교수가 되지
못하는 것이 우연히 이루어지는 것은 아니다. 그것은 어떤 얼굴없는
당국이 계약 更新을 잊어 버렸다던가 재정이 궁핍하다는 등 그럴듯
한 이유로부터 그렇게 되는 것이 결코 아니다. 오히려 거절은 가까운
동료들에 의해 신중하게 검토되어 결정되고 공표된다. 이 시점에서
그 학자는 '주홍글씨'가 붙여진 것과 같아서 항상 이 판정은 틀렸다
는 근거를 설명하지 않으면 안된다. 내가 알고 있는 어느 경우도, 비
록 그 분야에서 최고로 명예로운 상을 받아도 이 판정은 씻을 수 없
을 정도의 깊은 상처를 남긴다.

그러면 왜 그렇게도 똑똑해 보이는 사람들이 소장 교수라는 입장
을 스스로 달게 받아들이는 어리석은 짓을 하는 것인가? 그들은 자
신을 虐待하면서 쾌감을 느끼는 사람들인가? 결코 그렇지 않을 것이
다. 젊은 시절의 이와 같은 고뇌도 종신재직이라는 지위를 얻으면 충
분히 보상되는 것이기 때문에 이 길의 선택에는 반드시 이유가 있는
것이다. 경제학자가 '顯示選好'**라 부르는 것으로 이러한 것을 설명
할 수 있다. 즉, 비종신재직 교수들은 무엇보다도 최상위권 대학의

---

* 최상위권 공·사립 대학들은 조교수에서 부교수로 승진할 때 終身在職權을 부여하는데
하버드대학교 文理科大學은 부교수에서 정교수로 승진할 때 종신재직권을 부여한다. 몇
몇 아이비 리그 대학들과 명문 주립 대학들은 종신재직 코스制를 채택해 오고 있는데, 이
제도에 따르면 이들 대학에서 90%가 종신재직권이 주어진다고 한다.(제 11장 참조)
** 노벨 경제학상 수상자인 P. A. Samuelson이 새로운 방식으로 수요함수를 도출하면서
처음 도입한 槪念이다. 가장 간단한 예를 들면 소비자가 주어진 예산하에서 A, B 두 개
의 상품 중 1개의 상품 만을 선택해야 하는 경우, 그가 A상품을 선택하였다면 이 경우
'A를 B와 비교하여 顯示選好한다'고 定義한다. 저자는 하버드대학의 비종신재직 교수
들이 다른 선택 가능한 代案들이 얼마든지 있었음에도 불구하고 자기 스스로가 비종신
직 교수직을 택하고 있다는 의미에서 '비종신재직 교수직을 다른 대안들과 비교하여 현
시선호하고 있다'고 보는 것이다.

교수직을 원한 것이며, 다른 매력적인 대안은 분명히 차선으로 바라는 선택인 것이다. 그렇다면 소위 착취의 희생자같이 보이는 비종신재직 교수들은 실제로는 학자생활의 장점을 굳게 믿고 있는 교수들이며, 이와 같은 사실은 그들의 태도에서 그리고 무엇보다도 행동에서 나타난 것이다.

비록 주관적인 인상에 기초한 것이지만 대학을 어느 정도 알고 있는 사람이라면, 최우수 대학원생들과 유능한 젊은 교수들이 대학에 남아 있고 싶어 한다는 것에 모두 동의하리라 생각한다. 하버드대학교 문리과대학에서는 확실히 그렇다. 정도는 조금 덜 할지 모르나 전문대학원에도 해당될 것이다. 경제학은 그 능력이 대학 내외에서 동시에 활용될 수 있기 때문에 아주 좋은 예로 생각된다.

하버드대학 경제학과의 많은 졸업생들이 금융계, 정계 혹은 국제적인 기관들에서 눈부신 활약을 해왔다. 큰 부자가 된 사람들도 있다. 그러나 그들의 이름이나 업적이 화제에 오를 때마다 어쩐지 가엾게 여기는 風潮조차 있다. '루빈스타인은 맨하탄의 4분의 1을 갖고 있고, 정기적으로 미국 대통령을 자문해 오고 있다. 나는 그가 상당히 머리가 좋은 사람이었다고 기억한다. 그러나 애석하게도 유시 버클리의 교수가 될 정도로 우수하지는 않았다.' 루빈스타인 본인은 그렇게 생각하지 않을지도 모르지만, 대학인은 거의 모두가 그렇게 생각하고 있다. 나는 많은 학생들이 학자의 수요가 부족했던 1970년대와 1980년대 초에 돈을 많이 버는 實業界의 전문직에 취업한 것을 알고 있다. 그러나 그들도 좋은 기회가 다시 주어진다면 곧 학자로서 재출발하는 길을 선택할 것이다.

실제로 대부분의 비종신재직 교수들도 결국 어디엔가 영구직으로 취업하겠지만, 반드시 처음 부임했던 대학은 아니다. 대학교수직 시장이 好況일 때에도 몇몇 최상위권 대학에서는 재능있는 학자 전원에게 자리를 제공하는 것은 여전히 불가능한 일이다. 다만 그럴 때는 예컨대, 하버드대학, 스탠퍼드대학, 시카고대학* 등의 소장 교수직에 있으면 그 사실만으로도 미국의 꽤 괜찮은 대학에서 좋은 자리를 어느 정도 보장받는다. 그렇지 않고서는 우수한 대학에서 종신재직 교수 지위를 얻는 것은 매우 어려운 목표가 될 수 있다. 1970년대에는 '위'로 승진하지 못하고 항상 '밖'으로 나가는 학자 여행객이라는 계층이 생겨났다. 그들 중 일부는 영원한 방문객과 같은 존재로 있다가 교직을 그만 두고 더 환영받는 자리에 취업하였다. 이러한 불행한 사람들이 어느 정도 있었는지 확실한 숫자는 알 수 없다. 내가 생각하기에는 그리 많은 숫자는 아닌 것 같다. 최상위권 종합대학교에 있는 젊은 학자들이 정교수직을 얻기 위해 비록 한 직급을 낮추는 한이 있더라도 종신재직권을 얻고 싶어하는 생각이 결코 비현실적인 기대만은 아닐 것이다. 이것이 미국 전체에서 대학의 질이 향상되고, 우수한 대학의 수가 늘어나는 한 가지 이유가 된다.

구체적인 예를 하나 더 들어보자. 내 견해로는 학자로서 교수직에 취임하려는 사람들을 크게 두 가지로 분류할 수 있다고 생각한다. 다른 것과 비교해서 교육과 연구에 비교적 큰 강점을 지니고 있어서 다른 일에는 부적당한 사람과 여러 가지 재능을 동시에 갖고 있어서 다른 일도 잘 할 수 있는 사람이다. 첫 번째 집단은 대학생활의 매력에 쉽게 끌린다. 그들은 심오한 지식을 사랑하고 사물을 생각하는 것

---

* Harvard University(1636) Cambridge, MA ; Stanford University(1891) Palo
 Alto, CA ; University of Chicago(1892) Chicago, IL.

을 좋아한다. 출퇴근 시간을 기록하는 시간 기록기를 싫어하고, 자기
자신의 상사가 되고 싶어하며, 사람보다는 책이나 思想을 좋아한다.
하버드 「크림슨」지가 '현실 세계'라고 칭하는 것을 싫어한다. 우리
들은 이러한 유형의 예를 많이 알고 있다. 그것이 일반인들에게 받아
들여지고 있는 교수의 풍자적 모습이며 거기에는 다소 진실이 포함
되어 있기도 하다. 두 번째 집단은 경제적 희생이 그렇게 크지 않은
경우에 한해서 대학인의 동료가 되려고 하는 사람들이다. 대학교수
직 市場이 유리하게 전개될 때에는 기쁘게 우리들의 동료가 된다. 그
러나 시장이 불리할 때나 교수직을 대신할 수 있는 전문직이 있을
때에는 담쟁이 덩굴로 뒤덮인 대학 울타리보다 훨씬 밖으로 눈을 돌
리는 것이다. 오로지 학자가 되려고 野心을 불태우는 사람들에게만
전적으로 의존하고 있어서는 대학에 충분한 재능이 모아지지 않을지
도 모른다. 그것은 우리가 항상 매력있는 근로 조건에 대해 생각해야
하는 중요한 이유 중의 한 가지 이다.

'승진 아니면 탈락'이란 가혹한 말이고, 비종신재직 교수가 갖는
비애의 근원이기도 하다. 종신재직권 제도는 필요하고 계속 유지해
나가야 할 관행이긴 하지만, 이 제도에서 특별히 우호적인 환영의 기
미를 찾아보기는 어렵다. 종신재직 코스制가 실시되는 대학과(제
11장 참조) 적자생존의 논리가 다소 완화된 대학에서는 기한부로 채
용한 교수들의 불안이 줄어들지 모르나, 엄밀히 말해서 假採用은 일
종의 시험이며 이를 극복하는 것은 불확실하다. 우리 젊은 동료들에
게 주어진 이러한 고뇌가 즐거울 까닭은 전혀 없다. 대학의 기한부
채용이 희망자 대부분의 입회가 거절되는 학생 사교 클럽의 가입과
도덕적으로 동등할 필요는 없는 것이다. '승진 아니면 탈락'은 종신

재직 계약의 질을 향상시키는 수단으로만 정당화 될 수 있는 것으로, 유망한 종신재직 후보들에게 혹평이나 치욕을 주는 것은 종신재직권 제도의 성과를 향상시키지 못한다.

대학의 영원한 株主인 우리 교수들이 비종신재직 동료들에 대해 적절하고 만족스럽게 수행하지 못하는 두 가지의 義務가 있다고 생각된다. 첫째, 우리들은 언제라도 그들의 입장에 설 수 있어야 한다는 것이다. 그 아픔을 알면 그들이 안고 있는 불안, 고뇌, 때로는 신경증까지도 이해할 수 있을 것이다. 그들의 관점에서 세상을 보면 보다 생각이 깊고 부드럽고 사려깊은 태도를 얻을 수 있을 것이다. 쓸데 없는 마찰도 현저히 줄어들 수 있을 것이다. 자기 자신의 이익이 될 수도 있는 또 하나의 의무는 이들이 그 계약기한 내에 가능한 한 최대의 지적 성장을 할 수 있는 환경을 조성해 주는 것이다. 무엇이 필요한가는 시대, 분야, 기타 여러 가지 특수 상황에 따라 다를 것이다. 나의 경험으로는, 최상위권 대학들이 반드시 이 의무를 질적으로 높은 수준에서 수행하고 있는 것 같지는 않다. 두세 가지의 적절한 제안을 들어보겠다.

현재에도 몇 가지 조치들이 취해지고 있다. 즉, 맞벌이 부부에게 탁아소를 제공하고, 배우자에게는 취직 알선을 해서 여건을 개선하는 것이다. 지역에 따라서는 주택 수당도 필요불가결할 것이다. 이들 모두가 비용은 들지만 당연한 조치인 것이다.

좀처럼 실시되지 않고 이해하기 어려운 것은 전문적인 일에 관한 급여 이외의 부가급부는 그 지위에 관계없이 지급되어야 한다는 원칙이다. 이미 앞에서도 언급했듯이 대학의 계층구조가 다른 조직과 구별되는 것은 교수들이 그 지위에 관계없이 본질적으로 같은 일을 하고 있다는 점이다. 그러면 왜 정교수만이 비서를 두고, 연구조교를 갖는 특권이 주어지는 것일까? 실험 설비나 출장 여비 같은 우대 조치가 있는 것은 또 무슨 이유인가?[10] 이런 부가급부의 평등을 특히 강조하는 것은—결국 재원을 재분배하는 것으로—젊은 교수들이 그 능력을 충분히 발휘하고 내부에서의 승진 기회를 늘리는데 일조할 수 있기 때문이다. 그렇게 함으로써 士氣를 높이고 비용의 효율성도 높일 수 있는 것은 당연하다. 내부에서의 승진이 외부로부터 '거물급 교수'를 모셔오는 것보다 확실히 비용이 덜 드는 것이다.[11]

마지막으로 제안하고 싶은 것은 가장 실행하기 어렵고 어쩌면 가장 중요한 것인지도 모른다. 학과는 소장 학자들에게 공동체 의식을 갖게 해주어야 한다는 것이다. 여기에는 좋은 지도자 즉, 동료역할을 성실하게 수행할 원로 교수가 필요하다. 조교수나 부교수는 어느 누구의 보조자나 일시적인 동료가 아니고 적어도 올바른 동료로서 대우되어야 한다. 학과의 좋은 동료는 가족과 비슷하다고 생각한다. 즉, 지원해 주고 이끌어 주고 가르쳐 주는 그러한 존재인 것이다. 가장 좋은 학과 동료는 젊은 학자들의 성장을 돕고, 각각의 능력을 최대한 발휘할 수 있도록 도움을 주는 동료인 것이다.

그러나 결국에 가서는 아무도 승진 거절의 고통을 없애주지는 못할 것이다. 또 거절될 가능성은 여전히 높다. 그러나 그 고통은 줄게 되고 얼마 뒤에 가서는 점차 즐거운 추억으로 남는 일도 있을 것이다. 이 추억은 이제부터 학자가 되려고 하는 젊은 학생들에게 좋은 영향을 줄 것이다. 악순환을 양순환으로 바꾸는 것이 가능해진다.

이 장에서는 교수의 입장에서 본 대학생활을 소개하였으며, 수차례 종신재직권에 대해 말하였다. 대학교수직에서 고용의 안정은 중요한 것이고, 게다가 곧잘 오해받는 주제이다. 상세한 것은 다음 장에서 살펴보기로 하자.

【註】

1) "미국의 대학교수들은 대체로 자신의 직업 선택에 만족하고 있다. 만약에 다시 한 번 직업 선택의 기회가 주어진다고 해도 역시 대학교수가 되고 싶다고 말하는 사람이 88%에 달한다." E. C. Ladd, Jr. and S. M. Lipset, *The Chronicle of Higher Education*, May 3, 1976.

2) 미국의 대학교수들 중에서 연구에 강한 관심을 보이고 있는 사람은 25%에 불과하다. 나머지 교수들은 교육에 정열을 쏟고 있다. 이러한 연구 결과는 Ladd—Lipset의 조사에 보고되어 있다. *The Chronicle of Higher Education*, March 29, 1976. 참조. 연구를 중시하는 비율이 최상위권 종합대학교일수록 높아지는 것은 말할 나위가 없다.

3) Grover Sale, Jr., "The Scholar and the Loyalty Oath," San Francisco *Chronicle*, Dec. 8, 1963.

4) 또 하나 여기에 걸맞는 캘리포니아 이야기가 있다. 어떤 교수가 새크라멘토 州委員會에서 宣誓 증언을 하게 되었다. 議長이 "선생님, 당신은 몇 시간 가르치고 있습니까?"하고 물었다. "8시간"이라고 대답하자 의장은 "그것 좋아요. 나는 전부터 하루 8시간 노동의 提唱者이지요."라고 말했다.

5) San Francisco *Chronicle*, Sept. 13, 1963.

6) David Lodge, *Small World*(New York : The Macmillan Co., 1984), 머리말.

7) 이 규칙을 엄격하게 지키게 하는 것은 불가능하다. 우선 '週1日'에 대한 定義부터가 어렵다. 물론 휴가는 포함시키지 않는다. 週末은 어떻게 되는 것인가? 어떤 경우에도, 감시는 비현실적이고 있을 수 없는 일이다. 이것은 個人의 義務感에 의존할 수밖에 없을 것이다.

8) 하버드대학의 규칙에서는 보통의 경우 1년이 넘는 휴가는 인정되지 않는다. 公職에 취임하는 경우에만 예외적으로 2년의 휴가가 인정된다. 이 규칙은

대학마다 상당히 다양하다.

9) 나의 동료들 중에는 異議를 제기할 사람이 있을지도 모르겠다. 종신재직 교수는 學內外의 무거운 관리운영상의 義務를 지고 있다고 말할 수 있을 것이다. 또 국가 수준의 委員會 일도 있으며, 여러 가지 학회나 학술단체 활동에도 참가한다. 박사학위 논문을 지도해야 할 책임도 원로 교수 쪽이 더 무겁다고 말할 수 있을 것이다. 그러나 개개의 상황은 다르겠지만 이러한 주장은 대개 타당하지 않다고 생각한다. 행정적 의무는 특권이기도 하고 게다가 강요되는 경우는 거의 없다. 국가 수준급 위원회에 참여하는 것도 같다. 더욱이 원로 교수가 반드시 박사학위 과정의 많은 학생을 책임지고 있는 것도 아니고, 그 수가 많으면 그것은 학자로서의 우수성을 증명하는 것으로 평가된다. 한 가지 분명한 차이는 비종신재직 교수는 비종신재직 교수를 종신재직 교수로 승진시킬 것인가 말 것인가를 결정하는 귀찮은 일에 참가하지 않는다는 것이다. 그러나 이것이 두 집단의 차이를 충분히 설명해주는 것으로 생각할 수는 없다.

10) 내 뜻을 분명하게 전달하기 위해서 年功序列에 따라서 연구실을 배정해도 상관없다고 생각한다. 이것은 표면상의 문제이지 작업의 질이나 양에는 아무런 관계가 없다.(다만 도서관의 個人 연구실이 되면 이야기는 달라진다. 연구의 질과 양에 영향을 미칠 수 있기 때문이다.) 비서와 연구조교 편이 교수 활동에 훨씬 더 직접적인 영향을 갖는다.

11) 內部 승진의 경우 대상은 반드시 장래성 있는 비교적 젊은 학자가 된다. 경쟁관계에 있는 대학의 거물 교수와 경쟁을 하게 되면 아무래도 不利하다.

제 **10** 장

終身在職權
그 意味

　나는 대학관계자 이외의 많은 사람들이 종신재직권에 대해서 아주 깊은 의문을 품고 있다는 것을 오래 전부터 깨닫고 있었다. 최근의 예를 들면 「이코노미스트」誌[1]에서는 종신재직권에 대해 다음과 같이 기술하고 있다. '누구에게도 설명할 의무를 지지 않고, 근심 걱정이 없는 평온 속에서 생각에 잠기는 게으른 권리'를 교수들에게 약속하는 것이다. 대학교수들은 요령 좋게 게으름을 피우고 있다. 이것이 많은 사람들이 대학교수를 보는 시각이다. 종신재직 계약은 게으름을 초래하고 자극을 없애며, 생산성 저하에 직접 기여하고 있다는 것

이다. 한창 때의 나이를 지나 초라해진 자들을 위한 處方箋이라고 생
각하고 있다. 그리고 이러한 관습은 부도덕하고 비미국적이라는 의
견까지 있다. 이와 같이 막연한 부정적 의견 뿐만 아니라 많은 학부
학생들은 그들이 좋아하는 교수는 대학당국에 의해서 종신재직권을
거부당할 것이라 생각하고 있고, 젊은 교수들 중에는 자기의 승진을
거부하는 늙은 교수보다 자기가 더 머리도 좋고 적임자라고 믿고 있
는 사람도 있다. 마치 소송 청구의 明細書와 같다.

다소 과장이 지나친 것인지 모르지만 그렇다고 심한 것도 아니다.
뒤에서 다루어지겠지만 이러한 의견들에는 정당하지 않은 이유도 많
이 있다. 미국 대학 교수의 종신재직권 제도는 법적으로나 사회적으
로 1920년대까지 역사를 거슬러 올라갈 수도 있으나 여기서 그 역
사에 대해 논의할 필요는 없다.[2] 내가 관심을 갖고 있는 것은 현재
의 일이지 역사가 아니다. 종신재직권 제도에 대한 일반적인 定義나
설명은 쉽지 않다. 정년퇴직*할 때까지 일부 교수들에게 종신재직권
을 주고 있는 미국의 단설 학부대학과 연구중심 종합대학교는 전체
대학의 94%나 된다.[3] 일반적으로 심한 직무 태만이나 신체적, 정신
적 결함, 중대한 도덕적 과오, 대학의 심각한 재정난 등이 없는 한
해임 당하지 않는다. 또, 매우 드문 일이긴 하지만 종신재직권을 가
진 교수를 해고하려면 정당한 절차를 밟지 않으면 안된다. 물론 재판
에 회부해서 종신계약 履行을 강제시킬 수도 있다.[4] 여기서 일부 교

---

* 종래 미국 대학교수의 정년퇴직 연령은 65세였다. 그러나 1982년부터 聯邦法에 의해
70세로 연장되었고, 이것은 다시 1986년에 통과된 연방법이 1993년 12월 31일부터
발효됨으로써 1994년 이후에는 강제 정년퇴직 연령이 사실상 없어졌다.(제 8장 각주
10과 제 11장 각주 15를 참조)

수들이라고 강조하는 이유는 종신재직권을 주는 시기가 일반적으로 3년에서 8년 기한의 가채용 기간이 끝난 후이기 때문이다.[5]

종신재직권은 흔히 직위와 연결되어 이루어지는 경우가 많다. 정교수와 부교수는 종신재직권을 가지고 있지만 조교수나 전임강사, 기타 강사는 없는 경우가 많다.[6] 그러나 고등교육 기관들은 여러 가지 형태의 고용 보장을 해주고 있기 때문에 상황은 더욱 복잡하다. 소장 교수인 조교수와 전임강사는 기한부 계약을 하게 된다. 많은 研究員과 교원 및 행정직 중에서 일부는 '무기한'으로 임명되는 경우가 많다. 즉, 고용을 계속한다는 것을 전제로 한다. 하버드대학에서는 비공식적으로 이 집단을 '인더스트리얼 테뉴어(industrial tenure)'라고 부르기도 한다. 대학의 요구나 재정이 근본적으로 바뀌지 않는 한 장기간의 채용이 예상된다는 의미이다. 그러나 '교수'로서의 종신재직권은 이것과는 다른 특수한 것이다. 총장이나 학장도 교수가 누리는 종신재직권을 가질 수 없다. 이것은 교수의 특권이자 교수만을 위한 特典이다. 이것은 자기 자신의 지적 발전의 방향을 스스로 결정하는 권리이다. 학장으로서 내가 만일 이제 재정 문제나 교육에 관한 일은 싫증이 나서 앞으로는 하버드 축구팀에 관한 일만을 하고 싶다고 총장에게 말한다면 그는 틀림없이 즉각 사직을 권고할 것이다. 총장이 젊었을 때에 스포츠狂이라고 아무리 잘 알려져 있다해도 그럴 것이다. 그러나 종신재직 교수 신분으로서의 나는 학과장에게 내 전공을 일본 경제사에서 소련 경제사로 바꿀 계획이라고 말할 수 있다. 내가 나의 의지를 실행할 수 있는 능력이 있는 한 즉, 타당한 기간 안에 그것을 실행할 수 있는 한 학과장은 내가 새롭게 선택한 길을 막을 수 없다. 최상위권 대학의 모든 종신재직 교수가 가지고 있는 가장 귀한 특징 두 가지는 자율과 안정이다.

여기서 학자생활에 필요한 장점 중의 하나로 종신재직권제의 긍정적인 면을 논의하려고 한다. 먼저 많은 사람들이 이야기하는 것이지만 스스로 믿는 것을 가르치고, 대학 내외에서 받아들여지지 않는 주장을 지지하며, 누구한테도 처벌받는 것을 두려워하지 않고 자신이 인정하는 지식이나 사상에 기초해서 행동하는 권리 등 학문의 자유를 최대로 보장하는 것이 종신재직권제라는 것이다. 미국은 전혀 근거없는 정치적 이유로 인하여 교수들이 박해를 받아온 오랜 역사가 있기 때문에 이러한 보호를 경시하는 교수는 거의 없을 것이다. 나도 매카시즘(McCarthyism : 적색분자를 색출하기 위한 극단적인 반공운동─역자주)이나 그 밖의 극성스러운 중상 모략을 내 눈으로 보아왔다.

전반적으로 대학교수는 일반 사람들에 비해 인습에 얽매이는 일이 보다 적은 체제순응형이 아닌 존재이다. 그 때문에 젊은이들을 타락시키지 않을까 하는 의심을 받기까지 한다. 특히, 보수적인 사람들은 그렇게 생각하기 쉽다. 또한 교수들은 말을 잘하고, 확신에 차있으며, 사상적으로도 잘 무장되어 있다. 대학 내에서의 논쟁은 갑자기 들끓어 세상의 주목을 받기 쉽기 때문에, 학내외의 공격으로부터 보호되어야 할 필요성이 많다.

외부에서 압력이 있든 없든 대학행정가들은 자기 나름대로의 사고방식을 '정통파'라고 생각하며 그것을 강요한다. 나 자신도 1960년대 말 학원 騷擾가 있었을 때 만약 대학총장이었다면 어떤 유형의 교수들을 해고하고 싶은 유혹을 이기지 못했을지도 모른다. 소수파의 생각이나 의견이 아니라 연좌 데모, 폭력적 파괴 활동, 그 외의 反知性的인 행동을 한 사람 말이다. 특히 학생의 모범이 되어야 할 사람인 교수의 행동을 말하는 것이다. 돌이켜 보면 종신재직권이, 아니 더 중요한 것은 학문의 자유*라는 전통이 나같이 성격이 급하고 생각이 깊지 않은 충동적인 사람의 방파제가 되어준 것을 고맙게 생각한다.

언제라도 학문의 자유는 보장되어야 한다. 학문의 자유가 없기 때문에 대학이 사회의 웃음거리가 된 예는 세계 도처에서 찾아 볼 수 있다. 하지만 학문의 자유와 종신재직권을 직결시켜 생각하는 것은 곤란한 일이다. 젊은 비종신재직 교수들도 보호해야 하지 않을까? 아니, 그들이 더욱 보호를 필요로 하고 있을 것이다. 두려울 게 없는 종신재직 원로 교수들이 모든 사람들의 자유의 보증인이 되어줄 것이라는 말을 자주 듣는다. 그러나 정말 그럴까? 보증인이 되기 위해서는 자유가 위협받고 문제가 야기될 때 이들이 모두 일치 단결하지 않으면 안되지만 그건 실로 허황된 이야기이다. 理論이 필요없이 실예를 하나 들겠다. 1950년대 초 하버드대학의 전임강사들과 조교수들이 매카시式 정치적 압력에 의해 희생이 되었다. 계약 기한이 다 되기도 전에 해고 당한 사람도 있었고, 정치적 견해나 소속 단체에 대한 수사에 직면하느니 차라리 '스스로' 대학을 떠난 사람도 있었다. 비슷한 일들이 전국적으로 일어났다. 하지만 원로 교수들이 단합해서 자유를 위한 보증인으로서 힘을 발휘했다는 이야기는 들어본 적이 없다. 물론 그들 일부라도 자유의 보호를 받을 수 있다는 것은 모두가 전혀 못받는 것보다는 낫다. 그러므로 종신재직권이 학문의

* 대학교수나 학자들이 학문을 탐구함에 있어서 어떠한 權威에 의해서도 제재나 간섭을 당하거나 위협받는 일 없이 文獻을 조사하고 사실을 관찰하여 그 결과를 발표할 수 있는 자유 즉, 진리를 탐구하고 학문을 발전시키기 위해서는 종교적, 정치적, 경제적 압력을 받지 않고 학자들이 자유롭게 思考하고 자기의 연구결과를 발표할 수 있는 자유.

자유를 유지시키기 위해 도움을 주고 있다는 사실을 인정할 수밖에
없다.

그러나 현재의 미국은 25년 전에 비하면 꽤나 관대해졌다. 편협하
지 않게 되었고 보다 너그러워 졌으며, 어떤 사람들은 지나치게 후해
졌다고까지 말하고 있다. 사회에서 받아들여지는 행동이나 思想의
범위가 아주 넓어졌다는 것이다. 法院도 개인의 권리 옹호에 열의를
갖고 있다. 이런 이유로 오늘날에는 학문의 자유를 위해 그렇게 위협
을 무릅써야 할만한 일도 없어졌다. 그렇지만 이에 역행할 흐름도 상
존하고 있다. 가까운 장래에 그런 일이 일어날 것 같지는 않지만 누
가 그것을 예측할 수 있단 말인가?[7]

종신계약을 지지하는 이유는 또 있다. '종신재직권에는 自己規制
가 따른다'는 것이다. 종신재직권은 그것을 주는 대학, 학과 그리고
동료들에게도 값비싼 代價를 치르게 한다. 일단 종신재직권을 주면
대학은 오랜 기간 동안 적어도 평균 약 25년 동안 고액의 급여를 계
속적으로 지불하지 않으면 안된다. 학과는 그 기간 동안 교수 자리를
계속적으로 확보해 주어야 한다. 그래서 人選을 잘못했을 경우 얼마
나 희생이 큰가를 생각해 보아야만 한다. 한번 종신재직권이 주어진
사람으로부터 교수 자리를 빼앗는 것은 사실상 불가능하다. 그리고
누가 25년 동안이나 잘못 선택된 사람과 동료로 지내고 싶겠는가?
물론 학생들에게도 몇 대에 걸쳐 막대한 영향을 끼치게 된다. 학과의
잘못된 판단이 교육의 질에 직접 영향을 미치게 된다. 이러한 여러
가지 의미에서의 값비싼 대가가 환영할 만한 중대한 결과를 초래한
다. 종신재직제가 교수를 심사하는 사람들이나 학과에게 이 제도가
없었으면 하지도 않을 엄격한 선택을 하게 하는 것이다. 이러한 이유

로 종신재직권은 대학교육의 수준을 유지하고 향상시키는 중요한 요소가 된다. 평생의 동료를 선택하는 것이니 아주 진지한 태도로 선택하게 되는 것이다.

그러면 왜 종신재직권이란 제도가 시작되었을까? 그것은 장기간에 걸친 책임이 없으면 학내에서 자기규제 意志가 점점 약해지기 때문이다. 단지 불가피한 불쾌감을 피하기 위해 여러 차례 구성원 한 명 한 명의 고용 기간을 '일년만 더' 연장시켜 주려는 유혹을 극복하기 힘들게 될 것이다. 동료 관계가 중요한 요소가 되는 직업에서 대학의 종신재직권과 유사한 제도를 채택하고 있는 것은 우연한 일이 아니다. 변호사회사를 그 좋은 예로 들 수 있다. 동료 후보는 종신 교수 후보와 입장이 비슷하며 예정되는 고용기간이 길기 때문에 人選은 엄격하게 규제된다. 변호사회사와 대학은 동료나 종신재직 교수를 정기적으로 또한 자주 심사하는 일은 없다. 그러한 것은 시간의 낭비이며 不和의 근원이고 이상적인 동료 관계를 파괴하는 행위이다. 한 번만으로 충분하다. 즉, 동료를 선택할 때나 종신재직권을 줄 때 한 번이면 된다. 단, 그 '한 번'은 특별히 엄격한 기준에 의하지 않으면 안되는 것이다.

이 외에도 전부터 종신재직권 제도를 옹호하는 논리에는 여러 가지가 있다. 대학 안정의 기초가 되고, 종신재직권을 보장받은 사람들은 타인을 평가할 때 경쟁 원리에서 보다 공정한 전문적 견지에서 평가할 수 있다든지, 종신재직권에 당연히 따르는 '승진 아니면 탈락'이라는 이 제도는 젊은 학자에 대한 장기에 걸친 착취를 방지할 수 있다는 것 등이다.[8] 이러한 논리는 모두 상당히 타당한 부분이 있고, 일본의 공장이나 미국의 병원에서도 타당하게 여겨져 채택되

고 있다. 나는 대학의 종신재직권 제도의 本質은 더 다른 곳에 있다
고 생각한다.

그것은 바로 社會契約으로서의 종신재직권 제도이다. 대학 내에서
적절하며 불가결한 사회계약의 한 형태라는 것이다. 이익이 불이익
을 능가하기 때문에 적절한 것이다. 또 종신재직권 제도가 없으면 결
국은 교수진의 질이 저하되기 때문에 불가결하다는 것이다. 교수진
의 질이야말로 대학의 기본이다. 가장 좋은 교수진은 가장 우수한 학
생을 끌어들이며 가장 훌륭한 졸업생을 배출하고 최대의 연구 지원
을 얻어낸다. 이것은 사실이다. 고등교육 분야는 다른 경제 분야에
비해서 기술적, 조직적 발달의 가능성이 한정되어 있다. 자본을 갖고
서 노동을 대신한다는 것은 별로 소망스러운 일이 아니며, 대학의 거
의 모든 일은 사람의 자질에 달려 있다고 본다.

교수생활은 이미 논의한 바와 같이 '꽤 좋은 직업'이다. 하찮은 일
은 비교적 적으며, 거의 대부분은 즐거운 환경에서 일하는 것을 좋아
한다. 그러나 다른 면에서도 생각해 보아야 한다. 우리 직업은—최
상위권 대학에서의 원로 교수의 일—높은 지성, 특별한 재능과 독창
력이 요구된다. 이런 특성은 어떠한 직업 세계에서도 필요로 한다.
즉, 실업계, 법조계, 의료계 그 외에서도 비슷한 특질을 가진 인재를
찾고 있을 것이다. 이 중에는 상당한 위험이 따르기는 하지만 대학교
수보다 훨씬 더 많은 報酬를 약속하는 직종도 있다. 직업을 선택하는
단계에서 우리는 누구나 다양한 가능성을 고려해 본다. 거의 모든 전
문직이 교수보다는 보수가 많은 것 같다. 1988~1989학년도 하버
드대학교 문리학대학의 정교수의 평균 연봉은 약 7만 달러이다. 미
국의 종합대학교로서는 가장 높은 수준의 연봉이다. 종신재직 교수

의 평균 연령은 약 55세이며, 모든 교수들이 각자의 분야에서 세계
적인 권위를 인정받고 있다. 조교수는 모두 철학박사 학위 소지자이
고, 연봉은 3만 2천 달러 정도에서 시작한다. 학교를 졸업한지 얼마
안된 변호사일지라도 뉴욕시에 있는 변호사회사에 취업하면 연봉이
약 7만 달러 정도는 될 것이다. 1905년 T. 루스벨트〔Theodore Roo-
sevelt(1858~1919), 미국 제26대 대통령(1901~1909), Nobel 평화상 수상
(1906)—역자 주〕가 한 말은 지금도 생생하다.

　　…… 모든 것들 중에서 최고의 일이란 보수의 문제로 어떤 형태의 영향도
　받지 않는 직업이라는 사실을 나는 높이 평가합니다.…… 그러나 우리 국민
　들이 학자의 업적에 상응하는 보수라는 것을 전혀 생각하지 않고 경시하는
　일이 있다면, 진취적 기질을 지닌 사람들에게 좋지 않은 영향을 줄 것 또한
　사실입니다.[9]

　고등교육을 직업으로 선택하는 것은 오늘날에도 일장일단이 있다.
경제적으로 희생이 따르고 가족과 함께 고생을 겪어야 한다. 利點은
좁은 의미의 물질적인 것이 아니며, 가장 중요한 것은 종신재직권이
다. 종신재직권은 말하자면 대가족 속으로 그 一員이 되어 들어간다
는 것을 의미한다. 즉, 사회계약이다. 양쪽이 계약 취소를 청구하는
일은 가능하다. 대학 쪽에서는 아주 특수한 경우에, 또 교수 측은 이
슬람法에 있는 의기양양한 남성처럼 쉽게 말이다.* 이것은 불공평한

* 이슬람法에서 婚姻은 일종의 契約이다. 사전에 代理人들 간에 男性이 女性에게 지급할
　혼인자금의 액수와 방법, 그 밖의 조건을 정한 후에 이루어진다. 그러나 離婚을 원할

거래가 아니다. 왜냐하면 대학은 유능한 인재를 필요로 하고 있으며, 교수는 평생 직업의 보장과 가족과 같은 유대 관계를 위해 낮은 경제적 보수를 감수하기 때문이다.

나는 학장으로서 종신재직권을 이렇게 해석하고 있으며, 실제로 여러 경우에 이 사회계약을 실천해 왔다. 나의 사무실 문은 동료들에게 늘 열려 있고, 교수직과 관련된 것은 물론 개인적인 것까지 하버드에 있는 資源이라면 동료들이 자유로이 쓸 수 있도록 노력해 왔다. 알코올 중독증, 이혼, 장기 질병 등 모든 것에 신경을 쓰면서 가족처럼 대해 왔다고 생각한다. 문리과대학에는 교수의 病暇에 관한 상세한 규정이 없다. 모든 것들이 비공식적으로 관대하게 처리되었다. 학부의 어떤 교수는 뇌졸중으로 6년 가까이 일을 하지 못했다. 하지만 그 이름을 학과의 교수 명부에서 뺀 일이 없었으며, 봉급의 지불도 계속적으로 이루어져 왔다. 경영 실적으로는 실패했는지 모르지만 가족관계로서는 훌륭한 일이었다고 생각한다.

종신재직 교수라는 가족의 일원이 되는 것이 관대한 건강보험에 드는 것과 같다는 인상을 주었다면 그것은 내 의도가 아니다. 그건 더욱 더 넓은 시야에 입각한 것이다. 정확히 말해서 넓은 마음이라고나 할까. 예를 들어 특별한 기회가 생길 때, 규칙은 각 개인에게 이익이 되도록 쉽게 깨지거나 재해석되어 왔다. 매력적인 초대장이 외국에서 오면, 그것은 결국 여비와 특별 휴가가 필요하다는 것이다. 새로운 연구 아이디어는 자금을 필요로 한다. 누구나 학장을 통해 대학의 예산을 이용할 수 있었다. 원하는 만큼 얻을 수는 없었겠지만,

---

경우 남성 쪽으로부터는 일방적인 宣言에 의해 비교적 용이하게 이루어지나 여성이 원할 경우는 대단히 어렵다고 한다.

학장으로서 이것은 特例라고 크게 말하면서 도움을 주고자 노력하였다.

　내가 지나치게 감상적으로 과도한 온정주의적 설명을 하고 있는 것은 아닐까? 하지만 교수라는 사람은 상사가 없는 株主이며 고용인이 아니라고만 생각한다면, 그것은 잘못된 생각이다. 학장은 '동료들 가운데 제일인자'이며, 다른 동료와 교대할 때까지 일시적으로 행정을 맡고 있는 사람일 뿐이다. 학장의 행위는 위에서 베푸는 好意가 아니다. 단지 전체의 복리를 위해서, 이 가족 기업의 질을 높게 유지하기 위해서 공동 소유주群을 형성하는 영구 회원들에게 투자하는 것이다.

　종신재직권 제도에 대해 '대가족'이라든가 '소유주'라고 할 때, 하나 더 짚고 넘어가야 할 것이 있다. 퇴직할 때까지 자리를 보장해 준다는 것은 미국 사회에서 일하는 많은 사람들이 안고 있는 큰 공포의 하나를 없앤다는 것이다. 더욱 중요한 것은 종신재직권 제도라는 사회계약을 통해 노령이 되어서도 존경을 받을 수 있다는 것이다. 개인의 권리는 퇴직할 때까지 변함없이 보장된다. 퇴직 이후에도 많은 대학들이 명예 교수로서 꽤 많은 특권을 인정해 주고 있다. 즉, 과학자는 규모가 축소되기는 하지만 실험실을 계속 가질 수 있으며, 그 이외의 교수들에게도 연구실이 주어지고 도서관이나 클럽 등의 공동 시설을 사용하는 것도 인정된다. 경비가 많이 드는 관행이기도 하다. 경영이라는 의미에서 별로 좋지 않은 방법이라는 사람도 있고, 濫用되는 부분들이 있다는 것도 인정할 수밖에 없다.[10] 그렇지만 나이 들어도 威嚴을 잃지 않고 있을 수 있다는 것은 대단한 매력이며, 그와 같은 예는 미국에서 극히 드문 일로서 약간 지나치긴 하지만 작은 손실일 뿐이다.

하버드대학 또는 다른 대학에 있는 내 동료들의 대부분은, 그 중에서도 특히 50세 이하의 사람들은 종신재직권제를 사회계약으로 해석하기를 부인하고 싶어할 것이다. 명성을 날리는 뛰어난 젊은 학자들이 그 지위를 취득한 후에 종신재직권 따위는 결코 신경 쓴 적이 없다고 말하는 모습은 참으로 멋지다.[11] 이러한 학자들은 유동적이며 자신이 원하면 다른 대학에서도 얼마든지 매력적인 제의를 받을 수 있다는 것을 알고 있다. 어떤 교수는 자기를 대가족의 일원으로 대하는 것을 도저히 상상할 수 없는 사람도 있을 것이다. 이러한 사람들은 자기가 얻은 것은 무엇이든지 당연한 권리로 여기거나 자신의 재능이 정당하게 인정받은 결과라고 생각하고 있다. 이들은 인기가 높아 영화 제작사나 팬들이 서로 데려가려는 잘 생긴 젊은 남녀 영화배우와 같은 처지의 사람들이다. 그러나 나이 든 배우에게 배역 요청이 점차 줄어드는 것처럼—J. 웨인(John Waynes : 1907~1979, 미국의 유명한 영화 배우—역자 주) 같은 사람이 그렇게 많이 있는 것도 아니고—流動性은 50대 초반의 교수가 되면 급속도로 떨어진다. 다른 대학으로 옮기려고 하면 언제든지 그럴 수는 있지만 선택의 범위는 크게 좁아진다. 대가족이 젊은 교수들을 돌봐주는 데도, 아마 이 제도의 가치를 잘 인정하는 쪽은 역시 나이 든 교수들일 것이다.

나는 대학 내의 사회계약의 중요한 특징—이것이야말로 종신재직권의 본질이라고 생각하지만—에 대해서 논의해왔다. 그러나 '현실사회'도 각각 공동체에 대한 충성심을 고취시키는 독자적인 방법을 갖고 있다. 대학보다 높은 경제적 보장에 대한 내용은 이미 앞에서 언급하였다. 그리고 주식매입 선택권, 지극히 관대한 퇴직연금제도,

클럽의 회원권 등 생각할 수 있는 여러 가지 특혜를 준다. 더욱이 종신재직권이나 그와 유사한 제도는 고등교육의 전매특허도 아니다. 연방 정부 판사, 여러 종류의 공무원, 초·중등학교 교원 등도 비슷한 제도를 갖고 있다. 이러한 이유 때문에 외부 사람들이 왜 대학의 관습만을 의혹의 눈으로 보는지 어리둥절하다. 근본적으로 그것은 공식적인 의무는 적으면서 유별나게 학문적으로 엄청난 자유와 안정을 함께 누리고 있다는 점과 연관되어 있음에 틀림없다. 이것이 불신의 원인이 되는 것이다. 9시부터 5시까지와 같이 정해진 근무시간도 없고, 강의실에서의 몇 시간 이외에는 특히 어디에 있어야 한다는 규칙도 없으며, 게다가 매월 들어오는 수입은 보장되어 있다. 직장의 일과 그 일을 수행하는 데서 오는 기쁨이 고도로 一體化되지 않는다면 그야말로 나태하기 쉬운 환경이다. 그러나 현실적으로 그 양자는 일치하고 있다.

자기규제를 가져오는 요소는 외적인 것이기는 하지만 이 밖에 또 있다. 동료로부터 오는 압력에 대해서는 이미 몇 번이나 언급하였다. 동료들끼리 이렇게까지 시종 거리낌 없이 서로 비판하는 일이 다른 직업에서는 없다. 책을 쓰면 서평이 나오고 어디선가 반드시 따끔한 비평이 나온다. 논문을 쓰면 누가 뭐라고 해서 게재를 거부 당하는 경우도 있다. 연구비를 신청해도 가끔 거절된다. 학사원의 회원이든지, 학회의 임원이든지, 碩座敎授든지, 대부분의 경우에 급여를 통해 다른 사람과 관련해서 공개적으로 부여된 자신의 위치가 어느 정도인지를 나타낸다. 학생의 존재가 또다른 몫을 한다. 아무도 없는 텅 빈 강의실에서 수업을 하는 것은 아무리 고집 센 사람일지라도 기운이 빠지는 일이며, 학생의 평가가 때로는 슬플 정도로 낮아서 어쩔 수 없이 강의 방법을 바꾸는 교수가 한두 명이 아니다.[12] 해고나 재계약 거부 등의 염려는 없지만 적당한 양의 질 높은 연구를 하며 또 잘 가르쳐야 한다는 강한 압력이 여러 방면에서 가해온다. 종신재직권 제도가 늙어서 쓸모 없는 사람들을 부양한다는 생각은 잘못이다. 최상위권 종합대학교에서는 더욱 그렇다. 종신재직권과 저질스러움이 결탁하면 위험한 것이다. 아마도 보통이나 그 이하의 수준에서 벗어날 수가 없을 것이다. 다시 말하지만 이것은 내가 여기서 논하고 있는 대학과는 아무런 상관이 없는 문제이다.

  종신재직권을 가진 교수들이 많으면 많을수록 대학운영상 특수한 문제에 직면하는 것이 사실이다. 위협이나 공포 또는 직접적인 명령을 운영수단으로 선호하는 경우에는 특히 그렇다. 합의와 설득에 의한 참여 민주주의 방식이야말로 종신재직 교수가 많으면 많을수록 중시되어야 한다.

【註】

1） "The Tenure Temptation", February 28, 1987.

2） 유용한 정보가 The Commission on Academic Tenure in Higher Education's, *Faculty Tenure* (San Francisco : Jossey — Bass Publishers, 1973)에 다수 실려 있다.

3） 1972년에 실시된 한 조사에서 다음과 같이 밝히고 있다. "종신재직제를 실시하고 있는 대학은 공·사립의 모든 종합대학교와 공립의 4년제 단과대학이다. 사립 단과대학의 94%와 공사립의 2년제 전문대학의 3분의 2이상에서도 실시되고 있다. 미국의 종합대학교와 단과대학의 전교원의 94%가 종신재직권을 주는 대학에서 근무하고 있다.……종신재직제가 아니라 계약제를 채용하고 있는 기관도—대부분은 전문대학과 지역대학이지만—다수 있다." *Ibid*., 1면, 10면 참조.

4） 아래에 하버드 '定款'가운데서 종신재직권에 관해 규정한 부분의 전문을 인용해 놓았다.

정교수와 부교수는 특별히 명기하지 않은 한 기한을 명시하는 일이 없이 임명된다. 다른 직원들은 임명 기한을 명기하지 않은 경우에도 대학 측이 수시로 자유로이 기한을 설정하는 권리를 갖는다는 조건하에서 임명된다.

大學法人理事會의 동의 아래 대학이사회로부터 때에 맞춰 교원으로 임명된 모든 직원은 중대한 과실이나 직무태만이라는 이유가 있을 때만이 대학이사회로부터 그 직을 해임당한다. 전문직 또는 행정직으로 임명을 받은 직원은 중대한 과실이 있는 경우와 그 직무를 충분히 수행하고 있지 않으면 대학이사회에 의해 그 직을 해임당할 수 있다.

5） 의과대학원에서는 시보계약 기한이 10년에서 12년까지인 경우도 있다.

6） 하버드대학교 문리과대학에서는 정교수만이 종신재직권을 갖는다.

7） "현대 교수들의 신념과 표현의 자유를 보장하는 권리를 위한 투쟁보다 성공

한 聖戰은 역사상 별로 없습니다. 벌써 승리한 싸움과 싸우느라고 이 점을 오해하면 안된다고 생각합니다.ˮ—1986년 3월 27일 유시 버클리에서의 J. K. 갤브레이스 강연에서. 종신계약제가 아니라도 학문의 자유를 효과적으로 지키는 수단은 또 있다. 예를 들어 공평한 입장의 위원으로 구성되어진 고충 처리위원회 등이 그것이다.

8) 그렇지만 종신재직권을 주지 않아도 '승진이 아니면 탈락'이라는 제도는 있을 수 있다.

9) 1905년 6월 28일, 하버드대학에서의 Theodore Roosevelt 대통령의 연설에서. 이 연설에 대해 가르쳐준 Robert J. C. Butow 교수에게 감사한다.

10) 예를 들면, 하버드에서는 와이드너 도서관의 적은 수의 방 거의 모두를 隱退한 교수들에게 할당하고 있으며 평생 그들의 것이 되고 있다. 하지만 그 대부분은 사용되고 있지 않다. 반면에 활발한 연구활동을 하고 있는 젊은 학자들이 자신의 공간을 받기 위해 몇 년이고 기다리며 고대하고 있다.

11) 종신재직권을 받지 못한 교수가 그것이 필요 없다고 말하는 것을 들어본 적이 없다.

12) 하버드대학 학부과정교육학생위원회에서 최근에 발간한 「강좌별 평가 안내」에서 인용하기에 좋지 않은 부분을 빼고 일부 인용하고자 한다. "X교수의 강좌를 듣는 것은 전혀 유익하지 못한 일이다. 조사에 응답한 학생들에 의하면 생기 없는 말투로 강좌와는 전혀 관계없는 것을 계속 이야기 하다가 어렵고 중요한 문제가 나오면 학생들이 놀랄 정도로 빠른 속도로 이야기 한다고 한다. 과학적 의미도 설명하지 않고 그냥 공식을 칠판에 쓸 뿐이며, 출석하고 있는 학생들에 의하면 얄팍한 접근방식의 전형적인 예라고 한다.ˮ

제 **11** 장

終身在職權
典型的인 事例

거의 모든 사람들이 대학의 종신재직권 제도의 장단점에 대해 一家見을 갖고 있는 것 같이 보이나 그 심사과정과 목표, 기준에 대해 알고 있는 사람은 대학 내외를 막론하고 썩 드물다. 그래서 그 취득 과정의 실례를 들어보는 것이 매우 의미있는 일이라고 생각된다. 내가 드는 사례는 하버드대학교 文理科大學의 것이나 이 사례가 결코 전형적인 것은 아니다. 그러나 이것은 그리 중요한 문제가 아니다. 미국의 연구중심 종합대학교들이 추구하는 목표와 기준은 매우 흡사하기 때문에 하버드의 사례는 광범위하게 적용될 것이다.

　종신재직 교수의 數는 어느 대학에서나 예산 때문에 제한되어 있다. 종신재직권제는 어느 조직에서나 고정비용을 유발한다. 사립 대학은 기부금과 등록금에 의한 수입과 고정비용 간에 균형을 유지해야 한다.(주립 대학의 종신재직권을 최종적으로 보장해주는 것은 주 정부의 收稅能力이다.) 하버드대학은 새로운 교수직을 하나 증설하는데 현재 약 2백만 달러의 추가 자금이 필요하다. 여기에서 나오는 영속적인 수입으로 원로 교수의 급여와 부가급부를 겨우 지급할 수 있다. 그리고 교수직 신설 비용은 계속 상승하고 있다. 비종신재직 교수들에게 지불되는 비용은 일정하지 않다. 이들의 數도 단기간에 조정이 가능하다. 이들이 기한부로 계약을 맺었다고 해도 그 기간은 비교적 짧은 편이고 5년을 넘기는 일이 거의 없다. 현재 하버드대학교 문리과대학에는 약 200여 명의 비종신재직 교수와 100여 명의 강사가 있다. 이들의 수는 강의 수요와 재정 형편에 따라 변한다. 하버드대학의 종신재직 교수의 비율은 60%에 약간 못 미치며, 대부분의 연구중심 종합대학교들에 비해 낮은 편이다. 종신재직권을 얻기가 좀 더 쉽거나 교수 충원이 주기적으로 이루어지는 많은 대학들의 경우 그 비율이 90%에 달한다. 그러나 이러한 대학들은 교수진 구성이 경직되어 있다.

　이 책을 쓰고 있는 현재 하버드대학교 문리과대학에는 400여 명의 종신재직 교수가 봉직하고 있다. 종신재직 교수들은 50여 개의 학과와 학위 프로그램에 배속되어 있으며 新舊의 교체는 서서히 지속적으로 이루어지고 있다. 이유는 다양하다. 첫째, 새로운 학문 분야와 때로는 새로운 학과가 원로 교수의 지도력을 필요로 한다. 예를 들면 일본, 중국, 중동, 소련 등의 지역연구는 제 2차 대전 이전에는 거의 알려져 있지 않았던 분야였지만, 현재 하버드대학은 지역연구 분야에 많은 연구자들이 종사하고 있는 것을 자랑하고 있다. 또, 현재의 생화학과, 분자생물학과, 컴퓨터 과학과, 통계학과, 미국흑인연구학과들은 모두 비교적 최근에 생긴 전공들이다. 둘째, 때로는 기증자가 조건부 기증을 통해 그가 관심을 보여온 특정 학문 분야를 확장시키는 일도 있다. 최근에 문리과대학은 과학적 고고학과 현대 그리스語와 오스트레일리아 연구 분야에서 새로운 교수 자리를 얻었다. 이러한 분야의 강좌들이 대학의 중요한 과목들은 아니지만, 부가적 재원을 통해 우리의 교육내용을 풍부하게 할 수 있게 해주며 이는 기쁜 일이다. 끝으로, 종신재직 교수의 배분은 학부학생과 대학원생의 관심의 변화를 반영하지 않으면 안된다. 즉, 교육과 연구에 대한 소비자로서 학생들의 요구가 고려되어야 한다. 예를 들면, 정치학과 생물학의 교수들이 아카디아語나 科學史 교수 수보다 많은 것도 모두 이러한 이유 때문이다.

추측하건대, 언제나 약 40여 명 정도의 종신재직 교수의 자리를 결정하기 위해 여러 단계의 심사가 진행 중에 있다. 빈 자리가 나오는 것은 원로 교수의 은퇴나 사망, 사임 혹은 확충계획이나 뜻밖의 기부금에 의해 새로운 종신재직 교수직이 생기는 경우이다. 또, 비종신재직 교수의 계약기한이 만기가 되면 해당 학과에서는 종신재직 교수 자리를 늘려서라도 임명해 줄 것을 요청한다. '승진 아니면 탈락'이라는 原則이 적용되는 상황에서 우수한 자질을 갖춘 유망한 젊은 학자를 잃게 될지도 모르는 위기에 처한 학과들은 종신재직권 부여를 위해 면밀한 검토를 요청한다. 하버드대학이나 그 밖의 최상위권 대학에서 빈 자리는 일반적으로 은퇴 후에 생긴다. 은퇴 연령에 이르기 전에 사망하거나 사임하는 경우는 썩 드물다. 교수 생활은 매우 즐겁고 만족스럽기 때문이다. 내가 학장으로 재임하는 동안 퇴직 연령에 달하기 이전에 사망하거나 다른 대학으로 옮겨가기 위해 사임한 사례는 없었다. 불행하게도 이런 축복받는 기간이 늘 오래 지속되는 것은 아니다. 하버드대학의 몇몇 최우수 교수들이 다른 곳으로 자리를 옮겨가기도 한다.

어느 대학 어느 학과에서든 종신재직 교수를 결정하는 일은 日常의 사소한 일들에 비하면 대단히 중요한 일이다. 평생의 동료를 결정하기 위해 외부인에게 종신 교수 자리를 내주는 일이야 말로 중대한 투자를 하는 것이며, 종종 도박을 하는 것과도 같다. 특정 학문 분야의 개인 교수로서의 평가는 그가 속해 있는 학과의 수준에 상당히 좌우된다. 우수한 학과의 일원이 되면 개인의 명성은 높아지고, 전문가로서 자질을 발휘할 좋은 기회를 얻게 된다. 그렇기 때문에 학과의 종신재직 교수들이라면 누구나 새로 정해진 종신재직 교수가 적어도 학과의 현 수준을 떨어뜨리지 않기를 바라며, 이상적으로는 현 수준을 높여 주기를 기대하고 있다.

또, 일반 原則이나 시장 原理도 후보자의 경력 초기에 종신재직 결정이 이루어지게 하는 요소이다. 대부분의 종합대학교는 '승진 아니면 탈락'이라는 제도를 시행하고 있기 때문에 젊은 학자들은 7년에서 10년이 지나도록 같은 직위에 머무를 수 없다.[1] 시장 경쟁력은 교수의 담당 과목 인기가 특히 높거나 교수 자신이 탁월한 자질을 갖추고 있을 때 유발된다. 그리고 이러한 인기 교수를 유치하는 것은 종신재직권을 제공하는 시기의 적절성에 달려있다. 내가 학장으로 재임하는 동안 종신재직권을 받은 가장 젊은 교수는 26세의 프린스

턴대학(Princeton University : 1746년 설립 Princeton, NJ—역자 주) 출신
의 천체물리학자였다. 유명한 수학자인 C. L. 훼퍼만(Charles L. Fef-
ferman : 1949~ , 미국의 수리해석학자—역자 주)은 22세에 시카고대학
(University of Chicago : 1892년 설립 Chicago, IL—역자 주)에서 정교수
로 종신재직권을 받았다. 일반적으로 자연과학 분야의 승진이 가장
빠르고, 사회과학 분야는 그보다 약간 늦으며, 인문학 분야는 가장
늦다.

이러한 이유 때문에 어느 학과든지 새로운 종신재직 교수 자리와
관련된 문제들을 가장 신중하게 다룬다. 예외가 될 수 있는 것은 급
여 수준과 공간 배치 문제이다. 내부에서 누구를 승진시킬 것인가?
외부에서 누구를 초빙할 것인가? 누가 장래성이 있고 누가 없는가?
대학당국은 그 지위를 인정해 줄 것인가? 이러한 것들이 논의된다.

하버드대학의 전형적인 예로서 나 자신의 경험을 근거로 말할 수
있는 경제학과를 택하려고 한다. 경제학과는 30여 명의 종신재직 교
수*와 약 15명의 비종신재직 교수가 있는 대규모 학과이다. 학과의
크기는 여러 가지 변수에 의해 좌우된다. 경제학과는 文理科大學에
서 규모가 가장 큰 전공 분야이다. 경제학원론 강좌는 1,000여 명에
가까운 학생들이 수강 등록을 하며, 이로 인해 담당 교수에 대한 수
요가 증가하게 된다. 전공학생 수는 변동하지만 경제학은 언제나 많
은 학부학생들에게 인기가 높다. 어떤 이들은 이것이 학생들에 대한

---

* 하버드대학 경제학과 종신재직 교수 30명 가운데 4명만이 하버드대학 출신이고 26명
은 다른 대학 출신인데 비해(제 5장 각주 1 참조) 역자가 재직 중인 연세대학의 경제
학과는 25명의 전임교수 중 4명만이 타 대학 출신이고, 나머지 21명은 본교 출신인 것
이 좋은 대조를 이루고 있다.

知的 요구 수준이 낮기 때문이라고 말하기도 한다. 하버드대학의 많은 운동선수가 경제학과 출신인 것을 빗대서 하는 말이다. 좋은 뜻으로 말하는 사람들은 경제학이 오늘날 인기가 있는 법과대학원이나 경영대학원에 진학하기 위해 전반적으로 그리고 엄격하기까지 한 준비과정으로서 적합하다는 것이다. 홍미로운 것으로 그 이유는 확실하지 않지만 경제학 전공학생 수의 규모는 景氣의 순환과는 역으로 작용하기도 하나 그래도 가장 신뢰할만한 指標 중의 하나가 될 수 있다는 사실이다. 또, 경제학과는 규모가 큰 박사학위 과정 프로그램을 성공적으로 운영하고 있다. 경제학과의 인기는 의심할 바 없이 경제학 자체의 고유한 매력과 탁월한 교수진, 하버드대학의 높은 명성, 경제학자를 위한 많은 취업 기회와 밀접한 관계가 있다.

문리과대학에 경제학자가 많은 이유는 또 있다. 하버드대학의 많은 졸업생들은 성공적인 사업가가 된다. 일단 동문들이 경제적으로 대성하게 되면, 대학은 이들에게 모교에 대한 감사 표시로 구체적인 형태의 謝禮를 제공하라고 꾸준하게 요구한다. 이들은 주로 경제적인 면에서 성공을 거두었기 때문에 경제학에 대해 친근감을 갖게 되고, 경제학과에 새로운 교수 자리를 선뜻 기증하게 된다. 교수직 기증자 중에 때로는 이와 반대의 동기를 내세우는 사람들도 있다. 이들은 사업계에 여러 해 종사하다 보니 학생시절에 배운 경제학설이 부적합하고 잘못되어 있으며, 심지어 좌익적 편향의 색채까지 띠고 있다고 생각하는 사람들이다. 따라서 이들은 자신들과 같은 운명에 처한 후배들을 구제하기 위한 動機에서 강좌 설치를 위한 자금을 기부하게 되었다는 것이다. 그리고 때로는 자유기업 정신과 경제정책 연구를 중시해야 한다는 조건을 제시하기도 한다.[2]

이러한 이유로 경제학과는 적어도 2년에 한번, 대개는 매년 새로운 종신재직 교수를 임명할 수 있다. 보통 한 해에 둘 내지 셋까지 빈자리가 생긴다. 空席을 채우기 위해 내부인을 승진시키거나 혹은 외부 학자를 초빙하는 일은 경제학과에 소속하고 있는 모든 교수들의 가장 중요한 업무이다. 選考過程은 이해관계가 커서 대개 일년이 넘게 걸린다. 그리고 그 과정에는 즐거움과 고통이 수반된다.

이미 지적한 바와 같이, 지금까지의 논의는 두 가지 모순점이 있다. 경제학이라는 학문 중 지금 어느 분야(거시경제학, 미시경제학, 산업조직론, 경제사 등)를 강화해야 할 필요가 있는가 그리고 분야에 관계없이 지금 초청이 가능한 경제학자로 가장 우수하며, 가장 관심을 끌고, 가장 장래성이 있는 인물은 누구인가를 결정하는 것이다. 어느 쪽도 다 소중하지만 세부 전공 분야가 무시되면 학부학생과 대학원생을 교육해야 한다는 학과의 사명을 다하지 못하는 결과가 된다. 후보자를 심사하고 논문을 검토하며, 세계 각지에 있는 동료들에게 추천의뢰 편지를 부치고, 후보 당사자의 강의를 들어보면서 서서히 의견을 일치시켜 나간다.

교수들이 비록 각자의 선입견과 편견을 가지고 심사에 참여하게 될지라도—자기의 제자를 내세우는 것은 비참한 결과를 가져오는 어리석은 짓으로 널리 인정되어 있으며—토론은 매우 개방적이고 민주적으로 진행된다. 경제학이 가장 좋은 예이지만 분야에 따라서는 심각한 학문상의 문제가 발생하기도 한다. 연구 주제가 급속하게 변화하고 새로운 연구 기술이 등장함에 따라 원로 교수들이 젊은 교수를 평가하는 것은 점점 더 어려워진다. 예를 들면, 나 자신의 교육 배경과 능력으로는 최근의 수리경제학을 읽어내지 못한다. 이 분야에서 선택해야 할 때에는 동료 교수의 의견을 신뢰할 수밖에 없다. 요즈음 대학에서 박학다식한 학자는 멸종의 위기에 처해 있다. 우리 모두는 고도로 협소한 분야에 전문화 되어 있다.

지금까지 서술한 것은 대부분의 연구중심 종합대학교들이 갖는 공통된 상황이다. 하버드대학 특유의 문제도 상당히 많다. 먼저, 학과의 모든 교수들이 심사에 참여하는 것은 아니다. 참가 교수는 종신재직권을 가진 소위 경제학과 運營委員會 위원들로 제한된다. 비종신재직 교수들은 이해 갈등의 상황을 피하기 위해 배제된다. 이들은 결국 현재 또는 미래의 종신재직 교수 후보자들이기[3] 때문에 단지 비공식적으로 의견을 들어 볼 뿐이다. 직원이나 학생들도 적격자가 아니므로 같은 입장에 놓이게 된다. 전문가로서의 자질이 최대의 관건인데, 직원이나 학생들은 타당한 판단을 내리기에는 훈련이 되어있지 않기 때문이다.(교수에 대한 학생들의 강의 평가는 뒷부분에서 다루고자 한다.) 이것을 전국적인 표준으로 여겨도 결코 이상하지 않을 것이다. 내가 이렇게 말하는 것은 학생들이 일반적으로 종신재직 교수 결정에 자신들이 더 큰 발언권을 가져야 한다고 생각하고 있기 때문이며, 이 문제는 결국 우리가 해결해야 할 과제이다. 또 대학에 따라서는 비종신재직 교수가 발언권을 갖는 경우도 있다. 1960년대 내가 유시 버클리(University of California at Berkeley : 1868년 설립 Berkeley, CA—역자 주)에 있을 때 비종신재직 교수 한 명이 경제학과 운영위원회 위원으로 활동한 적이 있었다.

하버드대학의 더욱 주목할 만한 특수성은 종신재직 교수 후보의 물색 범위이다. 빈 자리가 생기면 하버드대학의 각 학과들은 '세계에서' 이 자리에 가장 적격한 사람이 누구인지 自問해본다. 만일 교수

들이 학과의 젊은 교수를 최적 인물로 합의하면 그 사람은 승진 대
상자로 추천된다. 외부 인사이면 초청되어 진다. 만일 최고 적격자가
사양하면 그 다음 순위의 사람에게 제의한다. 자질이 우수한 후보가
나타나지 않으면 그 자리는 공석으로 남겨 둘 수도 있다. 물론 내가
지금 설명하고 있는 것은 이상적이긴 하나 현실적으로 일어나는 일
이다. '최고'라는 기준은 어느 정도 기호(嗜好)의 문제라고 할 수
있다. '최고'의 자격을 갖춘 인물이 60세를 넘은 사람일 수도 있다.
그러나 그러한 사람을 선택하는 것이 학과로서 합리적인 투자는 아
닐 것이다. 더욱이 '세계적인 권위자'가 외국인일 경우 미국으로 移
住하는 문제가 큰 장애가 될 수도 있다. 때로는 비자 취득이 어렵고,
미국 대학의 급여 수준이 몇몇 유럽 대학에 미치지 못하며, 익숙하고
친숙했던 환경과 문화를 떠나 낯선 곳에서 지내야 하는 어려움이 가
장 큰 문제일 것이다. 몇 년 전 하버드대학은 이탈리아 문학자를 종
신재직 교수로 임명했었는데, 그는 통역원이 있어야 학장(물론 나는
아니다.)과 대화할 수 있었다. 몇 달 후 그는 사임했다. 언어가 언제
나 장벽이 되는 것은 아니지만 벽이 되는 수도 있다.

　현실이 어떻든지 理想을 추구하는 것은 소중하다. 모든 종신재직
교수를 범세계적으로 찾아 경쟁적으로 선임해온 관행은 하버드대학
이 대부분의 미국 대학들과 크게 다르다는 것을 의미한다. 이러한 제
도는 적어도 원칙적인 면에서 볼 때 이미 하버드대학에 있는 젊고
아마도 자격을 잘 갖추었을 학자들에게 유리한 제도가 아니다. 그래
서 실제로 이들이 내부 승진할 기회는 매우 적다. 종신재직 교수 자
리의 실제적인 공석 수보다 젊은 교수 수가 훨씬 더 많기 때문이다.
게다가 전세계적으로 경쟁자가 있기 때문에 이들과 경쟁을 해야 할

내부 후보자들은 불리한 입장에 있게 된다.[4]

종신재직 교수 후보를 탐색하는 原理에 대하여 설명하기는 쉽지 않다. 그 원리가 대학마다 매우 다양하기 때문이다. 비종신재직 교수들의 과다 공급 현상을 보이는 하버드대학의 선발 경향은 대부분의 아이비 리그 대학*들, 그리고 많은 최상위권 사립 대학**들에서 공통적으로 찾아볼 수 있다. 그것은 대학 나름대로 일방적인 방법을 시행한다는 것이다. 여기에 비하여 두세 개의 아이비 리그 대학들과 많은 명문 주립 대학들은 종신재직 코스制를 채택하고 있다. 이 제도에 따르면, 비종신재직 교수들은 누구든지 원하기만 하면 종신재직권이 부여될 수 있다. 그러나 이것은 보통 7년에서 8년의 가채용 기간이 끝나면 종신재직 자리에 있을 수 있다는 가정일 뿐 보장은 아니다.

---

* Ivy League에 속하는 대학과 설립년도, 소재지는 다음과 같다. 괄호 안은 설립년도. Harvard University(1636) Cambridge, MA ; Yale University(1701) New Haven, CT ; Princeton University(1746) Princeton, NJ ; Columbia University (1754) New York, NY ; University of Pennsylvania(1740) Philadelphia, PA ; Brown University(1764) Providence, RI ; Dartmouth College(1769) Hanover, NH ; Cornell University(1865) Ithaca, NY.

** Ivy League 대학이 아닌 최상위권에 속하는 私立 대학들의 설립년도와 소재지는 다음과 같다. 괄호 안은 설립년도. Stanford University(1891) Palo Alto, CA ; California Institute of Technology(1891) Pasadena, CA ; Massachusetts Institute of Technology(1861) Cambridge, MA ; Duke University(1838) Durham, NC ; University of Chicago(1892) Chicago, IL ; Johns Hopkins University(1876) Baltimore, MD ; Northwestern University(1851) Evanston, IL ; Rice University(1912) Houston, TX ; Washington University(1853) St. Louis, MO ; Georgetown University(1789) Washington, D.C. ; Carnegie Mellon University (1900) Pittsburgh, PA ; Vanderbilt University(1873) Nashville, TN ; Emory University(1836) Atlanta, GA ; University of Notre Dame(1842) Notre Dame, IN ; Tufts University(1852) Medford, MA.

그렇다고 내부 승진의 가능성이 空席이 부족하다는 이유로 배제되지는 않는다. 게다가 학과와 대학당국이 최종적으로 토의하고 심사할 때에는 '전세계에서 가장 적격한 인물인가 아닌가'에 관계없이 내부에서 규정한 성취 기준에 따라 결정한다. 이 때 내부 기준은 매우 높을 수도 있으나 이론적으로 보나 구체적인 사례에서 보나 어느 쪽이든 얻어지는 결과는 똑같다. 종신재직 코스제가 보다 더 관대하기 때문에 대학교수직 市場性이 궁색할 때 젊은 학자들은 이 코스제에 큰 매력을 느끼고 있다.

종신재직 코스제에는 몇 가지 명백한 利點이 있다. 이 제도는 비종신재직 교수들의 자질과 士氣를 높일 수 있다. 특히 대학교수직의 시장 경기가 좋지 않을 때, 젊은 학자들은 모험을 싫어하는 경향을 나타낸다. 그들은 승진 가능성이 가장 확실한 길을 선택할 것이다. 또한 내부 승진을 중시하는 것은 경제적이기도 하다. 경쟁 대학에서 지위를 확보하고 있는 학자를 초청하는 것은 가장 비용이 많이 드는 교수진 재편 방법이다. 내부 승진의 또다른 이점은 젊은 교수들에게 관심을 기울이게 되는 것이다. 한편, 年輪있는 교수 選任을 위한 기준으로는 내가 설명한 하버드대학 제도가 약간 우수한 편이다. 자리를 찾는 경쟁은 더욱 치열하고, 후보자의 범위는 더욱 넓어졌다. 내 생각으로는 두 가지 중요하고 타당한 관심사인 비용과 사기의 문제를 고려하여 종신재직 코스제를 약간 개선한 방법이 앞으로 주류를 이룰 것으로 본다.

대학에 따라서는 종신재직의 가능성이 대단히 높아서 짧은 가채용 기간이 지난 후에는 사실상 신분 보장이 된다. 이러한 대학은 교원노조 세력이 특히 강하다. 노동조합이 강한 캘리포니아주의 카톨릭계

대학교 文理科大學 학장인 내 친구의 말에 의하면 대학당국이 종신재직권 수여를 거부하면 관례적으로 중재조정의 절차를 밟도록 하고 있으며, 종신재직 교수의 자격조건에 대한 단체교섭 규정이 너무나 막연하여 거의 모든 대학 측의 거부가 중재조정인의 지지를 받지 못하고 있다고 한다. 특히 이해할 수 없는 것은 종신재직권이나 승진에 대한 결정이 개별 교수가 학장에게 신청하는 절차만으로 이루어진다는 점이다. 학장은 결정 과정에서 부당한 노동행위를 고발한다는 위협 하에 교수진으로부터 어떠한 정보나 의견을 구하는 것이 금지되어 있다. 조합원은 누구도 다른 조합원을 '관리'(판단 또는 감독)해서는 안된다.[5] 이러한 한심한 상황은 종신재직권제가 바람직한 사회계약이라는 나의 견해와 일치하지 않는다. 이러한 종신재직권제는 내가 앞에서 논의한 학자생활의 미덕과 상반되며, 학문의 질적 저하를 초래하도록 고안된 고용보장제로 변질된 것이다.[6]

하버드대학의 '전형적'인 사례로 다시 돌아가 보자. 産業組織論 분야에서 새로운 종신재직 교수를 찾고 있는 경제학과는 사전에 합의를 보았다. 즉, 경쟁 대학의 정교수인 30대 중반의 학자를 초청하기로 한 것이다. 종신재직 교수들의 평균연령이 거의 55세에 이르므로 젊음은 절대적인 자산이다. 젊은 학자들은 새로운 관점과 시대에 맞는 전문 교육 그리고 신세대 대학원생들을 지도해 나갈 가능성을 갖추고 있다. 이 분야에 대한 최신의 연구방법을 자유롭게 활용할 수 있는 능력이 절박하게 요구되고 있기도 하다. 표현은 하지 않아도 여기에는 자신들의 전성기가 조금 지났다는 내부 전문가들의 생각이 함축되어 있다.

다음으로 경제학과 과장은 소위 '블라인드 레터(blind letter)'라고 불리는 편지를 작성하여 발송할 의무가 있다. 이 편지에는 경제학과가 산업조직론 분야에서 한 명의 종신재직 교수를 임명하려는 취지와 최상위권에 드는 5～6명의 同年輩 후보자 명단이 포함된다. 학과가 사전에 점찍어 놓은 후보를 이 편지에서 밝히지 않고 있기 때문에 이 편지를 '블라인드 레터'라고 한다. 이 편지는 산업조직론 분야에서 명성이 높은 국내외 최고 학자들에게 우송되고, 이들에게 후보들을 평가하여 순위를 매기되, 후보자 명단의 質과 포괄성을 검토한 후 가능하다면 다른 후보자를 추가로 추천해 주기를 요청한다. 특별히 소수민족과 여성 후보를 포함시켜 줄 것도 요구한다.

그러나 하버드대학에서 뿐만 아니라 다른 곳에서도 '블라인드 레터'에 대해 많은 회의를 품고 있다. 좁고 말이 많은 세상에서 편지를 받은 사람들이 아무것도 모를 리가 없다. 그들은 경제학과의 意中에 있는 인물을 분별해 내는데 어려움이 없는 사람들이다. 이것은 사실일 것이다. 또, 특정인에 대해 묻는 것이 칭찬을 유도한다는 것을 나는 잘 알고 있다. 어떤 경우에도 惡役을 맡는 것은 결코 기분 좋은 일이 못된다. 그리고 오늘날 언제 어디서나 비밀은 새어나가게 마련이고, 공개되지 않아도 비밀 보장이 되지 않을 것이라는 두려움은 모든 응답 내용에 영향을 미친다.[7] 이들은 후보자에 대해 더욱 미묘하고 이해하기 어려운 評을 해 보낸다. 우리 모두는 行間에 숨겨진 의미를 알아내고 억지 칭찬으로 포장된 비난을 이해하는데 꽤 숙달되어 있다.

'블라인드 레터'에 대한 회답이 만족스러우면, 결국 학과에서 선택한 후보가 대부분의 회답에서 최상위의 평가나 그에 가까운 평가를 받았을 때 또는 좋지 않게 평가된 부분이 그의 독특한 개성으로 설명될 수 있을 때 경제학과는 공식 투표를 통해 학과의 판단을 재확인하게 된다. 단순히 다수결에 의한 결정이 항상 학과의 강력한 승인으로 간주되는 것은 아니다. 반면에 만장일치가 필요 조건도 아니다. 그렇다고 소수의 반대 의견이 종신재직 결정을 무효화 시키지도 못한다.

다음으로, 일건의 서류가 학장에게 회부된다. 학장과 그의 중요한 조언자들은 그 서류를 검토한다. 블라인드 레터, 조사서, 이력서, 학과의 의견서 같은 것들이다. 그리고 후보자에 대한 조사가 충분한지를 판정한다. 대부분의 경우 학장은 다음 단계의 절차를 밟을 것을 결정한다. 즉, 후보자에 대한 질의 내용이 전문적이고 학술적이므로 전문가들을 통해 학과 내의 의견을 듣도록 한다. 학장은 일단 다음 과정을 진행시킬 것을 결정한 후, 학과 운영위원회의 위원 전원에게 후보자에 대한 개인적 평가를 은밀히 요청한다. 경험이 풍부한 노련한 학장은 학과의 보고가 종종 열광적인 만장일치로 추천되었으나 실은 그렇지 않은 것을 너무나 잘 알고 있다. 교수들은 특정 장면의 분위기나 소수의 권위주의적인 인물들로부터 영향을 받지 않을 수 없다. 그들이 보내온 내밀한 私信을 통해 학과의 공식적 의견서에서 과장된 내용을 매우 효과적으로 가려낼 수 있다.

다음 단계로 特任委員會가 소집되고 여기에 처음으로 하버드대학 총장이 참여하게 된다. 종신재직 교수 결정이 있을 때마다 특임위원회가 구성되며, 총장이 의장직을 맡고 학장은 위원으로 참여한다. 이 위원회는 종신재직 교수로 추천된 사람을 총장에게 설명할 임무가 있다. 사실상 최종 결정은 총장에 의해 내려진다. 법률상의 승인은 대학이사회가 형식적으로 하도록 되어있다.

하버드대학 특임위원회의 특징은 무엇보다도 그 구성에 있다. 총
장과 학장 이 외에 보통 5명의 위원으로 구성된다. 이중 3명은 다른
대학의 저명한 학자로, 후보자와 같은 전공 분야를 대표하는 교수들
이다. 이번 경우는 산업조직론 분야이다. 이들은 우정과 편견을 배제
하고, 총장에게 가능한 한 가장 중립적인 조언을 하기 위해 외부에서
초빙되는 것이다. 나머지 두 명은 후보자를 추천한 학과를 제외한 하
버드대학 내부의 박학다식한 학자들이다. 경제학자가 후보자인 이번
사례에서는 두 명의 위원은 사회과학자로 구성할 수 있을 것이다. 특
임위원회의 구성, 특히 외부인의 선정은 확실히 결과에 영향을 미친
다. 그렇기 때문에 위원회 구성에 대해 학과의 의견을 청취한 다음에
총장 명의로 초청장을 발송한다. 실제로, 이 어렵고도 힘든 임무는
학장의 특별보좌관에게 맡겨진다. 나의 학장 재임시 특별보좌관은
매우 박식하고 공정한 철학과의 원로 교수였다. 그는 특임위원회를
공평하고 현명하며 덕망이 있는 전문가들로 구성했는데 그 일은 결
코 쉬운 것이 아니었다. 특임위원으로서 適格한 인물을 케임브리지
로 초청하는 일에 비용과 노력을 아끼지 않는다. 예를 들면, 해외에
서 관련 학자를 초빙하는 것도 드문 일이 아니다. 그러나 가끔 일어
나는 일이지만 해당 학과가 이 위원회의 결과에 만족하지 않을 경우
모든 비난은 위원회의 무능하고 부적절한 구성 탓으로 돌려진다.[8]

특임위원회는 재판 과정과 유사한 형식적 절차를 밟는다. 위원들
은 오전 10시에 매사추세츠 홀에 모여서, 학장과 총장으로부터 간단
한 보고를 받는다. 위원들은 이 보고서를 이미 읽은 상태이다. 세 가
지의 전형적인 질문이 항상 주어진다. 첫째, 후보자(피고?)는 하버
드대학으로부터 종신재직권을 받을만한 충분한 자격이 있는가? 둘

째, 첫째 질문에 대한 답이 긍정적이라고 해도, 더 나은 선택을 할 수는 없는가? 셋째, 학과의 현재 구성원을 고려해 볼 때, 이 전공 분야에 대한 선택이 가장 적절한가?

이 단계 또는 이전의 모든 검토 과정에서 거의 모든 경우에 분명히 제외된 일련의 질문들이 있다. 즉, 후보자의 人品에는 문제가 없는가, 그는 우호적이고 협력적인 동료가 되겠는가 하는 질문들이다. 이러한 질문들은 대부분 좋지 않은 것으로 看做된다. 그러나 나는 대학과 유사관계에 있는 조직들인 변호사회사나 종합병원에서는 이러한 질문들이 정당하게 제기되는 문제라고 생각해왔다. 대학의 학과가 종신재직 교수를 심의하거나 심사위원들이 결정을 할 때에 나는 이러한 질문을 하지 말라고 권하고 싶지 않다. 심사위원들은 암시나 간접적인 농담, 판단 유보 등을 통해서 자신의 느낌을 사적으로 표현한다. 우리들의 좁은 세계에서 이 정도의 행동이면 충분한 의사표시가 될 수 있다. 그러나 'X교수는 우리 학과의 분위기를 흐리게 할 사람이므로 나는 그를 평생의 동료로서 받아들이고 싶지 않다고 강한 반대 입장을 표명한 사람'을 나는 결코 본 일이 없다. 우리의 理想은 더욱 知的인 반론을 전개하는 것이므로 이러한 형태의 반박은 적절하지 못하다. 우리는 최고의 학자이자 교수를 찾고 있는 것이다. 만약 그 인물의 성격이 마음에 들지 않으면 우리들은 학문을 위하여 참고 견디자고 웃으며 말하곤 한다.

확실히, 이러한 관습에는 위선적인 요소가 있지만 또한 현실성도 없지 않다. 나는 학자적 탁월성을 추구하는 과정에서 명백한 성격적 결함을 고려하지 않고 선택하는 경우를 여러 번 목격하였다. 이러한 선택에 대한 代價는 매우 클 수 있다. 이것은 미국 대학의 특징이기도 하다. 영국 대학에서 최종 선택의 대상은 '친밀감을 느낄 수 있는' 性品의 소유자인 것 같다.

특임위원회에서는 학과를 대표해서 대개 4명의 찬성파 교수가 증언한다. 후보자를 반대했던 교수들도 모두 초대된다. 증인들은 이삼십 분 간격으로 도착하여 처음으로 특임위원회의 위원을 보게 된다. 이 시점까지 총장과 학장을 제외한 위원들의 신분을 공개하지 않는 것은 부당한 사전 공작을 막으려는 것이다. 질문들이 시작된다. 왜 A 후보가 B 교수보다 더 나은가? 증인들은 이 분야의 주요 논문과 저서를 검토해 본 일이 있는가? 학과에서 선택한 후보가 너무 젊었거나 늙은 것은 아닌가? 어느 누구라도 이러한 문제 제기를 하게 마련이다.(물론, 연령에 의한 차별은 법으로 금지되어 있다.) 세계적 권위자인 C에 대해 부정적인 평가를 한 것을 어떻게 설명할 수 있는가? 특임위원회의 분위기는 法廷과 같고, 약간의 긴장과 초조함이 감돈다. 특히, 학과의 대표자들이 더욱 그러하다. 하버드대학의 총장은 법학자이므로 자연스럽게 檢事와 같은 태도를 취한다*. 다른 위원들도 이러한 분위기에 휩싸이게 되어 의도적으로 반대 입장에 서는 검사와 같은 표정을 짓는다. 이 회합은 대학의 일상적이고 무미건조한 다른 위원회들과는 다르다. 종종 불꽃이 튀긴다. 나는 저명한 원로 교수들이 간신히 모멸감을 감추면서 얼음같이 차갑게 대응하는 광경을 보아왔다. 한 번은 증인 한 사람이 자기 생각에 종신재직 교

---

* 당시 하버드대학 Derek Bok 총장(재임기간 1971~1991)은 하버드대학교 법과대학원 원장을 3년 역임한 바 있는 法學者이다. 그의 뒤를 이어 1991년 취임한 Neil L. Rudenstine 현 총장은 프린스턴대학 출신으로 르네상스문학을 전공한 文學者이다. 오늘날 特任委員會에서 그의 태도는 어떠할지 궁금하다.

수로는 가장 적합치 못한 후보자였을 것이라며 그 例로써 한 학자의 이름을 제시하였다. 그러자 한 위원의 얼굴이 붉게 변하였다. 예로 든 사람은 바로 그 위원이었다. 그 이후로 나는 반드시 증인들에게 모든 위원들의 이름을 소개한다.

찬성파의 증인들은 심문의 압박 때문에 약간 부정적인 입장으로 돌아서는 경우도 없지 않다. 어떤 교수들은 자기 자신이 후보자보다 더 우수하다는 사실을 상세히 설명하면서 그럼에도 불구하고 이 후보에 대한 선택을 최선의 결정이었다고 주장하기도 한다. 언젠가 나는 동료 교수에게 그가 찬성하는 후보자를 일류 학자라고 진심으로 믿고 있는지 물어본 적이 있다. 그는 헛기침을 하며 말을 더듬었다. 그리고 후에 내가 그와 같이 당혹스런 질문을 던진 것을 호되게 나무랐다. 나는 이러한 경우의 심각성과 곤경에 대해 충분히 언급하였다.

영원한 논쟁의 대상이 되는 문제는 교수의 강의 평가이다. 하버드 대학이나 다른 최상위권 대학에서 교수는 연구자이며 교육자가 되지 않으면 안된다. 두 가지를 모두 잘 하는 사람은 드물지만, 각각의 활동에 대한 최저 기준을 되도록 높게 설정하고 그것을 유지해 나가야 한다. 연구활동의 우수성을 평가하는 것은 훨씬 더 용이하다. 연구의 성과는 출판으로 나타나며, 이는 동료가 언제든지 평가할 수 있는 유형의 결과들이다. 서평과 인용 그리고 그 사람의 思想에서 나온 연구의 중요성 정도는 상당히 믿을만한 증거가 된다. 종신재직권 심사용 서류로 그리고 특임위원회에 연구실적에 대한 의견을 제시할 수 있는 증거로도 충분하다. 그러나 강의 능력의 측정은 주관적이고, 평가나 판정은 불확실하다. 연구중심 종합대학교에서는 강의 능력이 경시되고 있다는 견해가 일반적이지만, 종신재직권 심사과정에서는 후보자에 대한 모든 정보를 제공하는 학과장의 추천서가 포함된다. 이 서류에는 학생의 강의 평가, 때로는 대학원생의 의견 그리고 수업 참관 보고서 등이 포함되어 있다. 학장 재임시 나는 교수들의 뒷공론을 들음으로써—학장의 소중한 일이다—학부과정 교육에 대해 학생위원회에서 매년 발행하는 강의 평가 책자를 살펴봄으로써, 동료의 강의 능력이나 아마도 더 중요한 강의에 대한 열의를 정확히 판단하는 것이 그렇게 어렵지 않다는 것을 느꼈다. 어떤 암시적 언어들은 늘 타성이 되어버린 귀에 경계 경보가 된다. '수강 인원이 적을수록 좋다'라는 말 속에는 거의 언제나 서투른 교수라는 의미가 함축되어 있듯이 말이다.

　중요한 것은 불필요한 타협을 하지 않는 것이다. 천재이기는 하지만 의사전달 능력이 부족한 교수가 때로 있는 법이다. 다분히 활자화되었을 그의 사상의 힘과 연구 업적에 대한 가치는 다른 모든 결점을 상쇄시켜 나간다. 연구중심 종합대학교들은 이들을 위한 자리를 마련해 주어야 한다. 그러나 단설 학부중심 대학들은 그렇게 할 수가 없다. 천재는 우리들의 최상위권 대학의 교수진에서 조차 썩 드물지만 다행스러운 것은 천재 중에도 훌륭한 인격을 갖추고 잘 가르치는 교수가 있다는 것이다. 우리들 대부분은, 특히 종신재직 교수들은 비범한 능력의 소유자들이고, 대다수가 창의성이 뛰어난 사람들이다. 그러나 이러한 자질을 지녔다고 해서 우리들의 두 가지 직무와 특권 즉, 교육과 연구를 소홀히 할 수는 없다. 우리는 이 두 가지를 모두 잘 해 나갈 수 있어야 한다. 그렇지 못하면 終身契約은 기대할 수 없다. 아니 실제로 받을 수 없는 입장이다. 가르치는 것은 예술이다. 그리고 우리 모두가 가르치는 재능을 선천적으로 동일하게 타고 난

것은 아니다. 그래서 전문가와 상담을 하고, 연습용 비디오 테이프를 활용하며, 유명 교수들의 특징을 분석해 보고, 자신의 잠재력에 대한 자각을 높여주는 세미나에 참석하는 등 다양하고 효과적인 현대 技法들을 통해 수업 능력을 향상시키려 한다. 교수법 향상을 위해 설치된 하버드대학의 댄포오드 센터는 많은 교수들의 강의 능력을 증진시키는데 기여해 오고 있다.

지금 특임위원회 위원들은 총장 공관의 식당에서 점심 식사를 하고 있는 중이다. 백포도주를 몇 잔씩 비웠고, 수프를 드는 동안 전문 분야의 소식과 예의 바른 이야기들이 오고 갔다. 그러나 이러한 즐거운 시간은 오래 가지 않았다. 총장이 조급하게 토론을 서둘렀기 때문이다. 그는 오전 중에 대립되었던 증언을 화제로 올렸다. 후보자가 너무 젊고 종신계약을 하기에는 조금 이른 感이 든다거나 더 나은 적격자가 간과되었다고 말하는 사람도 있다. 경제학과의 한 교수는 후보자의 통계사용법의 잘못을 지적하며 반대 증언을 한다. 이러한 의문들은 풀리지 않으면 안된다. 총장은 식탁을 돌면서 먼저 외부에서 초빙된 저명 인사들의 견해를 묻고, 다음으로 모든 위원들의 의견을 듣는다. 그리고 나서 전체 토의로 들어간다.

바라는 것은 명쾌함과 合意이며 대개는 그것이 실현된다. 어떤 때에는 강한 반론과 날카로운 의견 대립이 생겨나기도 한다. 표결은 하지 않는다. 논의의 과정은 전적으로 권고에 지나지 않으며, 각 위원들은 개인적인 조언을 제공할 뿐이다. 최종 결정은 총장이 내린다. 총장이야말로 그러한 권한을 갖고 있는 유일한 사람이다. 그는 특임위원회의 권고를 따르거나 무시할 수 있다. 물론, 그의 선택은 합리적인 한도 내에서 이루어진다. 종합대학교의 총장은 교수진의 협조

없이는 대학을 운영할 수 없다. 변덕스럽고 불합리하며, 납득할 수 없는 결정들이 오래 지속될 수 없다. 총장은 모든 결정을 내릴 때 정치적 결과를 고려해야 한다. 위원회가 압도적 다수의 합의를 통해 명백하게 자신들의 입장을 밝힐 경우 총장은 대개 위원회의 조언을 따른다. 또 임명 제안을 받은 대부분의 후보자들은 결국 총장의 승인을 받게 된다. 그 숫자는 해마다 상당히 다르지만 내 추측으로 기각율은 매년 10%를 넘지 않는다. 그러므로 특임위원회의 심의가 무의미하다고 생각하지 않는다. 위원회는 전문가들로 구성되어 있기 때문에 그들의 조언이 무시되는 경우는 예외적 상황일 뿐이다. 학과 교수들은 학과의 제안이 기각될 경우 학과의 전체적인 판단을 총장이 비판한 것으로 생각한다. 그래서 가능성이 약한 후보는 대개 특임위원회가 소집되기 전에 탈락되고 만다. 이러한 이유 때문에 대부분의 후보자들이 총장으로부터 승인을 받게 된다.

오후 2시 회의가 시작된지 4시간 후 총장은 보통 결정을 공표하지 않은 채 폐회를 선언한다. 총장과 학장은 함께 각자의 집무실로 돌아간다. 결정을 내리기 수월한 경우에는 집무실에 도착하기 전에 결정을 내린다. 드문 일이기는 하지만 그들은 후보자의 자격이 불충분하다는 것에 합의하기도 한다. 때로는 총장이 학장에게 즉각 제청을 하도록 권한을 부여하기도 한다. 어떤 때는 대화가 길어지기도 하고, 증거수집의 보충을 결정하기도 한다. 다른 전문가들이 동원되고, 새로운 추천서가 다시 작성되는 경우도 있다. 최종 결정이 이루어질 때까지 몇 주간이 걸렸던 사례도 있다.[9]

이것으로 긴 이야기를 마친다. 나는 종신재직권의 수여가 대단히 중요한 일이라는 것을 독자들에게 알려주기 위해 이렇게 자세한 설명을 했다. 나는 이 정도로 엄격하고 객관적인 기준에 의해 사람을 求하는 어떤 사기업체나 직장도 보지 못하였다. 후보자에 대해 깊이 있는 조사와 철저한 심사과정을 통해 미국 대학들이 종신재직권을 수여한다는 것은 다른 나라 대학에서는 그 유례를 찾아볼 수 없는 가장 멋진 제도이다. 하버드대학에서는 동료가 될 사람의 아주 작은 결점이나 학문상의 하자(瑕疵)에 대해서도 철저히 조사하기 때문에 어떤 새로운 종신재직 교수의 임명은 모든 입장에서 완전하게 만족할 수 없다는 결론에 도달할 수도 있다. 그러나 우리들 대부분은 내가 앞서 기술한 방법에 의하여 문리과대학의 질적 수준이 유지되고 점차 향상될 것이라고 확신하게 된다.

하버드대학의 방법을 다른 대학들이 그대로 사용하고 있는 것은 아니다. 대학 총장이 종신재직 교수 選考 과정에서 큰 역할을 수행하는 대학은 별로 없다. 하버드의 보크 총장은 자신의 이러한 역할을 그의 직무 중 가장 중요한 일로 생각하고 있다. 이 역할은 총장이 교수진의 質을 조절할 수 있는 가장 직접적인 방법이므로 이 일에는 많은 시간을 바쳐야 한다. 문리과대학에서만 매년 평균 20여 차례의 특임위원회가 열리곤 한다. 또, 외부의 전문가를 신뢰하는 것도 다른 대학들에서는 볼 수 없는 특징이다. 대부분의 다른 대학에서 외부 평가는 주로 書信의 형식을 취한다. 그리고 심사위원의 구성은 내부인에게 큰 비중을 두고 있다. 그러나 이러한 차이점은 유사점에 비교하면 대단한 것이 아니다. 어느 대학이나 그 나름대로의 방식이 있다. 나는 그저 자연스럽게 하버드대학의 예를 들었을 뿐이다. 우리의 공통점은 국내는 물론 종종 범세계적으로 주의 깊고 철저하게 종신재직 교수 후보자를 찾는다는 것이다. 이것이야말로 의미심장하고 강력한 미국 대학의 결속 요인이다.

몇 가지 의문점

지금까지 나는 주로 종신재직권 제도의 긍정적인 측면을 강조하였다. 여기에서 나는 아직까지 언급하지 않은 비판론에 대해 생각해 보고 싶다. 먼저, 종신재직권제는 이미 확립되어 있는 전공 분야와 연구방법을 영구히 유지하려는 것일 뿐 혁신적인 것을 배제하려고 한다는 것은 잘 알려진 주장이다. 사회평론가의 말을 인용하면 다음과 같다.

> 조직은 이미 옳다고 믿고 있는 것에 따라서 지식을 측정한다. 이미 이루어진 일을 현명한 행위로 받아들인다. 知性은 결정권을 가진 사람의 신념과 방법이 얼마나 닮았는가에 따라 査定된다.
>
> 교수가 임명권을 갖는다는 것은 質의 자기 보존적 수단이기도 하다. 그러나 凡庸의 자기 보존 수단도 된다. 激變의 시대에서 이것은 대학을 쇠퇴의 길로 이끄는 심각한 풍조가 될 수도 있다.[10]

이것은 심각한 비판이다. 내용이 타당해서라기 보다는 학문 혁신의 原理와 관련된 이론을 시사하고 있기 때문이다. 누가 혁신자이어야 하는가? 누가 어떤 혁신을 채택해야 할지를 결정해야 하는가? 실제로 누가 학문 혁신의 선봉에 설 것인가?

이러한 비난의 대상은 거의 모든 대학에서 채택하고 있는 學科의 조직형태이다. 학과는 대학의 내외로부터 질타를 받기에 만만한 대상이다. 學際的 연구방법을 피하고 독자적 성향을 지닌 사람을 임용에서 제외시키는, 생래적으로 보수적인 존재로 학과를 보는 사람들도* 있다.[11] 또 학과는 학생들 특히, 학부학생들을 무시하고 학과 자신의 편의대로 더 나쁘게 말하면 同好人 클럽처럼 운영된다는 비난을 듣는다. 이러한 비난과 종신재직권과의 관계는 명백하다. 지금까지 살펴본 바와 같이 학과에서 종신재직 교수의 결정이 시작된다. 승인할 것인가 기각할 것인가를 결정하는 것은 보다 고위층의 권한이지만 거의 모든 경우 선택의 범위를 결정하는 것은 확립된 학문 분야를 대표하는 학과이다.

오랫동안 학과에 의해 어려움을 당했던 나로서는 학과를 위해 열띤 변호를 하고 싶은 생각은 없다. 나는 학과 내의 분쟁과 하찮은 질투가 원인이 되어 학문 분야가 쇠퇴하는 것을 목격하여 왔다. 때로는 '거물들'이 자기 자신의 의사를 억지로 밀어붙여서 엉뚱한 결과를 가져 오기도 했다. 신임 교수에 대한 학과의 취향과—나는 그 선택이 너무 보수적이라고 믿었다.—학과의 교육방침이 내 생각과는 대립되었던 적도 여러번 있었다. 썩 드문 경우이지만(11년 동안 네 번) 학과를 대학의 직권 관할 하에 두지 않으면 안되었던 적도 있었다. 사실상 학과가 재편될 때까지 知的 파산선고를 한 셈이다. 또 나 자신이 학과의 위세를 업고 학생들과 젊은 교수들 그리고 모든 학장들을 대한 적도 있다.[12]

그러나 우리가 공동으로 잘못했음을 부인하지는 않지만 비판의 대부분은 여전히 요점을 놓치고 있다. 학과의 교수들은 어느 누구보다도 자기들 분야의 질적 수준을 판단하는데 적합하기 때문에 학과는 필요한 것이고 효율적인 조직이다. 물론 그들도 실수를 범하고, 때로

---

* Clark Kerr는 대학의 研究所가 개혁의 원동력(vehicle of innovation)이라고 한다면 學科는 전통의 저장실(vault of tradition)이라고 했다.

는 보다 더 높은 수준으로부터 자극도 필요하다. 하버드대학과 그 외의 최상위권 대학에서 화학이나 미술의 장래에 대하여 가장 타당한 견해를 알아보려면 각각 그 학과의 衆智에 의존할 수밖에 없다. 행정가들의 견해는 훨씬 더 결점이 있기 쉽고, 지나치게 추세 추종적이다. 그렇기 때문에 많은 학과들이 개혁의 중심이 되어 주기적으로 새로운 활력을 불어 넣으며 자기 변혁을 꾀하고 있다. 이러한 이유 때문에 오래된 학과들은 정기적으로 새로운 학과를 만들기 위해 분과를 하여 새로운 학문 분야를 탄생시키며, 필수과목을 바꾸어 나가는 것이다. 간단하고 신속하게 발생되는 변화는 거의 없으며, 새로운 中核敎育課程과 같은 학장중심의 혁신처럼 널리 알려지지도 않는다. 그러나 결국 교육과정의 핵심은 교수진의 質이지 교육과정 그 자체는 아니다. 그리고 교육과정은 학과에 의해서 운영된다.[13]

또, 비판론자들은 서로 관련된 두 가지 문제점을 제시한다. 세심하고 보수적인 심사과정에도 불구하고 혹은 바로 그 이유 때문에 잘못된 人選을 할 수 있다는 것과 그럼에도 불구하고, 종신재직권이라는 것 때문에 쓸모 없는 사람을 제거할 수 없다는 것이다. 이것이 대학만의 문제는 아니겠지만, 대학의 경우 종신재직권은 거의 절대적인 직업 보장이 되기 때문에 문제가 더욱 심각하다는 것이다.

잘못된 인선에는 두 종류가 있다. 선택한 인물이 기대에 못 미치는 경우와 선택되었어야 할 사람의 자질이 가려져 탈락된 경우이다. 이것은 반드시 발생하는 상황이다. 우리는 후에 놀라운 연구업적을 이룩한 젊은 교수를 임명에서 탈락시킨 경우가 있었다. 또 자신의 분야에서 앞으로 제 1인자가 되리라고 믿고 임명한 교수가 결국 실패를 한 경우도 있었다. 우리는 비참한 결과를 가져온 교수를 임명한—나는 이것이 실수였기를 바란다.—적도 있었다. 그러나 이것은 피할 수 없는 실수였다. 그 당시 우리는 가능한 모든 정보로부터 최선의 선택을 했었다.

이러한 것은 매우 미묘한 문제이다. 여기서 설명한 종신재직권을 받은 교수가 극히 보수적인 사람인지, 잘못된 인선이 될지, 쓸모 없는 者로 전락할지, 강의 기술이 부족한 사람일지를 증명할 수 있는 과학적 증거가 없다. 물론, 그 반대를 증명하는 것도 역시 불가능하다. 그러나 나는 200여 차례가 넘는 종신재직 교수 選考過程에서 특임위원회에 관계하여 왔고, 그 선택의 결과를 행정가로서 그리고 동료로서 지켜보아야 했다. 나는 이 제도가 완전하지는 못하지만 잘 시행되고 있고, 가능한 다른 대안들보다 더 우수한 방법이라고 생각한다. 완벽한 실수는 드물다. 즉, 기대에 어긋나는 경우는 대개 초기에 예측이 가능하지만 어쨌든 별다른 방법이 없기 때문에 우리는 그대로 밀고 나갈 수밖에 없다. 그러나 최대의 위험 부담은 우리가 미래를 예측하는 능력이 부족하여 나타나는 결과이다. 나는 이 부분을 강조하고 싶지 않지만, 현재의 연구업적을 제대로 평가하는 것은 어렵다는 것을 말하고 싶다. 학자들의 발전 속도는 각각 다르다. 대기만성형이 있는가 하면, 일찍 빛을 발하고 40세 이후에는 빛을 잃는 학자도 있다. 교수와 대학 간의 사회계약을 인정하는 제도에서 이러한 위험 부담은 사실상 피할 길이 없다.

대학교수의 상당수가 '무사안일하고 무책임한 게으름뱅이'인가? 내 경험에 의하면 이것은 극히 작은 문제에 지나지 않는다. 나는 교수들이 學外 활동에 너무 많은 시간을 할애하며, 거의 무가치한 연구에 매달려서 정력을 소모하는 것을 보아왔다. 교수들의 활동이 대학의 행정적 업무를 지향하는 경우도 있다. 그러나 나의 주먹구구식 결론에 의하면 쓸모 없는 존재로 전락하는 경우는 최상위권 대학 교수의 2%에도 못미친다.[14]

최근 정년 퇴직에 관한 논의가 많이 일고 있다. 종신재직권 제도가 원활한 기능을 하려면 그 필요조건으로 퇴직연령이 합리적이고 명확하게 결정되어야 한다. 나는 65세가 적당하다고 생각하지만, 현재의 관행은 70세까지도 재임하는 것이 가능하다. 예상대로 강제퇴직이 없어진다면 종신재직권제의 수정이 불가피할 것으로 나는 생각한다.[15] 그 이유는 간단하다. 한편으로는 교수의 조기 퇴직에 대한 誘因이 약하고, 다른 한편으로는 오랜 친분을 가진 동료의 퇴임을 무리하게 요구하는 것이 거북하고 마음 내키지 않으며 효과적으로 처리하기 어렵기 때문이다.

원로 교수층은 원래 퇴직할만한 근거가 미약하다. 나는 이들이 직책상 의무가 적고, 소득 수준이 안정적이라는 것을 여러 번 언급하였다. 게다가 이들의 직무는 힘도 별로 들지 않는다. 힘든 일을 할 필요도 없고, 고정된 시간에 일하는 것도 아니다. 직장을 그만두면 수입 감소가 불가피하다는 것을 잘 알고 있는데, 누가 자발적으로 사퇴하려고 하겠는가? 그러나 위험도 도사리고 있다. 왜냐하면 일정 연령이 지나면 체력이 감소함에 따라 전체 업무에 대한 공식 업무의 비율이 상대적으로 증가하게 되고 끝내는 비공식 업무와 똑같게 되기 때문이다.

질적 수준을 높이고자 하는 대학이라면 생산성 저하를 필연적으로 동반하는 노년층의 지배가 강화되는 것을 묵인할 수 없을 것이다. 젊은 학자들에게 미치는 비참한 영향은 설명할 필요조차 없다. 만약 강제 정년 퇴직이 연령 차별로 간주된다면, 같은 목적을 달성할 수 있는 대안을 수립해야 할 것이다. 기한계약과 능력 및 업적에 대한 정기적인 심사제도를 도입하는 것이 논리에 맞는 것 같이 생각된다. 그러나 이 제도는 이론적으로는 나쁠 것이 없지만 실행에 옮기는 것은 몹시 거북하고 비효율적이다. 평생 함께 일해온 동료를 누가 私心없이 엄정하게 평가할 수 있겠는가? 대다수의 계약은 更新되리라는 것이 내 추측이다. 대부분의 계약제도는 이미 그러한 결과를 나타내고 있으며,[16] 이는 확실히 질적 저하를 수반하게 된다. 교수의 노령화가 진행됨에 따라 젊은이의 채용은 줄어든다. 물론 이러한 현상은 바람직하지 못하다. 젊은이들은 교수로 채용될 기회가 줄어 듦에 따라 학자적 삶에 대한 관심을 적게 가질 것이며, 이것은 매우 서글픈 현상이다. 훨씬 더 바람직한 방법은 은퇴 후의 재정적 위험을 감소시키기 위해 근속 연수가 너무 길어지면 경제적 이익을 줄이는 형태로 퇴직 구조를 바꾸는 것이다. 급여 이외의 수당을 명시하고, 물가지수를 고려한 연금제를 적용한다면, 대학과 개인에게 모두 효과가 있을 것으로 생각된다.

【註】

1) 군대에서 승진에 누락되는 것이 마치 早期 退役을 의미하는 것같이, 우리 대학 사회에서는 이러한 결정이 훨씬 짧은 간격으로 이루어지며, 승진하지 못한 교수는 대개의 경우 지금보다 名聲이 덜한 학교로 자리를 옮기는 것이 보통이다.

2) 러시아人의 金言에 있듯이 '수프에 침을 뱉는 것'은 좋지 않다. 내가 경제학과의 자리를 감축하라고 하는 것은 아니다. 나는 단지 寄贈者가 흥미를 갖는 과목과 그렇지 않은 과목이 있다는 것을 지적하려는 것이다. 특히, 현실적 실용성이 높은 강좌가 압도적으로 인기가 있다. 외국문학 교육을 위해 기금을 모으는 일은 유감스럽게도 훨씬 더 어려운 일이다.

3) 제 15장 참조

4) 하버드대학의 몇 가지 사정이 이해를 돕게 될 것이다. 현재의 교수진이 최초로 종신재직권을 얻었을 때 평균 연령은 37세였고, 이들 중 54%가 내부에서 승진되었다. 1973년 이후에 임명된 종신재직 교수진은 평균 연령이 41세였고, 39%만이 내부 승진이었다. 내부 승진 비율은 확실히 감소하였지만, 그렇다고 39%가 무시할 수 있는 비율은 아니다. 그러나 少壯 교수들이 종신재직권을 받을 수 있는 기회는 매우 적다. 약 200명의 비종신재직 교수들이 6~7년마다 완전히 교체되기 때문에 개개인의 승진 기회는 10% 밑으로 떨어진다.

총장이 승인한 내부 승진 후보자의 비율은 외부 후보자에 대한 승인 비율과 정확히 일치한다. 최근에 特任委員會에 제출된 全 후보자 중 55%가 40세이거나 그보다 젊다.(자연과학에서 56%, 사회과학에서 54%, 인문과학에서 38%) 그리고 이들 젊은 후보자들 중 77%가 특임위원회에서 승인되었다. Harvard University, Faculty of Arts and Sciences, *Dean's Report* 1979~80 참조.

5) 샌프란시스코대학과 동대학 교원조합 간의 단체교섭규정(1981) 중 일부를 아래에 소개하겠다.

학과장은 학장에 의해 임명되지 않고, 교원조합원들의 선거에 의해 선출된다. 대학은 …… 임명해서는 안되고, 교원조합원들은 책임을 수락해서는 안되며, 수락하여 수행한 경우는 관리적 기능으로 해석되어 단체교섭규정에서 쌍방에 존재하는 차이를 무효로 하게 된다는 것을 양당사자는 인정한다. 대학이 임명해서는 안되고, 교원조합원들이 수락해서는 안되는 직무조항의 예로는 채용, 평가, 종신재직권과 승진에 관한 추천, 임명과 같은 인사와 관련된 책임 …… 그리고 예산편성과 관리와 같은 재정과 관련된 책임 등이 포함된다.

이것은 영광스러운 직업에 종사하는 교수를 노동자로 전락시키는 매우 믿기 어려운 규정이다.

6) 가장 흥미로운 점은 이 대학의 단체교섭규정에 대학을 총장 이하의 대학행정가로 정의한다는 것이다. 교수는 '단체교섭단위의 구성원'으로 되어있다. 학생에 대한 규정은 없다. 얼마나 이해할 수 없는 대학의 모습인가! 이 규정에는 또한 다음과 같은 우수꽝스러운 문장을 포함한다. "모든 조합원은 매년 대학 졸업식에 모자와 가운을 착용하고 참석해야 한다. 이 행사에 불참하고 싶으면 학장의 허가를 받아야 한다."

7) 內密한 평가요청은 전화요청을 제외하고는 회답을 보내지 않는 지경에 이르렀다. 이러한 상황은 학계의 전문가 초빙을 위해 개인의 솔직한 평가에 크게 의존하는 우리로서는 큰 손실이 아닐 수 없다.

8) 동료 교수인 J. K. 갤브레이스 교수는 최근 강연에서 다음과 같이 말하고 있다. "하버드대학의 특임위원회는 私心없는 공정한 판정을 하려고 하는 것 같다. 그러나 나 자신이 종신재직 교수로 임명된 이래, 나는 이 방법의 효과성에 대해 의심해왔다. 그 당시 나의 학과장은 나의 임명에 찬성해 줄 저명한 학자를 위원회에 제안해 달라고 요청해 왔다. 나는 주저하지 않고, 그의

말에 따랐다." 만약 갤브레이스 교수의 말이 사실이라면, 지난 40년 간 하버드대학의 종신재직권 수여 절차는 분명히 엄정해졌다. 하지만 나는 그의 말이 얼마만큼 사실인지 의문이 간다. 1986. 3. 27, University of California at Berkeley에서 J. K. Galbraith가 행한 강연의 일부.

9) 하버드대학의 방식에도 위험은 있다. 중요한 결정은 후보자를 지명하는 '비공식적 과정'에서(후보자가 자기 자신이 고려되고 있다는 것을 알 경우) 후보자를 임명하는 '공식적 과정'까지 장시간이 걸린다는 것이다. 보통 6~9개월이 소요되는데, 이 기간 동안 많은 일들이 발생한다. 어떤 교수들은 임명 여부가 불투명한데도 장시간을 기다려야 하며, 소모적인 심사과정을 겪어야 하는 것에 분개하고 있다. 또 어떤 교수들은 하버드대학에 임명될 수 있다는 가능성을 이용해서 재직 대학과 협상을 한다. 협상의 결과 일단 재직 대학에서 대우를 크게 개선해 주면, 그들은 재직 대학에 그대로 남는다.

10) Speech by J. K. Galbraith, University of California at Berkeley, March 27, 1986.

11) 물론 學際的 接近이나 독자적 성향 그 자체가 우수한 것은 아니다. 중요한 것은 보기 좋은 유행어들이 아니라 그 결과이다. 이러한 기준에 의하면 학제적 접근보다는 분야별 연구방식이 選好된다. 자연과학이나 경제학 분야에서 독자적 성향을 지닌 사람이 노벨상을 수상한 경우는 썩 드물다.

12) 최근 하버드 광장에서 판매되고 있는 티셔츠가 이 사정을 잘 말해준다. 티셔츠에는 하버드의 紋章이 새겨져 있고, 그 위에는 '역사'라는 단어가 괄호 안에 묶여져 있다. 이 말은 '금년에는 강좌가 제공되지 않음'의 의미로 우리에게 통한다. '眞理'라는 단어가 원래 있어야 할 자리에는 '프랑스로 출타 중'이라고 쓰여있다.

13) 學科의 존재에 대한 비난의 소리를 없애기 위해 학과를 폐지한 것이 아무런 도움도 되지 않았다는 것이 나의 생각이다. 또 學際的 연구의 質과 量도 학과의 有無와 관계가 없다. 한 예로 유시 어바인의 근황을 들 수 있다. 1964년 우리는 이 대학교에 처음부터 학과가 없는 社會科學大學을 의도적으로 설

립하였다. 현재의 상황이 어떠하든 유시 어바인의 大學構造가 그와 비견할 만한 대학의 평균보다 훨씬 우수한 교육 결과와 학제적 업적을 올리고 있다고 주장할 사람은 거의 없을 것이다.

14) 나는 이 2%에 포함되는 교수들도 무시되어서는 안된다고 생각한다. 그러나 실제는 무시되는 경우가 매우 잦다. 早期 은퇴는 훌륭한 선택이 될 수 있다. 학장은 많은 상담을 통해 이들에게 급여나 다른 특혜를 배분하는 조건으로 조기 退職을 촉구할 수 있다.

15) 현재 聯邦法은 대학에서 종신재직 교수를 70세에 퇴임하게 하고 있다. 그러나 1993년 이후에는 더 이상 이것이 가능하지 않을 것이다. 1993년 이후에는 대학들도 다른 기업체와 같이 강제퇴직을 금지하게 될 것이다.

16) *Faculty Tenure*, 12면 참조.

제 **12** 장

脫盡, 嫉妬 그리고 다른 類型의 苦痛

지금부터 10여 년 전의 이야기이다. 나의 논문 지도 교수였던 經濟史學者 A. 게어쉔크론(Alexander Gerschenkron : 1904~1978, Walter S. Barker 경제학 碩座 교수—역자 주)이 은퇴했을 때, 「뉴욕 타임즈」紙는 '하버드대학의 모범학자 학구생활을 끝내다'라는 제목의 기사를 게재했다.[1] 확실히 그는 전공 분야에서 뿐만 아니라 널리 일반인의 관심을 끌만한 신사였다. 제 2차 대전 중에 게어쉔크론은 망명자였으며, 당시는 상근 교원자리 조차 없어서 캘리포니아주 북부에 있는 한 造船所에서 이음매 테두리 제작공으로 일을 했었다. 「뉴욕 타임즈」지와의 '은퇴

기자회견'에서 그는 다음과 같이 말했다. "나는 조선소에서 계속 일 하는 것에 대해 진지하게 생각해 보았다. 나는 무수히 많은 匿名의 미국 대중들과 만나는 것을 좋아했다. 그러나 그 일이 꿈에서 조차 못잊을 정도로 대단한 일은 아니었다. 학자생활이란 즐거운 것인가 아니면 고통스러운 것인가? 만약 누군가가 당신의 다리를 자른다면 고통을 느끼겠지만 학자생활은 잘려도 아픔을 못느낀다." 학자로서 대성한 사람의 최후의 말치고는 참으로 놀라움을 금치 않을 수 없다.

나 자신도 비슷한 예를 들 수 있다. 학장으로서 나의 임무는 여러 사람들을 만나고, 서류를 검토하며, 편지를 쓰기도 하고, 수많은 위원회의 의장직을 수행하는 일이다. 이러한 일들이 빈번하게 가시적인 발전이나 성과를 가져다주지는 않았지만 나는 언제나 시간을 생산적으로 활용했다고 확신하면서 집으로 돌아오곤 했다. 이러한 일이 건설적이라고 할 수 있는 환상은 어디에서 오는 것일까? 그것은 내가 수행하는 활동의 결과를 측정하기 어렵다는 것과 의심스러운 것은 보통 내게 유리하게 해석하려고 하는 경향 때문일 것이다.

학자이자 교수로서 나의 성취감이나 진전감은 반드시 주기적이다. 계곡이 연속되다가 가끔 稜線이 보이는 것과 같다. 교수가 하는 전형적인 일 가운데 책을 쓰는 일을 예로 들어보자. 나는 하루에 8시간 동안 글만 쓸 수가 없다. 다른 사람들도 마찬가지겠지만 오전에 글을 쓰기로 결정하면 나는 그 시간에는 다른 일을 하지 않는다. 그래도 일이 전혀 잘 안되는 때가 있다. 책상 앞에 앉아서 노란 원고지만 쳐다보고 몇 번이고 커피 자판기와 화장실에 들락거리기도 하며, 전화가 걸려와서 이 시간을 방해하여 주기를 바라면서 정오가 다 되도록 아무것도 하지 못한 때도 있다. 이런 날은 좌절감과 죄의식을 동시에 느끼게 된다. 좌절감은 오늘 일이 잘 안되었기 때문이고, 죄의식은 자율과 자유, 게다가 급여까지 받고 있으면서 그것들을 잘 이용하지 못했기 때문이다.

우리 교수직에는 바로 여기에 아주 커다란 逆說이 있다. 중요한 미덕인 자유가 너무나 쉽게 악덕인 죄의식으로 바뀐다는 것이다. 즐거움인지 고통인지 판별하지 못하는 것도 여기에서 연유된다. 어느 쪽으로 느끼던 그것은 매우 개인적인 것이다. 가끔 저지르는 우리 자신의 실수는 동료 연주자나 노련한 지휘자에 의해 감춰지는 대규모 교향악단 단원들의 실수와 같지 않다. 어느 정도까지는 소속 대학의 명성 뒤에 숨을 수 있을지라도—대학마다 비호해주는 정도는 다르지만—학생 앞에서나 자신의 著作에 대해서는 결국 홀로 서지 않으면 안된다. 교수들의 세계에서 명성을 얻거나 잃는 것은 본래 개인적인 자질에 달려 있다.

실업계에서는 전혀 다르다. 만약에 품질이 낮은 자동차를 생산했기 때문에 미국의 자동차 산업이 비난을 받게 된다면, 제너럴 모터즈社의 관리층이나 노동자들은 그런 평가가 자기 자신들과 전혀 무관하다고 생각하기는 어렵다. 이와는 대조적으로 하버드대학 교육이 비판받았다고 하면 나의 동료 교수 대부분은 자신들에게는 전혀 상관없는 것으로 생각할 것이 틀림없다. 비판이 다른 사람을 겨냥한 것이라고 믿으려 할 것이다. 그들은 개인적인 명성이 관련되었을 때만 깊은 관심을 보인다. 물론 개인만 강조하는 것이 좋은 면도 있지만 나쁜 면도 있다. 좋은 면은 성공을 독점할 수 있는 점이고, 나쁜 면이란 실수도 모두 자기 것이라는 점이다.

학자생활의 어두운 측면을 형성하는 주요 요인은 무엇인가? 어느 것도 특별히 희귀한 것은 아니지만, 대학에서는 모든 것이 특수한 樣相을 띠고 있다. 나는 넓은 의미에서 악의 범주들 즉, 탈진과 권태, 늙어 가는 것과 질투심에 대해서 논의하고자 한다.

종신재직권이라는 커다란 고비를 일단 넘고 나면 다른 많은 직업에 비해서 교수생활에는 뚜렷한 진전이나 단계가 존재하지 않는다. 바로 이것이 권태나 탈진을 낳는 主된 원인이다. 예를 들어 35세에 일단 종신계약을 맺으면 30년 이상 같은 직무를 수행해야 하고, 새로운 연구업적을 쌓아가면서 학생들을 교육해 나가지 않으면 안된다. 기반은 다 다져졌고 결코 바뀌는 일이 없다. 모든 사람들이 같은 권리와 책임을 가지고 공동 '所有主'가 되는 교육기관이기 때문이다. 대학이라는 조직은 그룹 부사장제나 해외 지점, 또는 팀 성과급제와는 상관이 없는 세계이다. 종신재직 교수 수에 비해서─실업계에 비해서도─행정보직 자리 수는 지극히 제한되어 있으며 행정보직을 맡게 된다고 해도 큰 이득을 얻는 것도 아니다.

학자생활을 계속하는 동안 연구의 관심이 다른 방향으로 바뀌는 경우도 흔히 있는 일이다. 학생들도 매년 바뀌기 때문에 새로운 자극을 받는다. 그것만으로도 대개 의욕을 갖고 흥미롭게 일을 계속해 나갈 마음이 생긴다. 그러나 소수의 교수들은 불가피하게 정열을 잃기도 한다. 서로 다른 요인들이 이 난처한 집단을 설명해준다. 창조적이며 명석한 두뇌가 쇠퇴할 수도 있고, 새로운 연구방법의 진전에 비해 자신의 분야가 그 변화에 따라가지 못하는 경우도 있다. 때로는 개설된 과목이 활기를 잃고 일상적인 일처럼 되어 거기에 속하는 학자들이 권태감에 빠지는 경우도 있다. 몇 년 동안 연구를 계속하다가 자신의 연구에 벽을 느끼고 학자로서의 장래에 대해 깊은 불안감과

懷疑를 느끼기도 한다. 학문 분야에서 변화가 너무 심해 대학원생들을 따라가는 것조차 힘들어 하는 과학자마저 있다.* 어떤 인문학자들은 아무도 자신의 연구에 관심을 기울일 것이라고 확신을 할 수 없어 연구를 포기하기도 한다. 그러나 이러한 범주의 어떤 것도 종신재직권에 반대하는 사람들이 자주 말하는 '늙어서 쓸모 없는 사람'에 대한 문제를 다루고 있지 않다. 지금 내가 이야기하는 것은 하는 일없이 봉급을 받으면서 은퇴를 생각하지도 않는 사람에 관한 것이 아니다.[2] 내 관심사는 자신의 일에 대해 적절한 리듬을 만들지 못하는 사람에게 있다.

연구에서 좌절하게 되면 가르치는 일도 재미가 없어질 것이다. 교수 스스로 전공에 대해 따분하게 생각한다면 어떻게 학생들에게 전공에 흥미를 갖도록 할 수 있을 것인가? 다른 사람이 자신을 앞지르게 된다면 어떻게 다음 세대의 학자인 학생들을 가르치는데 확신을 가질 수 있겠는가?

이러한 문제는 아주 민감한 문제이며, 대학 내에서는 모두들 이러한 논의는 될 수 있는 대로 피하려고 한다. 마치 모든 사람들이 유리로 된 집에 살면서 돌을 던지는 첫 번째 사람이 되기 싫다고 생각하는 것과 비슷하다. 학장으로서 나는 우리 文理科大學의 약 400명의 원로 교수들 거의 전부 알고 있다. 하지만 단 한 사람을 제외하고 자신의 연구가 점점 뒤떨어지기 시작했다든지 연구에 벽을 느낀다든지

---

* 대학교수들이 불안을 느낄만큼 맹렬히 學究에 몰두하는 미국 대학원생들의 모습은 주어진 과제에만 열중하는 우리 나라 대학원생들의 안일한 자세를 반성하게 하기도 한다. 물론 이것은 대학원생들만의 문제라기 보다는 한국 대학의 전반적인 知的 風土에 대한 반성이라고 하는 편이 더 적절한 듯 싶다.

하는 이야기를 내 앞에서 꺼낸 이를 본 적이 없다. 나하고 연구에 대해 이야기를 나눈 하버드의 과학자들은 누구나 다 자신의 연구는 지극히 순조롭게 잘 되어가고 있으며, 조만간 자신이 최대의 업적을 올릴 수 있다는 식으로 이야기를 한다. 나이가 들어도 그들은 비슷한 말을 계속한다. 물론 그럴 리가 없다. 장래의 계획을 세운 학자들은 이 사실을 충분히 알고 있다.

인생에는 調整이 필요한 단계가 있다는 것을 결코 인정하지 않으려고 하는 것도 탈진의 문제를 크게 하는 원인이 된다. 나는 대학원생들에 대한 지도는 주로 젊은 교수가 책임을 져야한다고 믿는다. 그들은 시대의 첨단에 서 있고, 지식의 전문화가 잘 되어 있는 사람들이다. 대학원생의 지도에는 깊이와 예리한 초점이 강조되어야 하며, 동시에 기술이나 이론도 그 분야에서 최첨단을 이루는 것이어야 한다. 이러한 자질은 철학박사 학위를 취득한지 얼마 안되는 학자들의 강점이기도 하다. 한편 원숙한 교수는 학부학생들을 가르치는 일에 더 중점을 두어야 한다는 것이 나의 견해이다. 학부학생들에게는 최신의 전문 지식보다는 폭넓은 교양 지식이 더 필요하다. 학부학생들은 교양교육을 받기 위해 대학에 들어온 것이며, 아주 특수한 논제라 할지라도 넓은 안목과 배경 속에서 가르치는 교수들이 그들에게 가장 적격한 교수가 되는 것이다. 인생의 경험은 어떤 과목에서도 일반교양의 커다란 비중을 차지하는 요소가 되기 때문이다.

어떤 일이든지 이러한 分業을 엄밀하게 실행하는 것이 좋다고 제안하는 것은 아니다. 연로한 교수 중에도 일류급 대학원 교수가 수없이 많다. 더군다나 원생들은 노교수의 강의를 수강하기를 원하며 특히 실험실에서는 더욱 그렇다. 더욱이 박사학위 논문 지도 교수로는 유명한 원로 교수 쪽이 취업하는데 더 유리하다는 점도 있다. 또 학부과정의 훌륭한 교수들 가운데는 대학원을 마친지 얼마 안된 젊은 교수들도 있다. 그래도 위에서 말한 나의 견해는 대학 사회가 관심을 더 기울여야 할 것으로 생각한다. 교수 경력이 많아짐에 따라 가르치는 대상을 점점 학부학생들로 옮기는 것도 의미가 있고, 그렇게 함으로써 심한 좌절감에서 벗어나는 교수도 있을 것이며 또 학생들을 위해서도 좋다. 그러나 쉽고 자연스럽게 그렇게 되지는 않는다. 명성 때문에 오히려 그렇게 생각하기가 힘들며, 오랜 지적 활동을 계속하는 가운데 그것이 바람직한 모형이라는 것을 인정하고 싶지 않은 마음도 들 것이다. 교수들은 전공 분야에서 인정받는 것, 따라오는 원생 수, 연구 조성금의 규모 등을 성공의 기준으로 삼는다. 하지만 35년 동안이나 이 本源的인 척도가 변하지 않았다는 것은 그렇게 바람직한 일은 못된다. 또한 이러한 생각은 부분적으로 많은 교수들이 불행한 퇴직을 하는 원인이 되었을지도 모른다. 그들은 재직 중에 계속해서 '자신의 연구'를 하기 위해 더 많은 시간을 갖고 싶다고 말하는데, 막상 65세에서 70세가 되어 그것이 가능해지고 강의 의무, 위원회 출석, 학과내 투표권 등에서 제외되면 드러내놓고 분개하였다. 그러나 연구 활동을 하기에 적당하다고 생각되는 시간적 여유가 생길 때에는 실제로 그 나이가 연구에 적합하지 않을 수도 있다. 왜냐하면 가장 독창적인 연구는 때때로 소장 교수들에 의해서 이루어지기 때문이다.[3]

이번에는 앞에서 '질투'라는 제목을 붙인 항목을 다루고자 한다. 별로 유쾌한 말은 아니지만 이런 표현이 꼭 맞는 몇 가지 현상을 특히 학자 세계에서 많이 볼 수 있다. 다른 학문 분야의 동료들에 대한 질투, 다른 직업에서 교수보다 소득이 더 높은 사람들에 대한 질투 등이다. 질투로 고민하고 있는 사람들은 교수만이 아니다. 전인류 가운데 많은 사람들이 질투로 인해 번민하고 있다. 그러나 질투의 습성은 학자 세계에서 특히 잘 생겨난다. 자신의 가치에 대해 절대적인 자신을 갖고 있고, '타인' 즉, 대학행정가, 일반 대중, 정부, 학생 또는 거의 모든 사람들에 의해서 정당한 평가를 받지 못할 경우에는 분노를 크게 느끼기 때문이다.[4]

미국대학교수협회의 조사에 의하면(1984~85년도) 박사학위 수준의 교육과정을 설치하고 있는 대학의 정교수 평균 年俸은 44,100 달러였으며, 조교수는 26,480달러였다.[5] 개개인의 능력을 고려해 볼 때 기가 막힐 정도의 액수이다. 그렇지만 이 수치는 약간 오해를 불러 일으킨다. 미국의 3,000여 개에 달하는 전문대학, 단설 학부대학 및 종합대학교의 급여는 천차만별이어서 이를 평균하는 것은 별 의미가 없다. 하버드대학교 文理科大學의 경우 종신재직 교수의 급여는 같은 해 기준으로 평균 60,000달러가 넘는다.[6] 미국의 최상위권 30개 정도의 연구중심 종합대학교*들은 거의 이와 비슷한 수준이다.

---

*미국의 최상위권 30개 연구중심 종합대학교의 설립년도와 소재지는 다음과 같다. Harvard University(1636) Cambridge, MA ; Princeton University(1746) Princeton, NJ ; Yale University (1701) New Haven, CT ; Stanford University (1891) Palo Alto, CA ; Massachusetts Institute of Technology(1861) Cambridge, MA ; Duke University(1838) Durham, NC ; California Institute of Technology(1891) Pasadena, CA ; Dartmouth College(1769) Hanover, NH ; Brown University(1764) Providence, RI ; Johns Hopkins University(1876) Baltimore, MD ; University of Chicago(1892) Chicago, IL ; University of Pennsylvania(1740) Philadelphia, PA ; Cornell University(1865) Ithaca, NY ; Northwestern University(1851) Evanston, IL ; Columbia University(1754)

이러한 수치는 좋은 것인가 나쁜 것인가? 무엇과 비교해서 그런 판단을 내릴 수 있는가? 매우 어려운 질문이다. 예를 들면, 1935년 하버드대학 정교수의 급여는 약 8,000달러였다. 이 수입으로 여유 있게 고용인을 한 명 두고 메인州에 별장을 가질 수 있었다. 1984년 기준으로 환산하면 59,000달러에 상당하다. 약 45년이 지났음에도 불구하고 교수의 급여는 거의 개선되지 않았다. 게다가 세금 부담은 더 심해져 봉급 생활자의 합법적인 면세는 여러 가지 문제들이 있다. 고용인을 둔다는 생각은 아주 오래 전에 잊었다. 메인州의 별장도 거의 찾아 보기 힘들다.

또다른 예를 들어보자. 연방법원 판사의 현재 연봉은 89,500달러이고, 上院議員이나 하원의원도 같은 금액이며 장관급은 99,500달러이다. 이 수치는 최상급 교수의 연봉과 거의 비슷한 것이나 공무원 봉급이 최근 들어 급격히 떨어지고 있는 것을 생각하면 비교할만한 기준이 되기 어렵다. 1969년에서 1984년까지 교수의 급여는 약간 떨어졌거나 保合 상태였지만, 국회의원 봉급의 실질 구매력은 39%

New York, NY ; Rice University(1912) Houston, TX ; Emory University (1836) Atlanta, GA ; University of Notre Dame(1842) Notre Dame, IN ; University of Virginia(1819) Charlottesville, VA ; Washington University(1853) St. Louis, MO ; Georgetown University(1789) Washington, D.C. ; Vanderbilt University(1873) Nashville, TN ; Carnegie Mellon University(1900) Pittsburgh, PA ; University of Michigan(1817) Ann Arbor, MI ; Tufts University (1852) Medford, MA ; University of California (1868) Berkeley, CA ; University of North Carolina(1789) Chapel Hill, NC ; University of California (1919) Los Angeles, CA ; University of Rochester(1850) Rochester, NY ; Brandeis University(1948) Waltham, MA. 자료 : *U.S. News & World Report*, Sept. 18, 1995, pp. 46~48.

나 떨어졌고, 지방법원 판사의 봉급은 32% 떨어졌다. 판사나 의원의 급여는 현재 너무 박봉이 아닐까? 유감스럽게도 R. 네이더(Ralph Nader : 1934~ , 미국 정치운동가 겸 작가, 미국 소비자 운동의 창시자—역자주)나 일반 대중들은 다른 의견을 갖고 있는 것 같다. 그러나 같은 기간에 야구 선수의 실질 구매력은 466% 오르고, 기업의 고위 관리직 봉급은 68% 올라갔다. 일리노이州 출신 P. 사이먼 민주당 상원의원은 행정부, 입법부, 사법부 봉급에 관하여 연방위원회에서 "시카고 불스 농구팀의 가장 약한 선수는 거의 벤치에 앉아 있는 데도 불구하고 나라의 법률을 제정하는 사람보다 훨씬 더 많은 봉급을 받고 있다."고 보고한 바 있다.

어린이들이 받아야 할 교육의 종류나 실험실에서 나오는 기초 과학의 質보다 국가의 법률이 더 중요한가? 의원이나 교육자는 농구선수보다 금전적 가치가 더 낮은가? 수입의 많고 적음이 사회적 가치를 재는 척도인가? 왜 대도시 버스 운전기사의 봉급이 비종신재직 교수보다 더 많은가? 여러 가지 통계로 나타나는 이러한 문제는 아직 얼마든지 더 들 수 있다. 그렇게까지 하지 않아도 문제점은 얼마든지 지적할 수 있다. 실질적으로 제 2차 대전 후 의사나 변호사나 실업가의 수입은 놀라울 정도로 올랐지만 교수 그리고 공무원의 급여는 거의 오르지 않았다. 그 결과 학자의 상대적 생활 수준은 의사, 변호사, 회사 임원에 비해서 상대적으로 떨어졌다. 학자생활의 장단점에 관한 章에서 논의한 바와 같이 정규 급여 이외에 들어오는 것이 있기도 하지만 準據集團의 생활 수준이 학자의 생활 수준에 비해 명백히 올라갔을 때 가족의 요구사항은 커다란 압력이 된다. 그 결과 질투심이 생긴다. 사회에서 眞價를 인정받지 못하고 있다는 마음이 들면서 앞으로 학자가 되고자 하는 사람은 매력적인 미래의 모습을 그리지 못하게 된다.

더 심각한 것은 내부의 질투이다. 거기에는 두 가지 뿌리가 있다. 동료는 누구나 평등해야 한다는 理念과 대학의 現實이 그것이다. 이러한 뿌리에서 양분을 흡수한 나무는 때때로 독성있는 열매를 맺을 수도 있다.

하버드대학교 문리과대학에는 고등교육의 전통적인 분야가 거의 모두 포함되어 있다. 즉, 인문학, 사회과학 그리고 자연과학이다. 누군가가 총장이나 학장에게 다음과 같은 질문을 했다고 하자. 이들 전공 분야는 모두 같은 정도로 중요한 것입니까? 어떤 분야는 다른 분야보다 더 가치가 있는 것 아닙니까? 이에 대한 대답은 대학의 특성에 따라 크게 달라진다. 예를 들면, 학부학생들의 전문직 교육에 중점을 두고 있는 주립 대학이면 '중요성'이나 '가치'는 학생들의 등록자 수로 판단할 수밖에 없을지도 모른다. 주립 대학의 재원 배분은 등록자 수에 따라 결정되는 일이 많다. 그래서 경영학, 공학, 생물학, 경제학이라는 과목들이 중요시 되는 것이다. 인문학의 지위는 상대적으로 낮아지게 된다.

또한 원숙한 교수의 수요와 공급에 주목하는 학장이나 총장도 있을 것이다. 학문 분야에 따라서는 대학 밖에서도 수요가 있고, 그로 인해 강한 경쟁의 압력이 야기된다. 그 좋은 例가 급속한 진보를 보이고 있는 컴퓨터 과학 분야와 그것을 낳은 전기공학 분야이다. 여러 곳에서 다양한 수준의 학생들이 컴퓨터 과학 과목을 수강하기 위해 밀려온다. 이 과목은 지금까지 10년 동안 인기 과목의 자리를 지켜왔다. 동시에 산업계도 크게 발전해서 고도로 숙련된 전문가를 많이 필요로 하고 있다. 그 결과 理論이 아닌 응용 컴퓨터 과학자가 부족하다. 산업계도, 대학도, 정부도 그들을 필요로 하고 있기 때문이다. (기억해야 할 것은 산업계나 정부는 영어, 역사, 또는 컬트 문학을 전공한 철학박사를 필요로 하지 않는다는 것이다.) 말할 것도 없이 市場 원리가 아주 충실하게 반영된다. 전문가의 공급은 부족한데 수요는 더욱더 높아지기 때문에 급여는 올라가게 된다. 더구나 산업계가 이런 전문가들에게 대학보다 더 높은 급여를 책정하는 것은 아주 쉬운 일이다. 그러나 우리들도 그들이 없이는 일을 할 수 없기 때문에 그들을 특별히 우대한다. 즉, 특별 상여금을 포함한 급여를 주면서 특별한 근무 조건을 인정해 주고, 어떤 면에서는 다른 분야보다 '더 중요하다'고 선언까지 하게 된다.

실용적인 가치를 지니고 있는 분야에는 경제적, 비경제적으로 적지 않은 특전이 있다. 과학은 국가의 방위나 기술 경쟁에 매우 중요하기 때문에 정부도 산업계도 과학 연구에 돈을 낸다. 후원자가 있는 분야를 가르치는 교수들에게는 여러 가지 특전이 주어진다. 즉, 夏期 수당, 학생 조교, 여행 경비, 보다 쾌적한 연구실, 최신의 설비 등이 그것이다. 특별한 技能에 연구 출연금이 신청되거나 비싼 가격이 매겨지는 것에서 오는 심리적 이익도 무시할 수 없다. 그것은 누군가가 자신의 능력을 필요로 하고 있다는 것을 가시적으로 제시해 주는 것이다. 즉, 知的 작업에도 상당한 가치가 있다는 것을 가리키는 셈이다.

나는 모든 교수들이 學外의 관심을 끌고 있어 흥분된 상태에 있거나 또는 학외의 관심을 끌지 못해 의기소침해 있는 경우 중 어느 하나에 속해있다고 생각한다. 현실은 이보다 더욱 복잡하다. 그렇지만

이렇게 크게 분류하는 방법이 實狀에 가까운 접근이 될 것이다. 나는
戰後에 대학이 이중 구조(이중 경제?)를 초래했다고 생각한다.[8]
'첨단 분야'에는 과학자들과 많은 사회과학자들이 해당될 것이다. 그
러나 이들이 모두 똑같은 혜택을 받고 있는 것은 아니다. 건강을 위
해서는 누구나 서로 투자하려 하고 거기에 이익도 생기므로 사회과
학보다 생물학 분야를 포함하는 자연과학에 대한 지원이 더 많다. 또
사회과학 중에서는 일반적으로 가장 强性 학문으로 분류되는 경제학
이 인기를 끌고 있다. 나는 학문의 서열을 설명하거나 변호할 의도는
추호도 없다. 단지 이것이 질투의 원인이 되는 것을 깨달았으면 하는
것이다. 이것들은 '가진 자들'끼리의 점잖은 불협화음이라 할 수 있
을 것이다.

질투심의 참된 의미를 이해하기 위해서는 '전통적 분야'에 몸 담고
있는 '갖지 못한 사람들'에게 눈길을 돌려야 한다. 위에서 든 분야
이외에 약간 부적합하기는 하지만 人文學이라 불리는 분야도 마찬가
지이다.[9] 대학에는 사실상 두 가지의 생활 유형과 생활 수준이 있다.
전통적 분야에서는 보다 낮은 수입, 노후된 시설, 적은 수의 비서가
있고, 현대 지위의 상징인 워드프로세서, 컴퓨터, 木製 가구, 개인용
부엌과 화장실, 누름단추식 전화기 등 기본적인 것조차 갖추어져 있
지 않다. 학장 시절 나는 항상 이러한 차이점을 잘 알고 있었고, 그
차이점을 간과해서는 안된다는 생각도 했다. 과학자로부터 온 편지
는 언제나 개인용 편지지와 봉투를 사용하여 비서에 의해 완벽하게
타이핑한 것이었다. 그 교수 연구실에 전화를 걸면 비서가 영국식 語
調로 대답을 했고, 이러한 정황으로 미루어 보아 그 교수가 상류계층
에 속해 있음을 나타낸다. 중국어 교수가 보낸 편지는 아마 자기 손

으로 직접 썼거나 낡은 타자기로 한 글자씩 찍어낸 듯한 것이었다. 전화를 걸면 자동 응답기가 전화를 받거나, 아니면 아무도 안 나올 경우가 더 많았다.

이러한 차이를 대학당국이 만든 것은 아니어서 그것을 없애는 힘도 대학에게는 없다. 연구 지원금의 흐름을 결정짓는 것은 정부, 산업계 그리고 자선 사업단체이다. 또 학문의 우선 순위나 유행에 의해서도 결정된다. 연구비가 많이 들어오면 들어올수록 쾌적함도 증가한다. 비서, 회의, 여행 경비, 하기 수당 등이 증가하는 기회도 많아진다. 하지만 인문학 분야를 아무리 넓게 치더라도 이 분야가 유행에서 인기를 끌거나 우선권을 얻는 일은 내 평생 보지 못했다. 예외가 있다면 그것은 가끔 특정 언어에 대한 연구가 국방성에 의해 꼭 필요하다고 인정받는 때이다. 단순한 사실은 몇몇 분야의 기술이나 직업에서 더 많은 봉급을 받으며, 공적, 사적 재원을 보다 많이 받는다는 것이다. 대학은 이러한 차이점을 최소한으로 줄이고자 노력할 수 있다. 그렇지만 이중 구조를 없애는 것은 불가능한 일이다. 그러기 위해서는 다른 분야도 가장 인기있는 분야의 수준까지 끌어올려야 할 것이다. 아무리 자산이 풍부한 대학도 힘에 벅찬 문제가 아닐 수 없다.

또 한가지 고려해야 할 복잡한 요인이 있다. 超大型 교수의 출현이다. 지금까지 우리는 어느 학문 분야가 優位를 점하고 있는지 논의해왔다. 하지만 특전은 個人에게도 주어진다. 돈도, 공간도, 휴가도… 무엇이든 특별 우대를 받게 된다. 이것은 미국 대학의 독특한 현상이며, 대학들 간의 격심한 경쟁에서 비롯된다. 나는 대학들끼리 경쟁하는 것이 利點도 있다고 생각한다. 그렇지만 우리는 너무 지나치게 통

계나 비교 또는 평가에 사로잡혀 있는 것 같다.[10] 이 분야에서 혹은
저 분야에서 일인자는 누구인가? 가장 인기있는 자는 누구인가? 누
가 하락세인가? 이것만이 여론이나 언론의 관심사이다. 그리고 미국
의 대학들도 비슷한 것에 신경을 쓰고 있다. 왜냐하면 초대형 교수를
끌어올 수만 있으면 그 대학의 평판이나 이미지는 크게 올라가기 때
문이다. 하지만 代價를 치러야 한다. 그것도 질투라는 화폐로 말이
다.

【註】

1) *The New York Times*, June 19, 1975.

2) 몇 년 전 스탠퍼드대학은 이러한 사람들을 위해서 早期退職制를 도입하려고 시도했다. 내가 들은 이야기는 한 학장이 해당되는 교수에게 다가가서 만약에 그가 조기퇴직한다면 대학당국이 봉급의 반액을 지불할 것을 보장하겠다는 것이었다. 그러나 그 교수는 거부하였다. 결국 그는 봉급 전액을 보장받고 퇴직하였다.

3) 1965년 A. Gerschenkron의 65회 생일 때에 몇몇 제자들이 그에게 축하 기념논문집을 봉정했다. 그는 제자들에게 감사를 표시하기는 커녕 도리어 원망하는 말을 했다. 그는 제자들도 언젠가는 이와 유사한 불쾌한 경험을 갖게 되기를 바랬다.

4) 이것이 교수들을 설득시켜서 기부금을 내게 하는 일이 몹시 어려운 理由인지도 모른다. 자기가 선택한 직업 자체가 사회에 대해 공헌하고 있다고 느끼는 것 같다. 이것은 아마도 우리와 의사의 공통되는 特徵일 것이다.

5) *Fact Book*, 122~23면.

6) 경영대학원, 법과대학원, 의과대학원 교수들의 봉급은 훨씬 높다. 동료 학장들과의 비공식적인 이야기에서 이들 전문대학원 교수들은 20% 정도 더 많이 받을 것이라고 했다.

7) *The New York Times*, August 9, 1985.

8) 제 2차대전 이전에는 정부와 민간의 연구지원금은 거의 없는 것이나 같았다. 당시 아주 적은 연구예산으로 많은 과학적 발견들이 이루어졌다는 것은 놀라운 일이 아닐 수 없다.

9) 인문학자들은 자신들만이 고통받고 무시 당하고 있다고 생각할지 모른다. 그러나 상대적 박탈감을 느끼는 자연과학과 사회과학의 분야들도 있다. 예를 들면, 과학박물관의(식물학, 동물학, 지질학) 수집품은 이제 더 이상 최첨

단 연구자들이 찾지 않게 되었다. 또 분자라든가 세포에 관한 기술적인 진보가 전통적인 조직분류학자들을 밀어내고 있다. 앞으로 수요가 클지도 모르는 이러한 기관을 유지하는데 책임을 맡고 있는 사람들도 인문학자들과 비슷한 질투심을 공유하고 있다.

10) 미국의 '전국민이 선호하는 경기'인 야구는 이 경향을 명확히 보이고 있다. 야구는 경기의 순간순간마다 자세하게 분석하여 통계치를 가장 빈번히 부여하는 경기이다.

제 13 장

市場性으로 본 大學

앞 章에서 논의된 교수 개인의 관점에서 본 고통은 어느 정도 市場原理의 결과로부터 비롯된 것이다. 우리들은 매우 의식적으로 대학을 시장 원리에 내맡겨 왔다. 이에 대한 긍정적인 면은 이미 언급한 바와 같이 미국식의 가치관과도 일치된다. 그러나 문제가 전혀 없는 것은 아니다.

우리는 항상 변화하는 사회에서 살고 있다. 한 때 산업의 중심지로 번성했던 지역들은 불모지대로 바뀌었고, 과거의 늪이나 사막은 오늘날 풍요로운 지역으로 변했다. 주택가의 성격도 끊임없이 변화하는 것 같다. 내가 젊었을 때 뉴욕시의 암스테르담街나 콜럼버스街는 저소득층이 사는 곳이었다. 오늘날 이 지역은 고급 주택지로 변하였고, '여피族'들의 주거지가 되었다. 미국에서 '고급 주택지'는 오래 가지 못한다. 미국인들은 안정성이라는 말에 관심을 기울이지 않는다.

미국의 대학들에서도 이와 유사한 경향을 볼 수 있다. 예를 들면, 제 2차 대전 직전 미국의 최상위권 고등교육 기관들은 친밀한 동맹 관계를 맺고 있었는데, 아이비 리그 대학들과 시카고대학, 유시 버클리, 존스 홉킨스대학, 엠아이티, 위스컨신대학* 등이 여기에 포함되어 있었다. 오늘날도 이들 대학들은 여전히 선두 그룹에 들어 있지만, 상위 10위 권 내지 20위 권에 들어왔거나 새로 들어올 대학들로부터 계속 도전을 받고 있다. 스탠퍼드대학, 유시 엘에이, 텍사스대학(오스틴), 뉴욕대학 등이 모두 이러한 범주에 속하는 대학들이다. 빅 텐**에 속하는 대학들도 마찬가지이다. 나는 최근에 하버드대

---

* University of Chicago(1892) Chicago, IL ; University of California(1868) Berkeley, CA ; Johns Hopkins University(1876) Baltimore, MD ; Massachusetts Institute of Technology(1861), MA ; University of Wisconsin(1849) Madison, WI.

** Big Ten에 속하는 대학과 설립년도, 소재지는 다음과 같다. 괄호 안은 설립년도. University of Minnesota(1851) Minneapolis, MN ; University of Wisconsin (1848) Madison, WI ; University of Iowa(1847) Iowa City, IA ; University of Illinois(1867) Urbana, IL ; Northwestern University (1851) Evanston, IL ; Indiana University(1820) Bloomington, IN ; Purdue University(1869) West Lafayette, IN ; University of Michigan(1817) Ann Arbor, MI ; Michican State University(1855) East Lansing, MI ; Ohio State University(1870) Columbus, OH.

학이 컬럼비아나 예일대학의 매력보다 스탠퍼드대학의 힘과 유인력
에 더 신경을 쓰고 있지 않나 생각한다. 25년 전 유시 버클리에 있
었을 때 내 동료들은 유시 엘에이를 세련되지 못하고 겉만 번지르르
하며 로스앤젤레스에 위치한 것이 '너무나 잘 어울려' 보인다고 얕보
는 경향이 있었다. 교수들의 自慢에 빠진 이러한 감정은 오늘날 건전
한 존경심으로 바뀌었다. 몇 년 전 텍사스대학(University of Texas :
1883년 설립 Austin, TX—역자 주)은 10만 달러 이상의 연봉을 전국적
으로 제의해서 선풍을 일으켰으며, 몇몇 최고의 학자들을 유치하는
데 성공하였다.[1] 뉴욕대학(New York University : 1831년 설립 New
York, NY—역자 주)은 수학과 미술 분야에서 선두적인 위치를 널리
인정받고 있다.

　미국의 최상위권 대학들은 지속적으로 도전받고 있으며, 종종 새
로운 진입자들에게 자신의 자리를 내주어야 하는 냉혹한 현실 세계
속에 존재하고 있다. 미국 대학은 옥스퍼드와 케임브리지, 동경대학
과 파리대학이 누리고 있는 안락함을 향유할 수 없다. 언제나 사다리
를 타고 정상을 향해 올라 오는 대학이 있고, 정상의 자리를 固守하
려고 애쓰는 대학이 있다. 나와 같이 경쟁의 미덕에 대한 신념이 강
한 사람이라면 이러한 체제의 利點을 강조하고 싶을 것이다. 세계 최
상위권 대학들의 대부분이 미국에 있는 이유를 대학들 간의 치열한
경쟁의 결과라고 제 2장에서 이미 서술하였다.

　C. 래스본은 이것을 영국과 대비해서 잘 묘사하고 있다.

　미국 사람들은 옥스퍼드대학이 가지고 있는 명백한 영속성과 안정감을 생
　각할 때, 자신들의 대학에는 기본적인 대학의 지혜가 없는 것이 아닌가 하는

공허한 생각이 들 것이다. 이러한 인상을 받는 이유는 어느 정도 옥스퍼드가 가지고 있는 位相에서 기인한다. 간단히 말해 옥스퍼드는 경쟁할 필요가 없는 대학이다. 옥스퍼드의 탁월한 위치를 빼앗기 위해 줄기차게 도전해 오는 대학이 없다. 옥스퍼드대학의 고결성은 대부분 자기의 고고한 위치를 당연하게 여기는 자신감으로부터 생겨난다. 따라서 옥스퍼드는 미국 대학처럼 자신의 우수함을 증명하려고 노력할 필요도 없다. 옥스퍼드는 국민생활 속에서 다른 대학과 바꿀 수 없는 不動의 지위를 확립하고 있다. 이것이 자기 안정과 위엄을 더해 주고 있다.[2]

옥스퍼드가 영국의 대학들 중에서 탁월하다는 것은 사실일지 모른다. 하지만 그건 더 이상 요지부동의 기준이 아니다. 경쟁해야 할 의무와 기회를 갖지 못했다는 것이 제 2차 대전 이후 영국 대학들의 질적 수준을 떨어뜨린 많은 이유들 중 하나가 될 것이다. 래스본의 말은 다음과 같이 이어지고 있다.

미국의 어떠한 대학에게도 대학들 간에 치열한 경쟁의 場 밖에서 머무를 수 있는 축복은 주어지지 않는다. 미국에서 유일한 예외가 있다면 하버드대학을 들 수 있다. 미국 내의 엘리트 대학으로서 하버드의 지위가 옥스퍼드와 같이 안전하다고 해도, 옥스퍼드와 같은 안정감과는 거리가 멀며, 끊임없이 시샘하는 도전자들과 경쟁을 해야 한다. 자기의 名聲을 당연한 것으로 받아들이는 능력은 매우 귀중하다. 왜냐하면 이로 인해 마음이 진실로 자유로워지는 平穩을 얻게 되기 때문이다.[3]

이 글에는 옥스퍼드대학과 하버드대학의 대조가 미국 대학과 미국

이외의 대학 간의 상징처럼 점잖게 묘사되고 있다. 나는 평온한 분위기와 자유 분방한 정신과의 관계를 완전히 확신하지 않는다. 지나친 평온함은 그릇된 정신적 자유를 유도할 수도 있다. 그것은 곧 활동의 정지를 의미한다.

미국 대학들은 어떻게 명성과 聲價를 높이는가? 돈은 필수 조건이다. 사립 대학의 경우 기부에 의한 기본재산의 규모가 대학의 位相을 나타내는 신뢰할만한 지표로서 작용한다. 그러나 그것도 어느 정도일 뿐 절대적인 것은 아니다. 다음 표에서 볼 수 있듯이 상위 20개 대학들은 모두 연구중심 종합대학교들이다. 최고로 부유한 단설 학부대학은 스미스대학(Smith College : 1871년 설립 Northampton, MA—역자 주)이나 순위는 31위에 머물고 있다. 기본재산액은 순위가 내려감에 따라 급격히 떨어지고 있다. 시카고대학의 資本金(11위)은 하버드대학(1위)의 23%에 불과하다. 그러나 이런 의미에서 하버드가 시카고보다 4배 優位의 대학이라는 주장은 전혀 의미가 없다. 텍사스대학, 텍사스 에이 엠대학, 캘리포니아대학 등 세 개의 주립 대학들이 상위 10위에 속하지만 이들 대학의 학생 1인당 액수는 매우 적다. 물론 주립 대학들은 세금으로 인한 정기적인 수입이 있으며, 기본재산의 비중은 사립에 비해서 저조하다. 학생 1인당 재산액은 라이스대학(Rice University : 1912년 설립 Houston, TX—역자 주)이 예일대학, 스탠퍼드대학, 컬럼비아대학, 시카고대학보다도 많다. 대학의 質的 순위는 솔직히 말해서 납득이 안가는 부분도 있다. 몇 년 전 대학 총장들을 대상으로 한 조사는 학부과정을 중심으로 우수한 대학의 순위를 다음과 같이 매겨놓았다.

1위 스탠퍼드(5) ; 2위 하버드(1), 예일(4) ; 3위 프린스턴(3) ;
4위 시카고(11) ; 5위 듀크(27), 브라운(28) ; 6위 유시 버클리(10) ;
7위 노오스 캐롤라이나(74) ; 8위 다트머스(19)*

괄호 안의 숫자는 기본재산의 순위이다. 여기에서도 대학의 질과 기본재산과의 상관관계는 매우 낮다.[4] 그러나 이것은 놀라운 현상은 아니다. 기부에 의한 기본재산은 단지 가처분재원의 불완전한 측정치일 뿐이다. 하버드대학교 문리과대학의 기본재산에 의한 수입은 매년 지출의 20%를 조금 넘을 뿐이다. 다른 자산들인 건물, 부동산, 미술품 등은 수업료, 정부의 보조금과 연구위탁금, 연례 기부처럼 대학의 재산을 算定할 때 제외된다. 설사 모든 재원들이 정확히 평가된다고 하더라도, 그것으로 대학의 질을 측정하지는 못할 것이다.

대학 지위의 가장 믿을만한 지표는 그 대학 교수진의 탁월성이며, 이것이 그 밖의 모든 것을 거의 결정한다고 해도 과언이 아니다. 우수한 교수진은 좋은 학생, 다액의 보조금, 훌륭한 졸업생, 일반 대중의 지원, 국내외의 인정을 받게 한다. 대학의 명성을 높이고 유지하는 가장 효과적인 방법은 교수진의 질을 향상시키는 것이다.[5]

---

* 이 대학들의 설립년도와 소재지는 다음과 같다. 괄호 안은 설립년도. Stanford University(1891) Palo Alto, CA ; Harvard University(1636) Cambridge, MA ; Yale University(1701) New Haven, CT ; Princeton University(1746) Princeton, NJ ; University of Chicago(1892) Chicago, IL ; Duke University(1838) Durham, NC ; Brown University(1764) Providence, RI ; University of California(1868) Berkeley, CA ; University of North Carolina(1789) Chapel Hill, NC ; Dartmouth College(1769) Hanover, NH.

기본재산 — 상위 20개 대학

(대학교)	(단위 : 천달러)
하버드대학교	4,018,270
텍사스대학교 시스템	2,829,000
프린스턴대학교	2,291,110
예일대학교	2,098,400
스탠퍼드대학교	1,676,950
컬럼비아대학교	1,387,060
텍사스 에이 엠대학교 시스템	1,214,220
워싱턴대학교	1,199,930
매사추세츠 공과대학	1,169,740
캘리포니아대학교	1,122,160
시카고대학교	913,600
라이스대학교	857,155
노오스웨스턴대학교	802,670
에모리대학교	798,549
코넬대학교	725,096
펜실베이니아대학교	648,528
로체스터대학교	556,908
록펠러대학교	542,765
다트머스대학	537,272
존스 홉킨스대학교	534,809

자료 : *The Chronicle of Higher Education*, 1988.

학생 일인당 재산액

(사립)	(학 생 수)	(금액(달러))
록펠러대학교	119	4,561,100
프린스턴대학교	6,264	365,800
하버드대학교	16,235	247,500
마운트시이나이 의과대학원	494	234,300
캘리포니아 공과대학	1,850	221,100
라이스대학교	3,986	215,000
스워트모어대학	1,312	210,400
예일대학교	10,504	199,800
그린넬대학	1,253	181,000
(주립)		
버지니아 육군대학 재단	1,592	49,400
오레곤 보건과학대학원 재단	1,141	33,300
텍사스대학교 시스템	90,000	31,400
버지니아 카몬웰스대학교	1,553	27,700
버지니아대학교	16,823	23,700
델라웨어대학교	15,918	18,400
신시내티대학교	24,962	10,200
피츠버그대학교	26,953	8,200
윌리엄 앤 메어리대학	6,951	8,100
캘리포니아대학교	146,429	7,700

자료: *The Chronicle of Higher Education*, 1988.

더 높은 위치로 올리는 한 가지 방법으로 '내부를 성장시키는' 방법이 자주 거론된다. 신임 교수를 우수한 인재로 선임하면 결국 원로 교수들의 질을 평균적으로 높이는 것으로 이어진다. 그러나 이 방법은 시간이 걸리고 위험이 따르는 전략이다. 젊은 학자들의 미래의 업적을 예측하기도 어렵고, 이들에 대한 긍정적 혹은 부정적 판단을 내리기 위해서는 여러 해가 걸릴 수도 있다. 우리가 늘 그랬듯이, 형편이 다급한 대학들에게 훨씬 더 매력적인 전략은 다른 대학에서 이미 그 업적을 인정받은 교수들을 스카웃 해오는 것이다. 거물급 교수가 한 대학에서 다른 대학으로 이동하면 즉각적인 반향을 불러일으킨다.

그러나 대학의 聲價를 올리는데 있어서 이 방법은 대단히 값비싼 방법이다. 거물급 교수는 어느 분야의 학자라도 상당히 높은 보수를 요구하며, 자신의 시장 가치를 충분히 활용하는 지혜를 발휘한다. 그들은 새로운 건물과 대형 실험설비, 수업 부담의 감소, 자유롭게 사용할 수 있는 10만 달러 단위의 예비비, 배우자의 한직(閒職), 고급 주택 구입비와 그 밖의 많은 것들을 요구한다. 자연과학 분야의 저명한 교수를 유치하기 위한 비용은 2백만 달러에서 4백만 달러가 든다. 프로 운동선수들의 기준에 비하면 대수로운 액수가 아니지만, 대학예산에 비해서는 엄청난 규모의 금액이다. 이렇게 심혈을 기울여 영입해 온 교수가 한창 때를 지난 '死火山'으로 판명될지도 모른다는 고민거리를 고려한다면, 왜 학장들이 손에 땀을 쥐고 협상을 벌이는지를 쉽게 이해할 수 있을 것이다.

이러한 것을 염두에 두고, 동료의 평등 원칙과 학자생활의 어두운 면에 대한 설명으로 돌아가 보자. 수요와 공급의 법칙을 따른다고 하

면 그것은 一見 간단하다. 이것은 특정 행동에 대한 간단명료한 지침
이다. 최고 수준의 분자생물학자들에 대해서는 산업계와 정부출연
연구기관의 수요가 많기 때문에 대학에는 이들의 수가 한정될 수밖
에 없다. 시장 원리는 이들의 급여를 보통 교수들의 평균 수준보다
훨씬 높이 책정하는 것으로 결정을 짓는다. 어느 분야에서든지 超大
型 학자는 20승을 올리는 야구팀의 투수와 같은 대우를 받는다. 그
러나 이러한 사람들은 극히 희소하다는 것을 인정해야만 한다. 수요
와 공급의 법칙은 공급이 적은 것의 가치가 스스로 올라가는 것을
가르쳐 준다. 이러한 법칙이 과연 단순 명쾌한가? 전혀 그렇지 않
다.

　'수익'*이 명확할 때 경제적 합리성은 효과적으로 작용한다. 그것
은 수익의 所有者가 분명한 때이기도 하다. 야구팀이나 공장, 株主나
개인 경영자의 경우에도 수익을 분배받을 권리가 있는 사람들을 만
족시키는 방향으로 조직을 운영해야 하는 것은 너무 당연하다. 나는
이것이 쉽다고 이야기하는 것이 아니다. 제품의 질과 기술, 납기일을
지키는 일, 위험 부담, 고용인의 만족, 그 외의 많은 문제들을 생각
하지 않으면 안된다. 그럼에도 불구하고 명확히 산정한 수익에의 공
헌도에 상응하는 보수를 개개인에게 주어야 하는 것은 당연하다고
본다. 20승 투수는 2할 타자보다 더 많은 연봉을 받을 가치가 있다.
왜냐하면 그는 경기를 우승으로 이끄는데 결정적인 공헌을 했고, 球
團主에게는 큰 이득을 가져다 주었기 때문이다. 마찬가지로 대기업

---

* 본래 'bottom line'은 會計에서 계산이 모두 끝난 다음에 貸借對照表의 맨 끝에 기입된
總額을 뜻한다. 즉, 企業體가 작성한 결산보고서의 마지막 숫자(액수)로 순이익과 순손
실을 나타낸다.

에서도 높은 수익을 올리는 부서의 부장이 그렇지 못한 부장보다 더 많은 보수를 요구하는 것은 당연하다.

대학의 수익이란 무엇이며 대학의 소유주는 누구인가? 아주 간단히 말하면 우리는 학생을 가르치고 지도하며 연구를 수행한다. 어떤 교수는 많은 학생들을 지도하고 또 어떤 교수는 매우 적은 수의 학생을 지도한다. 드문 경우이기는 하지만 학생을 전혀 지도하지 않는 교수도 있다. 학생은 수업료 수입의 중요한 源泉이기 때문에 5백 명이 넘는 대규모 강의실에서 열강하는 교수에게 특별 보상을 하는 것은 매력적으로 보인다. 이들은 많은 수업료 수입을 올린다. 자기들의 급여보다도 훨씬 더 많은 수입이다.

그러나 이러한 정책에는 최소한 두 가지 난점이 있다. 강의실에서 인기있는 교수가 꼭 일류급 연구자는 아닐 수도 있다는 것을 염두에 두어야 한다. 더욱 중요한 것은 많은 학생들을 유인할 수 있는 기회와 능력의 유무가 교과목의 특성에 달려있다는 것이다. 수익이론으로 말하면 많은 학생들을 유인하는 교과목들이 더 중요하고 가치있다는 것을 의미하게 된다. 이미 언급했듯이 하버드대학교 문리과대학에서 매년 최대 규모의 강좌는 경제학원론이다. 거의 천여 명의 학생이 등록하고, 매년 3백만 달러의 수업료 수입을 올린다.[6] 그렇다고 경제학이 中東言語나 열역학보다 더 중요하다는 것을 의미하는가? 이것은 중요성에 대한 개인적 관점에 따라 명백하게 달라진다. 경제학이 대학에서 인기가 있는 것은 그 과목이 균등 이수 규정을 만족시키기 때문이다. 학생들은 경제학이 그들이 사는 세계를 이해하는데 도움을 준다고 믿는다. 또, 경영대학원이나 법과대학원을 목표로 하는 많은 학생들은 이 과목이 좋은 先修 과목이 된다고 생각한다. 그러나 아랍어나 물리학을 공부하는 것 역시 이와 같이 훌륭한 목적을 충족시킬 수 있을 것이다.

경험이 풍부한 대학 경영자들인 총장, 학장, 학과장이라면, 이러한 논리가 무의미하며 결국 파멸적 결과만을 가져온다는 것을 알고 있다. 물론 배움에 대한 학생들의 요구는 충족시켜주어야 하지만 이것은 단지 대학의 더 큰 사명의 한 부분일 뿐이다. 대학의 사명은 문화의 보존과 이해, 사실상 문화에 대한 계속적인 재해석에 있다. 우리는 위대한 전통을 한 세대에서 다음 세대로 전수한다. 현재 수요가 없거나 관심거리가 되지 못하는 분야와 그 연구방법도 육성해야 한다. 왜냐하면 진실로 위대한 사상과 현재에 유행하고 있는 사상은 무관한 경우가 종종 있다는 것을 우리들이 잘 알고 있기 때문이다. 오늘날의 難局은 수백년 전 사상가의 통찰력과 지식을 통해서 해결되어 질 수 있다고 나는 확신한다. 그리고 우리들은 이러한 보물들을 보존하고 있는 사람들이다. 나는 일전에 보크 총장에게 하버드대학에서 로망스語(포르투갈, 스페인, 프랑스, 이탈리아, 루마니아의 말과 같이 라틴 말에서 유래하는 言語 – 역자 주)를 배우고자 하는 학생들이 없더라도 또, 그 당시 가장 인기가 없었던 과목이지만 우리는 그 분야를 존속시켜야 할 의무가 있다고 강조하였다. 왜냐하면 프랑스 문학, 스페인 문학, 이탈리아 문학의 고전은 귀중한 문화 유산이기 때문이다. 이들의 살아 있는 영향력을 잃어버리는 것은 암흑 시대로 돌아가는 것과 같다.[7] 대학이라는 것은 수지 타산에 의해서만 운영되어서는 안되고, 또 시장의 변화에만 대응하는 영리 기업이 되어서도 안된다. 그렇게 되는 것은 우리 자신에게 바람직하지 못할 뿐만 아니라 우리가 봉사하는 사회를 위해서는 더욱 좋지 않은 일이다.

우리가 대학의 사명을 진지하게 생각해 보면, 市場이 그릇된 신호를 보내고 있음을 알 것이다. 그러나 우리는 대학 내외의 압력을 무시할 수도 없다. 학문 분야를 선호도에 따라 순위를 정하는 이러한 신호가 옳지 못한 이유는 너무나 결함이 많기 때문이다. 더욱이 우리는 선택을 하고 자원을 배분하지 않으면 안된다. 물론 실용적인 결정은 어떤 분야나 개인에게 유리하게 작용할 수도 있겠지만 이것이 개개인의 지적 활동의 본질적 가치와 명확한 관련을 갖는 것은 아니다.

梵語와 컴퓨터 과학을 비교하여 보자. 컴퓨터의 중요성을 길게 설명할 필요는 없다. 많은 학생들이 컴퓨터를 배우고 싶어한다. 모든 전문가들은 이 기계가 우리들의 삶을 변화시키고 있다고 말한다. 이 분야는 아직 새롭고, 앞으로도 수십 년 동안 대단한 진전이 기대된다. 대학은 이러한 요구에 부응하지 않으면 안된다. 대학교수들 중 컴퓨터 과학자의 수요는 근래에 기하급수적으로 증가하고 있다. 이들에게는 시장력을 반영하는 높은 급여와 여러 가지 특전이 주어지지 않으면 안될 것이다. 그들의 편지는 비서가 워드프로세서로 치고, 전자우편을 통해 급송될 것이다. 큰 돈벌이가 되는 자문 활동을 하고 많은 대학원생들의 보조가 따르는 것은 일반적인 일이다. 게다가 다른 나라의 휴양지에서 열리는 학회에 참석함으로써 수업에서 받는 스트레스가 경감되기도 할 것이다. 수업 부담도 크지 않을 것이다. 교수를 확보하려는 경쟁이 수업 부담을 감소시킬 것이다. 이러한 쾌적한 조건에 대한 배려가 없다면, 이 분야 과학자들을 대학으로 유치시키는 것은 불가능하다. 그들의 기회비용은 매우 높다. 아이비엠이나 벨 실험연구소에서 근무하면 대학에서 제공하는 것과 동일한 수준의 모든 유인 조건들을 거의 두 배로 받으면서 대학보다 높은 소득을 얻게 된다.

범어학자들은 이와는 아주 대조적인 상황에 놓여 있다. 단지 7개의 범어학과가 미국 대학에 있을 뿐이며, 대부분은 그 규모가 작다. 하버드대학에는 내가 학장으로 있을 때 교수 한 명과 부교수 한 명의 예산밖에 없었다. 오랫동안 연구실이나 상근 비서도 없었다. 들리는 바에 의하면 北美에서는 현재 그 과목을 가르치고 있는 교수가 50여 명도 못된다고 한다. 전문가의 취업 기회가 아주 적어서 많은 학생들이 범어 과목을 희망하지 않기 때문에 한 사람의 교수가 기초 과목에서부터 고급 강독에 이르는 다양한 과목들을 담당하여야 한다.

나는 범어의 교육과 연구를 확대시킬 필요가 있다고 주장하는 것은 아니다. 수요와 공급의 균형은 현재 충분히 잡혀져 있다고 생각한다. 그러나 대학에서 이 주요한 문명의 언어와 문학을 가르치는 것은 중요하다는 것을 주장하고 싶다. 우리가 헤아릴 수 없는 많은 이득을 아주 적은 수의 연구자들이 가져다 주는 것이다. 즉, 문화를 보존하는 것 이상의 이득이다.[8] 아무도 범어학자 한 사람의 지적 공헌을 컴퓨터 과학자 한 사람의 공헌과 비교하여 대학에 미치는 가치가 덜하다고 주장할 수 없을 것이다. 우리들은 다같이 文理科大學이라는 일터에서 문화를 보존하고 새로운 것을 발견하며 가르치는 공동체의 일꾼들이다. 우리가 선택한 일터를 가꾸어 여러 가지 생산활동을 함으로써 수확을 거둔다. 작고 심원한 수업에서 한 학생의 마음을 여는 것이 많은 학생들 앞에서 현재 유행하는 문제를 설명하는 것보다 세계를 변화시키는데 더 큰 힘이 될지도 모른다. 이것이 대학의 理想이 되어야 한다. 그러나 마르크스主義者들의 말을 빌리면 현실은 모순으로 가득 차 있다.

나의 후임 학장이 선임되었을 때 이러한 모순은 명백해졌다. 그는 39세의 우수한 경제학자였으며 미국경제학회가 40세 이하의 최고 경제학자에게 수여하는 권위있는 J. B. 클라크(John B. Clark : 1847〜 1938, 미국의 경제학자, 미국경제학회 설립에 참여했으며 그 회장을 역임―역자 주) 賞을 받았다. 비교적 짧은 기간에 그는 正敎授職과 국제적 명성을 획득한 저명한 교수가 되었고 매우 높은 보수를 받았다. 그는 이러한 영예를 받을 만한 자격이 충분히 있는 인물이다. 그를 교수의 일원으로 재직시키고 있는 대학은 운이 좋은 것이다.

그는 학부시절 프린스턴대학(Princeton University : 1746년 설립 Princeton, NJ―역자 주)에서 같은 방을 썼던 친구가 하버드대학교 문리과 대학의 近東言語학과의 교직원이라는 것을 우연히 알게 되었다. 새로운 학장과 동갑내기였던 이 젊은이는 페르시아語와 아라비아語, 그 밖의 다른 언어와 문학을 가르쳤다. 언어학자, 문법학자로서 그의 업적은 하버드대학의 동료들과 그 외의 곳에서―분명 소규모 집단이지만―인정을 받고 있었다. 그는 비종신재직 상급 교직원(언어 교수자)으로 신분의 안정성과 지위와 급여가 낮았다. 종신재직 교수가 되기 위한 기회도 그다지 많지 않았다. 페르시아語 전문가가 붐을 이루는 때가 아니기 때문이다. 이 두 학자의 경력은 이러한 모순을 그대로 반영해 준다.

학자생활의 어두운 면을 조장하는 모순은 학문 분야 간의 차이에 국한되지 않는다. 거물급 교수 현상도 동일한 효과를 갖고 있다. 왜 이러한 현상이 일어나는지 설명할 수는 있으나 그것이 미치는 영향은 포착하기 어렵다. 우리들은 시장성과 학과의 명성을 높이는 거물급 교수의 필요성과 위대한 賞의 영광을 인정한다. 동시에 우리는 그러한 것의 損益을 정확히 가려내기 힘들며, 이것은 평등주의적 관행에서 출발한 모든 일에 의심을 품게 한다.

이러한 것들이 우리가 근본적으로 불만을 갖게 되는 원인이다. 어쨌든 나는 우리의 관습과 합의의 장점이 단점보다 훨씬 더 많다는 것을 믿고 있다. 이러한 상태를 확실히 유지하는 것은 대학행정가들의 주요한 임무이다. 이들은 대학 내부의 이상과 외부의 압력 간의 미묘한 균형을 유지해야 하는 불가능에 가까운 어려운 과제에 직면하고 있는 것이다.

【註】

1) 이것은 原油價格 폭락 이전의 이야기이다. 놀랍게도 10만 달러라는 금액은 오늘날 그렇게 큰 액수가 아니다.

2) "The Problems of Reaching the Top of the Ivy League … and Staying There," *The Times Higher Education Supplement*, August 1, 1980.

3) 上揭文.

4) "America's Best Colleges", *U.S. News and World Report*, Nov. 25, 1985 참조. 유시 버클리의 基金 順位는 실제로는 캘리포니아 9개 대학에 해당하는 순위이다.

5) 이러한 類推가 독자들의 심기를 불편하게 할지 모르지만 대학은 한 야구단에 비유할 수 있다. 총장은 球團主로, 학장은 감독으로, 교수진은 선수로 그리고 학생과 동문 기타 등은 관객으로 볼 수 있다. 연승을 거두려면 돈과 탁월한 선수가 필요하다. 탁월한 선수는 二軍 合同運營制(신참교수)에서 양성되거나 다른 야구단(슈퍼스타)으로부터 스카웃하므로 가능하다.

6) 1988~1989년도의 수업료는 12,310달러였다. 학생들은 한 학기 4개 강좌 즉, 1년에 8개를 수강하는데, 經濟學原論은 두 학기에 걸쳐 1년 동안 계속 수강해야 하는 과목이다.

7) 이 감동적인 문장은 몇 년 전 모금운동을 위한 연설문에서 축약하여 인용한 것이다. 이것이 발표된 후 나는 로망스語 학과들의 학과장들과 교수들로부터 칭찬을 담은 편지를 여러 통 받았다. 사실 나와 대화를 나눈 교수들은 학과 게시판에 내 연설원고를 복사하여 게시하였다. 나는 특별한 칭찬을 받기 위해서 그들의 과목을 고른 것은 아니었다. 그들의 추측은 나의 생각과는 다르다. 그 과목은 많은 예 중에서 하나를 선택한 것에 지나지 않는 것이었다.

8) 물리학자 J. R. 오펜하이머는 하버드 학부생 시절에 梵語를 공부했다. 이것이 그를 더 나은 과학자가 되게 하였다면, 누가 이의를 제기할 수 있겠는가? 또 현대 인도의 理解는 인도의 古典에 대한 이해없이 가능한 것일까라고 되묻는 것은 당연하다.

4

意思決定의 構造와 過程

제 14 장 학장의 직무

제 15 장 대학의 의사결정 구조와 과정 :
  신뢰할만한 대학운영의 7가지 원리

제 16 장 후기 : 유루(遺漏)와 결론

제 **14** 장

學長의 職務

　대학행정이란 잘 알다시피 매우 독특한 기술이다. '학장의 직무'는 내가 가장 잘 알고 있는 관리운영의 한 형태인데 이러한 경험은 더 넓은 범위에서도 적용될 수 있을 것이다. 대학행정직에 있는 사람들이라면 어떤 직무를 맡고 있든 간에 다음의 내 이야기에 공감할 것으로 생각한다.

　시간이 지나고 대학행정가로서 연륜이 쌓이게 됨에 따라, 대학행정직을 맡아달라고 부탁을 받고 있는 많은 동료나 친지들이 학장이나 교학부총장 심지어 총장에 이르기까지 그 직무의 매력에 대해서 나에게 물어보는 일들이 많아졌다. 그들은 그러한 직무를 수락할 필요가 없음에도 불구하고, 거의 대부분의 경우에 그들은 이미 그 행정직을 맡을 결심을 하고 있었다. 조언을 받을 단계는 벌써 지났기 때문에 그들이 실제로 나에게 원하고 있던 것은 조언이 아니라 그들의 미래에 대한 想像圖였다. 나는 그들을 상대로 해서 가끔 대학의 관리 운영에 대한 특강을 한 적도 있었다. 나는 이것을 마음 속으로 '재선에 출마했다가 떨어진 아직 임기 중에 있는 議員의 헛소동'이라고 불렀다. 왜냐하면, 내가 사람들 앞에서 이야기를 해준 것은 뻔뻔스럽게도 내 임기가 거의 끝날 때쯤이었기 때문이다. 다음에 논하게 되는 것들은 그 강의록이라 할 수 있다.

文理科大學 학장은 인류학에서부터 동물학에 이르기까지* '자신의 전공 분야 이외'의 모든 영역에 대한 학식에도 정통하고 있어야 한다.(물론 교학부총장과 총장은 전문 분야에 대한 학식도 갖고 있어야 한다.) 학장을 하면서 나는 자연과학자나 인문학자 그리고 경제학자를 제외한 사회과학자들과 새롭고 흥분된 만남을 가질 수 있었다. 이들과 만나서 무심하게 시간을 보내지는 않았다. 왜냐하면 학장은 이러한 학자들을 고무시키는 것이 무엇인지를 알고 따뜻하고 인정 넘치는 마음으로 이해해야만 하기 때문이다. 학장으로서의 이해는 학자로서의 이해와는 다르다. 어쩌면 '관리 차원의 이해'일 수도 있다. 그럼에도 불구하고 그것은 사람의 경험을 대단히 풍부하게 해준다.

---

* 人類學에서부터 動物學에 이르기까지는 영문으로 from Anthropology to Zoology를 번역한 것인데 여기에는 A에서 Z까지의 모든 학문을 총망라한다는 著者의 의도가 含蓄되어 있음.

학장*은 누구보다도 많은 교수들의 이름을 알고 있어야 한다. 또 그는 대학공동체의 구성원들인 학생, 직원, 청원경찰관, 건물이나 대지를 유지 관리하는 사람들, 그리고 동문들과도 접촉하게 된다. 대학에서 이 정도로 많은 친구들과 관계를 가질 수 있는 교수도 없을 것이고, 또한 이렇게까지 많은 敵을 만들 가능성이 있는 교수도 드물 것이다. 늘 좋은 일만 생기는 만남만 있는 것은 아니지만—경우에 따라서는 자주 알력이나 의견 충돌도 있다—그래도 광범위하게 사람을 사귈 수 있다는 것은 학장직의 큰 혜택의 하나라고 생각한다.

학장이란 직무에 대해서 좋은 일만 있는 것같은 인상을 주었다면 오해가 생길지도 모르겠다. 나는 문리과대학 관리운영의 최고 책임자로서 나의 일반적인 전문 분야의 범주를 넘는 일에 책임을 지는 어려움에 직면하곤 했다. '文理'는 과목명이 아니다. 예를 들어, 법과대학원이나 의과대학원의 원장이라면 변호사나 의사를 계속할 수 있고, 자기 동료끼리 연계성을 계속 가질 수도 있다. 하지만 나의 경우는 그렇지 못하였다. 문리과대학의 학장이 된다는 것은 아예 管理運營者가 되는 것이며, 다루는 문제의 대부분은 자신의 전공 분야와 관계가 없는 것들이었다. 내 전공인 경제학마저 관계가 없었다. 내가 학생시절, 교수가 된지 얼마 안된 경제학자에게 "실제로 봉급을 지급해야 할 경영자 입장에 서 보신 적이 있습니까?"라고 얄궂은 질문을 하는 일이 유행한 적이 있었다. 나는 오랫동안 어려운 시대에 계속 봉급을 지급해 왔지만 솔직히 이런 일들은 경제학자가 하는 일도 아니고 관심의 대상도 아니다.[1]

---

* 하버드대학교 文理科大學 학장의 위치는 우리 나라와 같은 學部中心 大學校의 한 학장과는 매우 다르다. 하버드대학교에는 學部大學이 문리과대학 하나밖에 없기 때문이다.

제 3장에서 학장의 日課에 대해서 이야기하였다. 그 일과 가운데 중요한 것들을 되새겨 보자. 교수나 학생은 누구로부터도 간섭받지 않는 자기만의 시간을 갖고 있다. 읽고 쓰고 생각하며 꿈을 꿀 수 있는 시간들은 헛되게 보낼 수도 있는 시간들이다. 그러나 다른 행정보 직도 마찬가지겠지만 학장의 일과는 전혀 다르다. 하루의 일과는 30 분 단위의 면담 약속으로 꽉 차 있고, 조찬모임부터 시작해야 하는 날도 드물지 않다. 드물지 않은 것이 아니라 아침 식사는 거의 학장 으로서의 직무를 수행하면서 들게 된다. 식사를 하면서 짧은 談笑를 하는 것은 학장에게는 불가피하다. 한때 나 자신을 치과의사로 비유 한 적이 있다. 하루에 12명에서 14명의 사람들과 만나면서 더러는 고통을 함께 하기 때문이다. 이 비유 때문에 치과의사협회로부터 항 의 편지를 받은 적도 있다.

이러한 일들은 이상한 일이 아니다. 책임자에게는 자기 편의 사람 도 많지만 적도 많기 때문이다. 큰 집단의 책임자라면 '관리 차원의 이해'를 초월하는 일이 어려우며—대개 비서가 준비한 메모를 급하 게 읽게 된다—책임자로서의 업무는 전문 분야의 일과는 전혀 다르 다. 결국 대규모 조직을 운영하기 위해서는 각 분야에서 가장 定石이 라 할 수 있는 조치들을 초월하지 않을 수 없다. 이 점은 문리과대학 이라 해도 제너럴 모터스社나 內務省과 다를 것이 없다. 대학행정의 특이성은 또 다음과 같은 점에도 있다.

몇 년 전에 '아마데우스'란 영화를 보았다. 천재 모차르트와 원숙 한 작곡가 안토니오 살리에르라는 두 음악가의 생애를 주제로 한 영 화이다. 좀 놀라웠던 사실은 나도 모르게 어느새 합스부르크 宮廷의 음악 감독인 마에스트로 살리에르 쪽을 응원하고 있었다는 것이다.

惡漢이라고 말해도 되는 그 살리에르를 말이다. 나는 전형적인 학장과 같은 입장에 있다고 볼 수 있는 살리에르에게 공감을 갖기 시작했다. '아마데우스 문제'는 특히 대학에서 현재 우리가 당면하고 있는 바로 그 문제이며, 이 때문에 나도 모르게 살리에르에게 동정심을 갖게 된 것이다.

사실이 아닌 부분들이 많다고는 하지만, 이 영화에 의하면 모차르트는 유치하며 근본적으로 불쾌한 성격을 갖고 있다. 신이 내려준 음악적 재능을 갖고 있기는 하나, 그의 행동은 지나칠 정도로 이기적이다. 겉으로 볼 때에는 아무 노력도 없이 미의 극치라고 할 수 있는 교향곡이나 오페라를 작곡한다. 그에 비해서 살리에르는 善人이며 일반적인 재능밖에 없는 사람이다. 그는 오랜 인생을 하나님과 황제의 영광을 위해 헌신적으로 살아왔다. 그의 작품은 땀의 結晶일 뿐 어느 것 하나 천재적인 면은 없다. 처음에는 살리에르도 모차르트에게 우호적인 태도를 취하였지만 모차르트로부터 조롱을 당한 이후 적개심을 품게 되고, 위험한 감정마저 갖게 된다. 비참해진 살리에르는 어떤 때는 하나님께 강한 불만을 토로하기도 한다. "태어난 후 지금까지 나는 인생을 착하게 살아왔습니다. 그렇지만 靈感과 창조력은 저 어린 아이같이 유치하고 비열한 모차르트에게 주어졌습니다. 이것이 어찌 正義란 말입니까?"

최상위권 대학의 행정직에 있는 사람이면 누구나 가끔 살리에르와 같은 절망감을 느껴보았을 것이다. 대학이란 조직 속에는 뛰어난 재능을 가진 사람들 심지어 천재라고 불러도 되는 사람까지 있다. 그런 사람들 가운데 상당수의 사람들이 대하기 힘든 어린애와 같은 성격을 갖고 있다.(채용 심사를 할 때에는 후보자의 성격이나 인품에 대

해서는 고려하지 않는다는 것을 기억하기 바란다.) 비록 학문적으로
는 위대한 학자이고 교육자라 할지라도 비뚤어진 성격을 가진 사람
들이 종종 있다. 착한 사람이 꼭 경쟁에 진다고 할 수는 없지만 그렇
다고 승리자 가운데 특히 많이 있다고 말할 수도 없다. 내가 학장이
된지 얼마 되지 않았을 때에 하버드대학 최고의 과학자 가운데 한
사람이 면회를 하러 왔다. 나는 가슴이 설레이고 두근거렸다. 20세
기 科學史에 그 이름을 크게 남길 그 사람, 겨우 얼굴을 아는 정도였
던 그 사람이 나를 만나러 온 것이다. 아인슈타인(Albert Einstein :
1879~1955, 미국으로 귀화한 유태계 독일인 물리학자, 상대성 원리 창설자,
1921년 노벨상 수상—역자 주)과 애로우스미스*를 합쳐 놓은 것같은 사
람일 것이라 상상했던 것은 내가 세상 物情에 너무 어두워서였을까?
하여튼 내 기대는 크게 어긋났다. 그와 이야기를 하는 도중에 나는
내 자식들에게 뭔가 인상적인 메시지를 들려주고 싶어서 그 자리에
어울리지는 않았지만, 그 사람의 과학적 영감의 원천에 대해서 물었
다. 그는 아무 주저없이 말했다. "돈과 아첨이지요." 나는 크게 실망
했다. 그러나 이 과학의 천재는 학장의 입장에 있는 사람이 무엇을
제공해줄 수 있는지를 잘 알고 그런 대답을 했다는 것을 금방 알게
되었다. 살리에르! 당신은 우리들의 동료이오.

　대학 문화의 또 하나의 특징은 조심스럽고 과묵한 태도를 기대한
다는 것이다. 모든 것에 대한 개방은 미국 생활의 장점이며, 그것은

---

* Arrowsmith는 미국 소설가 Sinclair Lewis(1885~1951)가 쓴 소설의 題目이자 그
　主人公 이름이다. Arrowsmith는 기초 의학 연구에 헌신하는 진정한 능력과 信念을 가
　진 한 남자(Martin Arrowsmith)가 직면하는 어려움과 학문적 상업주의와의 투쟁과
　정을 그린 1925년의 전기적 소설로서 작가 Lewis는 1930년 노벨상을 수상하였다.

대학에서도 예외가 아니다. 野望에 대해서는 관대하게 생각하며 오히려 장려까지 한다. 열심히 일하는 것은 존경을 받는다. 에너지를 꽉 눌러 숨긴 채 나태한 척 하는 영국풍 아마추어의 理想을 미국은 결코 따라가지 않는다. 하지만 이러한 개방된 미국적 매력의 특징도 학장이나 교학부총장 등 대학의 행정직 사람들 속에서는 갑자기 사라진다. 회사에서는 은밀하게 사장이나 경영직을 바라보며 막후 운동까지 하면서 입으로는 그런 자리는 나에게 맞지 않는다고 사람들 앞에서 말하는 사람 따위는 상상도 할 수 없는 일이다. 있다고 해도 극소수일 것이다. 하지만 대학 사회에서는 이것이 관습으로 되어 왔다. 교수가 행정직을 맡고 싶다고 공언하는 것은 바람직 하지 않는 일로 여겨져 왔다. 오히려 너무 하고 싶어하는 사람에게는 그러한 보직은 알맞지 않다는 이야기까지 해준다. 행정은 일종의 계급적 背信이며, '우리'로부터 '그들'로 移行되는 것이고, 교수들의 일차 사명인 교육과 연구에 대한 배신이기도 하다. 이러한 의미에서도 일단 학장 같은 보직을 맡으면 늘 걱정이 많다는 것을 보여주어야 한다. 동료들은 위로의 말을 하게 되는데 축하한다는 인사는 예의에 어긋나기 때문이다. 그럴 때마다 보직을 맡은 사람은 실제로는 자신의 처지에 만족하고 있다 할지라도, 남들 앞에서는 언제나 하루속히 실험실이나 연구실 그리고 강의실로 돌아가고 싶다고 목소리를 높여야 한다.

거의 화젯거리가 되지는 않지만 하나 더 솔직하게 말하고자 한다. 대학행정직은 장기간에 걸쳐 경제적 이익을 가져다 준다. 행정직에 취임하면 특별 수당이나 公館같은 여러 특전을 받는 것이 일반적인 일이며, 前 학장이나 총장은 비록 큰 업적을 쌓지 못하고 그 직을 그

만두었다해도 일반 사람들보다 훨씬 극진한 대접을 받게 된다.[2] 이
점이 행정직을 거절하는 사람이 실제로는 거의 없게 하는 이유일지
모른다.

　하나 더 특이한 것은 대학행정직을 맡기 위한 예비 경험에 대해서
우리 대학인들은 결코 그 가치를 인정하려고 하지 않는다는 것이다.
높은 수준의 행정 능력을 보인다해도 그 자리가 높으면 높을수록, 주
변 사람들의 주목을 끄는 일이 드물다. 행정직을 맡게 되기 전의 예
비 경험이란 필요치 않다는 인상마저 준다. 현재 하버드대학 총장은
법과대학원 원장을 3년 마친 다음에 지금의 직무에 취임하였다. 경
험이 많지 않은 편이었다. 예일대학(Yale University : 1701년 설립 New
Haven, CT — 역자 주)의 전 총장은 르네상스문학 교수였다. 그 후임자
는 컬럼비아대학(Columbia University : 1754년 설립 New York, NY — 역
자 주)의 법과대학원 원장을 일년 반 동안 지낸 사람이다. 내 다음으
로 학장이 된 사람은 경제학과 과장을 일년도 채 못지낸 사람이다.
뉴욕대학(New York University : 1831년 설립 New York, NY — 역자 주)
에서 매우 성공적으로 총장직을 수행하고 있는 현재의 총장은 그의
중요한 역할과 관련된 경험이 거의 없는 사람이다. 경험이 없기로는
나도 마찬가지였다. 경험이라고는 3년 동안 학과장으로서 각종 위원
회의 위원장을 맡았던 정도 뿐이었으며, 그것이 1,000여 명의 교수
와 8,000여 명의 학생과 6,000여 명의 직원 그리고 실로 2억 달러
가 넘는 예산을 맡아서 집무하기 위해 그렇게 의미 있는 경험이었다
고는 생각하지 않는다.

　이러한 인사 관행이 반드시 불합리한 것만은 아니다. 다른 기관에
비해서 대학이란 조직에는 보직 경험자가 승진할 만한 자리가 없다.

반대로 '자연도태'의 과정 즉, 종신재직권이 주어지는 일에서는 연구와 교육에 관한 것 이외의 업적은 모두 무시당하게 된다. 게다가 학자로서의 업적만으로 선택받아 섣불리 하위 보직이라도 맡게 되면 동료들로부터 조롱의 대상이 된다. 학장이나 총장 등과 같이 높은 지위이면 어느 정도까지는 경의를 표하겠지만, 낮은 지위의 보직은 거의 노골적으로 비난을 받기 마련이다. 교학부장이 되거나 夏期강좌 책임자가 되기를 결심한 교수들은 대부분 연구에 지친 사람이거나 한창 때의 나이를 지난 사람, 적은 돈이라도 더 벌고 싶어하는 사람, 아니면 이 모든 것에 해당하는 사람으로 보일 뿐이다. 이렇게 생각하면 왜 예비 경험을 중요시 하지 않는지 이해가 간다. 가장 재능이 있고 자격도 충분하며 존경받는 사람을 등용하려면, 그 후보자는 보다 큰 집단 속에서 구해야 한다. 분명히 일찍부터 행정직에 마음이 끌린다는 것은 오히려 잘못된 것이라는 생각도 든다.

대학이 종신재직 교수들의 전공 지식과 대학행정이 전혀 무관한 유별난 상황에 놓여 있다고 한다면, 다음과 같은 질문이 가능할지 모른다. 왜 대학을 관리운영 전문가들에게 맡기지 않는가? 이것은 결국 단체의 운영, 예산의 배분, 건물의 유지 및 관리의 감독, 자금 조달, 인사 방침의 결정 등 어느 것 하나 특정 분야의 연구와 교육에 직접적으로 관계가 없기 때문이다. 혹시 예외가 있다면 경영학 뿐이다. 그렇다면 이렇게 불쾌하고 저속한 일은 다른 사람들에게 맡기는 것이 좋지 않을까?

대체로 나는 그것은 돌이킬 수 없는 사태를 초래할 뿐이라 생각한다. 행정직의 전문적 기술인 대차대조표를 읽고, 장래를 예상하여 현재 가치나 부채를 산정하는 일과 그 밖의 유사한 일들은 대학의 本

質을 이해하는 것에 비하면 시시한 일들이다. 그리고 대학의 기본적 속성에 대한 이해는 도서관이나 실험실에서 장시간 동안 틀어 박혀 있거나 학생들과 함께 지내는 경험 가운데서 생기는 것이다. 내가 학장직을 맡은지 얼마 안 되었을 때 어떤 원로 교수가 이런 말을 했다. "뒷공론을 들어라, 그것이야말로 좋은 학장이 하는 일이다." 이 뜻 깊은 말의 참된 의미를 이해하는 데는 시간이 좀 걸렸다. 물론 그의 말은 최신 스캔들이나 칵테일 파티에서의 대화에 끼여들라는 것은 아니다. 가만히 귀를 기울여 복잡한 조직의 동향을 읽으라고 그런 말을 했을 것이다. 학과 내에서 누가 가장 일을 잘 하고 있는가? 어느 분야가 특별히 유망한가? 어느 연구소의 質이 떨어지고 있는가? 숙련된 귀를 갖고 있기만 하면 뒷공론을 주의 깊게 들음으로써 이러한 의문에 대한 답을 얻어낼 수 있게 된다. 대부분의 경우 그러한 것을 가장 잘 처리하는 사람은 대학 문화에 몰두하고 있는 사람이다. 문화의 충돌에 대해서는 출처가 의심스럽지만 다음과 같은 재미있는 이야기가 있다. D. D. 아이젠하워〔Dwight D. Eisenhower(1890~1969), 미국 제34대 대통령(1953~1961), 미 육군 원수—역자 주〕가 컬럼비아대학의 총장을 맡고 있었을 때 육군 元帥이기도 했던 그는 자신의 부관을 그대로 기용하였다. 그 젊은 소령은 항상 로우 라이브러리(Low Library : 도서를 대출하고 반납하는 도서관이 아니고, 총장실을 비롯한 대학행정 부서가 있는 건물—역자 주)에 있는 총장실 밖에 앉아 있었다. 어느 날 대학인의 전형같이 몹시 구겨진 옷을 입은 교수가 약속된 면회 시간에 찾아왔다. 그랬더니 그 소령은 매서운 눈으로 老교수를 노려보며 다음과 같이 말했다고 한다. "옷을 똑바로 입으시오, 선생님! 원수를 만나시는 자리입니다."

大學 行政職에의 助言

1) 어떤 일에도 놀라지 않아야 한다.

대학행정직에 취임하는 매력 중의 하나는 생각조차 못했던 일들이 많아진다는 것이다. 교수의 생활은 일반적으로 조용하면서 눈에 잘 띄지 않는다. 이름도 거의 알려지지 않는다. 집 주변 사람들이나 우편 집배원은 항상 집에 있는 것을 이상하게 생각할지 모르지만, 거의 대부분의 사람들은 다른 더 중요한 일들 때문에 신경을 쓰지 않는다. 교수가 되면 즐거운 일과가 기다리고 있다. 아침에는 조용한 연구실에서 일을 하고, 10시가 되어서야 수업을 시작하며—학생들은 그 이전에는 나타나지 않는다.—긴 점심 시간이 있다. 오후에는 세미나가 있는데 모든 일정이 조용히 이루어진다. 그런데 고위 행정직에 있게 되면 무명으로 조용히 지내려 해도 그럴 수가 없다. 그 이름은 자주 紙上에 오르내린다. 습관도 행동도 결정도 모두 사람들의 화젯거리가 된다. 또, 이상한 편지가 계속 책상 위를 스쳐간다.

1976년 알제리에서 직장을 구하는 편지가 왔다.

안녕하십니까?

저를 어느 적당한 학과의 교수로 채용해 주실 수 없겠습니까?

저는 9개의 박사학위를 받았습니다. 저는 케임브리지대학에서 공부했습니다. 미국에도 80년 동안 있었습니다. 미국 학생들도 많이 알고 있습니다. 貴國의 많은 정신병원에서 신경과 의사로서 있기도 했었습니다. 지구물리학이나 이집트어, 불어, 홀란드어, 영어, 중국어, 일어 등을 포함한 많은 언어도 배웠습니다.

조금 더 말하자면 미국의 많은 대통령들(G. 워싱턴, 루스벨트, A. 링컨
등)과도 사귀어서 친구로 지내고 있습니다. 남북전쟁에서도 투쟁했습니다.
영화회사 엠 지 엠에서 일한 경험도 있습니다.……

여기까지 읽고서 나는 이 편지를 친구인 예일대학의 교학부총장에
게 보냈다. 우리의 자매학교인 예일대학은 인간성 연구 분야에서 특
히 유명하다. 이 알제리 신사에게는 뉴헤이븐(New Haven, CT : 예일대
학교 소재지—역자 주)쪽이 더 알맞은 것 같다고 생각했기 때문이다.
그리고 최근에는 중서부에서 이런 편지도 받았다.

안녕하세요?
하버드대학의 전 교수와 관계가 있는 심각한 문제로 귀하의 협조를 받을
수 있었으면 합니다. 지난번에 필 도나휴 쇼를 보고 있었더니 두 명의 창녀
와 그녀들을 도와주려고 나온 두 명의 여성이 게스트로서 출연하고 있었습니
다. 창녀의 말로는 손님의 절반이 변호사와 대학교수라고 합니다. 그들은 향
수를 뿌리고 보석으로 몸을 치장하며, 미주리州에서 뿐만 아니라 매사추세츠
주에서도 온다고 합니다. 하버드대학의 교수 전원이 매주 미주리주의 세인트
루이스까지 다닌다고 말하고 있었습니다. 세인트루이스에는 호텔이 많이 있
기 때문입니다.…… 매사추세츠주로부터 추잡한 대학교수는 오지 말았으면
합니다.

나는 이 편지를 보낸 부인을 안심시키고자 답장을 썼다. "보스턴
에 있는 호텔의 수용 능력도 요새는 두 배로 늘어났기 때문에 더러
운 대학교수는 일부러 먼 데까지 가야할 필요가 없게 되었을 것이라

생각합니다."

때로는 일반인들이 실로 독창적이고 유익한 제안을 해주기도 한다. 뉴욕의 브루클린에서 자칭 백악관 특별보좌관이라는 신사로부터 홈리스 미사일에 관한 다음과 같은 편지가 왔다.

> 학장님께
>
> 당신의 직함이 시사하듯이, 당신은 학식과 통찰력이 풍부하고, 교수진 통솔도 잘하시리라 믿으며, 학생 융자 계획의 대안을 제안하고자 합니다.
>
> 학생들을 위한 MX 미사일 학생 융자 계획이라는 것을 설정해서 제안해보면 어떻겠습니까? 즉, 학생들에게 MX 미사일 로켓 발사 구역 간의 이동 운반 임무를 맡게 하고, 한 달간의 노동시간에 따라 학비를 대여한다는 것입니다.
>
> 이 계획에 의해 귀대학의 학생들은 하나님과 미사일과 국가와 자신의 교육을 위해 동시에 봉사할 수 있습니다. ……

나는 아주 감사한 뜻으로 답장을 썼다. 미사일 基地는 주로 서부에 있으며, 학생들의 여행비를 생각하면 이 안은 우리 하버드대학에 별로 매력있는 것이 아닐 것이라는 점을 지적하였다. 그리고 유감스럽게도 지리적으로 더 유리한 대학에게는 정부가 미사일 기지를 옮기려 하는 마음이 없는 것 같다고 썼다.

물론 다 '장난' 편지들이다. 때로는 재미있고 때로는 야비하고 외설스러우며, 대부분은 감상적이다. 그러나 이것들은 필연적으로 대학행정이 실재한다는 사실을 설명해 준다. 단설 학부대학이나 연구 중심 종합대학교를 이끌어나가는 召命은 고귀한 것이다. 교육철학에 대한 중요한 결정을 하고 열띤 토론을 한다. 국가를 향해서, 나아가 세계를 향해서 '인문학' 아니면 '과학'이든 무엇이든 대변하기도 한다. 그러나 상상이 가지 않겠지만 현실의 행정직 생활은 오락용 활주차와 같아서 하루에도 다섯 번씩이나 최고의 위치에서 가장 낮은 데까지 급속도로 내려가기도 한다. 고상한 주제로 대화하는 것도 총장과 학장이 해야 할 일의 일부이며, 그러한 것은 누구나 그러리라고 충분히 예상할 수 있다. 그러나 학생 기숙사의 방풍창을 두 겹으로 할 것인가 세 겹으로 할 것인가를 결정하기 위해 올림포스山의 정상에 있는 하버드대학의 총장과 그분을 가장 가까이에서 모시고 있는 文理科大學 학장이 몇 시간이나 협의를 했다고 누가 믿겠는가? 또한 영문학 강의가 있는 큰 강의실의 온도가 섭씨 4~5도로 추우며, 게다가 마이크 시설이 불량하다고 영문학과 학생 700여 명이 보는 앞에서 2명의 교수로부터 참기 힘든 모욕을 당하고, 심지어 인문학을 없애려 한다고까지 문책 당했다면 누가 믿을 수 있겠는가? 하지만 이 이야기들은 사실이다.

2) 모호한 것의 價値를 알아야 한다.

학자집단은 비관용적이고 비판정신이 강하다. 일에 대해서는 엄격한 비판을 주고받는 것이 그들의 관습이다. 그들의 사상이나 표현의 정확함은 존경을 받을만하다. 교수들이 정치가에 대해 타협과 말로 수다떠는 것을 일과로 하는 사람들이라며 모멸감을 품는다고 해도 놀랄 일이 아니다. 그러나 이러한 단순한 견해를 지지하는 학장은 별로 없을 것으로 생각한다. 오랜 시간이 지남에 따라 나는 어느덧 민주주의 체제 속에서 필사적으로 살아남기 위하여 애쓰는 정치가들에

게 깊은 동정을 하게 되었다. 때로는 알바니아나 北韓과 같은 독재
정부에 선망의 눈빛을 보내기까지 했었다. 저런 체제라면 유능한 지
도자가 되는 것은 얼마나 쉬운 일인가. 그들이 지도자 자리를 영원
히, 적어도 암살 당할 때까지는 내놓지 않으려는 것도 충분히 이해가
간다.

　한편으로 대학 사회는 특별 利益社會라고 할 수 있다. 학생들의 관
심은 정치, 성, 사회에 있으며, 때로는 학문에도 있다. 어느 主題에
도 상세한 요구를 가진 압력단체가 배후에 있다. 문리과대학은 50여
개 학과*로 나뉘어 있다. 모든 학과는 각각 독자적인 프로그램을 갖
고 있으며, 다른 일에는 관심을 기울이지 않는다. 개별 학과의 요구,
일반적으로는 세출 예산을 거부하고 대학 전체의 복리에 대한 이야
기를 꺼내는 것은 먹혀들어 가지 않는다. 그리고 그 배후엔 동문회라
든가 언론사, 지역사회가 있으며, 이들 각각은 원하는 것들이 있다.
동문들은 어느 정도 실력있는 운동선수팀과 학문상의 우수성, 그때
그때의 정치적 이해에 대한 교수회의 동조 그리고 그들 자녀의 입학
등을 원한다. 정부는 경비 전액을 부담하지도 않으면서 연구 성과를
기대한다. 또한 국가 안보라는 미명하에 과학 정보가 자유롭게 유통
하는 것을 막으려 한다. 지역사회는 대학에게 세금을 물리고, 가난한
사람들을 위한 집을 짓게 하면서도 학생기숙사 건축을 막으려 한다.
언론사의 대표들은 대학들을 전부 공중도덕에 관한 강좌 공급자들로

---

* 하버드대학에는 50여 개 학과, 예일대학에는 61개 학과, 東京大學에는 63개 학과가
　설치되어 있는데 비해 우리 나라 대학의 학과 數는 131개 대학에 557개 학과가 있으며
　(1996. 1.30 현재), 서울대학교에만도 109개 학과가 설치되어 있어 좋은 대조를 보이
　고 있다.

대체하고 싶어한다.[3] '특별 이익사회'라는 거대한 공을 아슬아슬하게 코 끝에 올리고 있는 물개의 모습이야말로 바로 학장, 교학부총장, 총장의 모습일 것이다.

우리도 마찬가지이지만 민주주의 체제하에 있는 정치가들은 애매모호한 것이 최대의 지지를 얻는다는 것을 잘 알고 있다. 명확함은 꼭 어딘가에서 강한 반발을 초래하기 마련이다. 최근 대통령 선거에서는 설득력 있는 슬로건이 튀어나왔다. '정부의 압력에서 자유로워지자', '자신을 갖고 살자', '자신을 알아라' 그리고 걸작으로 '나의 입술을 읽어 주세요' 등이다. 어떤 의미인지 확실히 설명할 수 없지만(분명한 대답은 아무 것도 없다.) 이런 말들은 기분상하지 않고 그저 듣기 좋을 정도로 하는 말일 뿐이다.

일반 원칙에 관한 예를 하나 들어보자. 지난 몇 년 동안 미국은 전국적으로 교육에 대한 논쟁을 계속 해왔다. 여러 위원회가 설치되고, 그 보고서는 언론이나 교육자들의 지지를 받았다. 학생들의 능력을 향상시키고, 교원의 지위를 높이도록 '노력'해야 한다는 것이다. 그러나 위원회 보고서에는 무엇을 어떻게 해야 한다는 상세한 지적은 거의 없고, 미국 공교육의 구조적 문제점 분석도 거의 이루어지지 않았다. 20,000여 개나 되는 각각 독립된 學區가 지배하고 있는 제도를 어떻게 개혁해 나가야 하는가? 결국 그것이 가장 중요한 문제이다. 그 어느 것도 이에 대한 해답을 보여주지 못하고 있는데도 불구하고 거의 모든 사람들이 박수 갈채를 보냈다.

이것과 대조적으로 몇 년 전에 하버드대학은 학부 교육과정을 개정했다. 우리의 토의나 결론에 대해서 언론이나 대중이 밀착 취재를 했다. 그렇지 않아도 늘 관심을 끄는 하버드대학인데다 마침 거국적인 논의가 시작된 때여서 우리에게 향한 세상 사람들의 관심은 보통이 아니었다. 우리는 명확하게 말을 하고, 상세한 실천 방안을 여러 번 발표하였다. 그 결과 환영해 주는 사람들도 있었지만 많은 비난을 받았다. 거의 대부분의 사람들이 한두 가지의 반대의견을 제시하였다. 무엇이든 불만의 씨앗이 되는 현대사회에서 일을 명확히 한다는 것은 이러한 대가를 치르게 한다. 나는 애매모호한 것이 항상 바람직하다는 것이 아니라 때로는 이것이 유익하다는 것을 말하고 있을 뿐이다.

3) '반응하다'라는 어휘의 올바른 정의를 알아야 한다. '반응하다'는 '응답하다', '답하다'라는 의미이다.

이 말은 미국 영어에서 특히 대학가에서 가장 誤用되고 있는 말의 하나이다. 젊은 사람들은, 아니 그렇게 젊지 않은 사람들까지 '반응하다'라는 것과 '예라고 말하는 것'은 같은 의미라고 생각하고 있다. 40대 이상의 사람들은 '아니오라고 말하는 것'도 반응이란 것을 알고 있을 것이다. 특히, 대학행정직을 맡고 있는 사람들은 이것을 잊고 있으면 안된다.

내가 이와 같이 약간 시시한 말의 오용을 지적하는 것은 대학의 여러 가지 문제를 처리하는 일이 매우 어렵기 때문이다. 대학은 아주 특이한 세대의 구성으로 이루어져 있다. 文理科大學의 거의 절반은 —6,500명의 학부과정 학생들을 주로 염두에 두고 있지만—18세에서 22세까지의 젊은이들이다. 그것도 4년마다 교체된다. 학생집단은 망각이 심해서 매년 새로운 지도자가 등장할 때마다 같은 문제를 제기한다. 새 학생 지도자는 거의 판에 박은 것처럼 대학측이 자기들의 요구를 들어주지 않는다고 비난한다. 지난 10년간에 걸쳐서 해마다 분명히 안된다는 답을 했는데도 여전하다. 교수진 쪽은 기억력이 너무 좋아 결코 잊는 법이 없다. 그래서 마지막에 가서는 꼭 빚을 갚는다. 중요한 위원회에서 같이 일해야 할 동료가 필요하다거나 논쟁의 해결과정에서 지지가 필요하다고 하자. 만일 이 때 지지를 얻을 수 없다면, 8년 전 조건이 더 좋은 주차장이나 유급 휴가를 원했던 그 동료의 요구를 정당하게 거절했던 사실을 상기하라.[4] 아마 그 동료의 눈에는 그때 당신이 반응을 보여주지 않았다고 보였을 것이다. 행정보직자들은 세세한 것까지도 잊어서는 안된다. 그 중에서도 특히 예와 아니오의 의미를 기억해야 한다.

4) '노 코멘트'는 때때로 최적의 답이라는 것을 생각하라. 언론에게 이야기해야 할 의무는 없다. 신문에 실리고 싶지 않은 것은 이야기하지 말아야 한다. 설사 한두 번 실수가 있다 하더라도 끊임없이 조심하는 것이 필요하다.

학자들은 책의 표지, 학회지, 심지어 신문에까지도 자기 이름이 실리는 것을 좋아한다. 대부분의 교수들에게 그것은 좋은 일이다. 좋지 않은 기사라 해도 해를 끼치는 일이 없는 정도로 끝난다. 책이나 논문을 쓴다는 것은 학자로서 학술 활동을 하고 있다는 증거이며, 때로는 악평을 받아도 곧 잊어버리기 마련이다. 다음에 자기도 악평을 써서 복수하면 되는 것이다. 많은 동료들이 일간지에 시사문제에 관해 논평하는 것을 만족스럽게 생각한다. 왜냐하면 즐거우면서도 위험성이 없는 일이기 때문이다. 무엇을 말해도 일주일이 지나면 다들 잊어버리게 되고(오늘의 신문이 내일이면 생선을 쌓는 포장지가 되기 때문에) 세계에서 일어나는 일들은 전문가들이 하는 말과 상관없이 일어난다. 또한 친인척들은 그의 권위 때문에 무조건 감동을 받게 된다. 이러한 특혜의 대표적인 예가 「뉴욕 타임스」紙에 실리는 것같은 공익 사업이나 정치 광고이다. 일반적으로 광고주는 대학교수인데, 그들은 중요한 공공 정책에 대해서 무엇인가 영향을 미치고 자신의 이름이 현미경으로 봐야할 정도의 크기라도 지면에 실려있기를 바란다. 사실 이러한 광고는 아마도 「뉴욕 타임스」紙의 대차대조표를 제외하고는 가시적인 효과가 전혀 없다.

하지만 대학행정직에 종사하는 사람들에게는 상황이 전혀 다르다. 이름을 신문에 실리지 않도록 하는 것, 대학의 목적에 알맞을 때에만 이름을 밝히는 일이 중요하다. 의견이나 정보를 가지고 기자를 쫓아다닐 필요는 없다. 기자 쪽이 사냥꾼이고 이쪽은 사냥감이며, 때로는 잡히지 않는 것이 더 중요하다. 언론의 자유란 사람들이 진실이라고 확신할 수 있는 것을 인쇄하는 권리이지, 모든 것을 다 아는 권리가 아니다. 신중함이야말로 모든 학장, 교학부총장, 총장에게는 빠뜨릴 수 없는 요건이다.

1974년에 하버드대학 과학자에게 한 사건이 일어났다. 안된 일이긴 하지만, 최근에는 이러한 사건이 더 흔하게 일어난다. 한 조교수와 우수한 학부과정 조수가 일련의 생물학 실험을 통하여 중대한 성과를 얻어냈다고 발표하였다. 다음 노벨상 이야기가 나오기 시작하고, 그 조교수의 지도자인 원로 교수는 벌써 샴페인으로 축배를 올렸다는 소식도 나돌았다. 하지만 관계자들 가운데 한 사람만 빼고는 어처구니 없는 나쁜 소식이 들려왔다. 처음엔 약간 놀라운 결과가 나왔는데, 그 실험을 재현할 수 있는 사람이 아무도 없다는 것이다. 그리고 지금까지도 그것은 그대로 방치되었다. 도대체 왜 그랬을까? 아무도 확실한 것은 모르지만, 자신의 추천장을 위조했던 것으로 밝혀진 학부과정 조수에게 의심의 눈빛을 돌리게 되었다. 어처구니 없는 우연적 결과였거나 아니면 누군가가 과학적 증거를 날조했을 것이라 추측할 따름이다.

　이 씁쓸한 이야기는 여러 신문의 일면에 실렸고 과학 전반에 대한, 특히 하버드대학에 대한 신뢰에 깊은 상처를 입혔다. 사전에 축배를 든 것과 일반인들에게 널리 알렸던 것이 특히 나를 괴롭혔다. 현대 생물학에서의 경쟁은 약간 과열된 듯이 보인다. 생물학은 대단히 빠른 속도로 발전하고 있으며, 간발의 차이로 이긴 사람에게는 명성과 부를 안겨준다. 이러한 사정은 J. 왓슨(James Watson : 1928~ , 미국의 생화학자, 1962년 DNA발견으로 F. Crick과 공동으로 노벨상 수상—역자 주)의 명저「二重 螺旋」에 잘 그려져 있다. 분명히 그대로라고 생각한다. 문외한이긴 하지만 나는「이중 나선」과 애로우스미스 사이에 조화가—즉, 연미복에 하얀 넥타이를 매고 스톡홀름에서 스웨덴 국왕과 악수하기 보다 인류를 더 생각하며 밤늦게까지 실험실에서 시험관을 응시하는 利他的인 젊은 연구가가 그러하듯이—이루어지기를 갈망하였다.

　12월 29일 나는 우울한 기분으로 학장실로 걸어가고 있었다. 대학은 방학에 들어가 교정에는 사람들의 모습이 보이지 않았다. 그런데 낯익은 얼굴이 나타났다.「뉴욕 타임스」지의 기자로 나에 대해 호의적인 기사를 써 준 사람이었다. 나는 은근히 친밀한 마음이 들어 전에 있었던 과학자 사건에 대해 이야기를 나누었다. 기자는 일요판에 해설기사를 실으려 한다고 하였다. 우리 둘은 이야기를 계속했다.

물론 인터뷰로서 한 이야기는 아니었다. 편안한 분위기에서 나에게 호의적인 기사를 써준 사람과 격식을 차리지 않고 이야기를 한 것이다. 그러나 이것이 큰 잘못이었다. 나는 과학자들 간의 과도한 경쟁에 대해서 언급하면서 빈틈없이 세련된 표현이 생각났기 때문에 문득 '새미 글릭스 같은 최악의 생물학자'가 있다는 이야기를 하고 말았다.[5] 이 말이 '하버드大学校 文理科大學 학장'의 발언으로서 일요판에 실렸다. 나는 분해서 그날 밤 거의 잠을 이룰 수가 없었다. 물론 내가 큰 실수를 한 것이다. 훌륭한 대학행정가로서 지켜야 할 규칙을 지키지 못했기 때문이다.

월요일 아침, 내가 평소 존경하고 좋아하는 저명한 과학자인 생화학과 과장이 나에게 편지를 전해주고 갔다. 그는 편지의 말미에 "내가 재직하고 있는 대학의 책임있는 행정가가 이러한 중상적인 발언을 한 것은 나 개인 뿐만 아니라 생화학과 전체에 대한 중대한 모욕이라 생각합니다."라고 썼다. 나는 내 탓이 아니다, 나는 전혀 모르는 일이다라고 하며 끝까지 버틸까하고도 생각하였다. 자칫하면 그러한 유혹에 빠져서 어리석은 짓을 할 뻔했다. 마침내 상황은 내가 더 명예로운 길을 선택하도록 이끌었다. 상사인 총장에게 이 일을 털어놓고 이야기했더니 사실대로 말을 해야한다고 성경 같은 말로 엄숙하게 타일렀다. 나 자신도 총장과 같은 말을 동료들에게 했던 기억이 났다. 게다가 새미 글릭스를 들먹인 것이 다른 사람들보다 내게 더 걸맞은 발상이었다는 생각이 들었다.

나는 생화학과 교수들에게 면담을 제의하였다. 나는 내 잘못을 솔직히 시인하고 사죄한 후에 격의없이 활발한 의견 교환을 하였다. 교수들은 나의 불안과 불만을 들어주었고, 나는 그들의 상황을 보다 더 깊이 이해할 수 있었다. 우리들은 친구가 되었다. 그후 몇 년이 지나 내가 학장직을 떠날 때 그들은 나를 위해 만찬을 베풀어 주었다. 다른 학과에서는 결코 없었던 일이었다.

5) 사람들에게 돈을 요구하는 수완을 연마해야 한다. 당신의 經歷은 그 결과에 달려 있을지도 모른다.

총장직이나 그와 비슷한 직책이 순진한 후보자에게 제의될 때 그가 무슨 말을 하던지 대학 최고 경영자의 중요한 임무는 자금을 모으는 일이다. 거래 용어로 말하여 '고물상'이 되는 것을 배워야 한다. 공손하고 어색한 예비적인 言辭로부터 一轉해서 100만 달러 단위의 기부를 구하는 화제로 교묘하게 바꿔나갈 수 있는 사람이 되지 않으면 안된다. 숙달되면 점점 쉽게 그 일을 잘 할 수 있게 된다.

나는 보크氏가 총장으로 추천되었을 때, 하버드대학법인이사회의 원로 理事 한 분이 자금 조달에 대해서는 걱정하지 말라고 했다는 말을 들었다. 그는 하버드대학이 잘하고 있으면 재정 문제 따위는 저절로 해결될 것으로 알았다. 어느 먼 도시에서 저녁 식사 후에 녹초가 된 피곤한 몸으로 늘 하던 연설을 할 때, 보크 총장은 몇 번이나 이 낙관적인 조언을 떠올렸을까? "이곳 로스앤젤레스에서, 시카고에서, 캔자스시티에서, 애틀란타에서 …… 여러분과 함께 할 수 있음을 큰 기쁨으로 생각하는 바입니다."

자금 조달은 늘 대학의 중심적 과제가 된다. 부유하든 가난하든, 사립이든 공립이든, 단설 학부대학이든 종합대학교이든 운영 자금은 늘 부족하기 마련이다. 매년 정기 기부, 모금 운동, 동문회 모임, 기증자 개척 등은 '발전기금'이라는 완곡한 표현으로 한데 묶인 활동이

다. 그것들은 모두 돈에 관한 것이고, 고위 대학행정가의 제 2의 天
性이 된다. 누구나 새벽 3시에 깨어도 2분 후에는 대학의 활동에 도
움이 되는 세련된 연설을 할 수 있어야 한다. 청중이 얼마인지는 중
요한 문제가 아니다. 평범한 접시에 담긴 아 라 킹 치킨 세트를 먹을
때에도 파블로프(Ivan Pavlov : 1849∼1936, 러시아의 생리학자—역자 주)
의 조건 반사와도 같이 대학 지원 연설을 할 수 있어야 한다.

  자금 조달은 필요하기는 하지만 단순히 必要惡으로 생각하기에는
곤란한 점이 있다. 나는 모금하는 일을 점점 좋아하게 되었다. 또한
졸업생들의 愛校心이나 관용 그리고 여러 단체장들의 지성과 탐구
정신에도 늘 감탄해 왔다. 기부를 청탁하는 것은 자유 시장을 조사하
는 가장 좋은 방법이며, 후원자가 어떻게 생각하고 무엇에 우선 순위
를 두고 있는가를 조사하는 아주 효과적인 방법이다. 주는 쪽이나 받
는 쪽이나 '발전'이라는 단어로 교육을 표현한다. 이쪽의 사정을 잘
설명하고, 기부 후보자에게 그 타당성을 납득시키는 것은 모든 관계
자들에게 건전한 일이다. 매년 있는 모금 운동의 일환으로 보낸 내
편지를 읽고, 1948년에 졸업한 사람이 텍사스주 미들랜드에서 다음
과 같은 답장을 보내왔다. "하버드대학은 운명을 다하여 쓰러져 가
고 있는 나라의 피폐한 대학입니다. 양쪽 다 오랫 동안 과대 평가를
받아왔습니다. 잘해 보십시오."라고 쓰여져 있었다. 다행스럽게도 하
버드대학이나 국가에 대한 그의 견해는 대표적인 것이 아니다. 나에
게는 둘 다 드문 의견이었지만 저 유명한 19세기의 후원자 H. L. 히
긴슨(1834∼1919)의 발언 쪽이 더 마음에 든다. "이 세상에서 정
말 중요한 것은 너무 늦기 전에 하버드의 영향력을 확대할 수 있는
지 없는지에 달려있지 않을까?"[6]

많은 대학 관계자들은 기부 요청을 하는데 아주 고생을 한다. 방문의 목적이 쌍방 간에 잘 알려져 있는 경우에도, 그것이 긍정적이든 부정적이든 간에 아무 결론도 내리지 못하고 헤어지는 일도 가끔 있다. "대학의 우수성을 유지하기 위한 우리의 숭고한 노력을 지지하는 뜻에서 적어도 100만 달러는 기부해 주셨으면 합니다."라고 말하는 데는 좀처럼 입이 떨어지지 않는다. 한 시간의 정중한 대화 시간은 금방 지나간다. 그렇다고 이쪽에서 말을 꺼내지 않는데 큰 돈을 기부해 주는 사람은 거의 없다. 유태인인 나는 자선을 행하거나 부탁하는 일들이 아주 많았던 환경에서 자랐기 때문에 이것이 큰 도움이 되었다. 厚顔無恥(chutzpah)[7]라는 말을 이해하며, 그대로 실천하는 것도 큰 도움이 되었다.

文理科大學을 위해 모금 운동을 전개하여 3억 5천만 달러 이상의 자금을 모았을 때, 나는 J. L. 롭氏와 장시간 함께 지낸 적이 있다. 그는 유명한 금융가이면서도 자선가이며 과거에도 하버드대학에 지대한 공헌을 한 인물이다. 나의 목적은 상업 용어로 '지도성 개발 기금'을 획득하는 데에 있었다. 비종신재직 교수 15인에게 소요될 비용 1000만 달러 정도를 이 사람이 쾌히 내주기를 기대하고 있었다. 물론 이 돈은 롭氏에게도 적지않은 금액이었다. 그는 품위가 있고 아무리 봐도 '옛날 그대로의 신사'와 같은 인상이며, 하버드대학에 깊은 애착을 갖고 있는 사람이다. 적어도 나의 입장에서는 즐거운 만남이었다. 드디어 '마무리를 지을' 때가 왔다. 이 결정적인 자리에 나는 보크 총장에게 함께 가자고 말했다. 대학의 최고 책임자와 자리를 같이 하는 것은 대단히 유리하다. 큰 기부를 얻기 위해 이것은 필수 조건이다.

우리들의 만남은 뉴욕시에 있는 '사계절' 식당에서 이루어졌다. 아주 비싼 햄버거를 맛있게 먹었던 기억이 지금도 생생하다. 대화는 순조롭게 진행되었고 이제 막 구체적인 금액 이야기가 나올 무렵 우리들의 호스트인 롭氏가 "결국 나에게 500만 달러를 기부하라는 말입니까?"라고 물어보았다. 나는 "아닙니다. 제 소원은 다른 사람들이 500만 달러를 낼 수 있도록 자극하기 위해, 당신은 1,000만 달러를 내주셨으면 합니다."라고 대답하였다. 롭氏는 미간을 찌푸리며 안색이 어두워졌다. 그는 "헨리, 그것 참 '후안무치'한 것 같군요."라고 말하며, 뜻하지 않게 "그런데 당신은 이 말의 철자를 알고 있소?"라는 질문을 덧붙였다. 나는 냅킨을 들고 펜을 꺼내서 써 보이려고 했다. 그런데 갑자기 총장이 내 손에서 냅킨을 잡아채서 활자체 대문자로 CHUTZPAH(훗츠파)라고 써서 그것을 롭氏에게 드렸다. 그는 냅킨을 작게 잘 접어서 조끼 주머니에 챙겨넣었다. 곧 식사를 끝내고 총장과 나는 보스턴으로 돌아왔다. 며칠 후 매우 반가운 소식이 전해졌다. 롭氏가 약 900만 달러의 기부를 해주겠다는 소식이었다. 우리는 '훗츠파'가 대략 400만 달러에 가까운 가치가 있음을 확인하였다.

6) "자신을 共同體로부터 고립시켜서는 안된다. 어떤 사람과 같은 입장에 처할 때까지 그 사람을 판단해서는 안된다."

(힐렐 敎父들의 말에서)

이 말은 매우 훌륭한 충고이다. 고립되고 싶은 유혹은 크고 그 결과는 참담한 것이기 때문이다. 대학행정직을 맡게 되면 교수 특히, 젊은 교수나 학생들의 관점을 쉽게 잊어버리기 마련이다. 최고위 행정직은 대학의 상징이다. 그래서 대표자로서의 특권을 개인적인 권리와 혼동하는 것은 위험한 일이다. 갑자기 공관에서 대규모로 손님을 대접할 때도 자신의 주머니에서는 돈이 하나도 나가지 않게 된다. 이 때의 경비가 대학에서 나온다는 것을 잊어서는 안된다. 바로 학생들, 교수들 그리고 동문들의 호주머니에서 나오는 돈이다. 그들은 분명히 受益者이지만 동시에 돈을 지불하는 손님이며, 이쪽은 관대한 호스트가 아니다. 다른 대학 특히, 해외의 대학8)에 가면, 리무진 차로 모셔지고 축연을 제공받기도 하며, 선물까지 받을지도 모른다. 졸업식 때 많은 청중들 앞에서 축사를 부탁 받고 명예학위를 받을지도 모른다. 하지만 이러한 榮譽를 개인으로서 인정받은 것이라 생각하지 말아라. 그것은 사상가, 창조자 그리고 위대한 연구자들의 것이다. 우리들의 지위라는 것도 이러한 사람들이 있어서 성립하는 것이다.

대학 사회에서 동료나 학생들로부터 고립되는 것이 위험한 것은 이해하기 쉬운 일이다. 지금 많은 미국 경영자들이 비슷한 문제에 직면하고 있다. 동료와의 사이에 거리가 생기면 정보가 잘 들어오지 않게 되고, 건설적인 뒷공론을 듣기 어렵게 된다. 이 거리감은 행정직으로서의 권위를 서서히 손상시킨다. 왜냐하면, 권위란 서열과 명령에 기초를 둔 것이 아니라 동료들 중에서 第一人者의 原理에 근거하고 있기 때문이다. 가장 심각한 문제는 어려움이 많고 인기가 없는 결정을 받아들여야 하는 일이다. 그러나 '우리 모두가 한 배를 탄 공동운명체'라는 것을 깨닫게 된다면, 이러한 곤경도 쉽게 넘어갈 수 있다.

7) **잘못된 信念을 사실로 고치는 어려움을 절대 과소평가해서는 안된다.**

그 완벽한 예가 하버드대学의 졸업생들이다. 현재 한 강의실의 학생 수는 20년 전보다 적지만 대부분의 졸업생들은 자신들의 시대에 보다 친밀한 교육이 이루어졌다고 믿고 있다. 현재, 원로 교수의 90% 이상이 일년에 적어도 한 강좌는 학부과정 강의를 담당하고 있다. 그럼에도 불구하고, 하버드대學의 원로 교수들은 학부학생들을 가르치지 않는다고 믿고 있는 통계숫자가 전혀 줄어들지 않고 있다. 또한 자신들의 학생 시절이 하버드대學의 가장 좋은 시절이었다는 신념도 버리기 힘든 것 같다. 10년 전이나 50년 전이나 다 그렇다. (J. 부챤의 말을 기억해주기 바란다.) 하버드대學의 경우, 이러한 신념이 350년 동안이나 계속되어 왔기 때문에 그리 신경 쓸 필요도 없을 것이다. 하지만 내가 말하고 싶은 것은 더 일반적인 것이다. 명백한 과학적 증거가 없을 때나, 만약 증거가 있다할지라도 사람들은 기회만 있으면 자신이 믿고 싶은 대로 믿을 것이며, 경험적 증거 조차도 마음 속에 깊이 품고 있는 중요한 신념을 쉽사리 바꾸게 하기는 어렵다는 것이다. 대학행정가 입장에서 보면 여기서 이끌어 낼 교훈은 아무것도 없다. 오직 우리들의 입장에서 피하기 힘든 어려움의 하나라 말하고 싶을 따름이다.

8) **폭 넓게 생각해야 한다. 특히 돈 문제라면 더 말할 나위도 없다.**

대학행정직을 맡은지 얼마 안된 사람들에게 대부분 경험 부족으로 오는 가장 큰 충격 중의 하나는 선뜻 왔다갔다 하는 돈의 크기이다. 대학은 대규모 조직이며, 거기에 따라서 소요 금액도 커진다. 하버드

대학교 文理科大學의 일년 예산은 3억 달러가 넘는다. 하버드대학의
전체 예산은 7억 달러 이상이다. 이러한 금액은 자신의 봉급이나 집
값만을 생각하거나 10만 달러의 연구 조성금도 아주 큰 돈이라고 생
각하기 쉬운 일반 교수들이 이해하기 힘들 것이다. 어느 정도 익숙해
져야 몇 백만 달러가 왔다갔다 하는 결단을 내릴 수 있게 된다. 처음
에는 어쩐지 두려움이 앞선다. 800만 달러의 전기세, 100만 달러의
전화요금, 금방 400만 달러 정도 나가는 개별 실험실 등을 두려움
없이 다룰 수 있게 되려면 시간이 꽤 걸려야 한다.

　문리과대학의 재정 상황이 나빠지기 시작한 1973년에 학장이 된
것은 나의 不運이었다. 연말 결산에서 큰 赤字가 나타났다. 나는 '보
스들'—총장과 대학법인이사회—에게 3년 후에는 적자를 없애겠다
는 약속을 했다. 학장이 된지 얼마 안되어 나는 매일 밤 늦게까지 학
장실에서 '작은 금액' 예를 들면, 두세 개의 강의실에 페인트 칠을
하는 것 같은 일 때문에 여러 가지 고민을 했다. 돈이 부족해지면 큰
일이 날 것으로 생각했기 때문이다. 연말마다 재정적 결정의 결과가
확실히 나올 때까지는 일년 반이 걸리고, 가계의 운용 같은 짓을 하
고 있어도 300만 달러의 적자에는 아무런 영향도 없다는 것 등을 알
게 될 때까지 꽤 시간이 걸렸다. 두 가지 결론이 나왔다. 신참 대학
행정가들은 그때까지의 감각으로 생각을 하면 잘못을 범하기 쉽다는
것이다. 자신의 조촐한 상황에서 갑자기 큰 규모로 도약하는 것은 상
당히 어려운 일이다. 동시에 백만 단위, 천만 단위, 심지어 억 단위
로 생각하는 것에 익숙해지면, 반면에 자녀의 하기 野營 비용을 염출
하기 위한 문제에는 더욱 어려움을 느끼게 된다. 이 때는 적당히 정
신분열증에 걸린 것 같은 태도를 취하는 것이 좋을 것이다.

【註】

1) 대학행정직에 경제학자를 選任하고 싶은 사람은 이 사실을 명심해야 한다.

2) 사람들은 행정보직 수당을 연금에 積立시켜 놓는다는 점을 간과하곤 한다. 10년 간의 수당이 더해지면 퇴직시에는 상당한 차이를 나타낼 것이다.

3) 이것과 관련해서 *Boston Globe*에게 찬사를 보내고 싶다. 특별 獨善賞은 어떨까? *Boston Globe*이 선호하는 사설 중의 하나는 대학이 특히, 종신재직권에 관해서 그동안 차별한 것에 대한 차별수정조치를 추진하고 있지 않다는 것이다. 그러나 *Boston Globe* 편집발행인 그룹에 단 한 명의 여성도 소수민족도 포함되어 있지 않다는 경고적 야유를 이 백인 신사 그룹은 아마도 느끼고 있지 않을 것이다. 이 글은 1988년에 쓴 것이므로 그후 두 명의 여성이 들어와 편집발행인 그룹 중의 10분의 1이 여성이 되었다. 하지만 인종 구성 쪽은 아무런 변화가 없다.

4) 이러한 예는 드물지 않다. 1964년 유시 버클리에서 학생 騷擾가 일어났을 때, 교수회는 C. 커어 총장을 적극적으로 지지하지 않았다. 당시 여러 가지 이유가 추측되었지만 새 주차 요금제도에 교수들이 불만을 가지고 있었던 것이 큰 要因이 아니었나 생각된다.

5) Budd Schulberg, *What Makes Sammy Run*, 참조.

6) Seymour E. Harris, *The Economics of Harvard*(New York : McGraw — Hill, 1970), 272 면에서.

7) 자신만만, 뻔뻔스러운 것, 철면피한 것 등을 의미하는 말.

8) 내 경험으로는 외국의 대학이 특히, 비서구 여러 나라의 대학이 내빈을 가장 호화스럽게 대접하는 것으로 여겨진다. 互惠主義의 관점에서 볼 때 그러한 것이 미국인들에게는 대단한 문제처럼 여겨질 수도 있다. 사우디대학 총장은 2년마다 새 캐딜락 차를 살 돈을 지급 받는다는 이야기를 해주었다. 나는 우리 대학 총장은 20년 된 폴크스바겐을 타고 다닌다고 했다. 속물근성에 대

한 逆攻일지 모르겠지만 아주 상징적인 의미를 함축하고 있었다. 중화인민공화국에서는 학술대표단의 長이었던 나에게 어느 호텔에서나 침실 외에 거실과 응접실이 딸린 방을 주었고(다른 단원들은 방만 하나 주었다.) 36년도형 롤즈로이스 크기의 리무진에 붉은 기를 달고 送迎해주었다. 가장 걸작이었던 일은 중국항공 일등석을 타고 한 중국 여행이었다. 일등석과 일반석은 아무 차이도 없었다. 같은 좌석, 같은 식사였으며 단지 일등석과 일반석을 커튼으로 가리고 있었을 뿐이었다.

제 15 장

大學의 意思決定 構造와 過程
信賴할만한 大學運營의 7가지 原理

   통치는 권력과 관련되어 있다. 누가 책임자인가, 누가 최종 결정을 내리는가, 누가 발언권을 갖고 있는가, 그 발언권의 영향력은 어느 정도인가? 이러한 문제들은 특히 고등교육의 경우에 있어서도 늘 복잡하고 논쟁을 불러일으키는 질문들이다. 그 이유는 명백하다. 첫째, 대학은 성인을 대상으로 한 교육기관으로 학교교육의 요구와 성인의 요구를 조화시키기란 그리 쉬운 일이 아니기 때문이다. 둘째, 미국 대학들은 사회변화의 主導者로, 그리고 정책에 영향을 미칠 수 있는 연구의 창출자로, 대학에 입학한 학생 개개인들에게 평생동안 출신

대학 구성원으로서의 혜택을 부여하는 기관으로 여겨져 왔다. 많은 사람들이 이러한 대학에 어느 정도 영향을 미치고자 열망하는 것은 이해할만하다. 셋째, 미국 대학들은 대기업과 마찬가지로 풍부한 재원을 갖추고 있으며, 교육과 관련있는 광범위한 목적을 위하여 그 재원을 사용한다. 대학은 大株主로서 대규모 유가증권을 관리하고, 부동산을 소유하고 있으며, 레스토랑과 기념품 판매점, 해외 분교 등 많은 사업체를 운영하고 있다. 재단과 사업체가 풍부한 재원을 어떻게 운영하는가 하는 문제는 학내외의 모든 사람들이 궁금해 하는 정당한 관심사이고, 이들이 聽聞을 요구하는 것은 당연하다. 넷째, 거의 모든 고등교육 기관들은 공·사립을 불문하고 납세자로부터 기금과 보조금을 지원받는다. 예를 들어 하버드대학은 예산의 20% 이상을 정부로부터 지원받는다. 일반 납세자로부터 자금을 지원받는 것은 그 受惠者가 권한을 어떻게 행사하는가에 대해 언론을 포함하여 국민의 대표자가 정당한 관심을 가질 수 있다는 것을 의미한다.

대학운영과 관련하여 종종 제기되는 문제들을 고려해 볼 때 나의 관심은 주로 학내의 학술적인 문제, 즉 학생이 교수회의에 참가해야 하는지, 교수가 투자정책에 발언권을 가져야 하는지, 누가 학생의 필수과목 또는 그와 유사한 문제들에 관해 결정을 내려야 하는지 등이다. 다음에 제시하는 原理들이 유용하게 적용될 수 있을 것이라고 생각한다. 그리고 이 원리들은 다른 형태의 조직에도 적용될 수 있을 것이라고 확신한다. 그러나 이 원리들 중 어떤 것도 가장 중요하고 절대적인 것이라 여겨지지는 않지만, 전체적으로 볼 때 매우 의미있는 원리라고 생각한다.

첫째 原理 : 보다 민주적으로 된다고 해서 모든 것이 더 나아지는 것 은 아니다

나는 이 문장을 쓰면서 온몸이 오싹해 짐을 느낀다. 다음 세대의 학생들과 동료들은 나의 이와 같은 뿌리깊은 보수적 성향에 대해 추가적인 증거를 제시할 것임이 틀림없다. 그렇다고 내가 이 원리를 아무런 이유없이 첫 번째로 제시하는 것은 아니다.

미국과 몇몇 다른 나라들은 민주주의 정치를 실천하려고 노력하고 있다. 이러한 실천 노력이 민주주의의 철학적 理想에는 훨씬 미흡한 것이지만 '一人一票'라는 표현 속에 함축된 뜻은 우리의 정치적 목표를 적절하게 기술하고 있는 것이다. 형식적으로 한 표 한 표는 모두 동등한 중요성을 지니며, 우리들은 정부와의 관계가 보다 더 민주적인 것이 덜 민주적인 것보다 낫다고 생각한다. 우리 생활의 다른 영역에서도 권력이 보다 더 균등하게 배분되어야 한다고 생각하는 사람들이 있다. 예를 들어, 소득 분배가 균형을 이루면 경제는 보다 더 '민주적'이라고 할 수 있으며, 나도 그렇게 되는 것이 매우 바람직한 일이라고 믿는다.

민주정치의 가치에 대한 강한 信念이 일상생활의 다른 영역에 존재하는 비민주적인 방식들과 반드시 모순되는 것은 아니다. 家庭은 늘 민주주의 원리를 따라 유지되는 것이 아니며, 군대나 병원, 대부분의 직장도 마찬가지다. 장소에 따라 공식 혹은 비공식적인 계층구조가 존재한다. 그래서 어떤 사람의 발언권이 다른 사람의 발언권보다 강한 것이 현실이다. 우리는 사회기관들의 업무 수행이 권력을 보다 더 균등하게 배분한다고 해서 반드시 원활해지는 것이 아니라는 것을 경험을 통해서 잘 알고 있다.

　대부분의 사회기관들은 민주적 특성과 계층적 특성을 동시에 지니고 있는데, 미국 대학들도 예외가 아니다. 일반적으로, 대학공동체의 주요 구성원들인 교수, 학생, 직원 간의 관계는 계층적이지만 동일 구성원 내부의 관계는 민주적이다. 그러나 이러한 전제에도 불구하고 마음이 조금 개운치 못한 것은 동일한 집단 구성원 간에도 매우 큰 차이가 있다고 보기 때문이다. 교수만 보더라도 어떤 교수들은 종신재직권이 있는가 하면 그렇지 못한 교수들도 있다. 직원들 중에는 연봉 10만 달러를 받는 사무부총장으로부터 소액 봉급을 받으며 잔디를 깎는 용원까지 다양하다. 이들의 발언이 동일한 비중을 가질 수는 없다. 학생들조차도 어떤 의미에서는 동질 집단이라고 할 수 없다. 왜냐하면, 17세의 학부 신입생이나 전문대학원에서 전공을 깊이 연구하는 한 가정의 家長에게도 똑같이 학생이라는 명칭이 붙여지기 때문이다.

　교육의 場에서 계층구조를 형성하는 가장 기본적인 힘은 바로 그 대학을 이루고 있는 핵심 구성원인 학생과 교수의 상호작용에 있다. 대학은 교수로부터 새로운 지식을 구하려는 학생들이 다니는 학교이고,[1] 대학원생은 자신의 전공 분야에서 전문가에 의해 훈련받고 있는 徒弟라고 할 수 있다. 그리고 모든 학생들은 자기 자신보다 더 유능한 사람에 의해서 평가되고 인정받게 된다. 나는 교수와 학생 관계는 평등하지 않고, 민주적인 관계가 아니라는 것을 분명히 설명하고 있지만, 이것이 곧 학생을 부당하게 억압하거나 교수의 권위가 임의적으로 恣行될 수 있음을 의미하는 것은 아니다. 이것은 한 쪽의 권리를 무시하는 것도 아니고, 다른 편의 불합리한 특권을 옹호하는 것도 아니다. 다만 계층구조라는 것은 어떤 견해가 다른 것을 지배할 수 있음을 함축하고 있을 뿐 반드시 다수결의 原理에 따르지 않는다는 것을 말하고자 한다.

대학의 민주화는 많은 것을 의미할 수 있다. 어떤 이는 교수회의 자율적인 의사결정, 대학운영에 대한 교수회의 발언권, 그 밖의 많은 것들에 대해 관심을 가질 수 있다. 잘 알다시피 1960년대 이후 대학의 민주화는 대학정책 결정과정에서 학생들과 비종신재직 교수들 그리고 직원들에게 더 많은 권한을 주어야 한다는 것을 의미하게 되었다. 극단적인 예로 1969년 하버드大學에 미국흑인연구학과를 신설할 때 하버드대학 교수회가 내린 결정을 들 수 있다. 교수진은 격앙된 학생들의 압력, 건물점거 그리고 공개적인 위협 등에 굴복하여 신설되는 학과를 개설하기 위한 준비위원회에 전체 인원의 반수인 6명의 학부대학 학생을 참여시키기로 결정하였다. 6명의 학생 중 3명은 흑인만이 가입할 수 있는 폐쇄적 학생정치단체인 아프리카 및 미국흑인학생연합회에서 선출되었다. 이 위원회의 학생들에게는 교수의 종신재직 여부와 특정 기간 임용계약에 대해 투표할 수 있는 자격이 부여되었다. 다시 말해서, 학부대학의 이 흑인학생들에게도 종신재직권을 가진 교수와 동등한 권한과 책임이 주어졌다.[2] 짧은 기간이긴 했어도 결과는 혼란 뿐이었다. 다행스럽게 대부분의 교수들이 속히 理性을 회복하였다. 불과 몇년 안되어 어느 모로 보나 학부학생들에게는 걸맞지 않았던 이러한 일들은 학생들의 권한으로부터 완전히 배제되었다. 국내외의 많은 대학들이 대학의 原狀을 회복하는데 보다 오랜 시간이 걸렸다.

1960년대 유럽 대학에서 일기시작한 대학 구성원들의 '平等權' 실현을 위해 만들어졌던 관리 방식의 몇몇 사례가 아직도 남아 있다. 이에 의하면 대학의 모든 결정권은 교수와 학생 그리고 직원의 3자

간에 동등하게 분배되어져 있고, 때때로 정부도 그 틈에 끼여들었다. 그러나 그 결과는 참담한 것이었다. 학문적 수준은 급격히 떨어졌고, 교육에 대한 사명감도 잃어갔다. 이 책의 앞부분에서 네덜란드의 경우를 언급한 바 있는데 그것도 이러한 사례의 한 가지가 될 수 있을 것이다. 네덜란드 정부는 종래의 대학운영 방식을 크게 수정하여 1972년부터 '평등권'에 의한 관리 방식을 도입하였다. 그후 불과 몇 년 동안 연구중심 종합대학교들의 우수한 교수들이 대학을 떠났다. 이러한 현상은 산업체로의 이동이 쉬웠던 자연과학 분야의 교수들에게서 더욱 심한 편이었다.

평등권, 권한 체계의 혼선, 행정의 마비상태를 의미하는 지나친 민주주의는 결코 우연의 산물이 아니다. 대학행정가, 교수, 교육부 관료 등 책임자들의 오만불손한 자세, 권력의 남용에 대한 반발로서 이해할 수도 있는 것이다. 다시 말해서, 과도한 민주주의는 미흡한 민주주의에서 비롯되었다고 볼 수 있다. 즉, 극에서 극으로 치달은 것이다. 이런 관점으로 1960년대 독일 대학에서 벌어졌던 현상을 설명할 수도 있다. 합리적인 계층구조는 결코 무책임한 권력 남용을 의미하지 않는다.(일곱째 원리 참조) 나는 대학 민주화의 최적 수준을 규정해 보려는 것은 아니다. 내가 지적하고 싶은 것은 아주 단순하다. 즉, 보다 더 민주적으로 된다고 해서 반드시 더 나아지는 것은 아니라는 것이다.

둘째 原理 : 한 국민의 市民權과 任意組織에 자발적으로 참여함으로써 획득하게 되는 권리 사이에는 근본적인 차이가 있다

미국 시민으로서 범죄자가 아니면, 만 18세가 되었을 때 모두 동등한 정치적 권리를 갖는다. 시민권은 우리들 대부분에게 임의로 주어지는 것이 아니다. 우리는 출생지나 부모의 국적을 임의로 선택할 수 없다. 시민권이 生得權이기 보다 개인의 희망에 따라 선택되어 진다면 시민권에는 제한이 가해질 수 밖에 없다. 나는 歸化한 미국 시민이기 때문에 연방정부 헌법에 의해 대통령이 되는 것이 금지되어 있다. 나의 경우에는 이러한 제한이 대수롭지 않은 일이나 H. 키신저, 전 재무장관 M. 블루멘탈 그리고 뉴욕의 銀行家 F. 로하타인*등에게도 똑같이 대수롭지 않은 일은 아닐 것이다.

대학공동체의 구성원이 됨으로써 얻어진 대학인의 권리는 생득권과는 매우 다르다. 대학인의 권리는 언제나 지원이나 초빙에 의해 주어지는 것이기 때문에, 이에 대한 제한이 가해지는 것은 너무나 당연하다. 주식회사가 일정한 범위의 사람들만이 살 수 있는 제한된 양의 株式만을 판매할 수 있고, 同好人 클럽이 누구나 다 회원으로 가입시키지 않기에 가입자에게 특정한 규칙을 따르도록 강요할 수 있듯이,[3] 대학도 재직자나 재학생의 권리를 제한할 수 있다. 대학 민주주의의 이상적 수준은 국민이 갖는 시민권의 모형을 따를 필요가 없으며 따라서도 안된다고 생각한다. 학생들은 공부하기 위해서 대학에 입학한 것이지 대학을 관리하기 위해 온 것이 아니다. 교수들도 학생을 가르치고 연구하며, 자기의 전문지식을 필요로 하는 분야에 관한 교육정책을 수립하기 위해 초대받은 것이다.

실제로 교수의 권리 역시 제한되어 있다. 대학의 운영이나 정책의

---

* Henry Kissinger(1923~) 미국의 정치가로 국무장관 역임. Michael Blumenthal (1926~) 미국의 경영인으로 재무장관 역임. Felix Rohatyn(1928~) 미국의 기업인 겸 은행가.

일부 영역은 당연히 교수회의 관할권 밖으로 간주된다. 왜냐하면 그들은 이런 영역에서 요구되는 전문적인 식견이 부족하고 이해 관계가 상충되어 있기 때문이다. 이러한 문제들은 大學理事會의 책임 소관 사항이다. 권리를 제한한다는 것이 아무 권리도 없다는 것을 의미하는 것은 아니다. 누구나 자신의 견해를 자유롭게 표현할 수 있어야 하며, 모든 집단의 발언이나 정보투입을 위한 기제장치는 단지 바람직한 것 이상일 뿐만 아니라 대학을 올바르게 운영해 나가기 위해서는 불가피한 조치들인 것이다. 내가 둘째 원리에서 강조하고 싶은 것은 모든 집단들이 동등한 권리를 가져서는 안되며, 집단에 따라서는 필연적으로 제한이 가해져야 한다는 것이다.[4]

셋째 원리 : 대학에서의 權限과 責任은 그 대학에 봉직한 기간을 반영해야 한다

학장 재임시 나는 일단의 학부학생들에게 한 聲明을 발표한 바 있는데, 이 일로 인해 학생들은 나를 적대감을 갖고 대했으며, 그들 사이에 나는 악명높은 사람이 된 적이 있다. 나는 대학공동체의 여러 구성원들의 역할에 대해 언급하면서 이렇게 말하였다. "잊지 마십시오, 여러 학부학생들! 여러분들은 이 대학에 4년 동안 머무르지만 종신재직권을 가진 교수들은 평생동안 있게 됩니다. 그리고 이 대학은 여기에 영원히 존재하게 될 것입니다." 학생 신문은 나의 이 평범한 발언을 학장의 傲慢과 학생들의 정당한 요구에 대한 무감각의 표시로 받아들였다. 이 말은 특별히 보기 싫은 나의 사진 밑에 자주 인용되어 게재되었다. 그리고 나중에 학생들은 커다란 글씨체로 "학생 제군들은 여기에 4년 동안 있게 된다는 것을 명심하라. 그리고 로조프스키 학장은 일생을 여기에 머무르고, 다이아몬드는 영원하다는 것을 기억하라."라는 영화 광고 같은 벽보까지 등장시켰다. 내가 학생들에게 그런 인상을 주었던 것은 분명하지만 학생들의 그런 표현은 적절한 것이 아니었다.

대학에 장기간 봉직한 사람의 발언권이 왜 강해야 하는가? 내가 학생들에게 설명하려고 했던 바로 이 점은 학생들이 젊었기 때문이 아니라 그들이 대학에 체류하는 기간이 단지 일시적이라는 것 때문이었다. 거의 모든 형태의 조직에서는 오래 재직한 사람이 특별한 능력을 갖게 되고, 그것이 어느 정도 인정되어야 한다고 여기는 것이 보통이다. 누구든지 오래 근속했다고 해서 계속 환대를 받을 수는 없겠지만, 다른 조건들이 동일하다면 대부분의 조직들은 선임자를 존경하고 그에 대한 보답을 하려고 한다. 대학에서의 봉직 기간은 경험과 충성의 指標이고, 개인의 사리사욕을 위한 단기간의 재직이 목적이 아니었다는 확실한 증거가 되기 때문에 선임자를 존중하는 것이다.

그러나 대학은 특별한 문제에 봉착하게 된다. 대학공동체의 구성원들을 살펴보면 학교에서 가장 짧은 기간을 보내는 학생들이 압도적으로 많은 수를 차지하고 있다는 사실이다. 말하자면 지식과 경험이 가장 적은 사람들이 구성원의 절대 다수를 차지하고 있다는 것이다. 여기서 잠깐 대학에 몸담고 있는 사람들의 시간적인 길이가 얼마나 다양한지에 대해 생각해 보자. 하버드대학에서는 6,500여 명의 학부학생들이 4년 동안 공부하다가 학사학위를 받고 교정을 떠난다. 10,000여 명의 대학원생들은 전문교육을 포함한다 하더라도 평균적으로 학부학생들 보다 조금 짧은 시간을 대학에서 보내게 된다. 또,

어떤 학생들은 定時制로 학교에 다니거나 특별교육 프로그램에만 등록하기도 한다. 후자의 경우는 단지 몇 주 동안만 학교에 다니게 되는데, 50,000명 이상의 학생들이 이 범주에 속한다. 그리고 대학을 졸업한 故人을 제외한 생존 인물로 하버드대학에는 200,000여 명의 동문들이 있는데, 이 거대한 집단은 비록 그들이 공부했던 대학에 직접적으로 관여하지는 않지만 매우 오랜 기간 동안 대학과 관련을 맺으면서 살아간다. 그들의 학위의 가치는 모교의 전체적인 位相과 관련이 깊다고 생각한다.[5] 더 나아가서 많은 동문들은 모교에 재정적 혹은 다른 형태의 지원을 통해서 평생 동안 헌신한다. 그렇지만 대부분의 동문들은 대학의 일상사로부터 멀리 떨어져 살아간다. 또 하버드대학에는 3,000여 명의 교수가 재직하고 있으며, 이 중에서 약 절반은 종신재직권을 갖고 있는 교수들이다. 비종신재직 교수들은 승진되지 않는 한 8년에서 10년간 재직하게 되고, 종신재직 교수들은 보통 25년 이상 봉직하게 된다. 또 대학에 信託責任을 지고 있는 법정 소유주인 理事들에 관해서도 언급하고 넘어가야겠다. 이사들은 그들에게 위탁된 직무를 수행함으로써 대학의 현재와 미래의 복지안녕을 위해 노력해야 할 법적, 도덕적 책임을 지고 있다. 하버드대학에는 37인이—총장과 재무부장을 포함한 7인의 大學理事會(The Harvard Corporation)와 30인의 선임 이사들로 구성되는 大學法人理事會(The Board of Overseers)—이 범주에 속한다. 다음으로 원로 실무행정가, 비서, 기술자, 연관공, 도장공 등 직원들이 있어서 이들의 수만도 11,000여 명에 달한다.

이러한 상황에서 다수결의 원리가 적용된다면 어떤 결과를 가져올 것인가? '1인 1표'의 원리는 대학이 최단기 체류자들에게 최대의 영향력을 주는 셈이 된다. 이렇게 되면 결국 영향력이라는 것이 대학의 결정과 그것의 실행 결과에 따라서 살아가야 할 사람들의 의견을 충분히 반영하지 못한 것이 되기 때문에 이것은 잘못된 생각이다. 이러한 나의 우려는 최근 광범위하게 논의되고 있는 南아프리카 공화국에서의 투자 철회를 예로 들어 설명할 수 있다. 지난 몇 년 동안 많은 대학들과 연금단체들은 그들이 가지고 있던 南亞共에서 사업을 하고 있는 회사들의 모든 株式을 팔아치웠다. 주된 목적은 인종차별에 대한 반대 의지를 표명하기 위한 도덕적 성명을 내기 위해서였다. 투자 철회를 주장하는 사람들은 그러한 조치가 남아공 정부로 하여금 그 가증스러운 관행을 포기하도록 할 수 있을 것이라고 믿었다. 나는 여기에서 투자 철회의 利點을 논의하고 있는 것이 아니다. 단지 대학에서 다수결의 원리가 지배되거나 미국판 평등권의 원칙이 적용되는 한 아무리 호소력 있는 도덕적 성명일지라도 그것이 주의 깊게 검토되고 평가받기는 매우 어렵다는 점을 시사하고자 할 뿐이다. 다른 결정도 마찬가지이지만 투자 철회에 관한 결정은 현재의 실행에서 오는 만족과 장기적인 결과로부터 받을지도 모르는 손실 간에 균형을 유지할 수 있도록 충분히 고려해야 한다. 예를 들면, 남아공에서 사업하는 회사들의 주식을 사들이지 않는다면 향후 수익이 대폭적으로 감소될지도 모른다. 어떤 비평가들에게는 투자를 철회하는 것이 증여기금을 정치적 목적으로 이용하는 것으로 비춰질 수도 있으며, 또한 이것은 기증자들을 더 정치화 시키게 되고, 이로 인해 정부의 새로운 개입을 불러들일 수도 있다. 이러한 우려는 杞憂에 그칠 수도 있다. 단지 대학의 소극성을 나타내는 것일 수 있다. 그러나 조용한 분위기에서 곰곰이 검토해 보는 것은 매우 중요한 일이다. 또한 경험에서 알 수 있듯이 장기간에 걸친 결과가 대부분의 학생들과 다수의 교수들, 그 이외의 많은 다른 사람들에게 불분명하게 보이고 심지어 하찮게까지 여겨질 때 그러한 일은 발생하지 않을 것이다. 그들이 과연 다음 세대에 수입이 줄어들 가능성이 있다는 말에 관심을 가지려고 할 것인가? 그렇게 생각하지는 않을 것이다. 자신의 책무를 이해하고 있는 理事들이야말로 장기적인 안목으로 심사숙고할 수 있는 사람들이며 이들은 우리의 최대 희망이다.

넷째 原理 : 대학에서는 知識을 갖춘 사람에게 보다 더 큰 발언권이 주어진다

내가 말하는 지식은 일반적인 지식을 의미하는 것이 아니다. 민주당 정부가 바람직한가 혹은 공화당 정권이 바람직한가에 대한 학생들의 의견은 교수들의 견해와 마찬가지로 타당성을 가지고 있다. 營繕課 직원들은 건물의 유지 관리에 대해서 교수들보다 더 많은 것을 알아야 한다. 학내 청원경찰관은 범죄행위에 精通하고 있어야 한다. 그리고 많은 동문들도 일반적인 것이나 전문적인 것에 대한 방대한 지식을 갖추고 있다. 일부 동문을 제외하고 대학 구성원들에게 부족한 것은 대학의 중요한 사명인 교육과 연구에 관한 전문 지식이다. 학생들은 지식이 부족하고 그 부족한 지식을 획득하기 위하여 대학에 들어온다. 대학에서 전문 지식을 가지고 있는 사람들은 교수들 뿐이다.

이러한 진술은 오만을 피우는 것도 아니고, 그런 주장을 할 자격이 없는 사람으로서 그저 엄포를 놓는 것도 아니다. 일반적으로 학생들은 교육 소비자로서 수업의 질에 대해 가치있는 의견을 갖고 있기 때문에 학생들의 생각은 당연히 청취되어야 한다. 특히, 전문대학원 졸업생들은 자기들이 받은 교육과 프로그램의 효과성에 대해서 매우 예리한 판단을 내리는 경향이 있다. 이러한 판단들도 반드시 고려할 가치가 있다. 또, 우리 모두는 실무 행정가와 비서 그리고 기술직원들이 풍부한 전문적 지식을 갖고 있다는 것을 인정한다. 그러나 대학 업무에 대한 조예(造詣)와 궁극적인 책임이 모두 같다는 의견은 온당한 생각이 아니다.

교육 문제에 대한 최종적 판단은 전문적인 자격을 갖춘 사람들에게 맡기는 것이 최선이다. 즉, 그러한 문제는 장기간의 徒弟 수업을 해왔고, 광범위한 증거를 기초로 해서 동료들에 의해 교수나 연구 면에서 수준 높은 과업을 수행했다고 평가되는 사람들에게 맡겨져야 한다. 이것은 특별히 교육과정에 대한 교수들의 통제권에 적용된다. 교육과정의 내용과 구조가 아무런 토론이나 논의없이 門外漢에 의해서 결정될 때 敎科를 정열과 상상력을 발휘해서 잘 가르칠 수 있는 기회는 현격히 감소된다. 군대에 의해 관리되는 학교를 다녀본 사람이라면, 이러한 점을 이해하는데 어려움이 없을 것이다.

교과에 대한 기준을 적절하게 정의내릴 수 있는 교수들은 새로운 지식의 개척자로서의 감각을 지니고 있을 가능성이 높은 사람들이다. 이들은 젊은이들과 일반 대중을 사로잡는 일시적 유행을 거부한다. 여러분은 아직도 '프린스턴 계획'을 기억하고 있을 것이다. 1970년대 초 선의의 학생들과 상당수의 문외한들 그리고 일부 교수들이 프린스턴대학에서 시작된 관행을 우리 하버드대학도 채택하자고 주장한 적이 있었다. 그것은 학생들이 민주주의를 실천하는 과정에 더 적극적으로 참여할 수 있도록 선거 기간과 일부 선거운동 기간 동안 방학을 허락해 달라는 것이었다. 이 주장은 한 때 홀라후프 운동이 누렸던 유행보다도 더 짧은 기간 유행하다가 사라졌다.

나는 교수들이 무제한적으로 권한을 행사하지 않는다는 것을 다시 한번 강조하고 싶다. 교수회의에서 내려진 교육에 관한 결정은 학장과 총장 그리고 이사회에 의해 再審된다. 말하자면 교수들은 지위, 연구실적, 연구보조금 등을 통해서 동료들에 의해 공개적으로 평가를 받으며, 또한 그들이 재직하고 있는 대학의 聲價와 관련, 시장 원리에 의해서 평가받는다.

'지식이 많은 사람에게 더 큰 발언권이 주어져야 한다.'는 주장을 정당화 하기 위해서는 특별히 검토해야 할 문제가 있다. 미국 대학들은 대부분의 경우 대학행정 부서에 총장이라고 불려지는 최고 경영자가 있다는 점에서 특이하다. 대학총장은 개인 기업체를 경영하는 사장과 같이 대학을 운영한다. 그리고 기업체의 이사회와 같은 기능을 하는 대학이사회에 보고해야 할 책임을 진다. 총장은 새로운 방침, 직원의 임용과 해임, 정책에 관한 광범위한 문제들에 대해 최종적인 발언권이 있다.

그러나 기업체의 사장과 대학의 총장은 다음과 같은 두 가지 차이점이 있음을 주목해야 한다.

첫째, 대학에는 '경제적 損益'을 계산해 볼 단일 기준이 없다. 따라서 경영 성과를 재는 기준을 설정하는 것이 더욱 어렵다. 둘째, 대학에서 중상위급 보직자들은 종신재직권을 가진 교수들인데 예외적인 경우를 제외하고는 해직시키는 일이 불가능하다. 대학총장은 이들 교수들 때문에 그 권한이 위축될 수밖에 없다. 그러나 제 10장 「종신재직권 : 그 의미」에서 살펴본 바와 같이 교수들의 정년을 보장한다는 것은 그 나름대로 타당한 이유가 있다.

미국의 대학은 유럽 모형에 기초를 둔 대학들과 극히 좋은 대조를 이루고 있다. 프랑스, 서독, 일본, 이스라엘 그리고 거의 다른 모든 나라의 대학총장들은 대부분의 경우 교수 중에서 전체교수회에 의해 임기 2~4년으로 선출된다.* 총장을 행정적으로 보좌하는 학장, 학과장들도 직접 선출되며 짧은 임기를 지낸다. 이러한 비미국적인 행정절차가 더 정치적이고 더 민주적이라고 할 수 있을지 모르나─외국인들은 미국의 대학제도를 중앙집권적이라고 평가하는 경향이 있지만─비미국적 대학들이 대학의 능률성이나 방침의 변화를 위해 치러야 할 代價는 훨씬 더 클 것이다. 미국 대학의 경우 모든 실제적인 목적을 위해 최종 책임이 총장에게 있지만, 유럽의 대학에서는 모든 문제가 消盡될 때까지 책임이 轉嫁된다.

그렇다면 미국식 관행은 넷째 원리와 어떻게 조화될 수 있을까? 특히, 학문상의 문제에 대해서 총장이 거부권을 행사하는 것을 어떻게 정당화할 수 있을까? 교수들의 전문적이고 해박한 지식이 과연 최우선의 지배 논리일까? 하버드대학에서는 원로 교수들이 강력하게 지지하는 교수일지라도 그에 대한 종신재직권 수여를 총장이 거부할 수 있다. 다른 많은 대학총장들도 이와 유사한 권한을 갖고 있다. 분명히 말해서 총장의 이러한 권한은 전공과 관련된 전문적인 지식에

---

* 우리 나라 대학은 6월 抗爭 이후 1988년에 연세대학교가 처음으로 교수 直選制에 의한 총장 후보를 선출한 것이 계기가 되어 현재 국립 대학은 거의 전부가 사립 대학은 50% 정도가 직선제를 시행해 오고 있다. 그러나 1996년 3월 28일 8개 지방 사립 대학으로 구성된 지역대학연합은 총장 직선제 폐지를 결의한 바 있고, 최근 연세대학교도 총장 후보추천위원회를 통해서 총장을 선임하기를 결정한 바 있다.

근거하고 있는 것은 아니다. 즉, 한 사람의 총장이 화학, 로망스어, 의학, 심리학 그 이외 십여 가지의 다른 전공 분야에 대한 전문 지식에 정통하고 있을 수는 없는 것이다.

총장의 권한은 개인적인 전문 지식과 아무 관계가 없다. 따라서 총장의 권한은 이와는 다른 배경에서 정당화 되어야 한다. 첫째로 분명한 사실은 계층구조에서 지위가 높아지면 높아질수록 전문 지식에 대한 강조는 점점 줄어든다는 것이다. 피라미드의 꼭대기에 올라가서 내려다 보면 모든 것이 아주 작게 보인다. 그러나 그곳에서 바라볼 수 있는 視界는 더욱 넓어진다. 장군은 군대 내에서 일어나고 있는 모든 일을 상세히 알아야 할 필요가 없다. 그것은 불가능할 뿐만 아니라 바람직한 일이 아닐 수도 있다. 그러나 장군은 더 전문적인 지식을 가진 영관급, 위관급 장교들의 의견이나 행동을 거부할 권리가 있다. 이러한 것은 다른 모든 분야의 최고 경영자에게도 똑같이 적용된다. 최고 경영자는 전문가들의 능력을 이용하고, 전문가들은 그를 도와서 보다 나은 지도자가 되도록 한다.

둘째, 관리층의 윗부분에서는 이해 관계의 대립이 덜 첨예하리라고 가정할 수 있다. 이 문제에 관해서는 다섯째 원리에서 좀더 자세히 언급할 것이다. 결국, 대학 내에서 총장의 권한은 行政的이기 보다 司法的인 면으로 이해되어야 한다. 총장의 권한은 그의 판단에 따라 특정 분야의 최고 학자를 교수로 임명하라고 주어진 것이 아니다. 대학 내의 여러 과정과 절차를 감독하고, 여러 전문가들 간의 견해 차이를 조정하는 것이 총장의 임무이다. 간단히 말하면, 전문 지식을 갖고 있는 사람들의 다양한 목소리를 토대로 하여 명확한 정책을 개발하고 특정한 결정을 밀고 나가는 것이다. 학식이 많은 사람에게 더

큰 발언권이 주어져야 한다는 원리가 총장의 권한에 의해 전도(顚倒)
되어서는 안된다고 생각한다.[6]

다섯째 原理 : 대학에서 의사결정의 質은 이해 관계의 충돌을 의식적 으로 避함으로써 개선될 수 있다

사적인 이익과 공적인 의무가 상충될 때 우리는 이해 갈등에 직면
하게 된다. 대학은 복잡한 구조를 가진 조직이다. 대학공동체 구성원
들의 대부분은 공동체 전체에 대한 공적 책임을 지고 있다. 그러나
그들 가운데 개인적인 이익을 추구하려는 유혹에서 벗어나는 사람은
많지 않다.

간단명료한 예를 하나 들어보자. 어떤 학과에서 교수의 종신재직
권 부여에 관해 검토하는 중이라고 하자. 이 때 학과의 비종신재직
교수들에게 투표권을 주어야 하는가? 이러한 상황에서 이해 관계 대
립을 최소화 하기를 원한다면 대답은 '아니오'이다. 왜냐하면 종신재
직 교수 자리는 제한되어 있으므로 비종신재직 교수가 찬성 투표를
한다면 자기 자신의 승진 기회가 감소될 가능성이 있기 때문이다. 또
어떤 상황에서는 찬성표가 불순한 동기에서 행사될 수도 있다. 종신
재직권이 없는 교수는 단순히 자기의 승진 차례가 되었을 때 찬성해
줄 친구를 확보하기 위해 특정인을 지지할 수도 있다. 물론 지지해
줄 친구를 확보하기 위한 욕구는 어떤 특정 집단에 국한되는 것은
아니다. 그러나 자신의 運命이 어찌될지 모르는 상황에 놓여있는 사
람에게는 더욱 중요하다.

비종신재직 교수를 선발하기 위해 참여하는 것도 비슷한 문제를
불러일으킨다. 최우수 후보자를 선택하는 것은 더 없이 귀한 종신재

직권에 대한 자기 자신의 미래의 가능성을 감소시키는 것이다. 학생들이 이 과정에 참석해야 하는지 여부는 이해 갈등의 문제라기 보다는 그들이 그럴만한 능력이 없기 때문에 참석해서는 안된다고 본다. (넷째 원리 참조)

교수진과 학생들 간에도 집단적인 이해 갈등을 경험할 수 있다. 하버드대학은 여러 세대에 걸친 동문들과 후원자들의 기부로 축적된 대규모의 富를 누리고 있다. 장차 이 학교의 학생들과 교수진을 위한 재산을 감소시켜 가면서까지 하버드대학이 현재의 대학공동체 구성원들의 복지를 향상시킨다는 구실로 지금보다 더 빠른 속도로 이러한 부를 사용하는 일은 법의 테두리 내에서 아주 쉽게 이루어질 수 있다.[7] 하버드대학이 보유하고 있는 재산 정도라면 교수들은 지금의 급여와 제수당을 세 배로 인상하고, 학생들에 대한 등록금 부담을 없애자고 결정할 수도 있다. 얼마나 매력적이고 멋진 생각인가! 이렇게 새로 책정된 급여 수준이라면 아마 아무도 하버드대학의 초청을 거절하지 않을 것이며, 교수진의 질은 새로운 境地에 도달할 수 있을 것이다. 이미 이러한 급여 수준에 있는 교수들은 세 배로 인상된 급여가 그 동안 너무 오래 비인간적인 市場 원리에 의해 무시되어 왔던 내재적 가치를 인정하는 것일 뿐이라고 이야기할 수도 있다. 등록금 폐지는 가난한 학생들과 과중한 학비 부담을 안고 있는 중산층 학생들을 돕고, 학생들의 질적 수준도 상당히 높일 수 있을 것이다. 하버드대학의 資産 정도라면 최소한 앞으로 몇 세대를 위한 지출이 가능할 것이다. 현재 40억 달러가 넘는 기본재산은 상당기간 동안 사용될 수 있을 것이다.

이것은 비현실적인 例이기는 하나 나름대로 시사하는 바가 있다.

어떤 권한은 더 높은 수준의 직위에 위임되는데 이렇게 함으로써 개인이나 집단이 단기적인 것이기는 해도 사적인 이익을 추구하고자 하는 유혹에 빠지지 않도록 한다. 이것이 바로 교수들에게 자신의 급여나 수당을 결정하지 못하게 하는 이유이다. 교수들의 급여는 학장이 결정하고, 일반적으로 총장과 이사회에서 재심을 한다. 학장의 급여는 총장이 결정하고, 총장의 급여는 이사회에서 결정한다. 우리가 학생에게 자신의 성적을 매기게 하지 않고, 졸업에 필요한 要件을 학생에게 맡기지 않으며, 등록금을 결정하도록 하지도 않고, 하버드대학 기금의 일부를 케임브리지(Cambridge, MA : 하버드대학교 소재지—역자 주) 저소득층을 위한 주택 건설사업에 배분하는 것을 허락하지 않는 것도 모두다 이러한 이유에서이다.

이해 갈등의 정도는 행정조직의 피라미드 상부로 올라갈수록 감소한다고 나는 믿는다. 급여를 결정할 때 학장 혹은, 학과장은 학자로서의 자질, 연구 실적 및 능력 그리고 예산을 고려한다. 이들 요소들 중 어느 것도 그 결정의 직접적인 수혜자인 개인이나 집단에 의해서 효과적으로 다루어질 수 없다. 마찬가지로 학생 자신이 자기의 성적을 평가하는 것보다 교수가 더욱 공정하고 전문적인 방법으로 학생을 평가할 수 있다. 결국, 모든 중요 정책을 검토한다는 점에서 총장과 이사회는 업무가 일치되며 양쪽 모두 이해 갈등 정도가 가장 적은 상태에서 업무를 처리해 나간다. 즉, 그들이 같이 다루는 어떠한 문제 즉, 급여, 대학의 학문적 수준, 필수과목, 투자수익 등은 그들 자신들에게 직접적인 영향을 미치지 않는다. 나는 지금 明瞭한 차이를 논술하기 보다는 微妙한 차이를 논의하고 있다는 것을 인정한다. 내가 말하고자 하는 요지는 비록 갈등을 완전히 해소시키는 것은 불

가능하다고 할지라도 의식적으로 성의를 다하여 이해 갈등을 최소화
시켜 나가는 것이 중요하다는 점이다.

이해 갈등을 최소화 하려는 논리에는 학생, 교수, 직원이 대학의
理事들과 동등한 권한을 행사해서는 안된다는 의미가 함축되어 있
다. 이사들은 '내부 관리자들'이고 훌륭한 사업 실무의 지휘자들이
다. 이사회의 기본적인 목적은 경영 성과를 평가하는 것이지 직접 경
영 대열에 참여하는 것이 아니기 때문에, 이사들은 엄정하게 선정된
소수의 뛰어난 人士들이라고 나는 생각한다.[8]

여섯째 原理 : 대학은 교육과 연구 능력을 향상시킬 수 있도록 운영 되어야 한다

대학의 주된 使命은 교육과 연구이다. 따라서 대학은 이러한 활동
이 가능한 한 효율적으로 이루어질 수 있도록 운영되어야 한다. 경제
학자에게 높은 능률성이란 단위당 투입에 대한 최대의 산출을 의미
한다. 이것은 희소한 자원을 효율적으로 사용할 것을 요구한다. 대학
교수의 시간은 될 수 있는 대로 생산적으로 사용되어질 수 있도록
배려해야 한다. 대학의 중요한 사명은 대학교수들에게 교육활동을
할 수 있는 기회를 최대로 제공하고, 가능하다면 행정적 업무를 극소
화 하는 것이다. 이러한 우선 순위의 타당성은 학생들에게도 그대로
적용된다. 즉, 대학은 勉學이 학생 제일의 '권리와 책임'이라는 전제
를 반영해서 운영되어야 한다. 체육활동을 포함한 이외의 활동들은
비록 귀중한 인생 경험을 제공해 준다고 해도 이차적일 뿐이다.

나는 이 원리가 이론적으로는 잘 이해되고 있지만, 실제적으로는
무시되는 경향이 있기 때문에 반드시 심사숙고해야 한다고 주장하고

싶다. 自治는 참여하려는 욕구만으로 되는 것이 아니라 엄청난 노력
이 수반될 때에 비로소 가능해진다. 즉, 많은 시간, 지식, 헌신 그리
고 독일 사람들이 일컫는 끈기 등이 요구된다. 대학의 활동들 예를
들어 승진, 학과 운영, 교과과정의 결정과 같은 것은 교수들의 참여
가 필수적이며 그러한 참여는 가치있는 일이다. 다른 어떤 집단도 이
일을 원만하게 대신할 수 없다.

그럼에도 불구하고 이러한 일에 교수들이 참여함으로써 얻게 되는
이득을 너무나 과소 평가하곤 한다. 교수들은 행정부담이 과중하다
고 불만을 토로하고, 도서관이나 실험실에서 보낼 시간이 적다고 불
평한다. 그러면서도 교수들은 아무런 불평없이 수많은 위원회에 참
석하여 결실도 결과도 없는 논쟁으로 많은 시간을 소모한다. 아마 이
렇게 쓰이는 시간의 총계는 그렇게 크지 않을 수도 있으나 이것의
누적 효과는 상당할 것이다. 연구자들은 방해받지 않는 시간이야말
로 모든 利點 가운데 가장 귀중한 것이라는 것을 잘 알고 있다. 행정
이나 관리 업무가 너무나 자주 이것을 방해한다는 것이다. 학생들의
태도가 더 합리적일지도 모른다. 학생들은 어떤 위원회이건 특히 교
수의 대표가 참석하는 위원회에는 더욱 참여하고 싶어서 안달한다.
학생들에게 있어서 이러한 행동은 상징적 의미를 갖는다. 학생들이
위원회에 참가하게 되면 그들은 이 모임들이 대부분 대단히 지겹다
는 것을 알게 된다. 그후 학생들의 참여율이 저조하다는 것은 그들이
새로운 지혜를 얻었음을 반영하는 것이다. 어떤 경우에는 학생들이
매우 귀중한 아이디어를 갖고 성실하게 지속적으로 동참하는 것을
본적이 있다. 교육과정 개편 작업이 수행되던 1970년대에 학부학생
들의 도움은 탁월하면서 원숙한 것이었다.

일곱째 原理 : 관리운영의 계층구조가 원활하게 기능을 발휘하기 위 해서는 協議와 責務의 절차가 명백해야 한다

내가 이 原理를 제일 나중에 다루는 것은 이 원리의 중요성이 가장 덜 하기 때문이 아니다. 이 원리는 전술한 원리들과 마찬가지로 중요하며, 실제로는 가장 핵심적인 원리라고 할 수 있다. 왜냐하면, 협의와 책무가 가져오는 효율성과 성실성은 관리운영의 전체적인 質을 결정하기 때문이다. 나는 협의와 책무가 상당히 중복되는 부분이 많으며, 마치 화학적 반응과 같이 상호작용한다고 생각한다.

협의는 현대 미국 대학의 다양한 구성원들인 학생, 직원, 교수, 동문, 지역사회 인사, 기타 다른 사람들로부터 나오는 다양한 목소리를 대학정책에 반영시키는 것을 강조한다. 협의의 과정은 보통 아래에서부터 위로 즉, 학생들로부터 교수 또는 비서들로부터 고위 관리자로 전개된다. 그러나 누구나 모든 결정에 참여할 자격이 부여되는 것은 아니다. 참여의 적합성 여부를 검증하는 것은 합리성이다. 협의나 참여의 과정을 통해서 도출된 견해는 공평무사하다. 따라서 학과를 평가하기 위해서 방문한 臨檢委員會는 전반적으로 중립적인 입장을 취한다. 그러나 학생들이 교육과정의 개편에 관해 토론할 때 이들을 통하여 나오는 견해에는 이해 관계가 연루되어 있다. 이것은 모두 가치있는 일이며, 넓은 범위의 참여를 주장할 필요가 있다는 것은 1960년대에 우리가 얻었던 가장 귀중한 교훈 중의 하나이다.

책무 수행은 위에서부터 아래로 전개되고, 책무 수행과 협의 과정은 동전의 앞뒤와 같이 表裏 관계에 있다. 책무 수행은 주로 권한을 갖고 있는 사람들에게 해당되며, 그들이 각자 책임을 어떻게 수행해야 하는지를 의미한다. 책무나 협의는 그 어느 쪽도 특정한 의사결정

방법을 의미하는 것은 아니다. 나는 앞에서 더 민주적으로 된다고 해
서 모든 것이 더 나아지는 것은 아니라고 언급하였다. 이 말은 효과
적인 협의를 자주 하도록 권유하는 것이 이 원리에 모순된다는 뜻은
아니다.

민주주의는 권력을 쥐고 있는 이들에 대한 국민들의 만족도를 알
아보기 위하여 선거라는 방식을 취한다. 미국 대학들은 참여 민주주
의 방식으로 운영되고 있지 않다. 따라서 투표를 하는 경우가 거의
없다. 대학은 任意組織이고 미국에는 대신 선택할만한 대학이 얼마
든지 있으므로 대학 구성원들이 어떤 특정 대학에 가지 않고, 다른
대학을 선택함으로써 그 특정 대학에 대한 불만을 아주 쉽게 나타낼
수 있다. 이것은 학생들, 교수들 그리고 직원들에게도 모두 적용된
다. 그러나 이것은 심각하고도 어려운 문제에 대해 너무 쉽게 대답하
는 것이다. 일단 교수나 학생으로서 혹은 다른 자격으로 어느 대학을
선택하였다면, 그 대학이 恣意的이 아니라 합리적이고 정당하게 운
영된다는 강한 믿음이 필요하다. 다시 말해서 우리에게는 다음과 같
은 두 가지 점에서 책무 수행이 요구된다. 첫째는 관리운영 행위에
대하여 충분하고 솔직하게 설명하려는 意志이고, 둘째는 조직 내에
있는 모든 사람들이 단지 특정한 목적을 위해서 뿐만 아니라 개인이
나 집단에 대해서도 책임을 지도록 하는 것이다.

의사전달은 책무를 수행하는 중요한 형식이다. 책임을 맡은 사람
은 자신의 견해나 방침에 관련된 유용한 정보를 정기적으로 제공해
야 한다. 학장 재임시 나는 매년 매우 상세한 당해 회계년도 예산서
를 모든 교수들과 그 외의 대학공동체 구성원들에게도 발송하곤 하
였다.[9] 책무를 수행한다는 것은 학생이나 동료 그 밖의 다른 사람들

이 어떤 결정 사항에 대해 의문을 제기해 올 때 증거에 입각하여 그 결정을 설명하려는 의지이다. 협의의 과정도 대학공동체의 다양한 목소리를 반영하는 것을 의미한다. 구성원들의 찬성과 반대 의견이 모두에게 특히, 권한을 가진 이들에게 자유롭고 효과적으로 전달될 수 있도록 하는 기구가 필요하다. 많은 자문위원회들이 이러한 목적을 위하여 유익한 활동을 수행하고 있다. 때로는 선동적인 학생신문도 대단히 귀중한 情報源이 된다.

또한, 책무를 수행한다는 것은 권한을 위임받은 사람들이 특정 개인이나 집단에게 보고를 해야 한다는 것을 의미한다. 따라서 교수들은 특히 수업 활동에 대해서 학과장에게 보고해야 할 책임이 있다. 학과장은 누가 임용되었으며, 만약 필요하다면 총장이나 교학부총장에 의하여 누가 해고되어야 할지를 학장에게 보고해야 한다. 그리고 총장은 理事會에 보고한다. 하버드대학의 경우 총장은 7인으로 구성된 소규모 大學理事會에 직접 보고할 책임이 있고, 대학이사회는 大學法人理事會에 보고할 책임이 있다. 대학이사회는 하버드대학에 재직중인 이들을 제외하고 모든 同門에 의해서 선출된 대규모 집단인 대학법인이사회에 중요한 결정사항을 상정하고 '조언과 동의'를 구한다. 대부분의 경우 대학법인이사회는 중요한 교수직과 행정직 임용 문제를 검토하고, 대개는 동의하는 것이 관례로 되어 있다.*[10]

---

* 하버드는 二元制 이사회(Governing Board)에 의해 운영되는 대학이다. 신규 理事를 현 이사들 스스로가 영속직(self-perpetuating)으로 선출하는 대학이사회(Corporation)는 총장과 treasurer 그리고 다섯 fellow 등 7인으로 구성된다. 이 Corporation 위에 同門에 의해 선출되어 30인으로 구성되는 대학법인이사회(Board of Overseers)가 있으며 여기서 대학의 교육, 인사, 재정에 관한 중요한 정책을 최종적으로 심의하여 의결한다.

더 많은 권한을 가진 사람에게 보고를 하는 책무 수행을 대학에 적용할 경우에는 이를 확대 해석할 필요가 있다. 교수직 이외의 직원들은 보통 기업체에서 일하는 경우처럼 모두 上司를 모시고 있다. 대학행정 보직자들이나 실무행정가들도 모두 마찬가지이다. 학과장, 학장, 부총장이 모두 상사의 뜻대로 일을 하고 있다는 것은 잘 알려진 사실이다. 그러나 책무 수행의 개념을 교수들에게 적용할 때에는 좀 미묘해 진다. 학자생활의 美德을 논의할 때 지적했듯이 교수직은 상사가 없는 직업이라고 정의할 수 있다. 교수들은 상당한 자유를 누리는 사람들이다. 교수들의 공식적인 직무는 강의실에서 수업을 위해 몇 시간을 보내는 것에 국한되어 있으며, 그것은 그의 일 가운데 구체적으로 명시되어 있지 않은 연구, 학생지도, 동료와의 토론, 대학에 대한 봉사 등과 같은 일에 비하면 훨씬 덜 중요하다. 종신재직권을 가진 교수의 解雇가 거의 불가능한 상황에서 교수가 학과장이나 학장에 대해서 갖는 책임은 어떤 것인가? 교수는 단지 자기 자신의 뜻대로만 직무를 수행하는가?

교수에게 책무성을 강요하기는 참 어려운 일이지만, 그렇다고 교수 마음대로 직무를 수행하는 것은 아니다. 거의 모든 대학에서 교수의 급여는 교수 개인의 연구실적과 그의 강의 능력을 반영하도록 하고 있다. 교수의 급여를 일차적으로 책정하는 사람은 주로 학과장과 학장인데 일반적으로 그 교수에 대한 동료 교수들의 의견과 학생들의 강의평가에 주목한다.(하버드대학의 경우 이 문제에 관해 더욱 열성을 보여야 할 것이다.) 이러한 요소들이 급여나 제수당에 영향을 미치는 정도는 대학마다 다르지만 지속적으로 관련시켜 오고 있다. 막연한 이야기인지도 모르지만, 대학이라는 환경에서 교수는 '중대 과실'이나 '직무 태만'의 경우 대학당국에 대해 책임을 져야 한다. 만약에 이러한 범주에 속하는 위반 사실이 공개되고, 그 일이 사실로 밝혀질 경우 그에 대한 책임을 강압적으로 물을 수도 있다.

하버드대학에 재직하면서 나는 많은 교수들이 중대한 과실에 대한 책임 추궁이 두려워서 사직한 경우를 알고 있다. 이러한 행위를 공식적으로 거론한다면 재정적 부정에서부터 성희롱에 이르기까지 다양할 것이다.

내가 학장으로 있는 동안 일어났던 가장 곤란했던 사건은 세계적으로 유명한 정치학자와 관련된 문제였다. 나는 이 책의 제 3장에서 이미 이 사건에 대해 언급한 바 있다. 그 교수는 학생들이 '진실하지 못하다'고 비난하며 강의를 거부했고, 그 밖에도 다른 이상한 행동을 보였다. 그와 여러 번 면담을 하였지만, 그가 의미하는 '진실하지 못한 것'이 무엇인지에 대한 해답을 얻어내지 못하였다. 나는 그에게 우리는 매우 관대한 사회에 살고 있기에 과도한 직무 태만의 경우를 제외하면 거의 모든 일에 관용을 베풀 수가 있으며, 강의를 거부하는 행위와 같은 것이 바로 과도한 직무 태만에 속한다고 말하였다. 그의 경우는 정신 질환이라는 것이 점점 분명해졌으나 현행법 하에서는 이 사람에게 치료를 강요할 수 있는 방법이 없었다. 어차피 그는 치료받으려고도 하지 않았다. 아마도 그는 학생들의 진실성 缺如를 이해하지 못하고 있는 내가 치료를 받을 필요가 있다고 믿었을 것이다. 결국 나는 진료를 완강히 거부하는 그에게 무리하게 유급 病暇 조치를 취할 수 밖에 없었다. 이 가엾고 병든 친구는 이에 항의하며 사직하였고, 몇 년 후 외국에서 홀로 가난 속에 죽음을 맞이하였다. 이것은 무척이나 가슴아픈 일화이다. 나는 이 이야기를 단지 교수의 책무성을 강조하기 위해서 언급했을 뿐이다. 그럼에도 불구하고 모든 대학들에서 교수의 권리는 그가 수행해야 할 책무보다도 더 잘 이해되고 알려져 있다는 것을 나는 인정한다. 이러한 상황이 지속되도록 허용하는 것은 중요한 대학행정의 실패 즉, 내가 감히 말한다면 관리층의 실패를 나타내는 것이다. 이 주제는 다시 다루어지게 될 것이다.

마지막으로 책무를 다하기 위한 명확한 절차의 필요성에 관하여 언급하고자 한다. 최적의 책무 수행이나 협의 과정이란 공개보고나 공개회의 혹은 정부가 말하는 議事公開法과 같은 것들을 의미하는 것은 아니다. 행정상 기밀을 유지하기 위해 공표하지 않는 것과 비평가들이 '비밀주의'라고 부르는 것에는 매우 중요한 차이가 있다. 비공개와 비밀은 같다고 할 수 없다. 그리고 私的인 자유를 지킬 권리는 일정한 한도 내에서 대학의 관리운영을 향상시킨다. 과다한 공개는 교수나 관리층의 탐구력을 약화시키고 햇빛에 지나치게 노출된 것처럼 火傷을 입게 할 수도 있다. 그리고 학생들은 바라지도 않던 정보의 유출로 당황할 것이다. 무엇보다도 공개적이고 솔직한 동료들 간의 토론과 논쟁이 理事 수준에서부터 학생들에게까지 알려지면 어려움을 경험하게 될 것이다. 통제되고 제한된 범위 내에서 누릴 수 있는 사적 자유는 가볍게 양도해서는 안될 資産이다.[11] 학생들과 교수들이 그들에 대한 추천서를 점검할 권리를 갖도록 한―권리를 포기하지 않는 한―이른바 버클리 改正案의 결과를 우리 모두는 알고 있다. 그 결과로 추천서에 대해 상당한 평가절하를 가져온 것이다. 오늘날 '권리를 포기하지 않았음'의 표시가 있는 추천서는 사실상 가치를 인정하지 않고 있어, 우리는 부정확하고 애매한 구두시험에 훨씬 더 의존할 수 밖에 없게 되었다. 우리 모두에게 호의적인 상황은 아닌 것 같다.

나는 지금 그 비판의 소리를 들을 수 있다.

「保守主義의 실천」

「관리층에 부여된 과도한 권한」

「현상유지의 시도」

「구세력과 기존 체제 측에 부여된 과도한 권력」

「젊은이들이 창의적 통찰력과 활동력을 발휘할 공간의 부족」

「종신재직권 제도의 劣勢」

최근 몇 년 동안 나는 국내외의 다양한 청중들에게 대학의 관리운영에 대한 내 견해를 피력해 왔다.「더 뉴 리퍼브릭」誌에 게재된 짧은 글 때문에 예상했던 대로 精鋭主義를 비난하는 편지를 몇 통 받았다. 독일 知性人들 앞에서 행한 내 강연이 자기 변호적이라며 강한 반발을 불러 일으켰고―나는 유럽식 대학에 대해 비판한 적이 있다. ―다음날 신문에 이러한 나의 입장에 대하여 비판적인 기사가 실렸다. 이스라엘, 특히 히브루대학(Hebrew University : 1918년 설립 Jerusalem, Israel―역자 주)에서 나는 대학이사회의 요청으로 관리운영 면의 개혁을 제안한 적이 있었는데 그 때문에 비난을 받았다. 19세기 독일 대학이 모델인 이 대학의 교수들은 단지 관리운영 면에 대한 나의 관점 때문에 나를 동료들에 대한 배신자로, 더 심하게는 나를 미국화된 변절자로 취급하였다. 심지어 옥스퍼드대학까지 加勢하여 나에 대한 비판의 소리를 높였다.[12)]

위에서 제시한 슬로건은 특히 국내에서 들을 수 있는 반발의 한

예에 불과하다. 어떤 이들에게는 이러한 비판이 그럴듯하고 논리적
인 것으로까지 비칠 수도 있을 것이다. 그러나 나는 이러한 것들은
그 주장을 뒷받침해 줄만한 근거를 제시하지 못하고 있다고 생각한
다. 내 의도는 미국 고등교육 기관 全般에 관해서 논의하고자 한 것
이 아니었다. 대학에 대한 나의 논의는 의도적으로 최상위권 50위
내지 100위 대학에 한정시켰다. 전후 大學史를 살펴볼 때 대학이 시
종일관 현상을 유지해 왔다고 누가 진지하게 주장할 수 있겠는가?
미국의 최상위권 대학들은 대체로 이 章에서 제시한 原理에 따라 운
영되어 온 것이 사실이다. 거의 모든 것이 변화했다는 점을 호되게
탓할 필요는 없을 것이다. 학생들은 훨씬 다양해 졌고, 이보다 정도
는 덜 하지만 교수진도 다양해졌다. 새로운 학과가 생기고 학과 내의
새로운 분야가 개척되며, 새로운 전공 과목이 생겨나는 등 모든 것들
이 줄기차게 성장 발전하였다. 교육과정도 중요한 변화를 겪었다. 대
개 保守派는 위대한 고전의 폐지, 학점 인플레이션, 유행하는 학과목
등 너무나 많은 변화가 있었다고 생각하고, 急進派는 아직도 변혁이
불충분하다고 여긴다. 나는 중도적 입장을 취하고 싶다. 나에게는 변
화의 속도가 적당했다고 보여진다. 그러나 누구의 견해가 어떻든지
현상 유지는 공격의 목표가 된다는 것은 의심의 여지가 없다.

  知的인 면에서 볼 때 미국의 대학들은 세계의 어떤 대학들보다 폭
넓게 그리고 더 창의적으로 변해왔다. 세계적으로 잘 알려진 사실이
지만, 외국에서의 고등교육 개혁은 보통 미국 대학의 개혁 模型을 검
토하는 것으로부터 시작된다. 나는 이것이 결코 우연한 결과가 아님
을 주장해 왔다. 나는 미국식 관리운영 철학이 우리 대학의 탁월성을
설명해 주는 중요한 要因이라고 확신하고 있다. 이러한 철학은 효과

적인 지도력을 가능케 했고, 새로운 아이디어의 실천을 가능케 했으며, 경쟁과 자율의 결합은 우리 대학들이 더 높은 질을 유지하도록 박차를 가하는 한 쌍의 효과적인 자극제가 되고 있다.

경쟁의 실질적 요소는 개혁 그 자체이다. 그러나 우리의 비판자들은 개혁의 방향과 속도에 관심을 쏟고 있다. 어떤 사람들은 사회변화의 속도에 안달을 하고, 종신재직권을 갖고 있는 여교수나 흑인 교수 그리고 중남미계 미국인 교수들이 왜 이렇게 적은 숫자냐고 따진다. 여기에 대한 타당한 답변은 있지만 그들은 그 이유를 충분히 납득하는 것 같지 않다. 어떤 사람들은 사회변화의 속도가 너무 빠르다고도 한다. 어떤 사람들은 학문적으로 조바심을 내고 있다. 즉, 어떤 분야의 연구방법은 아직도 충분히 이해되지 않고 있으며, 새로운 분야에 대한 연구의 개설도 열성 연구자에게는 너무 더디기만 하다는 것이다. 어떤 이들은 인종차별 철폐, 세계의 군비축소, 자유기업제의 利點을 주장하는 등 정치적인 문제를 가지고 대학을 이용하고자 한다. 그러나 우리의 대학 관리운영 체제는 정당한 이유에 근거하여 많은 비평가들의 책략을 좌절시키고 있다.

오랜 봉직 기간과 전문 지식을 강조하는 데서 볼 수 있듯이 우리는 단기적인 문제에 지나치게 집착하는 일에 구애받지 말아야 한다. 우리들의 대부분은 2~3년이 지나도 여기에 있을 것이기 때문에 너무 급하게 서두를 필요가 없다. 동시에 '중앙집권제'는 총장이나 학장, 학과장이 동료들로부터 폭넓게 지지를 받고 있을 때 큰 개혁을 실행할 수 있는 충분한 권한을 부여받는다. 이 제도의 장점은 장기적이고 조심스런 전망을 토대로 하여 행동할 수 있도록 한다는 것이다. 대학은 四四分期의 결산보고서에 따라 좌우되는 기업과는 다르다.

또 대학은 정부와 달리 정기적으로 유권자들을 만족시켜야 할 필요도 없다. 물론 강력한 수행능력을 부여함으로써 생기는 이점이 아무런 대가없이 얻어지는 것은 아니다. 그러한 점이 바로 일곱째 原理에서 제시되었던 책무 수행에 따른 골치 아픈 문제가 강력한 노선인 반면에 그 안에는 취약한 연결 고리가 있음을 되돌아 보게 한다. 그약한 부분은 의심할 여지없이 종신재직 교수 문제이다.

우리가 이미 살펴본 바와 같이 종신재직 교수들은 '중대 과실'이나 '직무 태만'의 비난을 받기 쉽지만 그런 범주에 속하는 경우는 극단적인 상황에 국한된다. 책무성과 관련된 문제는 훨씬 더 일상적인 상황에서 생긴다. 즉, X교수에게 어떻게 하면 대학에서 그의 학생을 진지하게 대하도록 할 수 있을까?(그 교수는 항상 파리나 네팔 등에서 열리는 국제회의에 참석한다.) Y교수는 대학원생들의 논문을 지도하는 것이 왜 그렇게도 느린가?(그는 개인 회사 일을 자문하는 데에 더 바쁘다.) 어떻게 하면 Z교수에게 여러 해 동안 지속해온 두명의 대학원생을 대상으로 하는 세미나에만 몰두하는 것을 그만두고 대규모 학생들이 등록한 학부대학 기초 과목을 가르치는 것이 그가 속해있는 학과에 크게 기여하는 것이라 믿게 할 수 있는가? 이러한 제안은 수도 없이 세분화된 그의 전문 분야에 대한 모욕으로 받아들여 질 수도 있다. 이러한 것들은 학장, 학과장, 학생들이 직면하게 되는 실제적인 문제들이다. 또, 이러한 문제들은 법률가에 의해 중대한 과실이나 직무 태만으로 해석되는 사건들보다 훨씬 더 자주 발생한다. 일반인의 감각으로도 이러한 종류의 행위들은 중대한 과실이나 직무 태만으로 쉽게 분류될 수 있을 것이다.

과장해서 이야기할 필요는 없지만 그러나 시각의 균형은 유지되어야 할 것이다. 나는 이미 독자들에게 종신재직권을 적극적으로 변호한 바 있어, 독자들은 그것에 대해 충분히 납득할 수 있을 것으로 기대한다. 나는 내가 한 말을 철회할 생각은 추호도 없다. 실은 일종의 무책임성에 이르기까지 만끽할만한 自由는 생산적이고 창조적인 지적 활동가들에게 필수적인 조건이다. 나는 이러한 特權이 우연히 주어지는 것이 아니라는 것도 이미 자세히 설명하였다. 이러한 특권은 전문직을 위한 가장 엄격한 선발 과정을 거쳐서 얻어진 부산물이다. 더구나 대학행정 보직 교수들도 완전히 속수무책인 상태에 있는 것도 아니다. 무엇보다도 동료들의 압력과 급여의 조정이라는 효과적인 무기를 갖고 있다.

그렇지만 학생과 다른 직원에 대한 원로 교수들의 책무성 효과를 개선하는 일은 모든 대학행정 보직 교수의 急先務가 아닐 수 없다. 새롭고 놀랄만한 제안은 아닐지 모르지만 내 경험을 통해서 긍정적인 결과를 가져왔던 몇 가지 아이디어를 제시하고 싶다.

1. 공정성을 기하기 위해 질서있게 가벼운 감독하에 시행되는 학생에 의한 강의평가는 광의로 정의된 훌륭한 강의가 어떤 것인지 알 수 있게 하고, 이에 대한 가치를 인정해 주며 모든 교수들의 책무성을 향상시키기 위한 훌륭한 방법이다. 아무도, 설사 종신재직권을 가진 귀족 교수들일지라도 그들의 좋지 못한 성과가 일반 대중에게 알려지는 것을 원하지 않는다. 학생들의 평가는 강의, 전공, 교육과정, 기숙사 등 학생의 생활 전반에 걸쳐 시행되어야 한다.

2. 학과장의 권한과 위엄을 강화하는 것은 또 하나의 매우 바람직한 조치이다. 특히, 우리의 최상위권 대학에서 학과장은 종신재직 동

료 교수들을 상대할 때 너무나 자주 간청하는 입장에서 일을 해왔다. 학과장은 교수들의 협조를 간청할 것이 아니라 합리적인 범위내에서 수업에 대한 책임을 할당하고, 급여 책정에 상당한 발언권을 가질 수 있어야 한다. 학과장이 감사함이란 전혀 없고 모멸스럽기만 한 자신의 보직에서 벗어날 기회만을 초조하게 기다리며, 그 직위에 오래 머무르지―전형적으로 3년―못하는 일은 너무나 자주 있는 현상이다. 학과장의 권위와 보수를 높임으로써 그 자리를 더욱 매력적으로 만들어 학과장의 임기를 연장시키고, 그에 따른 책무성도 강화시켜 나가야 한다. 학과장에게 동기를 유발할 만한 권한을 부여하라. 그러면 나머지 일들은 자연히 잘 따라 줄 것이다.

3. 내가 앞에서 특히, 학생과 교수가 함께 하는 委員會制에 대해 회의적이었음에도 불구하고 불행하게도 아직 좋은 대안이 없다. 위원회는 검토되어야 할 문제가 특히, 교육과정, 재정지원, 사회규범 등으로 적절하게 한정되어 있을 때에는 해롭다기 보다는 오히려 이롭다. 우리는 정책적인 문제에 대한 학생들의 목소리를 들어야 하고, 그들과 의견교환을 하는데 관심을 기울여야 한다. 왜냐하면 학생들이 좋은 아이디어를 제공해 줄 수도 있고, 또 이러한 과정 그 자체가 교육의 일환이 되기 때문이다. 의아해 하는 표정의 청중 앞에서 자기의 立場 혹은, 전임자의 입장을 설명하고 그것을 정당화 하는 것은 권위를 세우는데 도움이 된다. 그렇게 해야 유익한 변화가 자주 일어난다.

4. 대학 전체에 걸쳐 누구나 어떤 결정에 대해 바로 위의 직속 상관보다 한 단계 위의 직위에 있는 사람에게 呼訴할 수 있어야 한다. 교수는 학장보다 위에 있는 사람에게 고충처리를 요구할 수 있어야

하고, 학생들은 교수의 결정에 대해 학과장에게 이의를 제기할 수 있어야 한다. 그리고 이와 같은 권리가 모든 직원들에게도 주어져야 한다. 再審과 호소가 충분한 효과를 가져오기 위해서는 그 절차가 명확하고, 이용하기에 간단하며, 또 널리 알려져 있어야 한다.

5. 마지막으로 제프리 C. 알렉산더(Jeffrey C. Alexander : UCLA 사회학 교수—역자 주)의 훌륭한 제안을 살펴보자.

> 大學理事會가 지닌 비학자적이고 비학생적인 성격은 대학과 사회와의 관계를 결정하는데 있어서 너무 小心하게, 때로는 너무 적극적인 자세를 취하게 한다. 무엇 때문일까? 대학이사회는 대학이 守護해야 하는 가치 합리성 문제에 깊이 관여하고 있지 않기 때문이다. 이로 인해서 비학자적인 이사회가 미처 예견할 수 없었던 대학의 이익이 위협 당하는 위험한 상황이 벌어질 수도 있다. …… (중략) …… 학생회와 교수평의회에 명확하고 공식적인 助言權이 할당되어야 할 것이다. 투표의 과정은 문제점을 토론한 후 최종적으로 이사회에 의해 지지되는 경로를 따라 진행될 것이다.[13]

알렉산더는 공식적인 절차와 표결을 중요시하고 있는데, 그것은 필수 과정이 아닐 수도 있다. 비공식적으로, 이러한 모든 과정들이 많은 理事들에게 이미 익숙해져 있다. 학생과 교수의 견해는 계속적으로 이사회에 새로운 議題를 제공한다. 이것은 투표나 혹은 다른 방법으로 처리될 것임에 틀림없다.

【註】

1) 나는 교수가 지식의 유일한 源泉임을 주장하려는 것이 아니다. 학생들은 책과 친구로부터 그리고 이해하기 어려운 많은 방법을 통해서 지식을 얻는다. 그럼에도 불구하고 교수의 역할은 거의 모든 교육체제에서 중요한 것임에 틀림없다.

2) Henry Rosovsky, "Black Studies at Harvard," *The American Scholar* (Autumn, 1969) 참조.

3) 그러나 어떤 규칙이나 다 그런 것은 아니다. 단지 任意의 모임이기 때문에 국가의 법률을 위반할 권리가 주어지는 것은 아니다. 그러므로 인종과 경우에 따라서 性의 장벽은 특정한 규모의 同好人 클럽에서 금지된다.

4) 첫째와 둘째 원리의 타당성을 부정하는 저작으로 Robert Weissman's "The Hidden Rule : A Critical Discussion of Harvard University's Governing Structure," issued by Harvard Watch on Dec. 7, 1987, under the auspices of Ralph Nader가 있다. 바이만씨와 나는 견해를 달리한다. 그는 국민으로서의 시민권과 대학공동체의 시민권을 구별하고 싶어하지 않는 것이 확실하다.

5) 나는 외부에서 보는 학위의 가치를 언급하고 있다. 즉, 학생이 달성하였거나 취득한 것이 아니라 외부인이 대학이나 그 개별 프로그램을 어떻게 평가하는가를 말하는 것이다. 하버드의 경영학석사의 실질적 가치가 경쟁 대학의 학위보다 높은 것은 아니다. 그러나 하버드와 스탠퍼드 경영대학원이 외적으로 優位를 점하고 있는 것은—初任給, 산업계에서 최고의 지위 등—틀림이 없다.

6) 컬럼비아대학에 있는 나의 친구인 D. 블룸 교수가 재미있는 질문을 해왔다. 셋째와 넷째 原理는 봉직 기간의 길이와 지식이 발언권이나 권리와 비례적 관계가 있음을 매우 강조하였다. 그렇다면 왜 우리 사회는 陪審員들에게 중

책을 맡기는 제도를 갖고 있는 것일까? 배심원들은 일반적으로 자기들이 판정할 문제에 대한 지식이 거의 없으며, 장기적인 關與를 하지도 않는다.

나는 배심원들이 매우 특별하고 구체적인 상황을 評決하기 위해 존재한다고 생각한다. A가 B를 살해했는가, 존스는 부정한 소득신고를 했는가, C社와 D사가 담합을 했는가, 이러한 문제들은 장기적인 방침을 세울 수도 변경할 수도 없는 것이다. 장기적인 방침과 관계된 문제들은 다분히 간접적으로 판사에게 위임된다. 그리고 판사는 여러 면에서 대학 理事, 총장, 학장, 종신 재직 교수와 유사하다.

7) 이것은 셋째 原理에서 논의한 봉직 기간의 길이 문제와 매우 가깝다. 다른 점은 이해 갈등의 초점이 봉직 기간이 가장 짧은 사람에게 최대의 권한을 부여하는데 있지 않고, 개인의 이익이나 집단의 이익에 있다는 점이다.

8) 내부 관리자는 보통 경험과 지혜를 사용하도록 요청 받고 있는 상위 관리직이다. 교수나 직원들은 아마 이러한 기준에 따라 살아갈 것이다. 나는 학생이 이러한 역할을 해나가는 것을 바라지 않는다. 이러한 견해는 나 혼자만의 것이 아니다. "SUNY's Student Trustee : Discomfort on Both Sides," *The New York Times,* July 7, 1988 참조. 뉴욕 주립 대학교 D. M. 블린켄 理事長은 학생 이사에 대해 다음과 같이 말하였다. "나는 그의 태도에 대해 매우 유감스럽게 생각한다.…… 중대한 일을 결정해야 할 때마다 그는 학생들의 압력에 굴복한다. 나는 학생 理事를 두는 것에 전적으로 반대한다."

9) 이것은 하기 쉬운 일이었다. 예산 보고는 대개 비참한 내용이었고, 그에 대한 상세한 설명을 해주면 막중한 짐을 짊어진 학장에 대해서 교수들의 동정을 증가시켰다.

10) 하버드대학의 대학이사회가 永久職이라는 것은 한 구성원이 사임하거나 퇴직하게 되면 남은 구성원들이 대학법인이사회의 승인을 받아 새로운 사람을 선출하여 空席을 채우기 때문이다. 이것은 아주 보기 드문 관행이며 어떻게 생각하면 시대착오적인 제도인지도 모른다. 게다가 하버드대학처럼 두 개의

理事會가 있어서 미묘하게 책임 분담을 하고 있는 것은 매우 드문 일이다. 나의 意圖가 하버드대학의 관리운영에 초점을 맞추는 것이었다면 나는 이 특징적인 제도를 서술하는데 훨씬 더 많은 紙面을 할애했을 것이다. 그러나 나는 주로 理事의 選任이 책무를 수행하는 과정에 당연히 영향을 미친다는 것을 강조하기 위해 이러한 것을 언급했을 뿐이다. 예를 들면, 선거라는 것은 民意를 더욱 잘 반영할 것이다. 그러나 영구직이 되면 확실히 보수적 경향을 낳는다.

11) J. B. McLaughlin and D. Riesman, "The Shady Side of Sunshine," *Teachers College Record*, vol. 87, no. 4(Summer, 1986) 참조.

12) J. R. Lucas, "Unamerican Activity : an alternative route to excellence," *Oxford Magazine*, no. 45(Trinity Term, 1989). 나의 견해와 가까운 것으로는 "Oxford's Fading Charms" and "Oxford University : poverty ringed with riches" in *The Economist*, July 8, 1989 참조.

13) "The University and Morality," *Journal of Higher Education*, vol. 57, no. 5(Sept.−Oct., 1986), 472면.

제 **16** 장

後 記
遺漏와 結論

독자들 중에는 이 책의 논의에서 다루기 어려운 문제들이 많이 빠져 있다고 생각하는 사람들도 있을 것이다. 중요한 내용은 빠뜨리고 장밋빛 표현에 그치고 만 것은 아닐까? 대학과 정부와의 미묘한 관계 즉, 연구기금, 간접경비, 기밀사항 등은 어떻게 되어 있을까? 또한, 대학과 기업과의 관계도 특별히 다루어지지 않았다. 이익을 목적으로 한 연구 투자나 기술 移轉 혹은 私企業에 참여하는 교수의 증가가 어떤 결과를 가져올지에 대해서도 깊이 다루어지지 않았다. 그리고 지난 날 차별한 것에 대한 차별수정조치, 성희롱, 소수민족,

지역사회와의 관계 등 논의에서 누락된 항목의 수를 세자면 끝이 없다.

이런 문제에 별로 초점을 맞추지 않은 데는 두 가지 이유가 있다. 첫째는 의식적으로 내가 잘 아는 사항들만 이 책에서 다루려고 했다는 점이다. 학장이라는 직무에 따라 내가 하는 일은 주로 대학의 내부 운영에 관한 것이었다. 외부와의 관계는 총장이나 총장과 유사한 권한을 갖고 있는 사람들의 영역이다. 그리고 소위 다루기 어려운 많은 문제들은 대개 외부의 간섭과 얽혀있다. 즉, 현실 사회의 개입이다. 확실히 현실 사회의 개입은 대학운영에 막대한 영향을 미치는 것이기는 하지만 정책의 형성이나 결정은 대학의 일부가 아니라 전체를 대표하는 인물들이 행하고 있다.[1] 예를 들면, 정부가 위탁한 연구 활동의 간접경비에 대한 방침을 정부와 협의하는 경우, 협의하는 사람은 부총장이지 학장이 아니다.

둘째 이유로 나는 빠뜨린 문제들이 정말 어려운 문제라고 생각하고 있지 않다는 점이다. 이러한 문제들에 대해서는 일반 대중의 관심이 집중되며 정기적으로 신문이나 잡지의 특집기사로 대서 특필되고 있다. 더욱 더 중요한 일은 이것들이 미국 사회를 개혁하는―예를 들면, 인종차별이나 성차별을 없애는―사회운동 또는 사회정책 문제와 수시로 관련 된다는 점이다. 이와 같은 문제는 빨리 변하고, 개선되며 어쩌면 해결될 수 있을 것이라고 기대할 수도 있다. 이러한 것들보다 내가 지금까지 논의해 왔던 문제들이 더 근본적인 것이라 생각된다. 교수는 어떻게 선임해야 하는가? 관리운영은 어떻게 해야 하는가? 누구를 입학시킬 것인가? 무엇을 가르칠 것인가? 이러한 문제들이야말로 대학의 진정한 難題이고, 시간을 초월하는 문제이며, 결코 간과할 수 없는 문제들이다.

하지만 여기서 몇 쪽에 걸쳐 어떤 종류의 행위 즉, 유혹에 대해 쓰고자 한다. 앞으로 想像을 초월하여 사회통합이 이루어지더라도 대학 사회에서 결코 사라질 것 같지 않은 행위 즉, 성희롱에 대해서 이다. 성희롱은 유감스럽게도 동서고금을 통해 어느 사회에서나 볼 수 있는 것이면서도 논의되거나 그 대책에 대한 논쟁이 아주 적었던 문제이다. 이것이 고등교육에 있어서 특히 심각한 문제인 것은 틀림없다. 왜냐하면 대학은 인적 구조상 성인인 학생들과 그 학생들에게 갖가지 권한을 행사하는 폭 넓은 연령층의 교수진으로 구성되어 있으며, 그 구조는 불변의 성질을 갖고 있기 때문이다. 성희롱 事例의 압도적 다수는 남성이 여성에게 성적 희롱을 한다는 것이며, 여성이 이에 반격하기 시작한 것은 아주 최근의 일이다. 학장이란 직책상 나는 이 문제에 精通해 있을 뿐만 아니라 내 나름대로의 철학을 갖고 있어서 행동 관리 지침까지 작성해 놓고 있다.[2]

정확히 말해서 도대체 무엇이 '문제'인가? 대학에서 '성희롱'이라는 말은 참으로 광범위한 행위를 일컬어 왔다. 일반적으로 특정 학생의 성적을 매기고 그 학생의 학업이나 장래에 영향을 미치는 입장에 있는 교수 또는 대학행정 보직자가 그 학생에게 개인적으로 부당한 관심을 갖는 것이다. 이러한 행위는 대학에서는 묵인할 수 없는 일이다. 학문을 추구하는데 있어 불가결한 요소인 신뢰감을 떨어뜨리고, 전문가로서의 윤리에 반하는 행위이기 때문이다. 수업 분위기와 교수 개인과 학생 간의 관계는 특별히 유념해야 할 문제이다.

지난 10년 동안 우리는 참된 의미의 남녀공학을 향해 괄목할 만한 진전을 이루어왔다. 여성들에 대한 노골적인 차별은 거의 없어진 것

같이 보이며, 교수들은 모든 학생들을 性에 대한 구분없이 한 개인으로서 공평하게 다루려고 노력하고 있다.

하지만 여성이라는 성 때문에 대학 내에서 불이익을 당하는 일이 결코 없다고 말할 수 있는 상태까지는 아직 이르지 못하였다. 교수가 여학생의 일을 막는다든지 모욕을 주었다든지 하는 불만의 소리가 자주 들려온다. 상대방의 기분을 해치는 말은 묘한 것이어서 본인에게는 그런 의도가 전혀 없는 경우도 있을 수 있다. 그래서 여기에 특히 여성의 경우라고 한정할 수는 없지만 구체적인 예를 들어 강의실에서 학습을 방해하는 행위에 대하여 설명하겠다.

노골적으로 여성을 적대시 하면서 수업을 진행하는 경우가 있다. 예를 들면, 원래 진지한 강의 시간에 여성의 나체 슬라이드를 장난삼아 또는 변태적으로 보이는 일은 악취미일 뿐만 아니라 여성의 품위를 손상시키는 일이다.(이것은 실제로 있었던 예이다.)

그냥 배려가 부족해서 뿐만 아니라 특별히 신경을 써서 노력을 했는데도 여학생 기분을 해치는 수업이 되는 경우도 있다. 결혼이나 가족이라는 화제가 나올 때마다 꼭 여학생을 시키며, 여성만이 그런 문제에 '타고난' 관심을 갖고 있는 것처럼 여기는 것도 상대방을 위하는 것 같지만 사실은 멸시하는 일이 된다.

강의실에서의 이러한 행동을 가리키는 특별한 용어는 없다. 공통되는 특색은 원래 性하고는 무관한 상황에서 성적인 것으로 초점을 맞춘다는 것이다. 따라서 일반적으로 '성차별'이라는 말은 전문가로서 윤리에 어긋나는 행위를 가리키는데 쓰는 경우가 많다.

그러면 교수와 학생과의 관계를 주목해 보자. 여기서 내가 말하고 싶은 것은 다른 상황에서는 아무 문제가 되지 않는 애정 관계일지라도 교수와 교수로서 책임을 져야 할 여학생과의 사이에 일어나는 경우에는 문제를 피하기 어렵다는 것이다. 더욱이 그러한 관계는 교육성과를 이루기 위한 신뢰 기반을 깨뜨리는 결과를 초래할 가능성이 있다. 전문가라는 의식 속에는 권위있는 위치의 인간과 학생과의 사이에는 권력이라는 요소가 반드시 존재할 수 있다는 인식이 암암리에 내포되어 있다. 권력을 가진 쪽은 그 권력을 남용하지 않아야 하는, 더 나아가 남용하고 있는 것처럼 보여서도 안된다는 의무가 있다.

교수는 자기 학생과 어떤 형식으로든 애정 관계를 가져 다른 학생들로부터 불만의 소리가 나오게 되면 자신에게 불리한 조치가 취해지리라는 것을 인식하고 있어야 한다. 비록 서로가 합의한 가운데 이루어진 행위라 하더라도 전문가로서 윤리에 어긋나는 행위에 대해 책임을 져야 할 사람은 그 학생에 대해 특별한 책임을 가져야 할 교수나 대학행정가 쪽이다.[3] 특히, 조교를 하고 있는 대학원생은 교수보다 직무상의 책임의식이 부족하기 때문에 학생을 가르치거나 성적을 매길 때 각별히 조심하는 것이 현명하다.

직접적인 지도를 하고 있지 않은 교수와 학생 간의 애정 관계도 역시 심각한 문제로 발전할 수가 있다. 학생과 그 학생을 현재 가르치지 않고 있는 대학행정 보직 교수와의 개인적인 관계라도 그 교수는 언제 그 학생을 가르치거나 성적을 매기는 입장에 설지 모른다는 생각을 항상 하고 있어야 한다. 대학행정가와 학생과의 관계란 본래 기본적으로 어울리지 않는 요소를 지니고 있다.

종신재직 교수와 비종신재직 교수 간의 관계에도 이 원리가 들어맞을 것이다.[4] 권력을 남용할 기회는 상존하고 있으며, 실제로 남용된 경우에 나는 명확한 조치와 엄격한 처벌을 단행하였다.

성희롱 그 자체에는 재미있다든지 우습다든지 하는 要素가 하나도 없지만, 심각한 이야기가 오히려 조롱거리가 되는 경우는 종종 있다. 나는 이 문제에 대해 교수들에게 보낼 편지를 준비하는 과정에서 특히 성희롱에 대해 여학생과 교수진 그리고 직원들을 대상으로 여론 조사를 해봤다. 결과는 별로 신통하지 않았다. 반응해 준 사람 가운데 3분의 1이상의 사람들이 異性으로부터 어떤 적당치 않은 행위를 당한 적이 있다고 대답을 했다. 어떤 여교수에게 상사로부터 짓궂은 짓을 당한 적이 있느냐고 질문을 했더니 그녀는 다음과 같은 응답을 했다. 헨리 로조프스키씨가 나의 유일한 상사이지만 그는 완벽한 신사입니다. 匿名이지만 얼마나 반가운 대답인가.

J. K. 갤브레이스 명예 교수로부터 사적인 내용이 담긴 장문의 서신이 왔다.

　　친애하는 헨리氏에게

　　나는 교수회의 명의로 발송된 '성희롱에 관해서'라는 편지를 읽고 기쁘기도 했지만 한편으로는 우울한 마음도 들었던 이유에 대해 설명하고자 합니다. 기뻤다는 것은 이러한 문제를 다루는 당신의 편지에 쓰여진 말들이 하버드대학의 전통에 부끄럽지 않고, 아주 웅변적이면서도 섬세하다는 것입니다. '사제 관계' 항목에서 '애정 관계'에 대한 설명은 아주 훌륭한 것이었고, 하버드대학 교수의 예리한 감각에 뉴잉글랜드적인 감성마저 반영되었다고 봅니다. 나는 지금까지 몇 년 동안 미국에서 유명한 辭典의—솔직히 말하면 미국 헤리티쥐 사전—고문을 맡고 있는데, 앞으로 만약에 이 곳 케임브리지에서 사전을 인정받고 싶으면 어법은 무엇에 準據해야 하는지 오늘 편집자에게 말해 주고자 합니다.

우울하다고 했던 것은 개인적인 이유 때문입니다. 지금으로부터 45년 전에 나는 하버드대학에서 3년 계약의 교수직을 얻었는데 한 여학생과 사랑에 빠지게 되었습니다. 사제 관계는 아니었지만 사제 관계가 아닌 경우의 연애에 대해서도 당신은 주의해야 할 '상황'이라고 말씀하셨습니다. 교수로서의 직업적인 예의에 어긋난다고 하는 이 행위의 결과는 당시에는 상상조차 못했던 일이었으며, 바로 결혼으로 이어졌습니다. 지금도 예전처럼, 아니 그 보다 더 행복한 결혼생활을 하고 있습니다. 그러나 지금 내가 우울한 것은 이 대학의 원로 교수로서 나는 젊고 활기찬 교수들의 모범이 되었어야 한다는 강한 자의식에서 비롯된 것입니다.

내 잘못을 보상하기 위해 가능한 모든 노력을 다하고자 합니다. 물론 내아내도 각오를 하고 있습니다. 助言을 해주십시오.

나는 다음과 같이 답장을 썼다.

경애하는 케네스氏에게

성희롱에 대한 나의 편지가 당신을 조금이라도 기쁘게 해드린 것을 다행스럽게 생각합니다. 하지만 다른 한편으로 우울한 기분이 들게 해드려 죄송합니다. 나의 경고는 직접 사제 관계가 아닌 경우의 연애에 대해서는 그렇게 엄격하지 않습니다. '신경'을 써야 한다는 말을 하고 있을 뿐입니다. 당신은 아무런 문제도 없었을 것이라 확신합니다. 하지만 돌이켜 볼 때 별로 좋은 기분이 아닌 것도 이해가 갑니다.

두 가지 일이 생각났습니다. 하나는 人道的인 점에서, 또 하나는 학장으로서의 생각입니다. 그 일은 당신의 표현대로 벌써 45년이나 지난 일이며, 出

訴期限法에 의해서도 時效가 지난 일입니다. 학장으로서는 또한 최근에 어떤 교수로부터 마치 樞機卿같은 태도를 취하고 있다고 비판을 받은 사람으로서 기꺼이 免罪符를 드리고 싶습니다. 당신의 결혼과 그리고 연애시절을 기리기 위해 교수직을 기부하시면 어떨까요?

이 편지를 통해서 알 수 있듯이, 갤브레이스 교수는 '하버드대학의 학장이 답장을 쓸 때는 반드시 새로운 교수직의 기부 등 뭔가 경제적인 지원의 필요를 암시하고 있음'을 알고 있었다.[5] 이와 같은 심원한 통찰력을 갖고 이 책을 완결시키고 싶지만 그럴 수 없음이 아쉽다. 그러나 마지막으로 또 하나 다루어야 하는 일이 있다.

나는 대학과 고등교육에 대해 긍정적인 책을 썼지만 이것은 매우 드문 일이다. 최근 비평가들은 우리들을 폐쇄주의자, 문화문맹자 그리고 詐欺 교수를 수호하는 사람들이라 부르는 것이 보통이다. 그들은 우리들에게 과도한 전문 분화와 몽매주의를 장려하고 있다고 한다. 이렇게 우리를 비난하는 대합창은 우리 사회의 구석구석에서 즉, 학생, 학부모, 동문으로부터 언론인, 정치가 심지어 교수진 내부에서까지 들린다. 블룸, 허쉬, 베넷, 보이어* 등은 모두 대학을 향한 重砲部隊를 이루며 높은 인기를 끌고 있다. 최근 '인문학을 위한 국가기금'의 여성 의장이 「미국의 인문학」[6]이라는 제목의 보고서를 출간했다. 이 보고서는 일반 대중들이 문학이나 미술에 흥미를 갖는 것을 칭찬하였고, 텔레비전을 변호하였으며, 미술관과 도서관 그리고 州의 인문학평의회를 추켜 올렸다. 하지만 체니 부인은 단설 학부대

---

* Alan Bloom(1930~1995) 미국 교육자 겸 사상가, 대표작으로 「미국 정신의 종말」이 있음. Ernest Boyer(1928~) 미국 교육자, 前 뉴욕주립대학교 총장(1970~1977).

학이나 연구중심 종합대학교에 대해서는 거의 한 마디의 칭찬도 하지 않았다.

이렇게 쇄도하는 엄격한 비판은 나로 하여금 다음과 같은 이야기를 떠올리게 했다. 미국인, 프랑스인, 일본인이 테러리스트 집단에게 잡혀가 다음날 아침 처형을 당하게 되었다. 관습에 따라 세 사람에게 마지막 소원이 무엇인가를 물었다. 프랑스 사람은 단골인 파리 레스토랑에서 우아한 저녁 식사를 배달시켜 달라고 말했다. 일본 사람은 마지막으로 다시 한번만 일본의 훌륭한 경영기술의 참된 비결을 강의하게 해 달라고 말했다. 그랬더니 미국 사람은 그 강의 전에 죽여 달라고 부탁했다. 설교는 더 이상 듣기 싫다는 것이다.

확실한 것이 두 가지 있다. 나의 호의적인 태도를 좋지 않게 보는 사람이 있다는 것이다. 말하자면, 긍정적인 태도는 지식층에게 별 인기가 없다는 것이다. 그렇다고 '나를 먼저 죽여달라'고 하는 것도 그다지 건전한 태도는 아닐 것이다. 왜 나는 孤立無援인가?

나는 지금까지 교육과정, 교육과 연구, 종신재직권, 입학허가, 관리운영 등 우리에게 비평을 가하는 이들을 종종 자극하는 문제들에 대해 논의해 왔다. 하지만 나의 결론은 약간 다르게 보일지 모른다. 전체적으로 비관적이라기 보다 너무 낙관적이어서 그렇다. 그 이유는 내가 '최상위권 대학의 3분의 2'에다 초점을 맞추었기 때문에 그런 것이 아니다. 우리를 비난하는 사람들은 연구중심 종합대학교나 단설 학부대학을 최대의 죄인으로 단정하고, 그들의 말로는 미국의 고등교육에 있어 안타까운 존재의 전형적인 예라며 꾸짖는다.

그러나 그것에 대해서는 납득할 수 없는 점이 있다. 적어도 지금까지 우리의 최대 비평가들은 분명히 우익적 정치 성향을 띠고 있다.

보수적 비평가들은 自由市場에서 분명히 우리가 사람들을 끌어들이는 힘을 갖고 있는 것을 보고, 약간 불편해지지나 않을까, 시장 경제야말로 그들에게 있어 완벽한 심판대가 되지는 않을까 걱정한다. 사립 대학들은 고액의 등록금을 받고, 학생들을 착취하고 있다고 비난받고 있지만 질적으로 비슷한 수준이면서도 등록금이 싼 주립 대학들도 얼마든지 있다. 연구중심 종합대학교는 연구만 하고 교육을 소홀히 한다는 소리도 들린다. 그러나 미국에서는 대다수의 대학들이 거의 연구를 하지 않고 있다. 또 대학원생들만 돌본다고 비난하지만, 학생들은 대학원생이 없는 단설 학부대학에 진학할 수도 있다. 연구중심 종합대학교가 獨占權을 장악하고 있는 것도 아니다. 우리는 치열한 경쟁 속에서 우리들이 제공하는 서비스가 원하는 사람들에게 매력적인 존재일 때만이 살아남을 수 있다. 입학하기 어려운 대학이란 이러한 일들을 잘 해 내는 대학이다.

여기서 분명하게 하고 싶은 것은 우리들에 대한 구체적인 비판 가운데에는 나도 동의하는 것들이 많이 있다는 것이다. 일관성 없는 교육과정, 학생들에게 관심이 없는 교수, '학점 따기 쉬운 과목' 등은 모두 엄격한 열성 비평가의 입장에서 보면 어이가 없겠지만, 나도 그러한 문제들로 인해 곤혹스러워 하고 있음을 부인할 수 없다. 단지 그런 일이 일어나는 빈도에 대한 생각 만큼은 서로 다른 것 같다. 더욱 심각한 것은 뭔가 어정쩡한 태도와 대충대충 내리는 결론에 봉착하는 것이다.

나는 교육을 통해서 얻어지는 것에 대해 과대한 기대를 하지 않는다.
나는 復古主義에 빠져있지 않다.

나는 이상과 현실 사이에는 반드시 차이가 있다는 것을 안다.

먼저 과대한 기대란 교육으로 모든 社會惡을 해결한다는 것이다. 고등교육에 대한 현재의 부정적인 태도는 1960년대의 학생운동, 월남전쟁의 패전, 미국의 경쟁력 저하, 그 외 미국의 여러 가지 불행에 뿌리를 두고 있다. 즉, 사회의 여러 가지 불만에 대한 회의주의에서 비롯된 것이다. 관측자, 비평가, 일반 시민 모두가 나라의 형편이 마음에 들지 않으면 곧 학교 탓으로 돌린다. 예를 들면, 경제사정이 좋지 않을 때 경영자나 노동자를 탓하기 보다 경영대학원을 비난하는 것이 쉽고 마음도 편할 뿐만 아니라, 교육자가 과대한 기대를 하게 함으로써 이러한 경향을 더욱 조장한다는 것이다. 여기에는 교육이 좋은 직장을 보장한다는 점이 암시되어 있다. 그것이 이루어지지 않으면 아주 신랄한 비판이 쏟아진다. 그것은 교육 그 자체를 목적으로 하는 것이 아니라 직업이나 附加價値라는 면에서만 교육 효과를 측정하려 하기 때문이다. 교육의 원래의 목적은 음미할만한 가치있는 삶을 영위하는 것이지 꼭 경제적으로 성공하는 것이 아니다. 또 우리 가운데 많은 사람들은 우수한 교육과 훌륭한 인격을 혼동하고 있다. 유명한 학교의 졸업생이 내부 사람과의 거래나 그 외 부정에 관계됐다는 기사를 읽으면, 사람들은 미국 고등교육의 질이 낮아졌다고 결론을 내린다. 모든 교수들은 알고 있어야 하고, 모든 대학행정 보직자들은 알고 있으며, 학장직에 있는 사람들이면 누구나 확신하고 있듯이 인격과 교육은 거의 관계가 없다. 나치主義 신봉자들 중에 많은 사람들이 훌륭한 책을 읽었다는 것을 상기해 보라. 그들은 누구나 훌륭하다고 칭찬하는 古典 교육과정의 산물이었다. 眞珠灣을 공격했던 일본 조종사들도 학력적성검사에서 높은 점수를 받았을—정확하게 말해서 받을 수 있었던—것임에 틀림없다. 내가 말하고자 하는 것은 교육이 인격에 직접적으로 좋은 영향을 미치는 데는 한계가 있다는 점이다. 일반적으로 좋은 교육은 받으면 받을수록 도덕적으로 더 숭고해진다. 이것이 미국 민주주의의 기본 전제이기도 하지만 예외도 항상 많이 존재한다.

최근의 비판 중에는 많은 것들이 그 根底에 복고주의 취향이 깔려 있다. 하지만 나는 그러한 情緖에 동의하지 않는다. 약 40년 전 블룸, 베넷, 허쉬 그리고 내가 학부과정에 다니던 때가 복고주의의 황금시대였다. J. 부챤(John Buchan : 1875~1940, 미국의 외교관 겸 작가—역자 주)은 그 이후 문명은 쇠퇴하고 말았다고 냉소적으로 表現하였다. 그 대단했던 시대에 학부학생들은 '신사의 C학점'이 압도적으로 많았지만 敬畏心을 갖고 자비심 깊은 지도자의 발밑에 앉아 소크라테스式 문답에 골몰하였다. 1930년대의 할리우드에서 제작한 영화에서 보여지는 옥스퍼드의 이미지처럼 말이다. 그 좋던 시대도 60년대의 무절제 즉, 마약, 성, 학력 인플레, 고전의 경시, 록 음악 등에 의해 완전히 파괴되고 말았다.

나 자신은 40년 전의 대학보다 지금의 대학을 더 좋아한다. 나의 낙천적인 생각은 여기서 온 것일지도 모른다. 또 나와 비평가들과의 가장 큰 차이점도 여기에서 연유한다. 비평가들이 특별히 중시하는 공통학습은 지난 수 세대를 지나면서 정말로 없어지고 말았을까? 학생도 교수도 옛날 쪽이 훨씬 더 동질의 속성을 지니고 있었다는 의미에서 본다면 이 말이 맞다. 등록금을 대학이 대신 떠맡음으로써 생겨난 平等審査制*도 그 당시에는 없었다. 유태인, 흑인, 아시아인 그리고 여학생도 드물었다. 전국 규모의 대학은 별로 없었고 정부에서 주는 장학금도 아주 적었다. 그래서 공통학습에서 얻을 수 있었던 유익은 교육과정이나 교육내용이 좋았다는 데서 기인하는 것이 아니라 일부 특권층만이 이 학습을 할 수 있었던 데서 오는 당연한 결과였다. 공통학습이라고는 하지만 소수의 특권층만이 부담없이 접근할 수 있었다. 나는 그런 시대로 돌아가고 싶지는 않다. 40년 전의 우리 학생들은 정말 학생 기숙사에서 편안히 쉬면서 쿠키를 먹거나, 우유를 마시면서 말년의 베토벤 사중주곡의 대단함을 토론하고 있었을까? 그리고 지금 우리가 선택할 수 있는 것은 30세까지 들으면 확실히 귀를 멀게 할 정도로 강렬하고 반항적인 펑크風의 음악이나 환각적인 록 음악 중에 하나 밖에 없는가? 나의 주위에서는 결코 이런 일이 있을 수 없다.[7]

　내가 긍정적으로 말하고 있음에도 불구하고 고등교육의 이상과 현실 간에 큰 차이가 있다는 것쯤은 나도 안다. 대학에서는 초등교육 기관이나 중등교육 기관보다 일부러 허세를 잘 부린다. 그래서 이 차이를 더욱 크게 한다. 교수들은 낮은 보수를 받으면서도 학생이나 사회의 봉사자 또 진리의 탐구자로서 私心이 없다는 것을 나타내기 좋아한다. 그런데 가끔 신문은 우리를 과학적 증거를 날조하는 사기꾼이라거나 돈을 貪하는 자(최근에 하버드에 대한 기사에서는 '富라는

---

* 平等審査制는 need-blind admission을 다른 표현으로 옮겨 본 것이다. 著者가 念頭에 두고 있는 100여 개의 최상위권 대학들은 공·사립을 막론하고 지원자의 학비 지불 능력과는 무관하게 각 대학의 審査 기준에 따라 평등하게 입학 査定을 한다. 입학이 결정 되면 대학의 財政支援部署가 미국 시민에 한해서 책임지고 학생의 학비를 조달해 주는 제도이다.

진실을 求하며'라는 딱들어 맞는 은유적인 표제가 붙었다.) 때로는 비애국자로 나타내기까지 한다. 나는 우리를 服飾의 존엄에 관련시켜 판사나 목사로 비유하기도 했지만 대학인의 태도가 반드시 이상적 기준에 잘 맞는 것은 아니다. 이 점이 비판의 온상이 되고 있다.

그렇다고 해서 놀랄게 하나도 없다. 대학이라는 곳은 말할 것도 없이 사회 상황이 그대로 반영되는 곳이다. 현대와 같이 억압적인 사회에서 고등교육이 크게 발전하지 못하는 이유 중의 하나도 바로 이 때문이다. 그러나 우리는 우리만으로 사회를 개혁할 수 없고 아무런 준비도 갖추어져 있지 않은 상황에서 사회를 이끌어 나갈 수도 없다. 우리의 지도력에는 한계가 있을 것이다. 새로운 지식을 산출하고 전문직 기술이나 일반 교양을 가르칠 수는 있다. 하지만 인종차별이나 빈곤, 마약을 퇴치하는 일은 우리 힘만으로는 불가능하다. 탐욕스러운 세상에서 우리 자신도 유혹을 받지 않을 수 없다. 불만의 바다에 낙원의 섬으로 떠 있을 수는 없다.

그러나 고등교육의 능력을 간과할 수 없으며, 현실적으로 볼 때 사회생활의 質을 결정하는데 우리의 역할이 결코 작다고는 할 수 없다. 우리는 새로운 발상과 代案을 창출해 나가는 선도자들이다. 현 시대의 최첨단 지식을 학생들에게 교육하면서 한쪽에서는 그 첨단 영역을 더욱 진전시키려고 최선을 다해서 노력하고 있다.

비판하는 사람들에게 나는 다음과 같이 말하고 싶다. "마음이 악한 자여, 창피한 줄을 알아라." 첫 눈에 악하게 보이는 것도 알고 보면 사소하고 순수하며 어쩌면 더욱 넓은 사회의 도덕적 자세를 반영한 것일지도 모른다. 우리 자신에게는 이렇게 말하고 싶다. "자기만족에 빠지면 안된다. 보다 큰 완성을 향해 노력하라. 이상과 현실 간의 차이를 가능한 한 작게 하라."

【註】

1) 같은 理由로 의과대학원이나 법과대학원에 대해서는 거의 할 말이 없다.
2) 이하는 1983년 4월에 文理科大學 교수들에게 보낸 성희롱에 대한 나의 공개 편지이다. 상위 대학행정가로서 "나는 자신의 서명을 한 편지를 스스로 쓴 적이 없고, 자신이 쓴 편지에다 스스로 서명한 적도 없다." 이 편지도 다른 많은 학장들의 公告와 같이 부학장인 P. 켈러와의 합작이었다. 아주 반가운 일은 우리들의 생각이 인정받고 최근에 법률 잡지에 인용된 것이다. P. DeChiara, "The Need for Universities to Have Rules on Consensual Sexual Relationships Between Faculty Members and Students," *Columbia Journal of Law and Social Problems*, vol. 21, No. 137(1988) 참조.
3) 나의 동료 가운데 많은 사람들은 이것을 새로운 발전이라고 본다.
4) 모든 종류의 상위자와 하위자와의 관계에서도 비슷하게 들어맞는 말이다.
5) *A View from the Stands* by J. K. Galbraith로부터
6) *The Chronicle of Higher Education*, Sept. 21, 1988.에 連載
7) A. 블룸은 유명해진 그의 문장 속에서 다음과 같이 말하고 있다. "젊은이들은 록 음악의 박자를 성행위의 리듬이라고 알고 있다. 라벨의 「볼레로」가 고전 음악으로서는 젊은이들에게 잘 알려져 있으며 선호하는 이유도 바로 거기에 있다." A. Bloom, *the Closing of the American Mind*, 73면. 흥미를 끄는 이 주장(나의 시대에는 탱고가 그러한 힘이 있다는 이야기가 있었다.)에 약간의 경험적 입증을 하려고, 나는 많은 친구들에게 10代의 아이들이 있으면 이 문장을 보여주기를 바란다고 부탁하였다. 특히 재미있는 것으로 인디애나폴리스로부터 온 답장을 인용하고자 한다. "우리 집에 있는 록 음악을 아주 좋아하는 2명의 10대 아이들에게 물어보았더니 라벨의 「볼레로」는 잘 모르고 있고, 별로 좋아하지도 않는 것 같습니다. 이것이 성기능 不全이 아니겠어요."

옮긴이의 글

「大學, 葛藤과 選擇」은 하버드대학 경제학 석좌교수인 헨리 로조프스키(Henry Rosovsky)의 「The University : *An Owner's Manual*」을 완역한 책이다. 책제를 직역하면 「大學 : 所有主의 便覽」이 되겠지만 저자가 생각하고 있는 '대학의 所有主'라는 槪念이 우리 나라 국민들의 정서에 맞지 않는다고 판단되어 부제를 '갈등과 선택'으로 바꾸었다. 사실상 이 책은 대학 내의 갈등과 대학의 선택 문제를 많이 다루고 있다.

로조프스키 교수는 이 책의 序文에서 교수나 총장이 쓴 대학에 관한 저서들은 그 제목만으로도 敬畏心을 불러일으키기에 충분하다면서 Derek Bok 전 하버드대학 총장의 「Beyond the Ivory Tower」와 A. Bartlett Giamatti 전 예일대학 총장의 「A Free and Ordered Space」 그리고 Clark Kerr 전 유시 버클리 총장의 「The Uses of the University」 등 세 권을 들었다. 그러나 자신의 책 「The University : *An Owner's Manual*」은 좀더 색다른 주제와 내용을 전달하고 있다며 기존 책들과의 차별성을 시사하고 있다. 사실 그렇다. D.보크 총장은 「象牙塔을 넘어서」에서 현대 대학의 사회 윤리적인 책임 문제를, A.B.지아마티 총장도 「自由와 秩序의 空間」에서 대학과 정부와의 관계를, 그리고 위의 세 책 중 우리 나라 사람들에게 가장 많이 읽힌 C.커어 총장의 「대학의 效用」도 연방정부가 지원하는 미국 대학의 실상을 주로 다루고 있다. 물론 세 책들이 學內 문제를 전연 취급하지 않은 것은 아니지만 주로 대학과 學外와의 관계를 중점적으로 다루었다는 공통점이 있다. 이에 반해서 로조프스키 교수는 주로 학내의 문제를 다루고 있다. 이 책은 먼저 왜 미국 대학이 전세계 최우수 대학의 3분의 2 내지 4분의 3을 차지하고 있는가를 설명한다. 그리고 이러한 대학에 누구를, 어떻게 입학시키고 무엇을 가르칠 것인가, 교수는 어떻게 선임하고 終身在職權은 어떻게 부여할 것인가 또, 대학의 관리운영은 어떻게 할 것인가 등 주로 대학 내부의 학술적인 문제를 논의하고 있다.

현재 미국에는 약 3,000여 개의 고등교육기관들이 있다. 이 가운데 1,000여 개는 2년제 초급대학(Community College)들이고, 최상위권 연구중심 대학교는 50여 개 정도에 불과하다. 그 중간에 1,950여 개나 되는 다양한 고등교육기관들이 있는데, 이 중에는 입학하기가 대단히 어려운 단설 학부대학(Liberal Arts College)들도 있어서 경쟁력이 있는 대학은 대략 175개 정도로 본다. 로조프스키 교수는 50여 개의 최상위권에 속하는 연구중심 대학교에 초점을 두고 이 책을 썼으며, 이 50여 개의 대학들이 전세계 최우수 대학의 3분의 2 내지 4분의 3을 차지한다고 확신하고 있다.

해마다 10월이 되면, 스웨덴의 한림원에서는 노벨 문학상부터 시작하여 그 해의 노벨상 수상자를 차례로 발표한다. 마지막으로 발표되는 노벨 평화상이 비학술상이라고 한다면 학술상인 물리학, 화학, 의학, 경제학 상은 최근 몇 년 동안 미국 대학 교수들이 휩쓸다시피 하고 있다. 특히, 노벨 경제학상을 1990년 이래 1994년 한 해만 빼고 작년 1995년까지 연속 다섯 번이나 시카고대학 경제학 교수들이 수상한 것은 노벨상 수상 역사상 처음 있는 일이다. 노벨상 수상자 數가 갖는 의미는 여러 가지로 해석될 수 있겠지만 미국이 여러 해에 걸쳐 이 賞을 거의 독차지한다는 사실은 적지 않은 상징성을 지니고 있다고 할 수 있다.

이 노벨상 수상자들과 全美科學아카데미 회원들이 재직하고 있는 대학들의 분포를 보면 크게 네 地帶로 나눌 수 있다. 첫 번째 지대는 보스턴에서 워싱턴 D. C.에 이르는 명문 사립 대학들의 밀집 지대로 여기에는 하버드, 엠아이티, 브라운, 예일, 프린스턴, 존스 홉킨스, 조지타운대학 등이 있다. 두 번째 지대는 캘리포니아 해안을 따라 버클리·팔로 알토로부터 파세데나·로스앤젤레스까지인데 여기에는 유시 버클리, 스탠퍼드, 유시 데이비스, 칼텍, 유시 엘에이 등이 도사리고 있다. 세 번째 지대는 미네소타州로부터 인디아나州까지인데 여기에 분포되어 있는 대학들로는 Big Ten과 시카고대학을 들 수 있다. 네 번째는 남부 쪽에서 볼 수 있는 지대로 조지아州에서 텍사스州에 걸쳐 에모리, 밴더빌트, 튤레인, 라이스, 텍사스(오스틴)대학 등이 우뚝 솟아 있다. 그러나 이 대학들은 지역을 뛰어넘어 학생, 교수, 연구비, 심지어 일반 대중의 주목을 받는 것까지 치열한 경쟁을 펼친다. 그래서 미국에는 옥스퍼드나 케임브리지, 파리대학이나 동경대학처럼 경쟁을 해야 할 상대가 없는 대학은 하나도 없다.

미국의 대학들은 치열한 경쟁을 통해서 철옹성과 같은 요지부동의 자리를 확보해 나간다. 헤라클리투스는 "변하지 않는 것은 아무 것도 없다."고 했지만 대학에 관해서는 "다른 모든 것이 변해도 대학은 대체로 변하지 않는다."고 말할 수 있다. 기실 대학의 本質은 중세 이래 大聖堂이나 영국의 議會와 같이 변함이 없었다고 볼 수 있다. 대학에서 가르치던 내용은 간헐적으로 변화가 있었지만 가르치고, 가르치기 위해 연구하며, 봉사하는 대학의 使命은 오늘날에도 변함이 없다. 이것은 특히 미국 대학들에 있어 그러하다. 이러한 사실은 1963년에서 1976년까지 연구중심 대학교로 분류된 대학의 변화 추세를 조사한 결과 큰 변화가 없었다고 한 카네기고등교육위원회의 보고서에서도 확인할 수 있다. C.커어도 「대학의 효용」에 대한 後記를 1982년에 다시 쓰면서 미국의 연구중심 대학교는 변함없이 그대로 남아 있다는 사실이 후기의 핵심적 主題라고 하였다. 1990년 이후 미국 시사 주간지 *U.S. News & World Report*의 조사를 보아도 25개 최상위권 연구중심 대학교 간의 순위 바뀜이 대체로 큰 변화가 없고, 그 순위를 50위권으로 확대해서 보면 거의 변화가 없다.

우리 나라 대학들은 어떠한가? 역자는 이 책을 옮기면서 한국 대학과 미국 대학의 차이점에 각별히 주목해 보았다. 그 첫째는 학생 선발 방법 면에서 현격한 차이를 보인다. 한국은 수능성적과 내신성적으로 일등에서 꼴찌까지 석차를 매겨 놓고 서울대학교부터 그 다음 대학, 그 다음 대학 순으로 합격시킨다. 그래서 대학마다 수석 합격자가 나오기 마련이다. 미국 대학들은 대학입학전형기준이 대학마다 다 다르다. 물론 최상위권에 드는 대학들은 대체로 유사한 사정기준을 가지고 있으나 그 적용은 대학마다 각각 달리하고 있다. 제일 중요한 기준으로 대학당국은 학생이 입학함으로써 캠퍼스에 활력을 불어넣을 수 있는가를 고려한다. 즉, 지원자가 다양한 흥미와 재능을 갖고 있는지 우선 눈여겨 본다. 그리고는 학교성적, 학년석차 그리고 출신교의 位相을 보고, SAT Ⅰ·Ⅱ의 성적과 지원자 본인이 쓴 공부계획서를 살펴본다. 그런 다음 폭넓은 과외활동의 참여 여부, 학교장이나 진학상담교사의 추천서, 마지막으로 지원한 대학 졸업생과의 면접 등을 고려한다. 그래서 미국 대학에는 수석 합격자가 없고, 그런 말을 할 수도 없다.

둘째는 교수의 신규 임용의 차이이다. 우리 나라 대학들은 공·사립을 막론하고 신규 임용시 자질이나 능력에 앞서 동문, 동향 출신을 선호한다. 그러나 미국의 최상위권 대학은 초임에 가능한 한 본교 출신보다는 같은 조건이면 오히려 타대학 출신을 선호한다. 현재 하버드대학 경제학과 종신재직 교수 30명 중 단 4명만이 하버드 출신이다. 나머지 26명 중 4명은 외국 대학인 암스테르담, 부다페스트, 바로셀로나 그리고 몬트리올 농과대학 출신이고, 나머지 22명 중 3명은 유시 버클리, 2명은 오버린대학 출신이고, 나머지 18명은 미시간대학 등 18개 대학 출신으로 구성되어 있다. 우리 나라 Y대학 경제학과 교수 25명 중 단 4명만 타교 출신이고 나머지 모두가 본교 출신인 것과 좋은 대조를 이루고 있다.

셋째는 총장 선출 방법의 차이이다. 우리 나라에서 대학총장은 그 대학 출신이고 그 대학에 재직해야 하며, 또 교수들이 직접 선출하여야 한다는 것이 마치 當爲처럼 인식되고 있다. 그러나 미국의 최상위권 대학의 총장 선임은 60년대 말 학생 시위로 학원 騷擾가 극에 달한 때에도 교수들이 직접 선출하지 않았다. 또 총장 후보자를 학내에서 뿐만 아니라 학외에서 심지어 외국에서까지 찾아 선임해 왔다. 현재 하버드대학의 N. L. 루덴스타인 총장은 프린스턴 출신이고, 예일대학의 R. C. 레빈 총장은 스탠퍼드 출신이며, 시카고대학의 H. 존넨샤인 총장은 로체스터대학 출신이다. 그리고 프린스턴대학의 H. T. 샤피로 총장은 캐나다의 맥길대학 출신으로 캐나다 국적을 가지고 있고, 스탠퍼드대학의 G. 캐스퍼 총장은 독일의 프라이부르크대학 출신이다. 대학총장이 꼭 우리 대학 출신이어야 하고, 우리 대학 교수 중에서 그것도 교수들이 뽑아야 한다는 우리의 현실과는 너무도 대조적이다.

넷째로 지적하고 싶은 것은 大學理事會이다. 우리 나라 대학 기구 중에서 가장 후미진 곳이 대학이사회일 것이다. 대학의 합법적인 주인임을 자처해 오고 있는 이사회가 어떤 사람들로 어떻게 구성되며, 대학을 위해 무슨 일을 하고 있는지 아는 사람은 거의 없다. 이제 우리 나라의 이사회도 대학설립자 중심의 친인척으로 구성되는 폐쇄성에서 벗어나 지역사회와의 유대, 재정에 대한 寄與度, 대학운영과의 관련성 등을 고려하여 개방적으로 재편되어야 한다. 오늘날 미국이 세계적인 대학을 갖게 된 데에는 대학의 자율성과 역동성에 잘 대처하고, 대학의 복지 안녕을 위하여 최선을 다하며, 가혹한 여론의 압력 속에서도 대학의 본질과 정신에 입각하여 올바른 판단을 내릴 수 있었던 대학이사들의 헌신적인 노력을 빼어 놓을 수가 없다.

앞으로 4년 남짓 남은 21세기는 정보화·세계화 시대가 될 것이라고 한다. 이 변화는 20세기로부터 21세기를 넘어가는 단순한 세기적 변화가 아니다. A.토풀러도 제 3물결의 문명사회는 산업사회의 연장선상에 있는 것이 아니라 종래의 방향을 완전히 뒤바꾸는 그야말로 혁명이라고 할 수 있는 변혁을 겪게 된다고 하였다. 정보화·세계화의 文明史的 대전환기를 맞아 선진 각국들은 대학의 역할에 또 한 번 기대를 모으고 있다. 그런 의미에서 D.벨도 대학은 산업사회 이후 사회에서도 최고의 기관이 될 것이라고 하였다.

그동안 우리 나라 대학의 주요 문제점으로 획일적인 대학체제, 대학의 폐쇄성, 학과의 세분화, 경쟁이 없는 대학풍토, 연구를 활성화시키지 못하는 여건, 공부를 하지 않아도 되는 학사운영, 개인의 잠재력을 무시한·암기 위주의 대학입시, 전임 교수의 부족과 대학재정의 빈곤, 이 모든 것들을 꽉 내리누르는 각종 행정규제 등이 지적되어 왔다. 이러한 대학들은 최첨단 지식과 기술, 정보 창조의 産室이 될 수 없다. 우리 대학들의 일대 혁신 없이는 21세기를 대비해서 국가 경쟁력을 확보하는 일은 불가능 할 것이다. 앞으로 우리 대학들은 국제적 안목을 가지고 대학개혁을 해나가기 위해 대학운영을 자율화하고, 대학모형을 다양화하며, 연구여건을 획기적으로 개선함으로써 학술연구를 일류화하고 대학교육의 세계화를 기해야 할 것이다. 여기에 가장 좋은 지침서가 될 수 있는 책이 바로 로조프스키 교수의 「The University : *An Owner's Manual*」이라고 옮긴이는 확신하고 이 책을 번역하게 되었다. 이 책은 고등교육 정책을 입안하고 심의하는 모든 분들, 대학을 운영하는 大學理事들, 대학의 관리운영을 책임 맡고 있는 총장을 비롯한 여러 보직 교수들 그리고 대학교육과 행정에 관심이 있는 분들께 일독을 권하고 싶다. 또 대학원생, 대학생, 유학을 준비하고 있는 학생, 이미 프렙 스쿠울(prep school)에 자녀를 진학 혹은 전학시킨 학부모님들, 그리고 자녀의 早期 유학을 깊이 생각하고 있는 부모님들, 또 대학교육에 대해서 갈등과 번민을 하는 수많은 초·중·고의 학부모들께서 이 책의 내용을 한 줄 한 줄 정성을 들여 읽어보기를 바란다.

　책을 번역한다는 것은 쉽지 않은 일이다. 이 책도 예외가 아니었다. 특히, 대학행정의 達人으로 금세기 처음으로 하버드대학 현직 교수로서 하버드대학 理事가 된 로조프스키 교수의 은유적인 표현과 풍자적인 구어체를 우리말로 옮기는 데는 많은 어려움이 있었다. 이 책은 原著者의 脚註가 203개나 되는데 이것들은 각 장의 尾註로 처리하였다. 本文 안에 있는 註는 옮긴이가 삽입한 譯註이다. 그러나 옮긴이의 주가 길어서 본문 속에 넣기가 곤란한 것은 별표(*)를 달아 같은 쪽에 각주로 달았다.

　이 책을 옮기면서 감사를 해야 할 사람들이 많다. 우선 번역을 쾌히 승낙해 주고, 특히 한국 독자들에게 서문을 써 준 원저자 로조프스키 교수에 대하여 깊이 감사한다. 그 동안 저자와는 번역 과정에서도 교분이 있었지만 특히 '한국 독자들에게 주는 글'을 써 줄 때는 마침 저자가 서울에 체류하게 되어서 며칠을 역자와 交歡할 수 있어서 서로 운이 좋았다고 생각한다.

한편, 바쁜 일정 속에서도 이 책을 꼼꼼히 읽으시고 옮긴이를 격려해 주시며, 독자들을 위한 추천서를 흔쾌히 써 주신 전 연세대학교 총장님이셨던 박영식 교수님께도 심심한 감사의 말씀을 드린다.

또, 이 책을 옮기는 과정에 도움을 준 모든 분들께 감사하고자 한다. 먼저 초등교단에서 명예퇴임하신 신형기 선생님, 그리고 김정미 박사의 노고를 잊을 수가 없다. 이 분들은 번역 과정의 처음과 끝을 함께 한 분들이다. 그리고 이 책은 강성오 선생님의 헌신적인 도움이 없었다면 나오지 못하였을 것이다. 번역과 퇴고, 편집과 교정까지 톡톡히 신세를 졌다. 진심으로 감사드린다. 또한, 초고 때부터 원고를 정리해 준 교육학과 박용수 군, 참 고생이 많았다. 마무리 작업에 돋보이는 역할을 해준 조교 황준성 군의 고마움도 크다. 이 작업 과정을 통해서 황군의 학문적 대성을 기대해 본다. 安息年 기간에 초벌 번역 작업을 할 때 많은 도움을 주었던 Baltimore의 류승훈 변호사, Carnegie Mellon대학에서 건축학을 공부하고 지금은 워싱턴 D.C.에 있는 RTKL에 입사한 딸 예라, Chicago대학에서 과학자의 꿈을 키우고 있는 아들 건웅의 도움도 컸음을 밝혀 둔다. 그리고 뒤에서 이 작업 과정을 묵묵히 내조해 준 아내의 도움도 꼭 기억하고 싶다.

끝으로「大學, 葛藤과 選擇」이 경제학 분야의 책이 아님에도 불구하고 출간을 허락해 주신 삼성경제연구소의 윤순봉 이사님, 장미화 수석연구원 그리고 출판에 따른 온갖 어려움을 감내해 준 임진택 대리께 진심으로 감사의 말씀을 전한다.

1996년 8월

연세대학교 용재관 연구실에서

색 인

A

A.B.지아마티 / 19

A.L.로우엘 / 81

A.블룸 / 188~189

B

B.R.클락 / 125

B.러셀 / 164

C

C.W.엘리어트 / 81

C.래스본 / 331~332

C.커어 / 19,302

D

D.로쉬 / 247

D.보크 / 19,38~39,72,127,
215,370

E

E.K.칸토로비치 / 244~245

F

F.루스벨트 / 79

F.포오드 / 35

G

G.C.마샬 / 118

H

H.로조프스키 / 28~29,31~33,
35~42

H.키신저 / 389

J

J.K.갤브레이스 / 127,250,422

J.부챤 / 120,156,428

M

M.L.킹 / 35

M.소번 / 214

N

N.브룀버겐 / 54

T

T.루스벨트 / 271

W

W.J.코리 / 165

442

가

假採用 / 52,257

강의 평가 / 298,299,410

겸손, 인간애, 해학 / 156,170

경도대학 / 50,111

경쟁성 / 50

경쟁의 부정적 측면 / 51

고등교육에 대한 논쟁 / 379~
380

管理運營者 / 351

교수 신규 채용과정 / 51

교수진의 질 / 52,300

교수회의 / 80~83

教養教育 / 29,55,154

교양교육에 대한 정의 / 155~
156

教養人 / 161~164,179

교육개혁 / 80

교육과 연구 / 22,31,299,357,394

교육 소비자 / 390

教育의 過程 / 195~196

기업체의 사장과 대학의 총장 / 392

技藝와 習慣 / 165,176

나

노스캐롤라이나대학 / 56,240,334

노오스웨스턴대학 / 40

뉴욕대학 / 330~331,356

다

다수결의 原理 / 383,393

다트머스대학 / 123,334

單設 學部大學 / 58,153

대학교수 시장 / 212

대학발전계획 / 63

大學法人理事會 / 43,388,402

대학선택 / 117

대학에 대한 所有權 / 22~24

대학원생을 위한 조언 / 222~
230

대학의 개혁모형 / 407

대학의 계층구조 / 261,385,386,
398

대학의 관리운영 / 406

대학의 民主化 / 54,383

대학의 使命 / 398

대학의 世界化 / 101~102

대학의 수익 / 339

대학의 收入과 支出 / 67

대학의 영원한 株主 / 258

大學의 意思決定 構造와 過程 / 53,379

大學理事會 / 43,53,63,294,388, 402,412

대학인의 권리 / 385

대학입학시험 / 55,97

대학 최고 경영자 / 370

대학행정 보직자 / 22,53

대학행정직에의 조언 / 359,376

도덕 이론 / 190

도미노 현상 / 72

동경대학 / 48,57,111,167

동료들 중에서 第一人者의 原理 / 273,374

同種繁殖 / 51

듀크대학 / 107,334

라

라이스대학 / 144,333

래드클리프대학 / 63~65,99

레이덴대학 / 54

로조프스키위원회 / 36

록펠러대학 / 207

마

매사추세츠 홀 / 71

文學과 藝術 / 178

文學士 / 29,155

미국대학교수협회 / 318

미국의 대학입학전형제도 / 106, 107~111

미네소타대학 / 56,144

미시간대학 / 34,40,48,58,96,120, 240

민주주의 정치 / 381

바

博士父親 / 208

버클리 改正案 / 405

베를린대학 / 57

베이비 붐 / 212,217~218

브라운대학 / 119,146,175,334

블라인드 레터 / 290~292

비종신재직 교수 / 395

비판적 이해력 / 181

빅 텐 / 330

사

社會契約 / 130,270,306

444

사회공학 / 97,104

사회 분석 / 186

사회적 流動性 / 21

生得權 / 385

選考過程 / 285,304

선발과 입학 / 93

選好集團 / 104

성희롱 / 62,419~421

세인트 존스대학 / 175,241

所有의 概念 / 22

수머쿰 라우디 / 216

授業料와 給與 / 68

스탠퍼드대학 / 48,50,98,222,240,
256,330,334

스푸트니크 충격 / 214,251

승진 아니면 탈락 / 252,257,
281~282

市民權 / 384~385

시카고대학 / 49,84,222,256,283,
330,334

信託責任 / 388

실무행정가 / 53

아 ─────────

아마데우스 / 352

아이비 리그 / 31,288,330

安息年 / 67,248

애로우스미스 / 354

앨라배마대학 / 123

언론의 자유 / 367

엠아이티 / 48,67,84,96,330

여피族 / 204,330

역사적 접근방법 / 185

연구중심 종합대학교 / 52,57,
141,210,318

연구지향형 교수 / 132

예일대학 / 48,67,84,95,107,222,
334,356

옥스퍼드대학 / 48,51,167,
331~332

외국 문화 / 187

외이드너 도서관 / 34

워싱턴대학 / 144

偉大한 社會 / 214,251~252

위스콘신대학 / 34,49,96,330

윌리엄 앤 메어리대학 / 29,32,
238

유니버시티 홀 / 34,66,71

유럽 대학모형 / 53~54

유시 버클리 / 29,30,67,98,238, 286,330
유시 엘에이 / 49,330
異種混交性 / 190
理學士 / 29,155
人格과 敎育 / 427
人種差別 / 389,434
일반대학원장 / 73,200
일본의 대학입학시험제도 / 110, 111
一人一標 / 381
임계량 / 140
任意組織 / 384,401
입학 우선권 / 99

자
自己規制 / 268
자금 조달 / 370~373
자기민족 중심주의 / 189
自治 / 399
전문대학원 / 122,203~205
전문직업교육 / 153
정년퇴직 / 264,305
政治場化된 대학 / 34
終身契約 / 297,314

終身在職權 / 30,51~52,265~268, 270,276,278
종신재직권 제도의 장단점 / 279
종신재직 코스制 / 257,288
종합대학교 학부대학 / 93,122, 141
존스 홉킨스대학 / 129,330
존 하버드像 / 241
準據集團 / 320
중대 과실 / 404,409
중앙집권적 一元制 / 53,408
中核敎育課程 / 80,176~177,303
지원자의 학비지불 능력과는 무관한 입학 및 장학정책 / 94,102
직무 태만 / 404,409
集中履修 / 163,219

차
差別修正措置 / 102,211,417
책무 수행 / 401
철학박사 학위 / 207,318
超過利潤 / 252
총장의 선출 / 393
최고 경영자 / 392,396

최상위권 10위 내지 20위 안에
　　　　　　　드는 대학 / 210
최상위권 50개 단설 학부대학 / 125
최상위권 사립대학 / 288
최정상급 공과대학 / 96
忠誠宣誓 / 244
7+1회의 / 84

카　　　　　　　　　
칼텍 / 49,96
캘리포니아대학 / 56
컬럼비아대학 / 34,84,331,356
케임브리지대학 / 48,51
켄트 주립 대학 / 38
코넬대학 / 34,58,84,129

타　　　　　　　　　
텍사스대학 / 330～331
퇴직연령 / 213,307
특별 利益社會로서의 대학 / 363
特任委員會 / 292～295
특차 입학예정자 / 118

파　　　　　　　　　
파리대학 / 333
퍼블릭 아이비 / 32～33
펜실베이니아대학 / 84
平等權 / 54,383～384
平等審査制 / 429
평생교육 / 160,219
프린스턴 계획 / 391
프린스턴대학 / 40,77,95,207,281

하　　　　　　　　　
하버드대학 경제학과 / 147,283,
　　　　　　　290
하버드대학교 文理科大學 / 28～
　　　　　　　29,108,199,321
하버드대학 교수회 / 39
하버드대학 생물학과 / 74,84
하버드대학 입학사정위원회 / 107,
　　　　　　　108
하버드대학 철학과 / 75
하버드 야드 / 239
하버드 크림슨 / 38,78

學科에 대한 비난 / 301~302

학과 운영위원회 / 292

학과장의 권한 강화 / 410~411

학교선택의 자유 / 94

학력적성검사 / 97~98,104

학문의 자유 / 267

학문적 재능 / 99

學部敎育 / 55,80

학업성취검사 / 98,110

학원 소요 / 30

학자생활의 어두운 측면 / 313~
314

학장의 일과 / 61,351

학장의 직무 / 349,418

學際的 接近 / 36,177,191,301

헤이버퍼드대학 / 119,146

顯示選好 / 254

協議와 責務 / 400

협의의 과정 / 400,401

히브루대학 / 406

대학, 갈등과 선택

Henry Rosovsky 著
이형행 譯

펴낸이/최우석
펴낸곳/삼성경제연구소
서울시 용산구 한강로 2가 191 국제센터빌딩 7-8층
전화/3780-8153 · 팩스/3780-8152

등록번호 제 2-1262호
등록일자 1991. 10. 21

1996년 8월 30일 초판 인쇄
1996년 9월 5일 초판 발행
1996년 11월 10일 2판 1쇄 발행

공급처:21세기북스
서울시 강남구 역삼동 831 혜천빌딩 1403호
전화/556-0557(영업) 556-8007(기획, 편집)
팩스/565-6717, 556-4060

값 10,000원

ISBN 89-7633-026-9 13300

잘못된 책은 바꾸어 드립니다.